シミュレイション内科

リウマチ・アレルギー疾患を探る

編著

山本 一彦
東京大学 教授

永井書店

●執筆者一覧●

《編　集》

山本　一彦　　東京大学医学部アレルギー・リウマチ内科　教授

《執筆者》(執筆順)

佐々木　毅　　東北大学大学院免疫・血液病制御学　教授
土屋　尚之　　東京大学大学院医学系研究科人類遺伝学　助教授
住田　孝之　　筑波大学大学院人間総合科学研究科先端応用医学専攻臨床免疫学　教授
針谷　正祥　　東京医科歯科大学膠原病・リウマチ内科/臨床試験管理センター　助教授
宮坂　信之　　東京医科歯科医学部膠原病・リウマチ内科学教室　教授
斎藤　博久　　国立成育医療センター研究所・免疫アレルギー研究部　部長
大島　久二　　藤田保健衛生大学医学部臨床検査部　教授
山口　正雄　　東京大学医学部アレルギー・リウマチ内科　特任講師
竹内　　勤　　埼玉医科大学総合医療センター第2内科　教授
橋本　直方　　昭和大学医学部第1内科学教室
足立　　満　　昭和大学医学部第1内科学教室　教授
高崎　芳成　　順天堂大学医学部膠原病内科学　助教授
天野　博雄　　群馬大学大学院医学系研究科皮膚病態学
石川　　治　　群馬大学大学院医学系研究科皮膚病態学　教授
熊谷　俊一　　神戸大学大学院生体情報医学講座臨床病態・免疫学分野　教授
山本　一彦　　東京大学医学部アレルギー・リウマチ内科　教授
保田　晋助　　北海道大学大学院医学研究科病態内科学講座・第2内科
小池　隆夫　　北海道大学大学院医学研究科病態内科学講座・第2内科　教授
三村　俊英　　埼玉医科大学内科学第2内科学教室　教授
川畑　仁人　　東京大学医学部アレルギー・リウマチ内科
平形　道人　　慶應義塾大学医学部内科　講師
中島　亜矢子　東京女子医科大学附属膠原病リウマチ痛風センター　講師
山中　　寿　　東京女子医科大学附属膠原病リウマチ痛風センター　教授
鈴木　康夫　　東海大学医学部内科学系リウマチ内科　助教授
田中　良一　　東京大学医学部アレルギー・リウマチ内科
藤林　孝司　　前獨協医科大学口腔外科学教室　教授
原　まさ子　　東京女子医科大学附属膠原病リウマチ・痛風センター　教授

上阪　　等	東京医科歯科大学大学院膠原病・リウマチ内科　助教授
吉藤　　元	京都大学大学院医学研究科内科学講座臨床免疫学
三森　経世	京都大学大学院医学研究科内科学講座臨床免疫学　教授
川合　眞一	東邦大学医学部付属大森病院膠原病科　教授
竹原　和彦	金沢大学大学院医学系研究科皮膚科学　教授
近藤　啓文	北里大学医学部膠原病・感染内科学　教授
尾崎　承一	聖マリアンナ医科大学リウマチ・膠原病・アレルギー内科　教授
折口　智樹	長崎大学医学部保健学科　助教授
江口　勝美	長崎大学大学院医歯薬学総合研究科病態解析・制御学講座　教授
山田　　明	杏林大学医学部第1内科学教室　教授
三森　明夫	国立国際医療センター第一病棟　部長
岩崎　　剛	兵庫医科大学内科学リウマチ・膠原病科
佐野　　統	兵庫医科大学内科学リウマチ・膠原病科　教授
菊地　弘敏	帝京大学医学部内科学教室
広畑　俊成	帝京大学医学部内科学教室　助教授
牛山　　理	佐賀大学医学部内科学教室
長澤　浩平	佐賀大学医学部内科学教室　教授
大河原雄一	ソニー（株）仙台テクノロジーセンター仙台健康開発センター 東北大学医学部感染症・呼吸器内科　非常勤講師
田村　　弦	東北大学医学部附属病院感染症・呼吸器内科　講師
森田　　寛	お茶の水女子大学保健管理センター　所長／同大学院人間文化研究科　教授
谷口　正実	国立病院相模原医療センター臨床研究センター　部長
大林　王司	帝京大学医学部内科学教室
大田　　健	帝京大学医学部内科学教室　教授
庄司　俊輔	国立病院機構福岡病院　副院長
藤山　幹子	愛媛大学医学部皮膚科学教室
橋本　公二	愛媛大学医学部皮膚科学教室　教授
岩田　　力	東京家政大学家政学部児童学科　教授
大砂　博之	ひろクリニック　院長
池澤　善郎	横浜市立大学大学院医学研究科環境免疫病態皮膚科学　教授

序　文

　本書は「リウマチ・アレルギー性疾患」について，医学生・研修医そして専門医を目指す内科医を対象に，シュミレイションによる症例検討とそこで直面する問題点を考察するというユニークなシリーズの一巻として企画されたものである．臨床医としての力は，教科書を読んだだけではなかなか身に付かないことは周知の事実である．多くの症例にあたり，そこで悩み考えてこそ実際の力がついてくる．本書はそれをシュミレイション症例によって提供しようとするものである．

　内科の領域の中でリウマチ性疾患とアレルギー性疾患は免疫応答の異常によって引き起こされる疾患群としての特徴を持っている．そこで総論ではそれらを意識しながら，免疫学と臨床を結びつけるように，教科書にない切り口で概説をしていただいた．

　実際のリウマチ性疾患，アレルギー性疾患の診療にあたり，まず診断が重要である．例えば全身性エリテマトーデス1つをとってみても，きわめて多彩な症状を呈し，どの症例も簡単に診断ができるわけではない．類似の疾患も多く存在する．そして多彩な臓器がおかされるのでそれを的確に診断しなければならない．診断の後，それぞれの病態に応じた治療法を選択し，その反応をモニターしながら寛解導入，維持療法へと持って行く．その際の副作用のチェックとその対策も重要である．全身性エリテマトーデスが診療できたら一人前の内科医であると言われる所以である．

　しかし従来は，免疫が関与する疾患は診断に至る道筋は多岐にわたり複雑であるが，治療法となるとステロイド薬と免疫抑制療剤がほとんどで，副作用も含め問題点が多く，無力感を感じる，と言わ

れることも多かった．ところが数年程前から，膠原病・リウマチ性疾患は最も刺激的で魅力に満ちた臨床領域の1つだと言われるようになってきている．それは免疫に関与する多くの分子が明らかになり，それに対するモノクローナル抗体を中心とした生物学的製剤と言われる分子標的療法が次々に開発されつつあるからである．我が国での現時点で使用可能な生物学的製剤は腫瘍壊死因子（TNF）を標的としたものだけであるが，欧米で治験中のものが相当数に及んでいる．免疫現象に関わる分子に関する知見はこれからさらに増えると考えられる．すなわち近い将来，アレルギー性疾患を含めて免疫が関与する疾患では，診断を確実に行いさらに病態を把握した上で，どのような分子を標的とする治療を実施するかということを考えなければならない時代に突入すると思われる．

　本書ではこのような「リウマチ・アレルギー性疾患」について，各疾患の中から代表的な状況をシュミレイションした．基本的な臨床力の向上にお役に立てば幸いである．

2005年4月

山　本　一　彦

目　　次

━━●━━総　論━━●━━

1　リウマチ性疾患の診察　　3
佐々木　毅

診察にあたって　3
視　診　3
問診（病歴作成）　3
身体所見の診察（現症）　4
　1．皮膚，粘膜所見　4
　2．眼　症　状　5
　3．頸　部　5
　4．胸　部　5
　5．腹　部　5
　6．四　肢　5
　7．関節の診断　5
　8．筋　肉　6
診察所見の記載　6

2　免疫疾患の疾患感受性遺伝子　　7
土屋　尚之

はじめに　7
理解のための基礎知識　7
　1．多　型　7
　2．交差，組換え　7
　3．連鎖，関連，連鎖不平衡　7
疾患感受性遺伝子の探索法―位置的アプローチ　7
　1．ゲノムワイド連鎖解析　8
　2．ゲノムワイド連鎖不平衡解析，関連解析　8
候補遺伝子アプローチ　8
結　語　9

3　自己免疫応答と組織障害　　11
住田　孝之

はじめに　11
自己免疫性疾患発症の分子機構　11
　1．引き金としての外来因子と分子相同性　11
　2．アポトーシス異常　11
　3．HLA分子　14
　4．疾患感受性遺伝子　14
　5．T細胞抑制シグナルの異常　14
　6．自己寛容の破綻　14
　7．レセプターエディティングの異常　15
　8．新しいepitope・variantの存在　15
組織障害（RAモデルを中心として）　15
　1．細胞障害性T細胞　15
　2．細胞由来の化学物質　16
　3．破骨細胞の活性化　16
おわりに　16

4　炎症に関わる分子とその制御　関節リウマチを中心に　　17
針谷　正祥

はじめに　17
サイトカイン　17
　1．サイトカインの特徴　17
　2．サイトカイン受容体の特徴　18
　3．サイトカインとT細胞サブセット　18
ケモカイン　19
　1．ケモカインの特徴　19
　2．ケモカイン受容体の特徴　20
接　着　分　子　20
　1．免疫担当細胞の血管外への遊出機構　20
　2．副刺激分子としてのインテグリン　21
サイトカイン・ケモカイン・接着分子と炎症病態形成　21
　1．RA滑膜炎の病態　21
　2．RA滑膜炎の人為的制御　22

5　アレルギー関与する分子　　23
斎藤　博久

緒　言　23
アレルギー体質獲得・疾患発症にかかわる分子　23
　1．Th1/Th2サイトカイン　23
　2．調節性サイトカイン　24
　3．ヒスタミン　24
　4．プロスタノイド　24
喘息等アレルギー性疾患重症化にかかわる分子　24
　1．IL-13　24
　2．IL-5　25
　3．ロイコトリエン，LT　25
　4．トリプターゼ　25
結　語　25

6　リウマチ診療の臨床検査　　27
大島　久二

はじめに　27
臨床検査の進め方と検査項目　27
末梢血・生化学的検査・尿検査　27
炎症マーカー　27
免疫・血清学的検査　28
代表的自己抗体　28
最　後　に　30

7 アレルギー診療での臨床検査　32
山口　正雄

はじめに　32
各種臨床検体における検査の概略　32
血清総IgEおよび特異的IgE測定　32
画像検査　33
呼吸機能検査　33
皮膚検査　34
抗原による誘発試験　34
具体的にどのような検査を行うか　35

8 膠原病・リウマチ性疾患に使われる治療薬 生物学的製剤を中心として　36
竹内　勤

はじめに　36
従来からの治療薬　36
　1．非ステロイド系抗炎症薬　36
　2．抗リウマチ薬　36
　3．免疫抑制薬　37
　4．ガンマグロブリン大量療法　37
新しい治療薬　37
　1．塩酸セビメリン　37
　2．ボセンタン　37
　3．エポプロステノールNa　37
生物学的製剤　37
　1．抗サイトカイン製剤　37
　2．抗B，抗T細胞製剤　38
　3．新たなTNFファミリー分子BAFFと全身性エリテマトーデス(SLE)　38
将来展望　39

9 アレルギー疾患に用いられる治療薬　41
橋本　直方/足立　満

緒言　41
気管支喘息　41
　1．はじめに　41
　2．気管支喘息の治療指針　41
アレルギー性鼻炎　45
　1．はじめに　45
　2．通年性アレルギー性鼻炎　45
　3．花粉症　46
アトピー性皮膚炎　46
　1．はじめに　46
　2．外用薬　46

疾患編

1 抗核抗体が陽性なら膠原病か？　51
高崎　芳成

【問題編】　51
症例呈示　51
設問　51
【解説編】　52
抗核抗体とは　52
　1．ANAの種類　52
　2．ANAの検出法　54
　3．抗核抗体の臨床的意義　55
問題の解説および解答　55

2 かゆくない皮疹・かゆい皮疹　56
天野　博雄/石川　治

【問題編】　56
症例呈示　56
設問　56
【解説編】　57
皮膚筋炎とは　57
　1．疾患概念　57
　2．合併症　58
　3．診断　58
　4．治療　59
問題の解説および解答　59
レベルアップをめざす方へ　60
　ガンマグロブリン大量療法　60

3 SLE患者が胸痛を訴えた！　どうする？　62
熊谷　俊一

【問題編】　62
症例呈示　62
設問　63
【解説編】　64
SLEの心肺病変　64
　1．SLEの心血管病変　64
　2．SLEの肺病変　64
問題の解説および解答　65

4 SLE患者が発熱と汎血球減少症を呈した！ 何を考えるか？　67
山本　一彦

【問題編】　67
症例呈示　67
設問　67
【解説編】　68
血球貪食症候群とは　68
　1．疾患概念　68
　2．診断　69
　3．治療　69
問題の解説および解答　69
レベルアップをめざす方へ　70
　AAHSの免疫学的機序　70
　新しい治療の可能性　71

5 SLE，抗リン脂質抗体症候群の経過中に発熱，貧血および血小板減少が出現　72
保田　晋助/小池　隆夫

【問題編】　72
症例呈示　72
設問　73

【解説編】 73
SLE患者における血小板減少症 73
　1．自己免疫性血小板減少症 73
　2．抗リン脂質抗体による血小板減少 73
　3．血球貪食症候群 74
　4．血栓性血小板減少性紫斑病 74
　5．DIC 74
　6．擬性血小板減少 74
　7．薬剤性血小板減少 74
問題の解説および解答 74
レベルアップをめざす方へ 75
　抗リン脂質抗体と血球減少 75

6　蛋白尿を呈したSLE患者は腎生検が必要!? 77
三村　俊英
【問題編】 77
症例呈示 77
設　問 77
【解説編】 78
ループス腎炎とは 78
　1．疾患概念 78
　2．病　因 78
　3．症　候 78
　4．診　断 78
　5．分　類 79
　6．治　療 79
　7．予　後 79
問題の解説および解答 80
レベルアップをめざす方へ 80
　腎生検の必要性 80
　activity indexとchronicity index 81
　ループス腎炎の予後不良因子 81

7　SLE患者に認知障害が出現!? 82
川畑　仁人
【問題編】 82
症例呈示 82
設　問 83
【解説編】 83
CNSループスとは 83
　1．診　断 83
　2．治　療 84
問題の解説および解答 84
レベルアップをめざす方へ 86
　中枢神経系と免疫 86

8　SLE患者を経過観察していたら新たな症状が出現し，検査値が変動した! 88
平形　道人
【問題編】 88
症例呈示 88
設　問 88
【解説編】 90
SLEの活動性評価 90
　1．SLEの全般的活動性判定基準 90
　2．臓器病変による活動性の評価 92
問題の解説および解答 93

9　多関節炎と朝のこわばり　RAらしいが診断基準に満たない!どうする? 95
中島亜矢子/山中　寿
【問題編】 95
症例呈示 95
設　問 95
【解説編】 96
　1．多関節炎をきたす疾患 96
　2．朝のこわばり・手の浮腫感 96
　3．関節リウマチとは 96
　4．関節リウマチを疑ったときの検査 96
　5．リウマトイド因子について 96
　6．鑑別診断・類縁疾患 96
　7．関節リウマチの診断 96
　8．関節リウマチの治療 97
問題の解説および解答 97
レベルアップをめざす方へ 98
　1．抗環状シトルリン化ペプチド抗体，抗ケラチン抗体，抗核周囲抗体 98
　2．抗ガラクトース欠損IgG抗体 98
　3．マトリックスメタロプロテアーゼ3 98

10　発症1年のRAだが，関節の炎症は強く，骨・軟骨の変化を認める!治療は? 99
鈴木　康夫
【問題編】 99
症例呈示 99
設　問 99
【解説編】 100
　1．早期DMARD療法の意義 100
　2．Strong DMARDとmild DMARD 100
　3．DMARD治療効果の評価法 101
問題の解説および解答 102
レベルアップをめざす方へ 103
　DMARD併用療法 103

11　10年来のRA患者　2週間前から徐々に息切れが強くなってきた!? 105
田中　良一
【問題編】 105
症例呈示 105
設　問 105
【解説編】 107
RAの肺病変 107
　1．胸膜病変 107
　2．リウマトイド結節 107
　3．間質性肺炎 107
　4．気道病変 108
　5．肺血管病変 108
　6．薬剤性肺障害 108
　7．肺感染症 109
　8．睡眠時無呼吸症候群 109
問題の解説および解答 109
レベルアップをめざす方へ 110
　間質性肺炎の分類 110

12 口と目の乾燥状態と唾液腺の腫脹を認めた中年女性 どうする？ 112
藤林 孝司

【問題編】 112
症例呈示 112
設　問 112
【解説編】 113
1．シェーグレン症候群の疾患概念 113
2．症　候 113
3．診　断 113
4．治　療 114
問題の解説および解答 114
レベルアップをめざす方へ 115
1．シェーグレン症候群の腺外病変 115
2．シェーグレン症候群のリンパ増殖性病変 115

13 肝障害あるも放置 最近階段の昇降がつらくなった！？ 117
原 まさ子

【問題編】 117
症例呈示 117
設　問 117
【解説編】 118
多発性筋炎 118
1．疾患概念 118
2．病　因 118
3．症　候 118
4．診　断 119
5．治　療 119
6．予　後 120
7．類縁疾患 120
8．患者の生活指導，その他 120
問題の解説および解答 120
レベルアップをめざす方へ 121
PMの免疫学的発症機序 121
筋炎関連自己抗体 121

14 CKが高いと筋炎か？ 122
上阪 等

【問題編】 122
症例呈示 122
設　問 123
【解説編】 123
クレアチン・キナーゼ上昇の鑑別診断 123
1．CKとは 123
2．筋逸脱酵素としてのCK 123
3．骨格筋由来CK上昇をともなう主な疾患 124
4．健常者でCK上昇をともなう場合 124
問題の解説および解答 124

15 PM/DMの患者が乾性の咳と呼吸困難を訴えた！？ 126
吉藤 元/三森 経世

【問題編】 126
症例呈示 126
設　問 126
【解説編】 127
PM/DMに合併する間質性肺炎について 127
1．疾患概念 127
2．診　断 128
3．治　療 128
問題の解説および解答 128
レベルアップをめざす方へ 129

16 筋肉が痛いがCKが正常な高齢の患者は筋炎？ 130
川合 眞一

【問題編】 130
症例呈示 130
設　問 130
【解説編】 131
リウマチ性多発筋痛症とは 131
1．疾患概念 131
2．診　断 131
3．治　療 132
問題の解説および解答 132

17 レイノー症状がある指先がしびれるが他は何ともなかったが 急に指が腫脹してきた！何を疑う？ 134
竹原 和彦

【問題編】 134
症例呈示 134
設　問 135
【解説編】 136
1．疾患概念 136
2．診断と主要な検査 136
3．治　療 137
問題の解説および解答 137
レベルアップをめざす方へ 138

18 強皮症患者が急に高血圧を呈した！？ 139
近藤 啓文

【問題編】 139
症例呈示 139
設　問 139
【解説編】 140
1．全身性強皮症と病型 140
2．強皮症腎クリーゼとは 140
3．高血圧性腎クリーゼの病態 140
4．腎クリーゼの診断 141
5．治　療 141
問題の解説および解答 141
レベルアップをめざす方へ 142
強皮症腎クリーゼの多様性 142

19 高齢男性が持続する発熱，体重減少，多関節炎，網状皮斑，下垂足を訴えた！？ 143
尾崎 承一

【問題編】 143
症例呈示 143
設　問 143
問題の解説および解答 144
【解説編】 145
顕微鏡的多発血管炎とは 145

1．疾患概念	145
2．診断	145
3．治療	146
レベルアップをめざす方へ	146
ANCA関連血管炎の発症機序	146
ANCA関連血管炎のEBM：To pulse or not to pulse？	147

20　数年来の喘息患者が急に手足の感覚障害と筋力低下を訴えた！？　148
　　　　　　　　　　　　折口　智樹／江口　勝美

【問題編】	148
症例呈示	148
設問	148
【解説編】	149
チャーグストラウス症候群とは	149
1．疾患概念	149
2．病理	149
3．臨床症状・検査所見	149
4．診断	149
5．治療	150
6．予後	151
問題の解説および解答	151
レベルアップをめざす方へ	152
ANCA関連血管炎	152

21　鼻閉，眼痛，胸部XPでの結節影！急速進行性腎炎？　154
　　　　　　　　　　　　　　　　　　山田　明

【問題編】	154
症例呈示	154
設問	155
【解説編】	155
Wegener肉芽腫症とは	155
1．疾患概念	155
2．診断	156
3．治療	156
問題の解説および解答	157
レベルアップをめざす方へ	159

22　若い女性が微熱が続き，貧血，赤沈・CRPの亢進を指摘された！？　160
　　　　　　　　　　　　　　　　　　三森　明夫

【問題編】	160
症例呈示	160
設問	160
【解説編】	161
高安動脈炎について	161
1．疫学と病態	161
2．大型動脈の病変を示す鑑別疾患	161
3．高安動脈炎の症状，血液検査所見	161
4．高安動脈炎の画像診断	162
5．治療	162
問題の解説および解答	162
レベルアップをめざす方へ	163

23　高齢者がこめかみに痛み　咀嚼時の疲労感，肩から上肢への筋肉痛を訴えた！？　164
　　　　　　　　　　　　　岩崎　剛／佐野　統

【問題編】	164
症例呈示	164
設問	165
【解説編】	165
リウマチ性多発筋痛症，側頭動脈炎とは	165
1．疾患概念	165
2．診断	166
3．治療	166
問題の解説および解答	166
レベルアップをめざす方へ	167
TAの発症機序	167
新しい治療法の可能性	167

24　諸症状からベーチェット病と診断された患者に小脳症状と精神症状が出現！なにを考えるか？　168
　　　　　　　　　　　　菊地　弘敏／広畑　俊成

【問題編】	168
症例呈示	168
設問	168
【解説編】	169
神経ベーチェット病とは	169
1．疾患概念	169
2．診断	169
3．治療	170
問題の解説および解答	170
レベルアップをめざす方へ	171

25　若年女性　高熱・間歇熱と隆起のない5mm程の紅斑が出現し　解熱時褪色リンパ節の腫大あり！？　172
　　　　　　　　　　　　牛山　理／長澤　浩平

【問題編】	172
症例呈示	172
設問	173
【解説編】	173
成人スチル病	173
1．疾患概念	173
2．診断	174
3．治療	174
問題の解説および解答	175
レベルアップをめざす方へ	176
成人スチル病とフェリチン	176

26　中年男性　夜間起座呼吸で救急へ肺野にWheezeを聴取！？　177
　　　　　　　　　　　　大河原雄一／田村　弦

【問題編】	177
症例呈示	177
設問	177
【解説編】	178
気管支喘息	178
1．疾患概念	178
2．診断	179

3．治　　療	179
問題の解説および解答	179
レベルアップをめざす方へ	180
気道壁リモデリングの機序	180
喘息治療における early intervention の意義	180

27　喘息発作で来院　薬物療法にて軽快！今後は？　　182
　　　　　　　　　　　　　　　　　　　森田　寛

【問　題　編】	182
症　例　呈　示	182
設　　　　　問	182
【解　説　編】	183
気管支喘息について	183
1．定　　義	183
2．分　　類	183
3．病　　因	183
4．病態生理	183
5．臨床症状	184
6．診　　断	184
7．治　　療	184
問題の解説および解答	186
レベルアップをめざす方へ	187
1．胃食道逆流症	187
2．月経関連喘息	187
3．薬物喘息	187

28　中年に発症した喘息患者が　歯科処置後の薬を服用後　呼吸困難！？　　188
　　　　　　　　　　　　　　　　　　　谷口　正実

【問　題　編】	188
症　例　呈　示	188
設　　　　　問	188
【解　説　編】	189
1．総　　論	189
2．疾患概念	189
3．病　　因	189
4．症候（臨床像）	189
5．診　　断	190
6．治　　療	190
7．患者への指導	191
問題の解説および解答	191
レベルアップをめざす方へ	192
臨床像からアスピリン喘息を推定する	192
COX1阻害薬過敏性≒アスピリン不耐症	192
システィニルロイコトリエンの関与	192
アスピリン脱感作とその機序	192

29　制御困難な喘息症状の患者　末梢好酸球とIgEの異常高値　胸には異常影！何を疑う？　　194
　　　　　　　　　　　　　　　　大林　王司/大田　健

【問　題　編】	194
症　例　呈　示	194
設　　　　　問	195
【解　説　編】	195
アレルギー性気管支肺真菌症とは	195
1．疾患概念	195

2．診断と治療	196
問題の解説および解答	196
レベルアップをめざす方へ	197

30　肺炎で抗生剤を使用　肺の陰影，呼吸困難，CRPもほぼ改善したが弛張熱が持続！重症感はないがどうする？　　199
　　　　　　　　　　　　　　　　　　　庄司　俊輔

【問　題　編】	199
症　例　呈　示	199
設　　　　　問	199
【解　説　編】	200
「薬剤熱」とは？	200
1．疾患概念	200
2．成因別発症機序	200
3．症　　候	200
4．診　　断	201
5．治　　療	201
問題の解説および解答	201
レベルアップをめざす方へ	202
薬物アレルギーの診断に用いられる検査法のいろいろ	202

31　抗けいれん薬投与数週で皮疹，高熱，リンパ節腫脹，異型リンパ球の出現!?　　204
　　　　　　　　　　　　　　　　藤山　幹子/橋本　公二

【問　題　編】	204
症　例　呈　示	204
設　　　　　問	204
【解　説　編】	205
1．重症薬疹とは	205
2．DIHSの解説	205
3．診　　断	205
4．治　　療	206
5．予　　後	206
問題の解説および解答	206
レベルアップをめざす方へ	206
HHV-6の再活性化の診断	206
DIHSの合併症	207

32　あまり摂食はしないがカニを食べたら数十分で蕁麻疹出現　次第に気管支喘息様症状が!?　　208
　　　　　　　　　　　　　　　　　　　岩田　力

【問　題　編】	208
症　例　呈　示	208
設　　　　　問	208
【解　説　編】	209
食物アレルギーとその対策	209
1．疾患概念	209
2．病　　因	209
3．症　　候	209
4．診　　断	209
5．治　　療	210
6．予　　後	210
問題の解説と解答	210

**33 アボカド，バナナなどを食べるとのどに
かゆみを訴えていた！ 虫垂炎の手術で
手術開始直後に血圧が低下？** 212

　　　　　　大砂　博之／池澤　善郎

【問題編】
症例呈示 212
設　問 212
【解説編】 213
　1．疾患概念 213
　　　ラテックスアレルギー 213
　　　Latex-fruit syndrome 213
　2．症　　候 213
　3．診　　断 214
　4．予防と対応 214
　5．患者の生活指導 215
問題の解説および解答 215
レベルアップをめざす方へ 216
　　ラテックス抗原 216
　　oral allergy syndrome 216

索　　引 219

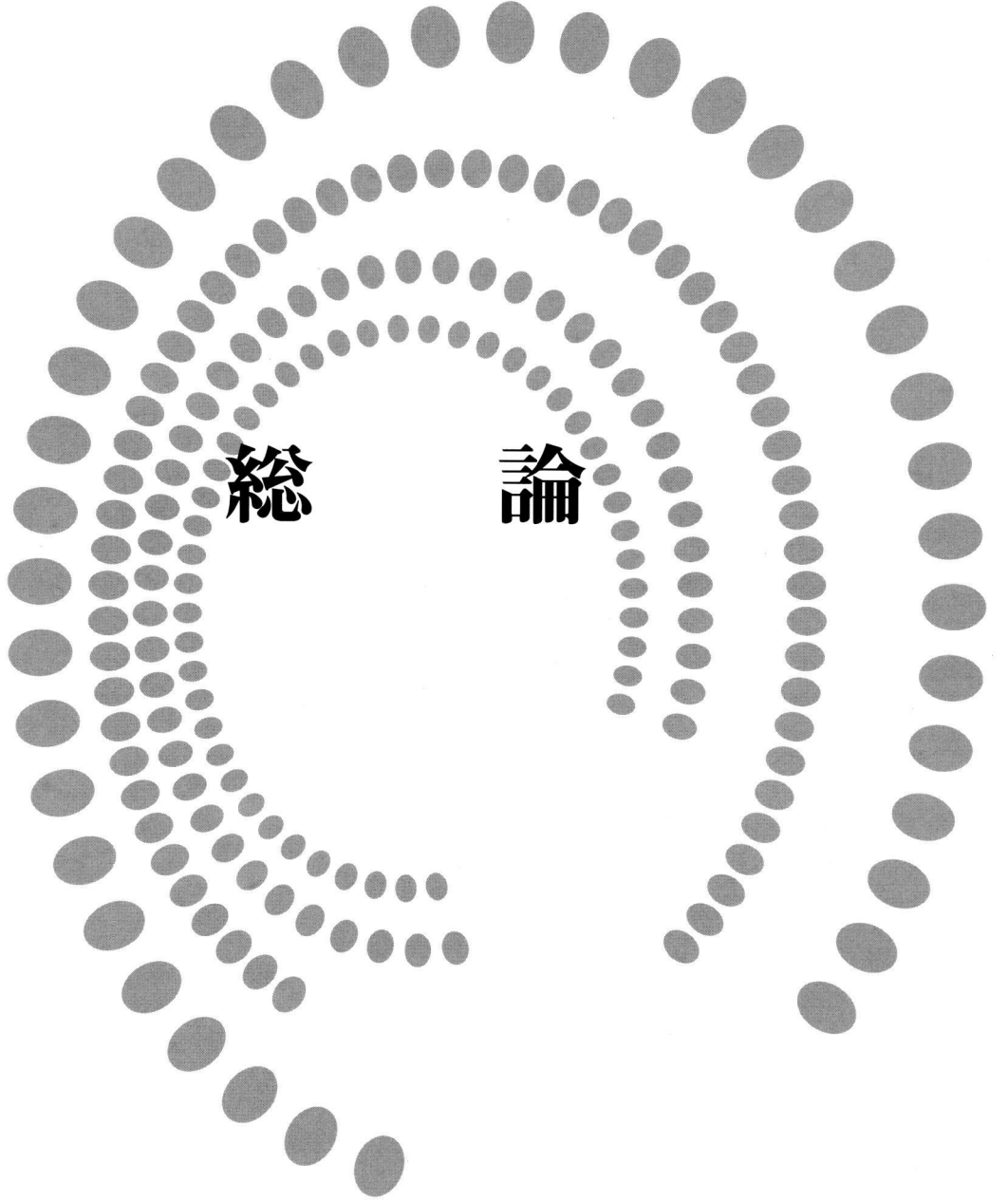

総論

1. リウマチ性疾患の診察● 3
2. 免疫疾患の疾患感受性遺伝子● 7
3. 自己免疫応答と組織障害●11
4. 炎症に関わる分子とその制御―関節リウマチを中心に●17
5. アレルギー関与する分子●23
6. リウマチ診療の臨床検査●27
7. アレルギー診療での臨床検査●32
8. 膠原病・リウマチ性疾患に使われる治療薬―生物学的製剤を中心として●36
9. アレルギー疾患に用いられる治療薬●41

総 論

1 リウマチ性疾患の診察

診察にあたって

リウマチ性疾患の診療にあたっては基本的な診察に加えて本領域に特有な病態を考慮する必要がある．まず，リウマチ性疾患の診察では関節およびその付近の痛みが生じるいわゆるリウマチが主たる対象となるのでこの点に精通する必要がある．と同時に，関節以外の所見にも充分に留意しなければならない．すなわち，本領域の疾患は，全身性の症状や臓器障害を生じることが多く，これは自己免疫系の異常に基づいた病態によること，経過では活動期と非活動期があり，活動期では放置すると病気が悪化，機能不全に陥ることがある（図1）．これを防ぐために活動度などの病態に応じた早急，かつ適切な対応が必要とされる．

本領域の診療では検査所見を過剰に重視することは適切でない．問診，身体所見，検査所見，診断基準を含めた総合的見地からの判断に基づき治療方針の決定，予後推定などが行なわれるので診察を大事である．

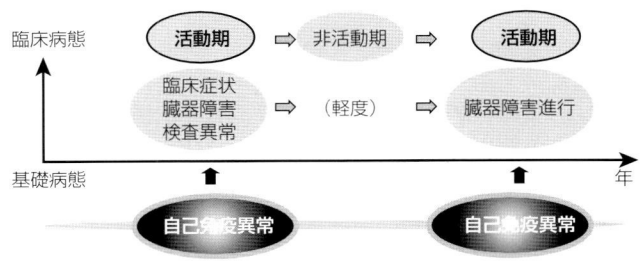

図1 リウマチ性疾患の特徴

視　診

診察は患者との出会いから始まる．会った時点で顔の表情，行動の状態などから全身状態が推察されることも多い．また運動障害の程度も推定できる．

問　診（病歴作成）

基本的な診察法に沿い要領よく，主訴，家族歴，既往歴，現病歴に関する情報を得る．

主　訴　抗核抗体陽性などで精査を目的として訪れた場合でも可能な限り「本人の訴え」を記載する．

家族歴　リウマチ性疾患（関節炎，痛風，膠原病，血栓症など）や主訴に関連した疾患を中心に聴取する．

既往歴　主訴あるいは臨床診断に直結しないと考えられる過去の病歴を記載する．習慣性流産，扁桃腺炎，消化器症状，気管支喘息の既往歴も聞いておく．

現病歴　リウマチ性疾患例での訴えは多い．これらについて症状の始まりからその経過，現在の状況までを，加えて関連する事項もくまなく聴取する．本人が気づかない，あるいは述べない症状もありうるので医師による聞き出しが必要なことが多い．病歴は聴取後に整理し，カルテに記載する．

1）発病の状況

症状のはじめはいつか（時期），それは突然（急性）か，徐々に生じたか，病状の内容（関節症状の場合は部位，対称性，単発性か持続性か，遊走性，運動に関連する痛みか，局所の発熱，腫脹，発赤を伴うかなど），主訴の随伴症状（発熱などの全身症状を含む），症状の出現する前の状況（先行する上気道感染症，日光暴露，妊娠，出産，薬剤の使用など）

2）（治療による）経過および現在の状況，日常動作の状況

急性であったか，慢性に経過しているなど，症状の程度の変化，各症状の出現の時間的な差，関連する臓器障害，機能障害の程度などの現在の状況．

3）リウマチ性疾患の診療で中心となる自覚症，関節痛の問診

関節痛は関節障害によるか，周囲組織の障害に基づくか：前者では痛みは関節に限局し，自動および他動運動により増強する．腱鞘炎，滑液包炎，結合織炎では，圧痛などの他覚的所見は関節以外の部位で認められる．

障害発症の様式：関節痛が単発性か多発性か，さらにおのおのが急性か慢性かを確認することは鑑別診断に大事である．急性単関節痛は痛風，細菌性関節炎，急性骨髄炎，出血など救急治療を必要とする疾患が多い．

慢性単関節痛は局所症状がにかよっているので鑑別診断がしばしば難しい．多発関節痛の原因は全身性のリウマチ性疾患によることが多い．急性の場合はリウマチ熱，淋菌性関節炎，腸炎に伴う関節炎などがあるが関節症状が移動性である．ヒトパルボウイルスB19，風疹らのウィルス性関節炎，膠原病に伴う関節痛なども急性に，また，痛風では20％が，さらに関節リウマチでもときにはこの形で発症する場合もある．

慢性に経過する代表は関節リウマチであり，乾癬性関節炎，変形性関節症である．強直性脊椎炎，反応性関節炎，サルコイドージスでも慢性多発性関節炎がみとめられる．

炎症性か非炎症性か：炎症によるものは関節の腫脹，圧痛，熱感，発赤が認められるのでこの点を確認する．

4）関節以外の特徴的な症状の確認

悪寒戦慄を伴わない発熱

皮膚粘膜症状：紅斑，色調（レイノー現象，チアノーシスなど），手指腫脹，浮腫，硬化，出血，結節，潰瘍，脱毛，日光過敏性，口内炎，外陰部潰瘍，虫歯，結膜炎他の眼症状，鼻粘膜症状

運動器症状：筋痛，筋力低下，脱力
呼吸器症状：胸痛，気管支喘息ほか
消化器症状：腸炎，膵臓炎，肝障害など
尿路症状：血尿，蛋白尿ほか
神経系症状：けいれんなどの中枢神経症状，しびれなどの末梢神経症状

 身体所見の診察（現症）

リウマチ性疾患例の訴えは関節などの局所的な訴えであることが多いために診察においては痛みのある関節だけに目がうばわれやすく，全身の診察が不足することがある．一方，内科医師は関節所見を軽視しがちであると指摘されている．両者ともにリウマチ性疾患の診療では適切ではない．全身所見，全運動器，各臓器に関する所見について視診，触診，打診，聴診による診察が必要とされる．本稿では基本的な全身，打診，聴診，神経学的検査は診断学成書をみていただくとして，リウマチ性疾患診療に特有な視診，触診を中心に述べる．以下における★はそれだけで診断的な価値がきわめて高い所見を示し，ほか（・）は近似する他疾患でも出現しうる所見であり，確定診断を行ううえでのひとつの根拠として有用とされる．

1．皮膚，粘膜所見

発疹紅斑：

- ★顔面にかゆみの伴わない蝶形紅斑や隆起性円板状発疹（SLE，MCTD）
- ・手指，手掌の浸出性紅斑，爪周囲のしもやけ様紅斑（SLE，MCTD）
- ★上眼瞼部の青味をおびた暗赤色の浮腫であるヘリオトロープ疹（皮膚筋炎）
- ★手指関節背側部の落屑，色素沈着や脱失，萎縮を伴う軽度隆起した暗赤色紅斑で肘，膝，肩関節の伸側にも出現しうる発疹：ゴットロン徴候（皮膚筋炎）
- ★サーモンピンク様の鮮やかな紅疹（成人型スティル病，若年性関節リウマチ）
- ★触知できる紫斑あるいは紅斑 palpeble purpula（血管炎症候群）
- ・結節性紅斑（結節性紅斑，ベーチェット病，血管炎症候群，深在型ループスなど）
- ・網状紅斑 livedo reticularis（抗リン脂質抗体症候群APSなど）
- ・環状紅斑（SSA抗体陽性シェーグレン症候群）
- ・乾癬（乾癬性関節炎）
- ・レーノー現象，血管れん縮（強皮症，SLE，MCTD，シェーグレン症候群など）

硬化・腫脹：

- ★手指硬化 sclerodactylia および全身性硬化（強皮症，MCTD）
- ★圧痕を残さないソーセージ様手指腫脹 sausage hand（MCTD，強皮症初期）

・色素沈着，脱失（強皮症）
・軟骨炎症による耳介，鼻，肋骨部の皮膚発赤，腫脹（再発性多発性軟骨炎）
・頭部のびまん性脱毛（SLE）

皮下結節：肘伸側前腕部に多い，痛みなし（関節リウマチ）
・熱，発赤を伴う有痛性皮下結節（痛風）

出血・潰瘍：
・皮下点状出血（シェーグレン症候群など）
・爪下の点状出血（血管炎症候群，強皮症など）
・皮膚梗塞，潰瘍（APS，血管炎症候群，強皮症，クリオグロブリン血症など）

粘　膜：
・アフタ性口内炎，口内潰瘍（SLE，ベーチェット病）ドライマウス，虫歯多数（シェーグレン症候群）
・陰部潰瘍（ベーチェット病）

2．眼　症　状
・ブドウ膜炎（ベーチェット病など）
・瞳孔の辺縁不整（若年性関節リウマチ）
・（上）強膜炎（関節リウマチ）
・涙液減少，ドライアイ（シェーグレン症候群）

3．頸　　　部
・リンパ腺腫脹（SLEほか）
・唾液腺腫脹（シェーグレン症候群）
・甲状腺腫（橋本病の合併など）
・総頸動脈部の圧痛，あるいは収縮期雑音（大動脈炎症候群：高安病）
・耳介の皮膚変化（SLE，皮膚筋炎，悪性関節リウマチ血管炎）皮下（痛風，軟骨炎）

4．胸　　　部
・ラ音，Velcroラ音（間質性肺炎）
・胸水，心膜炎（SLE，ほかの膠原病）
・心雑音（心内膜炎：SLE，APSなど，大動脈弁閉鎖不全：高安病など）

5．腹　　　部
・腹水（SLEなど）
・肝，脾腫大
・腹部雑音（高安病）

6．四　　　肢（関節を除く）
・両下腿のむくみ（ループス腎炎などの全身性疾患）
・局所あるいは偏側性のむくみ（血栓性静脈炎など：APS，ベーチェット病）
・脈の左右差（高安病）
・皮膚所見（上記）

7．関節の診察（視診および触診が重要）

　まず，姿勢，体位と身体の動き（立位のみならず，座位，臥位状態も含む）を観察する．全身の関節を系統的に（両顎関節から始まり，大関節，手指，足関節まで）関節の腫脹，圧痛，熱感，発赤の炎症所見と運動制限の程度を診る．関節の痛みと訴えても関節炎ではなく，アキレス腱や筋付着部の痛みで付着部enthesopathyであることがあるので関節の診察法により区別する．

1）関節の異常所見

　腫　　脹：炎症性の関節腫脹は「軟らかく」，骨性増殖は「硬く」触れる．関節腔の液は関節面に添えた手に波動として感知される．

　関　節　痛：手指で関節包を関節表面に皮膚にしわが寄る程度に圧迫して，痛みが関節内によるものか，関節外，周囲（腱付着部，靭帯，滑液包，筋肉，皮膚）によるかを明らかとする（圧痛）．安静時の関節の痛みを自発痛とよぶが，慢性状態では運動痛が主となるので他動による運動痛の出現もみる．

　熱感，発赤：主に急性関節炎で認める．関節リウマチほかでの滑膜炎は関節内部での炎症であるために軽微のことが多いので，その近接する皮膚の温度との比較など注意深い触診が必要である．局所に出現し，発赤や熱感が強い場合には，皮下に沈着して強い炎症性因子を出す痛風を念頭におく．

　関節可動性：自動運動，検者による他動運動にて調べる．日常診療では他動運動にて判定するが，正確には日本整形外科学会と日本リハビリテーション学会の「新関節可動域測定法」に沿って行う．

　永続性に運動制限がみられる場合は関節病変では骨性破壊や関節面の破壊などである．

　軋轢音，捻髪音：関節の他動運動により生じる．関節面が磨耗して正常軟骨が消失あるいは著明に減少していることを示す．

　関節の不安定性，変形：関節表面の軟骨が破壊されると腱に緩みを生じ，関節は不安定になり，アライメント不良，変形を認める．
・ボタン穴変形，スワンネック変形など（関節リウマチ）
・遠位指節関節DIPでの変形した骨性隆起，ヘバーデ

ン結節（変形性間接小）
・近位指節関節PIPでの変形した骨性隆起，ブシャール結節（変形性関節症）

2）関節の診察法

常に関節を触れ，正常とされる部位との比較をすること，骨格系の解剖教科書により所見を確認することを心がける[1]）．

頸　　椎：斜頸の有無を確かめ，他動的に注意して回しながら軋轢音の有無を調べる．
なお，過度の前屈位をとることがないように注意する．

顎関節：腫脹はまれである．第2指を外耳道に入れて，拇指で顎関節を触知しながら顎を動かさせることにより軋轢音の有無をみる．

肩関節：患者の背後から肩全体を両手で包み込み，関節の腫れの感触を探る．

胸鎖関節：視診により腫脹を観察する．

肘　関　節：腫脹があるときは腕を伸ばすと肘頭部のくぼみが消え，関節の動きが悪くなり，肘の充分な伸展が困難となる．

手，手指関節：手首を両手で包み込みながら，あるいは手指については検者の拇指，第2指で関節を挟み込むようにしてみる．PIP関節はさらにもう一方の手の拇指，第2指も使い四方から関節を包み込むようにしてみる．

股　関　節：関節の触診は不可．病変の有無は膝関節をもち，下肢全体を内外に回旋することが円滑に行えるかで推定できる．

膝　関　節：片手で膝蓋骨，膝蓋上包部を足先に向けて圧迫して，対側の示指で膝蓋骨を垂直に押すと，関節液があるときには膝蓋骨が浮いている感じを指腹に認める．あるいは膝の一方の側面をこすって滑液を他方に移動させることをはかり，滑液が集まったを軽く打つと，反対側に波動やふくらみが生じる．また，大腿四頭筋の萎縮，膝関節の不安定性をみる．

足　関　節：前足首の部分を手掌で包み込むようにして腫脹を調べる．足指関節は自分の指で前後から挟み込んで疼痛，腫脹の有無をみる．

8．筋　　肉

筋肉の萎縮，肥大，筋力低下，筋痛（自発痛，握痛），筋緊張の有無と程度を調べる．
障害部位（近位筋か遠位筋か）も明らかとする．

診察所見の記載

1．全所見を整理し，ただちにカルテに記載する．
2．記載にあたってはフォーマットを作成すると便利である．

関節所見は図を作成し，書き込む様式が望まれる（図2）．

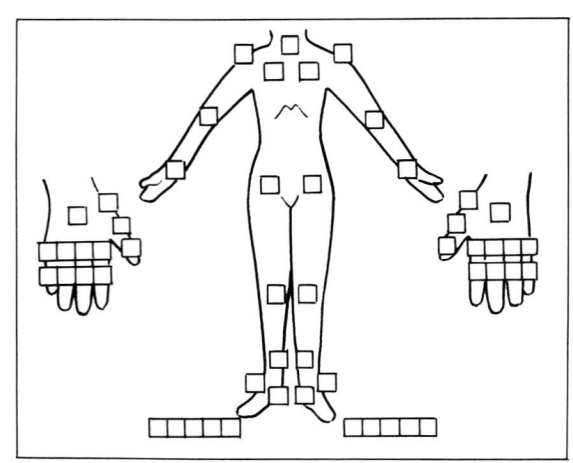

図2　関節所見

●文　　献●
1）高杉　潔：関節所見の取り方．リウマチ性疾患へのアプローチ．参天製薬2003．

［佐々木　毅］

総論 2 免疫疾患の疾患感受性遺伝子

はじめに

免疫疾患の多くに遺伝的背景が存在するが、明らかなメンデル型の遺伝様式をもち、責任遺伝子が同定されているものは、原発性免疫不全症、autoimmune polyendocrinopathy － candidiasis － ectodermal dystrophy syndrome（APECED）、autoimmune lymphoproliferative syndrome（ALPS）、TNF receptor － associated periodic syndrome（TRAPS）などの頻度の低い疾患であり、日常臨床の場で遭遇する疾患のほとんどは、個々の寄与は小さい複数の遺伝子と後天的要因の総和で発症に至ると考えられる、多因子疾患（multifactorial disease, complex disease）である。これらの疾患の感受性に関連する遺伝子のうちで確立したものはごく一部であり、現在、多くの疾患において、活発な研究が進行中である。本稿では、これまでの膨大な研究の羅列ではなく、現在どのようなアプローチで疾患感受性遺伝子の研究が進行しているかを、代表的な免疫疾患の例を引きつつ概説し、読者が今後の研究を理解するための一助となるよう期待する。

理解のための基礎知識

まず、以下の議論を理解するための遺伝学の予備知識を簡単にまとめる。

1. 多　型

ゲノムDNAには、集団全体でみると、約300〜1000塩基対に1カ所の個体差がある。これらのうち、ある程度頻度が高いもの（最も頻度が高い配列以外の配列が、集団中に1％以上存在する場合）を、多型（polymorphism）と呼ぶ（ただし、最近では、頻度の低いものもあわせて多型とよばれる場合もしばしばある）。多型が存在するために、同じ遺伝子座（locus）に集団中で複数の配列がある場合、それらの一つ一つを、対立遺伝子（アリル、allele）とよぶ。常染色体上のある1つの遺伝子座について、ある個体は、父方から1つ、母方から1つの対立遺伝子をもっている。

2. 交差、組換え

減数分裂時に、父方から由来した染色体と、母方から由来した同じ染色体（相同染色体）は対合するが、その際、一つの染色体あたり、平均1回以上の交差（crossover）がおこり、その結果、染色体のつなぎ換えが起こる。これを組換え（recombination）という。

3. 連鎖、関連、連鎖不平衡

連鎖（linkage）は、2つ以上の遺伝子が同一染色体上にあるために、一緒に子孫に伝達されることをいう。関連（association）とは、集団において、複数のアリルや表現型が、偶然期待されるよりも高頻度に共存することをいう。連鎖が遺伝子座間の関係であるのに対し、関連はアリル間、あるいはアリルと表現型の関係である。

連鎖する2つ以上のアリル間に、集団において関連がみられる場合、「連鎖不平衡（linkage disequilibrium, LD）にある」という。これは、通常2つの遺伝子が同じ染色体に近接して存在するときに、両者の間に組換えが起こる頻度が低いため、観察される。

疾患感受性遺伝子の探索法
一位置的アプローチ

上記の連鎖あるいは連鎖不平衡を利用して、ゲノム全体に分布する多数のDNAマーカーを用い、疾患感受性遺伝子の染色体上の位置をマップし、徐々に絞り込んでいくアプローチである。

1. ゲノムワイド連鎖解析

同じ家系内で同じ疾患に罹患している場合は，同じ疾患関連遺伝子が関与している可能性が高く，しかも同一家系内なので，介在する減数分裂の数が少なく，2人の患者間で共有される染色体断片が長いことを利用して，ゲノム全体に分布する300〜400個程度のDNAマーカーを用い，同一家系内で疾患とともに伝達されているマーカーを見つけることにより，まず疾患関連遺伝子の位置を見いだそうとするアプローチである．疾患多発大家系，あるいは多数の罹患同胞対（同じ疾患に罹患した兄弟姉妹）が利用されるが，多因子疾患では，検体収集の容易さなどのいくつかの理由により，後者が適している．本法では約10 Mb以上に候補領域を狭めることが困難なため，検出された領域は，後述する連鎖不平衡解析，関連解析の方法で，非血縁検体を用いて狭めていく．

この方法は，ゲノム全体にわたる網羅的な検索が可能なこと，疾患の発症における遺伝要因の関与が大きいと思われる群を対象にすること，対立遺伝子異質性（同じ遺伝子であっても，症例によって別の変異が原因になっていること）がある場合でも関連遺伝子の遺伝子座を検出できることなどの利点がある．反面，検出力が低く，弱い寄与の疾患感受性遺伝子が検出しにくいという問題がある．

多因子疾患において，このアプローチから候補領域を見いだし，疾患感受性遺伝子の検出に至った例として，Crohn病におけるNOD 2（CARD15）[1)2)]，II型糖尿病におけるcalpain-10[3)]，気管支喘息におけるADAM33[4)]，全身性エリテマトーデス（SLE）におけるPDCD 1（PD-1）[5)]がある．これらの多くについてはすでに同一集団あるいは他集団における追試が行われているが，必ずしも追認されない場合もある．とくに，集団差の影響は顕著に認められ，たとえば，Crohn病において，Caucasianでは再現されているNOD 2の疾患関連多型は，東アジア集団では認められない．

2. ゲノムワイド連鎖不平衡解析，関連解析

集団において連鎖不平衡がみられるブロック（連鎖不平衡ブロック，ハプロタイプ・ブロック）ごとにマーカーをおくことにより，非血縁患者対照群検体を用いて，疾患感受性候補領域を直接連鎖不平衡ブロックまで狭めてしまおうという方法がゲノムワイド連鎖不平衡解析である．多数の罹患同胞対を収集する必要がないこと，検出感度が連鎖解析に比べて高いという利点を有する反面，非常に多数のマーカー（現在では，マイクロサテライト・マーカーを使う場合約3万カ所，SNPマーカーを使う場合，10万カ所以上のマーカーが必要と推定される）のタイピングを要する．ヒトゲノム解析研究の進展により，多数のマーカーが利用可能となったことと，遺伝子型タイピングの技術的進歩により，この方法が現実的となった．連鎖不平衡ブロックの範囲は染色体の領域によっても集団によっても異なるので，対象とする集団の連鎖不平衡ブロックをゲノムワイドレベルで決定することにより，このアプローチはさらに有用なものとなると思われる．疾患感受性候補ブロックが見いだされたあとは，密度の高いSNPタイピングや機能解析により，一義的な疾患感受性SNPやハプロタイプの同定をめざす．

基本的にはSNPを用いたゲノムワイド連鎖不平衡解析と同じであるが，遺伝子内，あるいは近傍に位置するSNPを用いることにより，直接ゲノムワイドレベルで疾患感受性SNPを見いだそうとする発想が，ゲノムワイド関連解析である．

現在，リウマチ性疾患やアレルギー疾患を含めた多くの多因子疾患に対して，ゲノムワイド連鎖不平衡解析あるいは関連解析を用いた研究が進行中であるが，すでに，ある候補染色体領域に限定した解析により，いくつかの疾患感受性遺伝子が報告されている．Okamotoらは，マイクロサテライト・マーカーを用いて，HLA領域に存在する，HLA-DR以外のRA感受性遺伝子を探索し，HLA-BやTNF遺伝子の近傍に位置するIκBL遺伝子とRAとの関連を報告した[6)]．この遺伝子は，NFκBの阻害因子であるIκBと相同性をもつ遺伝子産物をコードするが，IκBとは異なる未知の機能を有すると考えられている．

また，理化学研究所のグループは，SNPマーカーを用い，候補領域である1 p36，5 q31（サイトカイン・クラスター）の解析を行い，それぞれpeptidyl-arginine deiminase 4（*PADI 4*）[7)]，*SLC22A 4*[8)]を新たなRAの疾患感受性遺伝子として報告した．*PADI 4*は蛋白のアルギニンをシトルリン化する酵素であり，近年RAにおける血清学的マーカーとして注目される抗シトルリン化ペプチド抗体との関連で，とくに興味深い．

 ## 候補遺伝子アプローチ

病態における重要性，動物モデルにおける重要性，連鎖解析からの位置的情報など，さまざまな情報を参考に，疾患感受性候補遺伝子を設定し，その系統的な多型解析と関連解析を進める方法である．ゲノム全体にわたる先入観のない解析が不可能であるという大きな難点があるが，対象とする遺伝子については，もっ

とも信頼性かつ感度の高い情報を得ることができる．

筆者らによる成果も含め[9]，これまでに疾患関連遺伝子として報告された大部分の多型は，純粋な候補遺伝子アプローチ，もしくは，位置的情報をもとにした位置的候補遺伝子アプローチによって見いだされたものである．免疫系多因子疾患で代表的なものとしては，RAにおけるHLA-DRB 1 shared epitope（HLA-DR 4に代表される，DRβ鎖の70-74にQKRAA，QRRAA，RRRAAなどの共通配列をもつアリル）[10]，SLEにおけるHLA-DRB 1 *1501，0301[11]などのHLA遺伝子や後述のFcγ受容体遺伝子（FCGR）群，喘息やアトピーにおけるIL-13，IL-4およびその受容体遺伝子群[12)13]などがあげられる．これまでに疾患との関連が報告された遺伝子のうちには，多くの集団において，多くの研究者に追認され，確立した疾患感受性遺伝子と考えてよい遺伝子もあるが，多くは，研究者あるいは対象集団によって関連の有無が異なり，今後の確認を要する段階である．複数の研究における結果の不一致は，集団による遺伝的背景の違い（ある集団における疾患感受性アリルが，他集団ではきわめて低頻度しか存在しない，など）や，個々の遺伝子の寄与が低いため，統計学的有意差に至るためには多数の検体を要すること，などの理由が存在すると思われる．

ここでは，羅列的になることを避けるため，実際の候補遺伝子アプローチの進め方を，筆者らのFCGR遺伝子群の解析を例に説明する．

FCGR遺伝子群は，1q23にクラスターを形成して存在し，遺伝子重複や不等交差をくり返して形成されたと考えられる．イントロンも含めて，互いに非常に高い相同性を有する遺伝子群であるFCGR 2A，2B，2C，3A，3Bによって構成される．これらの遺伝子のうち，好中球，単球などに発現して，活性化や免疫複合体の処理などに関与する受容体をコードする2A，3A，3Bには，過去に機能の違いを伴う多型が確認されていた．SLEにおける免疫複合体クリアランスの低下を示す報告があることから，この遺伝子群はSLE感受性遺伝子の有力な候補遺伝子として注目されてきた．これまで，欧米を中心に多数の解析が行われ，FCGR 2A-131Arg（R），3A-176Phe（F），3B-NA2多型の関連が報告されてきたが，結果にはかなりの不一致がみられ，この領域に位置する別の遺伝子の多型が一義的に重要であり，集団による連鎖不平衡の差により，みかけ上，異なる遺伝子の関連が検出されてきた，ということが一つの可能性がとして考えられた．

これらのなかで，FcγRIIbのみは，B細胞あるいは単球に発現し，抑制性シグナルを伝達して免疫反応の制御を行う受容体であり，かつ，欠損マウスにおいてSLE様の病態が報告されている点で，きわめて有力な感受性候補遺伝子であるが，遺伝子間の著しい相同性のために，過去に多型解析が成功していなかった．筆者らは，nested PCRを用いた多型スクリーニングによりFcγRIIb膜貫通領域にアミノ酸置換を伴う多型Ile232Thr（I232T）を検出し，さらに，nested PCR産物をreal-time PCRを用いたhybridizationで検出するという遺伝子タイピング法を作製し，232T/T遺伝子型が日本人SLEと関連することを見いだした．同時にFCGR 2A，3A，3Bの解析も加えたところ，過去に他集団でも報告のある，3A-176Fアリルとの関連も検出された[14]．

次に，これらの関連を確認し，さらにいずれの遺伝子が一義的であるかをマップする目的で，タイ人[15]，中国人[16]集団における解析を加え，さらにそれらをメタアナリシスの手法で統合的に解析したところ，FCGR 2B-232Tのアジア集団における関連は高度に有意（P＝0.0004）であり，また，FCGR 3A-176Fの関連も，これと独立に存在することが確認された[16]．一方，Caucasian集団では，FCGR 2Bの関連は認められず，集団による違いと考えられた[17]．

さらに，本田ら（東大アレルギーリウマチ内科）との共同研究により，この膜貫通領域のアミノ酸置換によって生じるシグナル伝達の変化とその原因を解析するために，FCGR 2B欠損細胞にそれぞれのアリルを導入した．232T導入細胞では，232I導入細胞と比較して，B細胞受容体からのシグナルが増強かつ遷延することが見いだされ，その理由は，232Tアリル産物が232Iと比較して，膜脂質ラフト画分への局在が阻害されているためであることを示す結果が得られた[18]．これは，ヒト集団に普遍的に存在する多型によって，ラフトへの集積が変化し，シグナル伝達の変化を介して疾患感受性に関連する最初の例を示したものとして，重要と考えている．

結　語

以上紹介したように，多因子疾患の疾患感受性遺伝子の探索は現在進行形であり，新たなアプローチを用いた成果が今後次々に見いだされることが期待される．これらの成果は，遺伝子診断や発症リスクの評価のみならず，病因・病態のよりよい把握を介して，創薬ターゲットの設定や治療のモニタリングに有用である．個々の疾患感受性遺伝子単独の寄与はかなり少ないと想定され，今後，多数の遺伝子間の相互作用をいかに解析するかが一つの重要な課題となろう．

●文　　献●

1) Hugot JP, Chamaillard M, Zouali H, et al：Association of NOD2 leucine-rich repeat variants with susceptibility to Crohn's disease. Nature 411：599-603, 2001.
2) Ogura Y, Bonen DK, Inohara N, et al：A frameshift mutation in NOD2 associated with susceptibility to Crohn's disease. Nature 411：603-6, 2001.
3) Horikawa Y, Oda N, Cox NJ, et al：Genetic variation in the gene encoding calpain-10 is associated with type 2 diabetes mellitus. Nat Genet 26：163-75, 2000.
4) Van Eerdewegh P, Little RD, Dupuis J, et al：Association of the ADAM33 gene with asthma and bronchial hyperresponsiveness. Nature 418：426-30, 2002.
5) Prokunina L, Castillejo-Lopez C, Oberg F, et al：A regulatory polymorphism in PDCD1 is associated with susceptibility to systemic lupus erythematosus in humans. Nat Genet 32：666-9, 2002.
6) Okamoto K, Makino S, Yoshikawa Y, et al：Identification of I kappa BL as the second major histocompatibility complex-linked susceptibility locus for rheumatoid arthritis. Am J Hum Genet 72：303-12, 2003.
7) Suzuki A, Yamada R, Chang X, et al：Functional haplotypes of PADI4, encoding citrullinating enzyme peptidylarginine deiminase 4, are associated with rheumatoid arthritis. Nat Genet 34：395-402, 2003.
8) Tokuhiro S, Yamada R, Chang X, et al：An intronic SNP in a RUNX1 binding site of SLC22A4, encoding an organic cation transporter, is associated with rheumatoid arthritis. Nat Genet 35：341-8, 2003.
9) Tsuchiya N, Ohashi J, Tokunaga K：Variations in immune response genes and their associations with multifactorial immune disorders. Immunol Rev 190：169-181, 2002.
10) Gregersen PK, Silver J, Winchester RJ：The shared epitope hypothesis. An approach to understanding the molecular genetics of susceptibility to rheumatoid arthritis. Arthritis Rheum 30：1205-13, 1987.
11) Graham RR, Ortmann WA, Langefeld CD, et al：Visualizing human leukocyte antigen class II risk haplotypes in human systemic lupus erythematosus. Am J Hum Genet 71：543-53, 2002.
12) Shirakawa T, Deichmann KA, Izuhara K, et al：Atopy and asthma；genetic variants of IL-4 and IL-13 signaling. Immunol Today 21：60-4, 2000.
13) Heinzmann A, Mao X-Q, Akaiwa M, et al：Genetic variants of IL-13 signaling and human asthma and atopy. Hum Mol Genet 9：549-59, 2000.
14) Kyogoku C, Dijstelbloem HM, Tsuchiya N, et al：Association of Fcγ receptor gene polymorphisms in Japanese patients with systemic lupus erythematosus；Contribution of *FCGR2B* to the genetic susceptibility to SLE. Arthritis Rheum 46：1242-1254, 2002.
15) Siriboonrit U, Tsuchiya N, Sirikong M, et al：Association of Fcγ receptor IIB, IIIA and IIIB polymorphisms with susceptibility to systemic lupus erythematosus in Thais. Tissue Antigens 61：374-383, 2003.
16) Chu ZT, Tsuchiya N, Kyogoku C, et al：Association of Fcγ receptor IIb polymorphism with susceptibility to systemic lupus erythematosus in Chinese；a common susceptibility gene in the Asian populations. Tissue Antigens 63：21-7, 2004.
17) Kyogoku C, Tsuchiya N, Wu H, et al：Association of Fcγ receptor IIA, but not of IIB and IIIA, polymorphisms with systemic lupus erythematosus. A family-based association study in Caucasians. Arthritis Rheum 50：671-3, 2004.
18) Kyogoku C, Kono H, Tsuchiya N, et al：SLE-assoiated polymorphism of Fcγ IIB Ile 232 Thr affects localization at lipid rafts and attenuation of BCR signaling. Arthritis Rheum 48（Suppl）：S647, 2003.

［土屋　尚之］

総論 3 自己免疫応答と組織障害

はじめに

自己免疫性疾患とは，病的に出現する自己抗体や自己反応性T細胞により誘導される自己免疫反応がさまざまな臓器病変を引き起こす疾患であると定義できる．本稿では，免疫学，分子生物学の目ざましい発展により少しずつ解明されてきた自己免疫性疾患とその組織破壊のメカニズムについて概説する．

自己免疫性疾患発症の分子機構（図1）

1．引き金としての外来因子と分子相同性（図1-A）

疫学的に，関節リウマチ（rheumatoid arthritis, RA）やシェーグレン症候群（Sjogren's syndrome, SS）の発症率は，HTLV-I感染者に高いことが知られている．地域的にHTLV-I感染者が多い九州，対馬，コロンビアなどでは，RAやSS患者も多くなっている．しかし，それらの特定の地域を除き一般的にはHTLV-I感染者は1％以下であり，健常人とRAやSS患者との間にHTLV-I感染の有意な差は認められない．つまり，HTLV-I陽性がRAやSSの一般的な病因としてとらえることはできないが，少なくとも，一つのプロトタイプとして考えることはできよう．HTLV-Iが先行因子となり発症しているRAやSSは，病因解明のモデルとしてに重要である．事実，モデル動物においても，HTLV-Iトランスジェニックマウスが関節炎のモデルとして，また，HTLV-Iトランスジェニックラットがさまざまな膠原病のモデルとして有用であることは強くレトロウイルスの病因への関与を示唆している．

そのほかに，SSでは，唾液腺局所にEBウイルスの増加や再活性化がみられたり，HCVウイルス患者に高頻度に発症していることが報告されている．そしてHCVトランスジェニックマウスでSSと同様な唾液腺炎を呈することが知られている．

感染性ウイルスではないが，内在性のレトロウイルスの関与も示唆されている．レトロウイルスはSSの唾液腺での発現が報告されており，さらに，血清中に抗体が認められている．全身性エリテマトーデス（systemic lupus erythematosus, SLE）のモデルマウスの（NZB）（NZW）F1マウスにおいても，レトロウイルス由来蛋白（gp70）が腎炎発症に重要な役割をはたしていることが判明している．

RA，SSにおいて，熱ショック蛋白（heat shock protein, HSP）が自己抗原となりそれに対する自己抗体や自己反応性T細胞を誘導していることから，先行した細菌感染が自己免疫反応を惹起していると考えられる．しかし，病因に関与するHSP産生細菌は不明である．

自己抗原に構造が非常によく似た外来抗原（ウイルス蛋白，細胞成分など）が抗原として提示された場合，外来抗原として細胞が反応しているつもりが実は自己抗原に対しても反応してしまうという現象が分子相同性（molecular mimicry）である．このような抗原エピトープはいくつかのウイルスの構成成分や，細菌由来の熱ショック蛋白などで証明されている．

以上のように，外来性ウイルス，内在性ウイルス，細菌などによる感染が炎症を惹起し，分子相同性によりあるいは自己抗原と交差反応をおこして，自己免疫反応の引き金になっている可能性が考えられる．

2．アポトーシス異常（図1-B）

自己免疫疾患の遺伝子異常として最も脚光をあびたのは，自己免疫疾患モデル動物でアポトーシスに関与する二つの分子，Fas抗原とFasリガンド（Fas ligand, Fas-L）をコードする遺伝子の異常が発見されたことであろう．SLEのモデルマウスであるlprマウスとgldマウスでは，リンパ節腫脹や腎炎などがみられるが，その原因が，それぞれ，Fas抗原とFas-L遺伝子の遺伝子異常であることが判明した．lprマウスでは，Fas

12　I. 総論

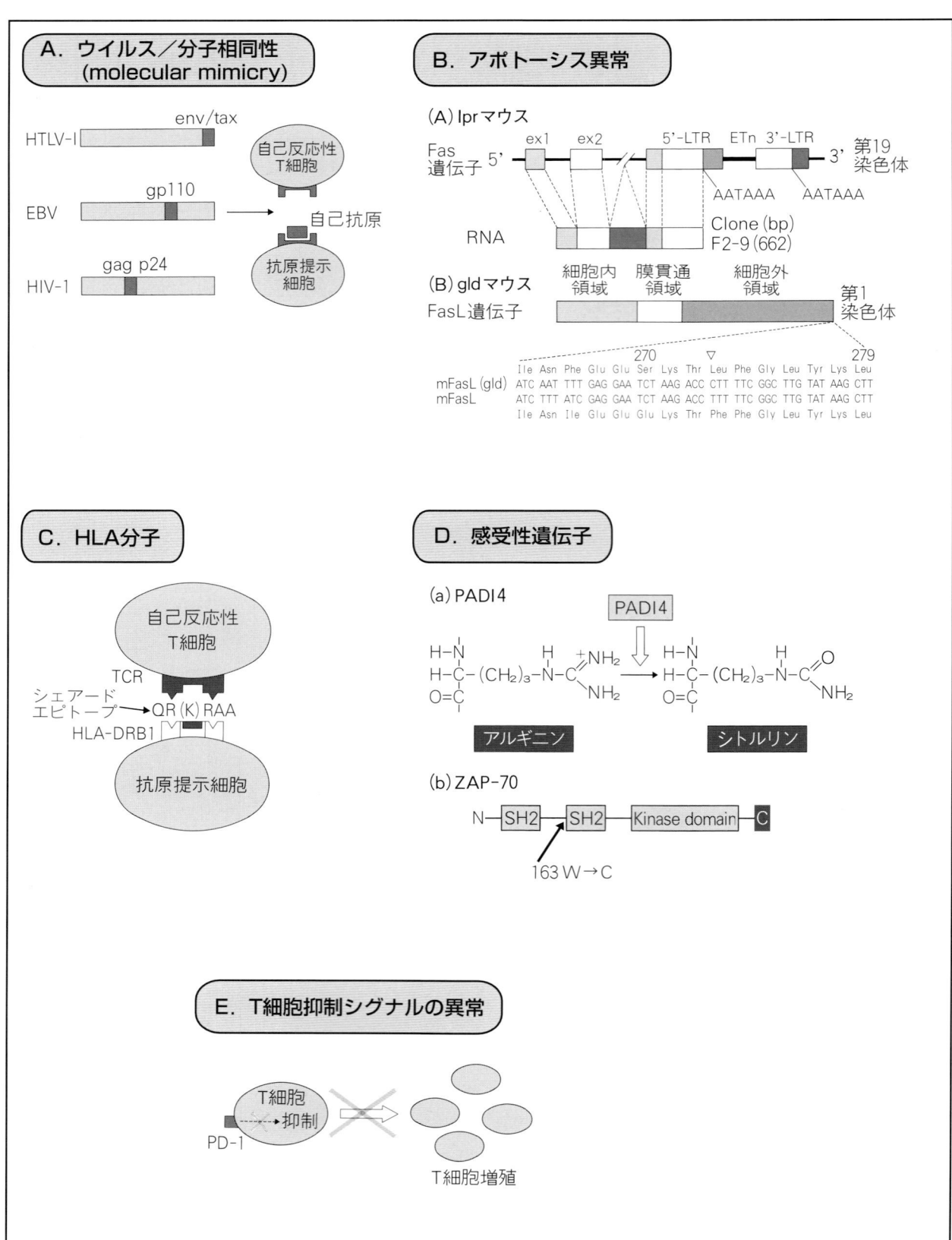

図1 A〜E 自己免疫性疾患の発症機構

図1 F〜H 自己免疫性疾患の発症機構

抗原遺伝子の第二イントロンに早期トランスポゾンというウイルス由来遺伝子が途中に入り込んだために，早期転写終結や異常なスプライシングが起き，Fas抗原が機能しなくなり，そのため排除されるべき自己反応細胞が生き残り，自己免疫病を起こしていることがわかった．一方，gldマウスでは，Fas-L遺伝子に変異（273番目のアミノ酸がPhe→Leu）が起きたために，同様の症状を呈することがわかった．そこで，多くの研究者が，ヒトのSLE患者におけるFas抗原とFas-L遺伝子異常を解析中であるが，まだ明らかな異常家系は見いだされていない．

3．HLA分子（図1-C）

自己免疫疾患とHLAとの関連は古くから報告されている．近年，いままでの抗血清や抗体を用いた方法から，直接遺伝子レベルで解析できるPCR法の導入により，HLAの詳細なマッピングが可能になってきた．RAでは，HLA-DR B 1 *0405が相関しており，SSではDR B 3が減少し，B 4 *0101が増加している，SLEでは，DRB 1 *1501-DQA 1 *01021-DQB 1 *0602との相関も報告されている．また，RA患者の感受性遺伝子としてHLA-DRb 1鎖のシェアードエピトープQR（K）RAAの存在も示されている．このようなクラスII分子との関連から，自己抗原としての特定のペプチドが提示されることや，特定のHLAとよく似た分子が抗原となる（分子相同性）ことが病因として考えられている．

一方，ベーチェット病ではHLA-B51が関与し，強直性脊椎炎，ライター症候群などではHLA-B27が関与している．クラスI分子に提示された自己蛋白が免疫反応を誘導している可能性，これらの遺伝子にリンクした別の遺伝子が病気の発症因子である可能性が指摘されている．

4．疾患感受性遺伝子（図1-D）

マイクロサテライトマーカーを指標とした遺伝子解析により，RAの感受性遺伝子が第1染色体，第8染色体，X染色体に存在するという報告や，第18染色体，第3染色体に存在するとの報告がなされている．最近，日本人RA患者のSNP解析では，第1染色体のPADI4遺伝子[1]や第5染色体上のRUNX 1遺伝子[2]が発症とかかわっていることが証明された．PADI4は抗体のシトルリン化を促進するpeptidylarginine deimi-nase（PAD）酵素の一つであり，シトルリンされたペプチド（CCP）を誘導することにより，抗CCP抗体産生に関与していると考えられる．RUNX 1は，organic cation transporterの一つであるSLC22A 4の発現調節分子であり，RAの感受性遺伝子の一つと考えられている．

5．T細胞抑制シグナルの異常（図1-E）

西村らにより報告されたPD-1分子は，免疫グロブリン・スーパーファミリーの一つであり，268個のアミノ酸より構成された55kdの糖蛋白である．この分子は，抑制シグナルを細胞内へ伝達するITIMモチーフを有し，活性化T細胞，B細胞，マクロファージなどに発現されている．PD-1を欠損したKOマウスは，そのバックグランドにより異なる自己免疫疾患を発症する．C57BL/6マウスのバックグランドでは，糸球体腎炎や関節炎を発症し[3]，Balb/cマウスでは，肥大型心筋症を発症する[4]．ともに，リンパ球活性化の抑制シグナルが不足するために自己免疫疾患が誘導されると推察されている．後者の心筋症モデルでは，心筋のcardiac troponin I（30kd蛋白）に対する自己抗体が病気を誘導していることが判明し，抗体による肥大型心筋症モデルとして注目されている．このようなITIMモチーフを持ったPD-1は，自己免疫応答をネガテイブに制御する分子として重要なターゲットと考えられる．

6．自己寛容の破綻（図1-F）

自己反応性リンパ球が出現する機序として，主に次の二つの機序が考えられている．中枢性トレランスの破綻と末梢性トレランスの破綻である．

1）中枢性トレランスの破綻

免疫をささえる主な二つの細胞群はT細胞とB細胞である．T細胞もB細胞もともに，それぞれをコードする遺伝子断片のランダムな再構成により，10^{10}以上ものレパトア（repertoire）を形成する．そのなかには，自分自身と反応するいわゆる自己反応性T細胞や，B細胞も含まれている．しかしながら，自己成分と反応するT細胞は胸腺において，また，B細胞は骨髄においてアポトーシスにより巧みに排除される（ネガテイブセレクション；negative selection）．ともに，未熟な細胞のうちに排除され末梢にはでてこない機構，すなわち，中枢性トレランス（central tolerance）が成立している．この中枢性トレランスが何らかの理由により破綻すると，自己に反応する自己反応性細胞が誘導され，自己免疫反応が惹起されると推察される．

RAのモデルマウスの一つであるSKGマウスでは，T細胞のシグナルを細胞内に伝える分子の一つであるZAP-70分子のpoint mutation（163W→C）により胸腺におけるT細胞の分化に異常が起きている．この分化異常により自己反応性リンパ球が誘導され自己免疫

応答が惹起されると考えられた[5]．

2）末梢性トレランスの破綻

末梢トレランス（peripheral tolerance）の成立には，二つの機序が考えられている．一つは，自己抗原による自己反応性細胞のアナジー状態の誘導である．自己反応性細胞が自己抗原と強く反応することにより，細胞は存在するが抗原受容体からのシグナルが入らないために細胞の活性化がおきない状態（アナジー）がつくりあげられる．このアナジーの誘導は，TCRからのシグナルばかりでなく，CD80，CD86，CD28，CTLA-4，CD40LなどからのT細胞への副シグナルが十分に伝わらない場合にも生じる．もう一つの末梢トレランス成立の機序は，CD25＋CD4＋T細胞やNKT細胞などの調節性T細胞による自己反応性細胞のネガティブな調節機構によるものである．このように，健常人では自己に反応する危険な細胞は十分に監視されているが，この末梢トレランスが破綻すると，自己免疫疾患が発症すると推察される．

7．レセプターエディテイングの異常（図1-G）

B細胞では，はじめにH鎖を再構成して機能的なH鎖を作成し，次にL鎖の再構成をおこし，細胞表面上に発現される．この際，自己抗原と反応するとアポトーシスに陥るか，あるいは，もう一つのL鎖の再構成をおこして新しい免疫グロブリンを細胞表面に発現する．このように免疫グロブリンの二度目の再構成は，レセプターエディティング（receptor editing）とよばれ，B細胞の自己寛容を誘導し自己免疫反応性B細胞の出現を制御するシステムとして重要であると考えられている[6]．事実，SLEでは自己抗体，特に抗DNA抗体の出現がレセプターエディティングの機構の異常によるという報告がある．自己免疫病において，なぜ，レセプターエディティングの異常がおこるかについてはいまだ不明である．

8．新しいepitope・variantの存在（図1-H）

抗リン脂質抗体症候群では，構造変化したb2-GPIやプロトロンビンが新しいB細胞エピトープをつくりだすことにより，自己抗体が誘導され，病態が惹起される．同様に抗体により関節炎を誘導できる抗GPI抗体産生の機序[7)8)]として，GPIのdeletion variantが存在し，それに対する抗体がまず産生され，次にepitope spreadingによりGPI自身に対する抗体が産生されるという仮説が提唱されている．

組 織 障 害
（RAをモデルを中心として）（図2）

1．細胞障害性T細胞

自己免疫病における細胞障害の機序としては次の二

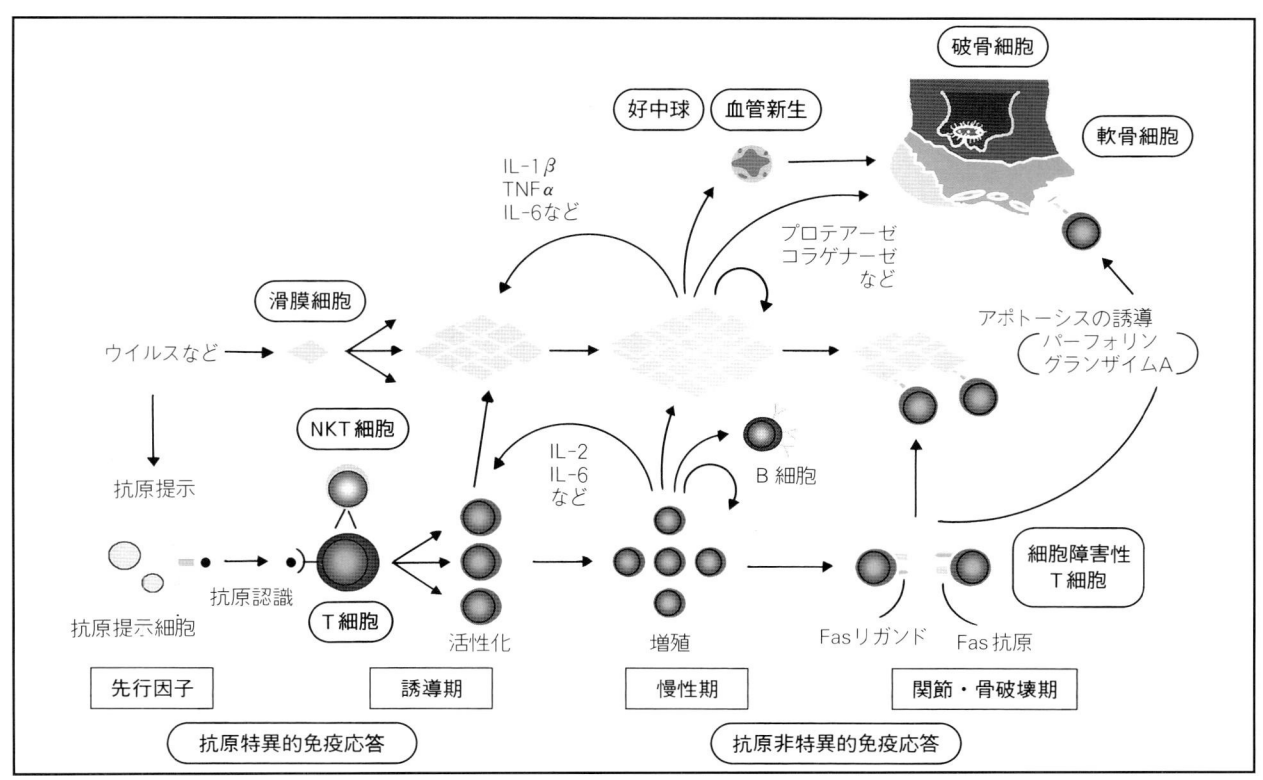

図2　組織障害（RAを中心として）

つがあげられる．一つは，クラスⅠ拘束性CD 8＋T細胞による細胞障害であり，パーフォリン，グランザイムを用いて攻撃しアポトーシスに陥らせることにより組織破壊を生じる．実際に，RAの軟骨細胞，SSの唾液腺，涙腺で認められている．もう一つは，クラスⅡ拘束性Fas-L＋CD 4＋T細胞で，その表面上に過剰発現させたFas-L分子により，Fas抗原陽性の細胞をアポトーシスに陥らせる機序である．実際の組織破壊がおきている組織ではこの両者がみとめられる．

2．細胞由来の化学物質

RAの関節局所では，遊走してきたマクロファージ，好中球，マスト細胞，新生血管，繊維芽細胞などにより，蛋白分解酵素であるプロテアーゼ，コラゲナーゼなどの化学物質が分泌され，それらが，関節の軟骨を組織破壊の初期に重要な役割を担っている．

3．破骨細胞の活性化

RANKL-RNAK相互作用を介して，破骨細胞は分化，活性化され，骨髄のなかから骨を破壊していく［9］．その活性化分子としてTNF-aやIL-6が，制御分子としてIFN-gがあげられる．

おわりに

自己免疫疾患発症の分子機構と組織障害の機構について概説した．自己抗体や自己反応性T細胞の存在は明らかであるが，それがなぜ出現してくるのか？そしてなぜ特異的な臓器病変を誘導するのか？いまだ謎である．ヒトゲノムはすべて解明されたため，次は疾患感受性遺伝子が急ピッチで解析されている．近い将来，免疫異常のメカニズムが遺伝子レベルで完全に解明されれば，自己免疫疾患の特異的制御は夢ではなくなるであろう．

●文　献●

1) Suzuki A, Yamada R, Chang X, et al：Functional haplotypes of PADI4, encoding citrullinating enzyme peptidylarginine deiminase 4, are associated with rheumatoid arthritis. Nat Genet 34：395-402, 2003.
2) Tokuhiro S, Yamada R, Chang X, et al：An intronic SNP in a RUNX1 binding site of SLC22A4, encoding an organic cation transporter, is associated with rheumatoid arthritis. Nat Genet 35：341-348, 2003.
3) Nishimura H, et al：Development of lupus-like autoimmune diseases by disruption of the PD-1 gene encoding an ITIM motif-carrying immunoreceptor. Immunity 11：141-151, 1999.
4) Nishimura H, et al：Autoimmune dilated cardiomyopathy in PD-1 receptor-deficient mice. Science 291：319-322, 2001.
5) Sakaguchi N, Takahashi T, Hata H, et al：Altered thymic T-cell selection odue to a mutation of the ZAP^70 gene causes autoimmune arthritis in mice. Nature 426：454-460, 2003.
6) Rajewsky K：Burnetュs unhappy hybrid. Nature 394：624-625, 1998.
7) Matsumoto I, et al：Arthritis provoked by linked T and B cell recognition of a glycolytic enzyme. Science 286：1732-1735, 1999.
8) Matsumoto I, et al：How antigodies to a ubiquitous cytoplasmic enzyme may proboke joint-specific autoimmune disease. Nature Immunol 3：360-365, 2002.
9) Takayanagi H, Ogasawara K, Hida S, et al：T cell-mediated regulation of osteoclastogenesis by signaling cross-talk between RANKL and IFN-g. Nature 408：600-605, 2000.

［住田　孝之］

総論 4. 炎症に関わる分子とその制御 ―関節リウマチを中心に

はじめに

炎症とは生体に侵入した有害物，あるいは生体内の有害現象を破壊，希釈，除去するためにそれらにより惹起された病的組織を健常組織から隔離し，最終的に治癒に導こうとする限局的・防御的な生理的反応である．しかし，膠原病をはじめとする自己免疫性疾患においては，自己抗原に対する過剰な免疫応答が持続し，局所的あるいは全身的炎症が引き起こされる．その結果，各種臓器の機能障害が出現し，ときに非可逆的変化をきたす場合もある．

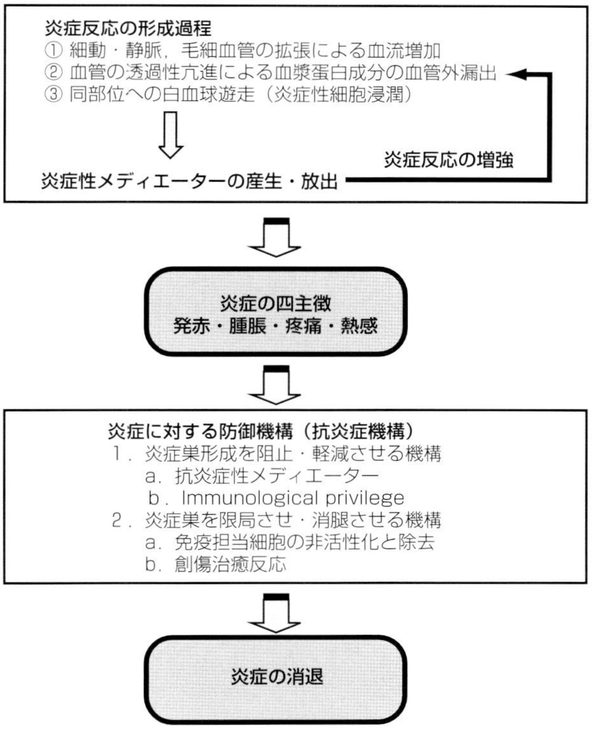

炎症巣ではまず，細動・静脈，毛細血管の拡張による血流増加とこれらの血管の透過性亢進による血漿蛋白成分の血管外漏出がみられ，ついで同部位への白血球を中心とする免疫担当細胞の遊走（炎症性細胞浸潤）が観察される（図1）．浸潤した炎症性細胞により，さまざまな炎症メディエーターが産生され，その結果，発赤・腫脹・疼痛・熱感という炎症の4主徴が認められるようになる．生体内で炎症が引き起こされると，通常それを沈静化させる機構が作動する．一般にこの過程を抗炎症機構あるいは炎症に対する防御機構とよび，具体的には図1に示すような機序が知られている．

本章では，このような一連の炎症過程に関与する分子のなかから，とくにリウマチ性疾患の病態形成への関与が深いサイトカイン・ケモカイン・接着分子の特徴とその炎症反応へのかかわりを解説する．

サイトカイン

1．サイトカインの特徴

生体内で細胞は常に周りの細胞と情報のやりとりをしつつ，活動を続けている．細胞間の情報交換には，細胞と細胞が直接接着する方法と細胞から放出されるメディエーターを使用する方法の2種類が知られている．サイトカインは後者のメディエーターの1つであり，細胞が使う「ことば」ともいえる．サイトカインには表1に示すような共通した特徴がある．炎症の過程で産生される一連のサイトカインを炎症性サイトカインとよび，炎症反応を縮小あるいは沈静化させる働きを示す一群のサイトカインを抗炎症サイトカインとよぶ（表2）．炎症巣における炎症性サイトカインと抗炎症性サイトカインのバランスは，炎症の強さ・広がり・持続を決める要因の一つと考えられている．サイトカインは分子量1万から10万程度の比較的小さな糖蛋白質であり，精製したサイトカインは数pg/mlないし数ng/mlという低濃度で作用する．サイトカインの多くは産生細胞の周囲で主として作用すると考え

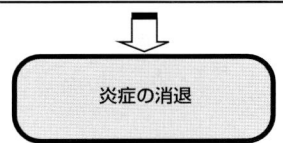

図1　炎症反応の形成と抗炎症機構
炎症反応の形成から，沈静化までの一連の過程を示す．関節リウマチなどの慢性炎症性疾患では，炎症の形成が持続する，あるいは沈静化が障害されることにより，罹患臓器の機能障害をきたす．

表1 サイトカインとサイトカイン受容体の特徴

サイトカインの特徴	サイトカイン受容体の特徴
①糖蛋白質である ②微量で作用する ③主に産生された場所で作用する ④1つのサイトカインが多くの生理的作用を有する ⑤複数のサイトカインが同一の生理的作用を有する ⑥サイトカイン間の相互作用（サイトカインネットワーク）がある ⑦インヒビターが存在する ⑧T細胞サブセットにより異なったサイトカインが分泌される	①細胞内ドメインのキナーゼ活性の有無により，キナーゼ型・非キナーゼ型に大別される． ②サブユニット構造をもち，複数の受容体が同一サブユニットを共有する ③可溶性受容体が存在する

表2 代表的な炎症性サイトカインと抗炎症性サイトカイン

炎症性サイトカイン	抗炎症性サイトカイン
IL-1	IL-4
IL-6	IL-10
IL-12	IL-13
IL-18	TGF-β
TNF-α	IL-1 receptor antagonist
PDGF	
FGF	
EGF	
GM-CSF	
IFN-γ	

られるが，疾患あるいは病態によっては，局所で産生されたサイトカインが循環血液中に放出され，他臓器で作用する場合もある．関節リウマチの罹患関節内で産生されたIL-6が肝臓でCRPの産生をうながすのはその一例といえる．1種類のサイトカインは通常複数の生理活性を示すと同時に，複数のサイトカインが同一のあるいは類似した生理活性を有する．あるサイトカインの in vivo における機能を検討するために作製したノックアウトマウスがしばしば明らかな異常を示さないのは，欠損させたサイトカインの機能をほかのサイトカインが代償するためと考えられている．サイトカイン間にはネットワークあるいは階層構造が存在する．たとえばRA罹患関節では，過剰産生されたTNF-αによりIL-1，IL-6，IL-8などの産生が誘導される．また，2つのサイトカイン間に相乗効果が認められる場合や，相反する機能を有する場合も知られている．いくつかのサイトカインにはインヒビターが存在する．IL-1に対するIL-1受容体アンタゴニスト，TNF-αに対する可溶性TNF受容体はその一例である．ネットワークや階層構造は炎症を効率的に増幅するために，一方，機能が相反するサイトカインや特異的インヒビターの存在は炎症を収束させるために必要な仕組みである．

2．サイトカイン受容体の特徴

サイトカインはそれぞれの特異的な受容体に結合して，生理作用を発揮する．サイトカイン受容体にも共通した特徴がみられる（表1）．まず，サイトカイン受容体の細胞内ドメインにキナーゼ活性をもたないタイプとキナーゼ活性をもつタイプがある．前者はさらに，サイトカイン受容体スーパーファミリー，IFN受容体ファミリー，NGF/TNF受容体ファミリー，ケモカイン受容体ファミリーに分類される．キナーゼ活性を持つタイプはセリン/スレオニンキナーゼ型とチロシンキナーゼ型に分類される（表3）．いくつかのサイトカイン受容体はサブユニットから構成され，さらに複数の受容体でサブユニットを共有する場合がある．たとえばIL-2受容体のg鎖は，IL-4，IL-7，IL-9，IL-15の各受容体でも使用され，共通γ鎖とよばれている．このような共通のサブユニットを使用することにより，複数のサイトカインが同一の生理活性を示す現象が説明される．通常，受容体は細胞膜上に発現しているが，特異的酵素により細胞外ドメインが切断されたり，選択的スプライシングにより膜貫通ドメインを欠失した受容体が発現されたりすることにより，可溶性受容体が産生される．可溶性受容体はサイトカインのインヒビターとして作用する場合が多い．

3．サイトカインとT細胞サブセット

T細胞は末梢で特異抗原による刺激を受け，Th0とよばれるサブセットへ分化する．Th0は図2に示すサイトカインの影響を受けながらサイトカイン分泌パターンの異なるTh1（Tc1）とTh2（Tc2）の2つのサブセットに分化する．Th1（Tc1）はIFN-γやIL-2を産生し，マクロファージ活性化，遅延型過敏反応，細胞障害性反応，補体結合性IgGの産生などに関与する．一方，Th2（Tc2）はIL-4，IL-5，

表3 サイトカイン受容体の分類

	受容体の分類	受容体の例
非キナーゼ型	サイトカイン受容体スーパーファミリー	G-CSFR, IL-2R, IL-7R
	IFN受容体ファミリー	IFN-αR
	NGF/TNF受容体ファミリー	Type I TNFR, type II TNFR
	ケモカイン受容体ファミリー	CXCR1, CXCR2
キナーゼ型	セリン/スレオニンキナーゼ型	TGF-βR
	チロシンキナーゼ型	PDGFR

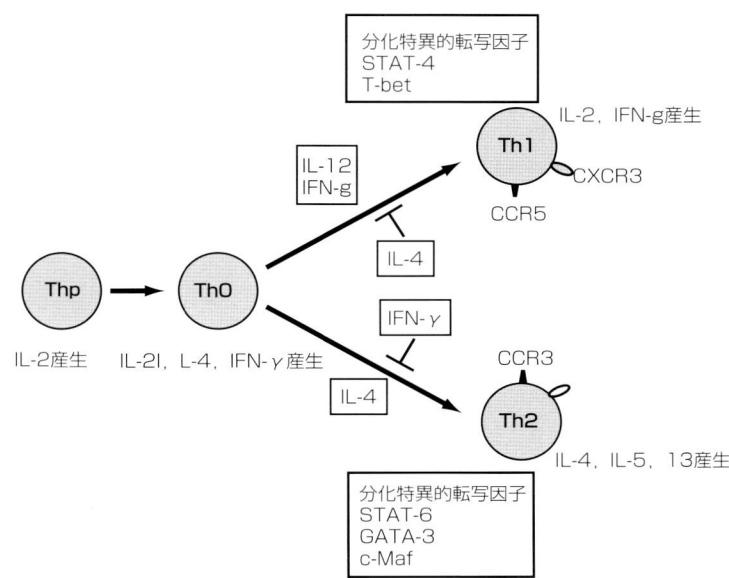

図2 サイトカイン，ケモカイン受容体とT細胞サブセット
末梢に還流したThp細胞はIL-2と特異抗原の存在下で活性化されTh0細胞に分化する．Th0細胞はIL-2，IL-4，IFN-γを産生する．Th0細胞は，IL-12，IFN-γによりTh1細胞へ，IL-4によりTh2細胞へと分化誘導され，サブセット特異的なサイトカインの分泌パターンを獲得する．この過程で，特異的転写因子（Th1ではSTAT4，T-bet，Th2ではSTAT6，GATA-3，c-Maf）が誘導される．Th1細胞はCCR5，CXCR3，Th2細胞はCCR3，CCR4を強く発現し，これらのリガンドが産生される炎症巣に選択的に遊走する能力をもつ．

IL-13を産生し，IgE抗体産生やアレルギー反応に関与する．Th1とTh2はサイトカインを介して，相互のサブセットへの分化および機能を抑制する．Th0からTh1への分化にはIL-12による転写因子STAT4の活性化とT-betの誘導が，Th2への分化にはIL-4による転写因子STAT6の活性化とGATA3およびc-Mafの誘導が重要である．一般にTh1は臓器特異的自己免疫疾患に，Th2はI型アレルギー反応や全身性自己免疫疾患に関与すると考えられている．Th1およびTh2はそれぞれ異なったケモカイン受容体の発現パターンを示す（後述）．

 ケモカイン

細胞の遊走に関与するサイトカイン様分子をケモカインとよぶ．ケモカインは白血球の遊走・接着分子活性化・細胞増殖などを誘導することにより，生体の恒常性維持，炎症の成立・進展に重要な役割を果たしている．これまでに約50種類近いケモカインが同定され，その構造により分類されている（表4）．また，各ケモカインに結合するケモカイン受容体も続々と同定され，ケモカイン-ケモカイン受容体相互作用の解析が急速に進展しつつある．

1．ケモカインの特徴

ケモカインは分子量1万程度の蛋白質であり，基本的にアミノ酸配列上4つのシステイン残基が保存されている．ほとんどのケモカインは細胞外に分泌されるが，CX3CL1とCXCL16の2つのケモカインは膜結合型である．N末端側の2つのシステイン残基が連続

表4 リウマチ性疾患に関与する代表的なケモカインとその受容体

ケモカイン・ケモカイン受容体の分類	ケモカイン名（新体系による）	ケモカイン名（一般名称）	対応するケモカイン受容体
CCケモカイン・CCケモカイン受容体	CCL2	MCP-1/MCAF	CCR2
	CCL3	MIP-1α/LD78a	CCR1, CCR5
	CCL4	MIP-1β	CCR5, CCR8
	CCL5	RANTES	CCR1, CCR3, CCR5
	CCL11	Eotaxin	CCR3
	CCL17	TARC	CCR4
CXCケモカイン・CXCケモカイン受容体	CXCL8	IL-8	CXCR1, CXCR2
	CXCL9	Mig	CXCR3
	CXCL10	IP-10	CXCR3
	CXCL11	I-TAC	CXCR3
	CXCL12	SDF-1α/β	CXCR4
CX3Cケモカイン・CX3Cケモカイン受容体	CX3CL1	Fractalkine	CX3CR1

リウマチ性疾患との関連が報告されているケモカイン・ケモカイン受容体のうち，代表的な分子を示した．

しているケモカインをCCケモカイン，2つのシステイン残基の間に1つのアミノ酸残基を有するケモカインをCXCケモカイン，2つのシステイン残基の間に3つのアミノ酸残基を有するケモカインをCX3Cケモカイン，2番目と4番目のシステイン残基のみが保存されているケモカインをCケモカインと分類している．ケモカインは表4に示すような各分子固有の名称と通し番号による統一名称を有する．ケモカインのN末端側は受容体との結合に，C末端側は細胞膜などを構成するヘパラン硫酸などに結合し，ケモカインの局所濃度を上昇させることに役立っている．ケモカインはTNF-αやIL-1などの炎症性サイトカインにより炎症局所あるいはリンパ組織中の活性化免疫系担当細胞から産生が誘導される．

2．ケモカイン受容体の特徴

ケモカインは7回膜貫通型・G蛋白質共役型の共通した構造をもつケモカイン受容体に結合する．表4に示すように，結合するケモカインの分類により，受容体も4つのグループに分類される．1つのケモカインが同一のグループに属する複数の受容体に結合し，1つの受容体が同一のグループに属する複数のケモカインに結合することが特徴的である．炎症反応においては，ケモカイン受容体からのシグナルにより白血球表面に発現するインテグリン分子が活性化を受け，炎症巣への白血球浸潤が可能となる．局所で産生されるケモカインと，そのケモカインにより誘導される接着分子の組み合わせにより炎症巣に浸潤する白血球サブセットが決定される．たとえば，好中球の浸潤にはIL-8が，単球・マクロファージの浸潤にはMCP-1，RANTESなどが強く関与する．前述のようにCD4陽性T細胞はサイトカイン産生パターンによりTh1型とTh2型の2つのサブセットに分類されるが，それぞれのT細胞サブセットでケモカイン受容体の発現パターンが異なることが知られている（図2）．したがって，炎症局所で産生されるケモカインの種類により炎症巣に選択的に浸潤するT細胞サブセットが異なってくる．ケモカイン受容体はHIVやサイトメガロウイルスなどの受容体としての作用も知られている．

接着分子

1．免疫担当細胞の血管外への遊出機構

炎症巣では血管内腔から血管外への免疫担当細胞（炎症細胞）の浸潤が起こる．この過程では，血管内壁を覆う血管内皮細胞と浸潤する炎症細胞にそれぞれ対応する接着分子が発現し，活性化される必要がある．接着分子はリガンドと結合することにより細胞外情報を細胞内に伝達し，細胞の活性化・サイトカインの産生調節などを行う一方，細胞外から受け取るサイトカインなどの刺激によりその発現が誘導・調節される．たとえば，血管内皮細胞上のICAM-1，VCAM-1などの発現はIL-1やTNF-αで強く誘導される．炎症細胞が血管内皮細胞に接着し，血管外に遊走する過程には，図3に示すようなさまざまな接着分子のペアが関与することが知られている．まず，炎症細胞上のシアロムチンと血管内皮細胞上のセレクチンとの接触により細胞にブレーキがかかり（ローリング），炎症細胞上のLFA-1やVLA-4などのインテグリン分子と血管内皮細胞上のICAM-1，VCAM-1などの免疫グロブリンスーパーファミリー接着分子の結合により炎症細胞は内皮細胞上に停止し，強固に接着する．この過程では，ケモカインによるインテグリン分子の活性化が必須である．ついで，炎症細胞は遊走活性因子の

総論4．炎症に関わる分子とその制御—関節リウマチを中心に

	ローリング	活性化	停止	強固な接着	遊走
免疫担当細胞上に発現する分子	シアロムチン L-セレクチン	ケモカイン受容体	α4β1 (VLA-4) α4β7	LFA-1 Mac-1	LFA-1 Mac-1
血管内皮細胞上に発現する分子	E-セレクチン Glr-CAM-1	ケモカイン	VCAM-1 MAdCAM-1	ICAMs	ICAM-1

図3　接着分子による免疫担当細胞の組織浸潤と活性化

免疫担当細胞はローリング，活性化，停止，遊走の段階を経て，炎症巣に浸潤する．各段階で，さまざまな接着分子のペアが関与する．組織に浸潤したT細胞は免疫担当細胞からの抗原提示を受け活性化される．T細胞の十分な活性化には，接着分子を含めた複数の副刺激分子とそのリガンドの相互作用が必要である．

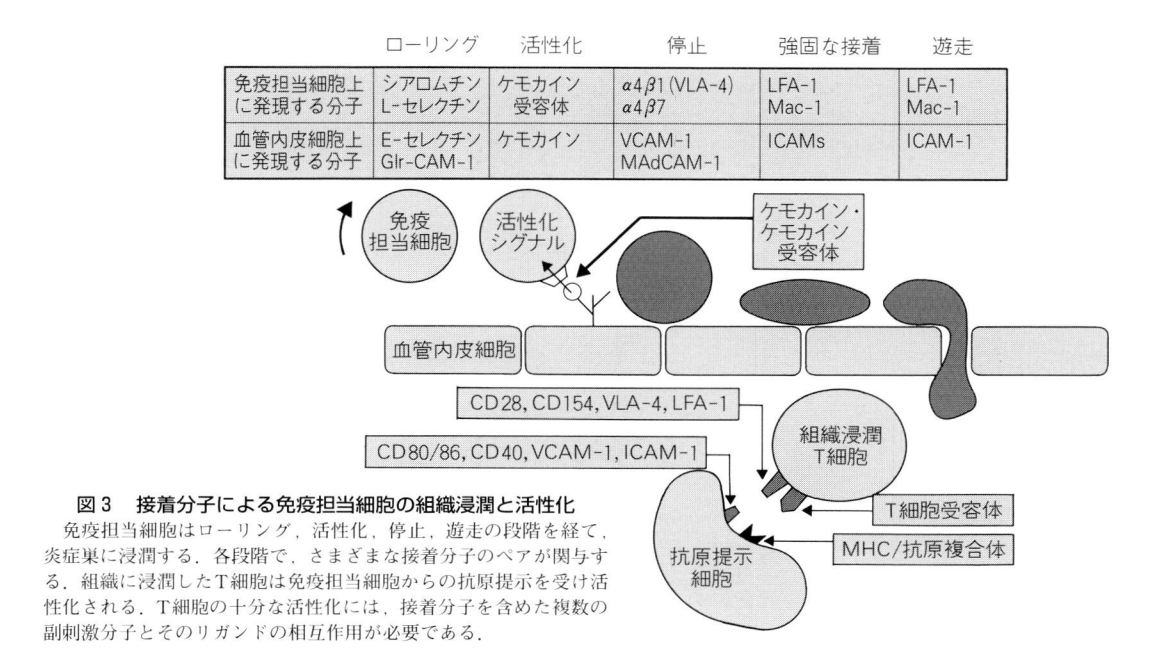

刺激により内皮細胞間隙を経て血管外へ遊出する．遊走活性化因子には，炎症刺激に応じてただちに産生・放出される分子（補体分解産物（C 3 a，C 5 a），ロコトリエンB 4，血小板活性化因子など）と，炎症性サイトカインなどの刺激による数時間で誘導されるケモカインなどの分子がある．

2．副刺激分子としてのインテグリン

T細胞上のインテグリンは副刺激分子としても機能する．T細胞が特異抗原を認識し，適切に活性化され，その機能を十分発揮するためには，T細胞受容体とMHC/抗原複合体との結合に加えて，CD28ファミリーやTNFスーパーファミリーに属する副刺激分子からの刺激が必須である．T細胞が抗原提示細胞から抗原提示を受ける場合に，抗原提示細胞上のICAM-1やVCAM-1とT細胞上のLFA-1やVLA-4が結合し，副刺激分子として作用することが知られている．

サイトカイン・ケモカイン・接着分子と炎症病態形成

これまでに解説した分子の炎症病体形成における関与とその人為的制御について，RAの滑膜炎を例に解説する．

1．RA滑膜炎の病態

RA罹患関節滑膜組織のマクロファージ様滑膜細胞から大量に産生されるTNF-αやIL-1βは，滑膜線芽細胞・血管内皮細胞・浸潤T細胞を活性化し，MIP-1α，MIP-1β，RANTES，MIG，IP-10，ITAC，SDF-1，fractalkine，MCP-1，IL-8，などのケモカイン産生を誘導する．また，TNF-αやIL-1βは血管内皮細胞上のICAM-1，VCAM-1などの接着分子の発現も誘導する．MIP-1α，MIP-1β，RANTESはその共通した受容体であるCCR 5を発現するTh 1細胞を，MIG，IP-10，ITACはその共通した受容体であるCXCR 3を発現するTh 1細胞を，SDF-1はCXCR 4陽性T細胞を，fractalkineはCX 3 CR 1陽性T細胞を，MCP-1はCCR 2陽性のマクロファージを，IL-8はCXCR 1，CXCR 2陽性の好中球を，主に滑膜組織中に誘導する．実際，RA関節液中あるいは滑膜組織浸潤T細胞は末梢血に比較してCXCR 3あるいはCCR 5を強く発現するTh 1細胞であることが報告されている．滑膜組織浸潤T細胞は，IL-15の存在下に抗原提示細胞からT細胞受容体刺激と副刺激を受け活性化される．この副刺激受容体としてT細胞上のCD28と共にLFA-1，VLA-4が作用する．活性化T（Th 1）細胞はIFN-γを産生し，細胞表面上にCD69，CD154，LIGHTなどを発現する．IFN-γは血管内皮細胞や抗原提示細胞のICAM-1，VCAM-1などの発現を亢進させるとともに，MIG，IP-10の産生を誘導する．またIFN-γは，CD154やLIGHTと共同してマクロファージ様滑膜細胞を刺激し，TNF-αやIL-1βの産生を促進する．一方，滑膜線維芽細胞はCCR 2，CCR 5，CXCR 4，CX 3 CR 1を構成的に発現し，それぞれのリガンドであるMCP-1，RANTES，SDF-1，fractalkine刺

22　I. 総　論

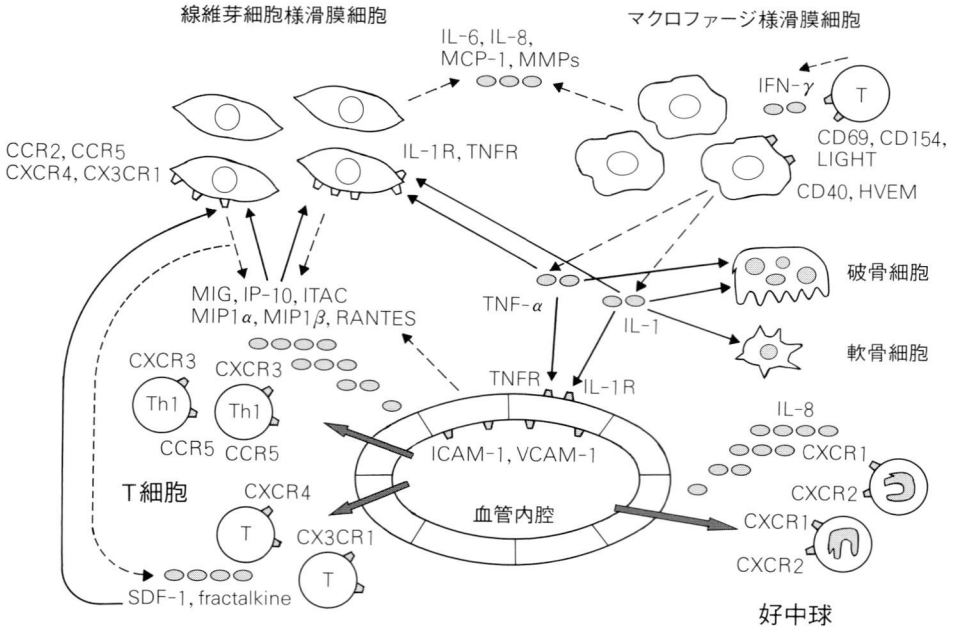

図4　RA滑膜炎の病態

RA罹患関節内の滑膜組織では，滑膜細胞・血管内皮細胞からケモカインが産生され，血管内腔からT細胞，好中球，マクロファージがケモカインの濃度勾配に従って血管外に遊走する．滑膜組織に浸潤したT細胞は，CD69，CD154などの細胞表面分子，IFN-γなどを介して，滑膜細胞を刺激し，炎症を増幅・遷延させる．特にマクロファージ様滑膜細胞からはIL-1，TNF-αなどの炎症性サイトカインが産生され，血管内皮細胞・滑膜線維芽細胞などに作用する．滑膜細胞自身もケモカイン受容体を発現し，ケモカインのautocrine刺激によりIL-6，IL-8，matrix metalloproteinaseなどの炎症メディエーターを産生する．TNF-α，IL-1は破骨細胞の分化・活性化を，IL-1は軟骨細胞からのマトリックスメタロプロティナーゼの分泌を促し，関節破壊を引きおこす．

実線は作用を，破線は産生を示す．太い矢印は血管内腔からの遊走を示す．

激によりIL-6，IL-8あるいはmatrix metalloproteinase（MMP）を産生する．またTNF-α，IL-1は破骨細胞の分化・活性化を，IL-1は軟骨細胞からのMMP産生を促し，関節破壊を引き起こす．このようなサイトカイン・ケモカイン・接着分子のネットワーク形成によりRA滑膜炎症が慢性的に持続すると考えられている（図4）．

2．RA滑膜炎の人為的制御

このような炎症ネットワークの分子レベルでの制御法として，各分子の機能をモノクローナル抗体，可溶性受容体で阻害する方法が実用化されている．現時点での標的サイトカインとしては，TNF-α，IL-1，IL-6があげられる（これらの治療薬については，「8．膠原病に使われる治療薬」を参照）．動物モデルにおいては，接着分子，ケモカイン，副刺激分子を標的としたモノクローナル抗体，可溶性受容体による実験的治療の有効性も報告されている．

●文　献●

1) Feldmann M, Brennan FM, Maini RN : Role of cytokines in rheumatoid arthritis. Annu Rev Immunol 14 : 397-440, 1996.
2) Lohning M, Richter A, Radbruch A : Cytokine memory of T helper lymphocytes. Adv Immunol 80 : 115-81, 2002.
3) Grogan JL, Locksley RM : T helper cell differentiation on again, off again. Curr Opin Immunol 14 : 366-72, 2002. 4) Murphy PM : International Union of Pharmacology. XXX. Update on chemokine receptor nomenclature. Pharmacol Rev 54 : 227-9, 2002.
5) IUIS/WHO Subcommittee on Chemokine Nomenclature : Chemokine/chemokine receptor nomenclature. Cytokine 21 : 48-9, 2003.
6) Bacon K, Baggiolini M, Broxmeyer H, et al : IUIS/WHO Subcommittee on Chemokine Nomenclature : Chemokine/chemokine receptor nomenclature. J Interferon Cytokine Res 22 : 1067-8, 2002.
7) Szekanecz Z, Kim J, Koch AE : Chemokines and chemokine receptors in rheumatoid arthritis. Semin Immunol 15 : 15-21, 2003.
8) Bevilacqua MP : Endothelial-leukocyte adhesion molecules. Annu Rev Immunol 11 : 767-804, 1993.

［針谷　正祥］

総論 5 アレルギーに関与する分子

緒言

　アレルギー疾患は気管支喘息，アトピー性皮膚炎，花粉症などさまざまな病態を有する疾患概念であり，さらに，たとえば喘息に関しても，多くの亜型が存在することは知られている．したがって，一冊の本によってもアレルギーに関与する分子を網羅することは不可能である．そこで，本稿では，メディエーターとサイトカインなど細胞同士の情報に関わる分子（表1）に限って，マウスなど実験動物のみならず，ヒトの疾患病態，実際の臨床においても証明されている最新研究成果に重点をおいて解説する．

アレルギー体質獲得・疾患発症にかかわる分子

1. Th1/Th2サイトカイン

　B細胞からのIgE抗体産生にはTh2細胞より分泌されるIL-4とIL-13が必須であり，Th1細胞から分泌されるインターフェロン（IFN）γにより抑制されることはよく知られている．

　胎児にとって非自己である母親組織を拒絶しないようにするための免疫学的偏向の結果として，新生児期はIFN-γの産生が著しく抑制された状態となっている．このIFN-γの産生が生後半年頃までの何らかの環境因子によって劇的に増強した場合には，吸入抗原などに対する免疫応答はTh1優位となり，IL-4の産生は抑制され，アレルギー体質の獲得を免れることができる．一方，IFN-γの産生誘導刺激が少ない環境で

表1　ヒトのアレルギー性炎症に関与する主なメディエーターとサイトカイン（由来細胞と主な作用）

A. 顆粒内メディエーター（preformed mediator）		
1. ヒスタミン	マスト細胞・好塩基球	平滑筋収縮，血管拡張
2. トリプターゼ	マスト細胞	気道平滑筋増殖
3. ヘパリン	マスト細胞	トリプターゼ活性化
4. major basic protein	好酸球・マスト細胞	気道過敏性亢進・抗ウイルス作用？

B. 脂質メディエーター（newly-formed mediator）		
1. ロイコトリエンC4/D4	マスト細胞・好酸球	平滑筋収縮
2. ロイコトリエンB4	単球・好中球・好塩基球	好中球遊走
3. プロスタグランディンD2	マスト細胞	好酸球・好塩基球遊走

C. サイトカイン・ケモカイン		
1. IL-5, GM-CSF, IL-3	T細胞・マスト細胞	好酸球活性化
2. IL-4	好塩基球・T細胞	免疫能調節
3. IL-13	T細胞・マスト細胞	気道過敏性増強
4. TGFβ	好酸球・T細胞など	免疫調節・繊維化促進
5. エオタキシン	気道上皮・線維芽細胞	好酸球遊走

あった場合には，IL-4の産生が持続し，アレルギー体質を獲得する[1]．上記の環境因子で最も重要なものは，細菌・ウィルス感染である想定されている[2]．そして，エンドトキシンなどの菌体成分が抗原提示細胞などに存在する種々のToll様受容体を刺激することによりIL-12などを産生させ，Th1免疫応答を誘導することがアレルギー性疾患発症予防に影響すると推定されている[3]．

B細胞や気道上皮細胞などに対するIL-4やIL-13の活性化作用は，受容体を経て，細胞内のsignal transducer and activator of transcription (STAT) 6が活性化されることによる．一方，抗原提示細胞より産生されたIL-12はTh1細胞にSTAT4を介しIFNγを産生させ，Th1細胞より産生されたIFNγはSTAT1を介して，細胞性免疫反応を活性化し，IgE抗体産生を抑制することもよく知られている．

さて，実際のアレルギー疾患において，これらの転写因子はどのように調節されているのであろうか？われわれは，重症アレルギー疾患患者T細胞において発現増加している分子を網羅的に探索したが，その結果，IL-4により活性化され，STAT4の作用を阻害する細胞内転写因子suppressor of cytokine signaling (SOCS 3) が増加していることを偶然発見した．動物実験により，SOCS3はIgE抗体産生増強に働くのみならず，気道過敏性にも作用することが確認されている[4]．

2．調節性サイトカイン

Th1細胞を強く誘導した場合，アレルギー疾患発症のリスクは減少するが，自己免疫疾患のリスクは増大すると考えられる．発展途上国では，自己免疫疾患もアレルギー疾患も少ないことから，Th1細胞，Th2細胞の両者を制御する機構の存在が想定されている．Zuany-Amorimら[5]結核菌体成分投与が抗原特異的なマウス肺の好酸球性炎症を予防する効果があり，それがT細胞由来のIL-10とTGFβに依存していることを報告している．このように細菌菌体成分によるアレルギー疾患発症予防効果はTh1細胞の誘導ではなく，IL-10やtransforming growth factor (TGF) βなどを産生する抗原特異的調節性T細胞の作用による[6]と考える研究者も多い．調節性T細胞として数種類報告されているなかで，最もよく知られているCD25陽性T細胞は，Th1細胞の過剰な活性化と自己免疫疾患発症を抑制するが，Th2細胞に対する作用はないと考えられている[7]．CD25陽性T細胞が過剰に活性化された状態では寄生虫感染の遷延化，癌発症のリスク増大がおこるので，いずれにしても免疫細胞に関しては，ほどよくバランスをとることが重要であろう．

3．ヒスタミン

ヒスタミンはマスト細胞と好塩基球顆粒に存在し，脱顆粒刺激により放出され，粘液分泌，気道収縮などの症状を惹起する．最近，4種類のヒスタミン受容体が同定されているが，気道分泌腺刺激に関わるH1受容体を消失させたマウスでは，IgE抗体産生が増加するとの報告がある[8]．しかしながら，ヒトのアレルギー疾患において広く使用されているH1受容体拮抗薬に関しては，その様な報告はなく，むしろ喘息発症予防効果があることが知られている[9]．4種類の受容体は，場合によっては拮抗作用を有することが知られており，ヒトやマウスの各種細胞におけるこれら受容体の分布を詳細に検討する必要がある．

4．プロスタノイド

プロスタグランディン (PG) D_2 は，アレルゲン刺激によりマスト細胞より新たに合成される脂質メディエーターである．合成酵素はほぼマスト細胞に選択的に発現している．PGD_2の受容体遺伝子DP2を欠損したマウスでは喘息様症状が消失することが報告されている[10]．ヒトでも，この受容体DP2とは別な受容体であるCRTH2が好酸球，好塩基球，Th2細胞に強く発現していることが判明している[11]．

喘息等アレルギー性疾患重症化にかかわる分子

1．IL-13

IL-13とIL-4は，B細胞に作用しIgE抗体産生を増強するほか，気道上皮細胞など多くの細胞に対する活性化作用を有する．IL-4に対する受容体はIL-4受容体α鎖とIL-2受容体γ鎖の組み合わせとIL-4受容体α鎖とIL-13受容体α1鎖の組み合わせの2通り存在するが，IL-13は，後者の受容体のみと反応する．したがって，IL-13受容体α1鎖が存在しない（大量のIL-13を産生する）T細胞やマスト細胞に対しては，IL-13は作用しない．しかしながら，喘息や喘息モデルの気道炎症においてはIL-13のほうがIL-4よりも大きな役割を演じていることが報告されている[12,13]．このことは，喘息患者気道組織におけるIL-13産生量はIL-4産生量よりもはるかに多いことに起因するのであろう．IL-13は，気道組織の細胞や好酸球などの炎症細胞に対して作用し，ロイコトリエン (LT)[14] やエオタキシンに対する感受性を増加させ，活性酸素やコラーゲンなどの生成を増加させることなどにより，喘

息病態を悪化させると想定されている．

2．IL-5

　好酸球由来であり，強力な組織障害作用を有するmajor basic proteinが喘息死患者気道粘膜上皮に付着していることから，好酸球は長らく喘息病態増悪の元凶であり，最大の治療標的として考えられていた．しかし，好酸球増殖因子であり，好酸球活性化因子でもあるIL-5に対するモノクローナル抗体はマウス喘息モデルにおいて著効を示したが，ヒト喘息患者では効果を示さなかったということが最近報告され[15]，注目をあびている．好酸球のみで炎症がおきているわけではなく好塩基球やマスト細胞[16]（DNAチップを用いた網羅的な遺伝子発現解析により大量のmajor basic proteinを有することが発見されている）などほかのアレルギー炎症細胞の関与も重要，IL-5だけでは組織の好酸球はあまり減少しないことを示唆する研究成果がその後報告されている．しかしながら，最近，IL-5に対する抗体処理により，気道過敏性は変化しなかったが，気道上皮基底膜肥厚・繊維化などの組織リモデリングに対しては有効性を示したということが報告されている[17]．このことは好酸球の主な役割がLT産生による気道収縮やプロテアーゼ遊離による組織破壊ではなく，組織繊維化，リモデリングに関するものである可能性を示唆している．なお，好酸球はTGFβを大量に産生する細胞であるが，前述の様にTGFβというサイトカインは，アレルギー発症には抑制的に作用するが，基底膜肥厚など喘息病態の増悪には促進的に作用する．

3．ロイコトリエン，LT

　LTはアレルゲン刺激の際に，ホスホリパーゼA2およびリポオキシゲナーゼの作用により細胞膜に存在するアラキドン酸よりあらたに合成され遊離される．とくに，LTC4，LTD4は，ヒスタミンの約1,000倍の気道平滑筋収縮作用を有し，喘息発作時にマスト細胞などの細胞から遊離される．したがって，LTは喘息発作の最大の責任分子であり，LT受容体拮抗薬は，吸入ステロイド薬と並んで，喘息治療薬として広く世界中で使用されている．最近，LTC4，LTD4は，気道平滑筋に作用するのみならず，好酸球やマクロファージに作用し炎症を引きおこし，気道平滑筋の増殖を促進するとの報告[18]もある．なお，LTB4はマウスのマスト細胞から産生され好酸球に対する強力な遊走活性をもち，喘息モデルでも重要な働きを演じているが，ヒトのマスト細胞からは産生されず，好酸球に対する遊走活性もない．

4．トリプターゼ

　トリプターゼはマスト細胞に大量に存在し，好塩基球にきわめて少量のみ，その他の細胞にはまったく存在しない．その重量はマスト細胞全体の10％を占める．重症喘息患者では気道平滑筋の肥大や異形成といったリモデリングが認められるが，最近，これら喘息患者の気道平滑筋層では，好酸球性気管支炎や正常対照に比し，著しいマスト細胞数の増加が認められることが報告されている[19]．そして，トリプターゼは，非常に強力な気道平滑筋の増殖因子であることが判明している[20]．

結　語

　アレルギー疾患の発症や増悪にかかわるメディエーターとサイトカインについて，ヒトのアレルギー疾患における病態で確認されているものに限り概説した．近年，ステロイド薬局所投与がアレルギー標準治療として確立しているが，アレルギー疾患の薬剤開発や研究も，ステロイド薬に反応しにくいマスト細胞や組織リモデリング反応の病態が中心となりつつあることは興味深い．

文　献

1) Prescott SL, Macaubas C, Smallacombe T, et al：Development of allergen-specific T-cell memory in atopic and normal children. Lancet 353：196-200, 1999.
2) Strachan DP：Hay fever, hygiene, and household size. BMJ 299：1259-1260, 1989.
　Matricardi PM, Rosmini F, Riondino S, et al：Exposure to foodborne and orofecal microbes versus airborne viruses in relation to atopy and allergic asthma：epidemiological study. BMJ 320：412-417, 2000.
3) Gereda JE, Leung DY, Thatayatikom A, et al：Relation between house-dust endotoxin exposure, type 1 T-cell development, and allergen sensitisation in infants at high risk of asthma. Lancet 355：1680-3, 2000.
4) Seki Y, Inoue H, Nagata N, et al, Suppressor of cytokine signaling-3（SOCS3）regulates onset and maintenance of type 2 helper T cell mediated allergic responses. Nat Med 9：1047-1054, 2003.
5) Zuany-Amorim C, Sawicka E, Manlius C, et al：Suppression of airway eosinophilia by killed Mycobacterium vaccae-induced allergen-specific regulatory T-cells. Nat Med 8：625-629, 2002.
6) Wills-Karp M, Santeliz J, Karp CL：The germless theory of allergic disease：revisiting the hygiene hypothesis. Nat Rev

Immunol 1：69-75, 2001.
7) Maizels RM, Yazdanbakhsh M, Immune regulation by helminth parasites：cellular and molecular mechanisms. Nat Rev Immunol 3：733-744, 2003.
8) Jutel M, Watanabe T, Klunker S, et al：Histamine regulates T-cell and antibody responses by differential expression of H1 and H2 receptors. Nature 413：420-425, 2001.
9) Iikura Y, Naspitz CK, Mikawa H, et al：Prevention of asthma by ketotifen in infants with atopic dermatitis. Ann Allergy 68：233-236, 1992.
10) Matsuoka T, Hirata M, Tanaka H, et al：Prostaglandin D2 as a mediator of allergic asthma. Science 287：2013-2017, 2000.
11) Hirai H, Tanaka K, Yoshie O, et al：Prostaglandin D2 selectively induces chemotaxis in T helper type 2 cells, eosinophils, and basophils via seven-transmembrane receptor CRTH2. J Exp Med 193：255-261, 2001.
12) Grunig G, Warnock M, Wakil AE, et al：Requirement for IL-13 independently of IL-4 in experimental asthma. Science 282：2261-2263, 1998.
13) Wills-Karp M, Luyimbazi J, Xu X, et al：Interleukin-13：central mediator of allergic asthma. Science 282：2258-2261, 1998.
14) Chibana K, Ishii Y, Asakura T, et al：Up-regulation of cysteinyl leukotriene 1 receptor by IL-13 enables human lung fibroblasts to respond to leukotriene C4 and produce eotaxin. J Immunol 170：4290-4295, 2003.
15) Leckie MJ, ten Brinke A, Khan J, et al：Effects of an interleukin-5 blocking monoclonal antibody on eosinophils, airway hyper-responsiveness and the late asthmatic response. Lancet 356：2144-2148, 2000.
16) Nakajima T, Matsumoto K, Suto H, et al：Gene expression screening of human mast cells and eosinophils using high-density oligonucleotide probearrays：Abundant expression of major basic protein in mast cells. Blood 98：1127-1134, 2001.
17) Flood-Page P, Menzies-Gow A, Phipps S, et al：Anti-IL-5 treatment reduces deposition of ECM proteins in the bronchial subepithelial basement membrane of mild atopic asthmatics. J Clin Invest 112：1029-1036, 2003.
18) Panettieri RA, Tan EM, Ciocca V, et al：Effects of LTD4 on human airway smooth muscle cell proliferation, matrix expression and contraction In vitro：differential sensitivity to cysteinyl leukotriene receptor antagonists. Am J Respir Cell Mol Biol 19：453-461, 1998.
19) Brightling CE, Bradding P, Symon FA, et al：Mast-cell infiltration of airway smooth muscle in asthma. N Engl J Med 346：1699-1705, 2002.
20) Bradding P：The role of the mast cell in asthma：a reassessment. Curr Opin Allergy Clin Immunol 3：45-50, 2003.

［斎藤　博久］

総論 6 リウマチ診療の臨床検査

はじめに

リウマチ性疾患の診療には問診・理学的所見が重要であるが，各種臨床検査も欠かせないものであり，さらに臨床検査にはスクリーニングの意味もある．一方臨床検査には診断に役立つもののほか，疾患活動性または病型診断に有用な項目がある．したがって，リウマチ性疾患を診療するには各臨床検査の意義を正しく把握して適正に行う必要がある．本稿では関節リウマチを含めた膠原病ならびにその類縁疾患をリウマチ性疾患とし，近年登場した新しい検査項目も含めて効率的な診療に役立つ臨床検査の種類と意義を述べる．

臨床検査の進め方と検査項目（表1）[1]

問　診：理学的所見によりどの程度該当疾患を疑うかにより，初回に行う検査項目の種類は異なる．保険診療の制約もあるが，ある疾患がきわめて疑わしければ当初より詳しい検査を施行すべきである．一般的には，通常の末梢血検査，肝・腎機能を含めた生化学検査，検尿は，診断，合併症・病型の把握，治療薬の選択に必須の検査である．疾患の活動性を反映する検査としてCRP，赤沈検査が役立つ．これら臨床検査の進め方に関しては，日本臨床検査医学会からDRG/PPSに対応した指針が出されているので参照いただきたい[1]．

各疾患が疑わしい場合には下記に記すより詳細な検査を行うことになる．しかし，リウマチ性疾患の場合には疾患の重複（たとえばシェーグレン症候群の合併や重複症候群）も多くみられるため，単一の疾患以外の所見があれば積極的にほかの疾患を鑑別するための検査が必要になる．さらに，リウマチ性疾患は多臓器にわたる病変を呈することが特徴であるため，診断をするのみではなく罹患臓器の把握のための検査が必要である．

末梢血・生化学的検査・尿検査

末梢血検査は診断・疾患活動性に関して多くの情報をもたらす．白血球数の減少（あるいはリンパ球数の減少）はSLEの鑑別に必要であり，増加は炎症の程度・血管炎の鑑別・感染症の鑑別に役立つ．血小板数減少は全身性エリテマトーデス（SLE）や抗リン脂質抗体症候群（APS），増加は炎症の程度の把握に役立つ．

生化学検査では診断・罹患臓器の把握ならびに治療薬の選択・副作用の発見に必須である．通常，肝・腎・膵・筋・糖・電解質の検査が含まれる．たとえば，クレアチニンキナーゼ（CK）は筋病変のスクリーニングに有用であり，肝機能検査は薬剤の副作用発見に必要である．また，血清フェリチンは成人スティル病の診断と病勢把握に用いられる．

尿検査は腎病変の有無・薬剤副作用の発見に役立つ．見すごしやすい例としては，尿pHが常にアルカリ性であることから腎尿細管性アシドーシスの合併を疑うことができる．

炎症マーカー

CRPと赤沈は解離することもしばしばある．すなわち，SLEでは赤沈は亢進してもCRPが陽性となることは少なく，CRPが陽性の場合には胸膜炎の存在あるいは感染症の合併を疑う．また，赤沈は炎症以外の要因（貧血，高ガンマグロブリン血症，低アルブミン血症など）でも亢進する．CRPと赤沈を常に同時に測定することは保険診療上の制約もあり，初回以外は適宜選択せざるをえない．

表1 リウマチ性疾患における検査項目

症　　状	検査項目
SLE疑	1) 自己抗体：抗dsDNA抗体，抗Sm抗体，抗U1RNP抗体，抗カルジオリピン（β2-GPI）抗体，抗甲状腺抗体，抗赤血球抗体（クームス試験） 2) CH50，C3，C4蛋白濃度 3) 細胞性免疫：リンパ球の絶対数，皮膚反応（PPD反応など） 4) 超音波またはCT（心，腹部，頭部），眼科的検査，組織像（皮膚，腎，神経）など
SSc疑	1) 自己抗体：抗Scl-70抗体（トポイソメラーゼI），抗U1RNP抗体，抗セントロメア抗体，抗SS-A抗体，抗SS-B抗体 2) 皮膚組織診，消化管造影，肺機能，脳波，超音波（心），KL-6
PM-DM疑	1) 自己抗体：抗Jo-1抗体，抗U1RNP抗体，抗SS-A抗体，抗SS-B抗体 2) 尿クレアチニン排泄量と係数，アルドラーゼ，ミオグロビン 3) 超音波またはCT（腹部），筋電図，皮膚・筋生検，消化管造影，肺機能，肺CT
MCTD疑 分類不能結合組織病（UCTD）疑	1) 自己抗体：抗U1RNP抗体，抗dsDNA抗体，抗Scl-70抗体，抗Jo-1抗体，抗セントロメア抗体，抗SS-A抗体，抗SS-B抗体 2) CH50，C3，C4蛋白濃度 3) SLE，SSc，PM-DM，RAについての検査 4) 肺動脈高血圧の検査（心エコー，心カテーテル），皮膚生検，筋電図，筋生検，肺機能，脈波など
血管炎疑	1) 自己抗体：抗リン脂質抗体（aCL，ループスアンチコアグラント（LA）），抗好中球細胞質抗体（ANCA）（C（PR-3）-ANCA，P（MPO）-ANCA），抗dsDNA抗体，抗U1RNP抗体 2) CH50，C3，C4蛋白濃度 3) X線検査（消化管造影，血管造影），超音波（心，腹部など） 4) 組織生検（皮膚，腎など）
シェーグレン症候群疑	1) 自己抗体：抗SS-A抗体，抗SS-B抗体 2) 眼検査：（シルマーテスト，蛍光色素試験など） 3) 唾液分泌能，唾液腺シンチ，口唇小唾液腺生検，耳下腺造影
抗リン脂質抗体症候群疑	1) 自己抗体：（aCL，LA） 2) 超音波，CT，血管造影

(吉田 浩，2002[1])より改変引用)

免疫・血清学的検査

　補体系検査として，まず総合評価となるCH50を測定する．CH50は，体内で補体の活性化が起こっていれば低値，炎症により高値となり，産生と消費のバランスとして測定される．通常，抗原抗体複合物による補体の消費が亢進する病態として，SLEと悪性関節リウマチがあげられる．血管炎を伴わない関節リウマチでは一般に炎症状態を反映して高値となる．CH50が低値であれば補体系蛋白であるC3とC4の定量を行う．SLE，とくに膜性以外のループス腎炎と活動性の高い悪性関節リウマチでは両者ともに低値となる．CH50が低値ながらC3・C4共に正常な場合は，CH50の寒冷による活性化が考えられ，慢性C型肝炎に伴うクリオグロブリン血症や寒冷凝集素の存在を疑う．

　免疫複合体測定は，特殊な例を除き診断価値ならびに病勢把握には今のところ有用となってはいない．また，血清梅毒反応の生物学的疑陽性は以前はSLEやAPSの診断に用いられてきたが，近年は抗リン脂質抗体の直接測定が可能となり有用性は低くなってきた．

　最近保険収載となった血清MMP-3は，関節リウマチの関節破壊進行予測に有用であり[2])，経時的に測定する必要がある．早期の関節リウマチ患者でも陽性となるが，ほかの関節破壊をきたす疾患でも陽性となるので注意が必要である．

代表的自己抗体

　自己抗体の検索は，リウマチ診療に欠かせない臨床検査項目である．自己抗体のなかには，疾患の診断・病型と罹患臓器の把握・予後と病勢の推測などおのおのに特徴的な有用性があり，これらを把握して臨床検査を進めることが重要である（表2)[3])．

　リウマトイド因子（RF；現在の保険収載上はリウマチ因子）は，その測定法が多種類ある．スクリーニングとしての定性法は，定量法に比べ感度が低く，検診等の特殊用途以外の有用性は低い．近年のRF定量

表2 抗核抗体の種類と陽性率・有用性

抗核抗体の種類	SLE	関節リウマチ	強皮症	多発性筋炎・皮膚筋炎	MCTD	シェーグレン症候群	疾患特異性	活動性反映度
抗核抗体（蛍光抗体法）	98%	46%	85%	53%	100%	78%	リウマチ性疾患	低
二本鎖DNA	87	5	9	8	21	2	SLE	高
U1 RNP	39	2	14	8	100	7	MCTDには必須	低
Sm	18	0	0	0	9	0	SLE（MCTDは別途診断）	低
SS-A	40	17	9	13	21	57	シェーグレン症候群のスクリーニング	低
SS-B	5	3	0	0	1	27	シェーグレン症候群	低
Scl-70	0	0	32	0	0	0	強皮症	低
セントロメア	0	0	12	0	0	4	限局性強皮症	低
Jo-1	0	0	0	10	0	0	肺線維症合併筋炎	低

（山中 寿, 2002[2]）より引用）

表3 抗核抗体の基本的染色パターンと対応抗原・疾患

染色パターン	主な対応抗原	疾患
辺縁型 peripheral	DNA	SLE
均質型 homogeneous	DNA, DNA結合性蛋白	SLE
斑紋型 speckled	Sm, RNP, SS-A, SS-B, Scl-70 tRNA (Jo-1)	SLE, MCTD, シェーグレン, 強皮症, 多発性筋炎
散在斑紋型 discrete speckled	セントロメア	限局性強皮症, CREST症候群
核小体型 nucleolar	RNA, RNA結合性蛋白	強皮症

法には数種類の測定法があるが，改良が加えられ感度70％以上，特異度85％まで改善している．しかし，関節リウマチ患者の約2割は依然としてRF陰性であり，かつほかの膠原病あるいは慢性肺疾患・肝疾患・高齢者での疑陽性も2～4割あるため，関節リウマチの診断にはほかの臨床所見を重要視しなければならない．ただし，高力価のRFはほとんど関節リウマチに限られる．また，近年RFのなかでもIgGリウマトイド因子ならびに抗ガラクトース欠損IgG抗体測定が保険収載されてきた．これらのRFは，これまでの検査でRF陰性とされた関節リウマチ患者で陽性になることがあること，感度がやや高いことにより，RF陰性ではあるが関節リウマチを強く疑う場合には有用性が高い．

抗核抗体はリウマチ性疾患のスクリーニングとしての用いられているが，低力価の陽性反応は高齢者や慢性疾患患者でも検出される．しかし，疑陽性の場合はおおむね160倍以下の低力価となる[4]．また，抗核抗体の陽性・陰性のみでの診断的価値は低く，その染色パターンならびに抗原特異性のある自己抗体の結果がより重要となる．通常の間接蛍光抗体法による抗核抗体の染色パターンは，主に対応抗原によって変化する．

したがってこの染色パターンによって，次にどのような抗原特異性のある自己抗体の検索を必要とするかが推測されることになる（表3）．近年，これまでの間接蛍光抗体法にかわり，複数の既知抗原を用いたELISA法による抗核抗体測定がされるようになった．本法は，蛍光抗体法で判明する染色型は判定できないが，結果が安定していることと健常人での陽性率が5％と低値であることが特徴であり，抗核抗体のスクリーニング検査として有用である．

抗DNA抗体の測定には，主に2つの方法がある．1つはアイソトープでラベルしたDNAを用いるFarr法であり，もう1つは二本鎖DNAあるいは一本鎖DNAを用いたELISA法である．これらの方法では結果が解離することもあるが，近年はELISA法が主流となりつつある．ELISA法では，主に二本鎖DNAに対する抗体が診断価値がある．SLEでは約45％で陽性となり，その他の疾患では15％以下である．さらに，二本鎖DNA抗体の存在は，膜性以外のループス腎症または漿膜炎でみられ，かつ疾患活動性と平行することが知られている．

抗核抗体と抗DNA抗体を併せると，両者陽性の場

表4 ANCA関連血管炎症候群

```
I. PR-3 ANCA関連血管炎症候群
    1）特発性（腎限局型）
    2）全身性（Wegener肉芽腫症）
II. MPO-ANCA関連血管炎症候群
    1）特発性（腎限局型）
    2）全身性
        （1）顕微鏡的多発血管炎
        （2）Churg-Strauss症候群（アレルギー性肉芽腫性血管炎）
        （3）非高血圧型強皮症腎クリーシス
        （4）薬剤誘発性（prupylthiouracil，ヒドララジン，ザイロリック，
            抗リウマチ薬など）
        （5）硅肺誘発性，特殊な環境・生活因子など
```

合SLE分類基準の3項目しか満たしていなくともSLEである確率は96％であった[5]．

対応抗原別の抗核抗体の測定としては，抗Sm抗体，抗U1RNP抗体，抗Scl-70抗体，抗SS-A抗体，抗SS-B抗体，抗セントロメア抗体，抗Jo-1抗体などがある．これらの測定には，二重免疫拡散法（DID法）とELISA法がある．DID法は半定量的であるが特異性に優れる．近年はELISA法が主流であるが，臨床所見と照らし合わせ結果に疑問がある時にはDID法で確認するのが望ましい．

ANCAは，当初間接蛍光法で測定されたが，近年はELISA法が普及し，MPO-ANCAとPR3-ANCAが測定可能である．これらの抗体がみられる疾患は表4に示したが，特徴としては，疾患の診断に有用なだけでなく，疾患の活動性を反映するという点である．したがって，治療に伴って経時的に測定する有用性がある．

近年，抗リン脂質抗体の測定が確立しつつあり，それに伴いAPSの診断も明確になってきた．本症を疑うときは，血栓症の既往のほか活性化トロンボプラスチン時間（APTT）の延長がある．APTTの延長がみられ，凝固因子の欠乏がない場合には抗カルジオリピン抗体または抗カルジオリピン-β2 GPI抗体と，ループスアンチコアグラントを測定し，抗リン脂質抗体の有無を確認する．

自己免疫性肝炎の診断には従来抗核抗体が用いられてきた．しかし近年，肝臓と腎臓に存在するマイクロゾーム（LKM）に対する抗体（抗LKM-1抗体）がELISA法により測定可能となり，抗核抗体陽性はI型，抗LKM-1抗体陽性はII型自己免疫性肝炎と診断されるようになった[6]．

その他，最近注目されてきた自己抗体として環状シトルリン化ペプチド（CCP）に対する抗CCP抗体がある．抗CCP抗体は1964年に報告された抗核周囲抗体を改良したもので，ELISA法として開発された．まだ保険収載にはなっていないが，これまでのリウマトイド因子と比べ関節リウマチに対しての感度は同等である一方，特異性は高く95％以上とされている．さらに関節リウマチ発症2.5年前から本抗体が存在していたという報告[7]もあり，今後の発展と一般利用が望まれる自己抗体である．

最後に

リウマチ性疾患は臨床像が複雑であり，単に診断するのみでなく罹患臓器と病勢の把握，予後の推測など，多岐にわたる分野で臨床検査は必須のものである．しかし，すべての臨床検査を行うことは不可能であり，以下に効率よく検査を進めていくかが重要である．そのためのフローチャートも作成されつつあるが，その科学的根拠が括弧としたものであるとはまだ言いきれない．今後，診断と治療の流れに沿った臨床検査の必要性についての臨床的研究がさらに必要であろう．

●文　献●
1）吉田　浩：膠原病又はその類縁疾患．DRG/PPS対応臨床検査のガイドライン2002（第4次案）．日本臨床検査医学会編89-92，2002．
2）山中　寿：血清MMP-3（matrix metaloproteinase-3）．日本臨牀 60：2325-2330，2002．
3）高崎　芳成：抗トポイソメラーゼI抗体・抗セントロメア抗体．日本内科学会雑誌 92：1927-1931，2003．
4）Tan E M, Feltkamp T E, Smolen J S, et al：Range of antinuclear antibodies in "healthy" individuals. Arthritis & Rheumatism 40：

1601-1611, 1997.
5) Mazanec DJ, Kantor SM：Systemic Lupus Erythematosusu. in Diagnostic Strategies for Common Medical Problems（Black ER ed）, pp419-428, Philadelphia, PA, American College of Physicians-American Society of Internal Medicine, 1999.
6) McFarlane I G：Autoimmune Hepatitis：The investigational and clinical challenges. American Association for the Study of Liver Diseases 8：107-112, 1999.
7) Rantapaa-Dahlvust S, de Jong B A W, Berglin E, et al：Antibodies against cyclic citrullinated peptide and IgA rheumatoid factor predicit the development of rheumatoid arthritis. Arthritis & Rheumatism 48：2741-2749, 2003.

［大 島 久 二］

総論 7 アレルギー診療での臨床検査

はじめに

　一臓器の異常を主徴とする疾患の場合にはその臓器に限定した細胞傷害や機能障害を検知把握する検査が中心的であるのに対して，アレルギー疾患では疾病の準備段階（感作の証明）から罹患各臓器異常・発現症状についてまで幅広い検査が行われるのが特徴である．Ⅰ型アレルギー疾患の場合，抗原（アレルゲン）特異的IgEの測定がとくに重要であるとともに，特異的IgEの架橋に基づくマスト細胞活性化から症状発現に至るまでのさまざまな段階ごとに検査の対象となりうる．本稿では，一般検査から特殊検査まで適宜触れながら概説をしていくが，多彩な検査項目すべてを説明するよりも，とくに必要性の高い項目に絞って記載することにする．

各種臨床検体における検査の概略

　血液検査－血算，生化，血沈などの一般検査－はいずれも有用である（表1）．血算では，好酸球増多は細胞実数が500/μlを超えていることで判定する．生化検査では，アレルギー疾患で特異的な異常を示すわけではないが，除外診断に役立つ．たとえば，心筋梗塞に関連した項目を検査することは，血圧低下を伴うアナフィラキシーショックの鑑別において参考となる．血沈は，アレルギー疾患において通常正常であるが，上昇は感染や血管炎などの存在を示唆する．
　尿検査では，喘息やアトピー性皮膚炎などを有していても異常を呈しないのが普通である．
　喀痰検査や鼻汁検査による好酸球の有無は，喘息やアレルギー性鼻炎の鑑別の参考情報となる．呼吸困難で受診した患者に対しては，すみやかに血液ガスを検査することが望ましいが，まず簡便に測定できるSpO2を調べておくのがよい．

血清総IgEおよび特異的IgE測定

　血清総IgE値は，気管支喘息やアトピー性皮膚炎などのアレルギー疾患や寄生虫感染で高値を示すことが多く，アレルギー疾患診療においては，スクリーニング検査に含めるのが普通である．とくに小児において

表 1

```
●一般的な臨床検査
 ・血液検査　血算，生化学，血清（IgE，特異的IgE），血沈
 ・尿　検　査
 ・胸部X線検査
 ・心　電　図
 ・呼吸機能検査，動脈血液ガス

●抗原に対する生体の反応を調べる検査
 ・in vitro 検査　各種検体検査　血清中の特異的IgE，IgG
　　　　　　　　　細胞の反応性を調べる検査　ヒスタミン遊離反応，リンパ球刺激試験
 ・in vivo 検査　即時型皮膚反応　プリックテスト，スクラッチテスト，皮内反応
　　　　　　　　パッチテスト
　　　　　　　　抗原負荷テスト　抗原吸入誘発検査，鼻粘膜誘発試験，眼反応，食物
　　　　　　　　　　　　　　　　負荷試験　薬剤チャレンジテスト（舌下および内服
　　　　　　　　　　　　　　　　・注射）
```

は，アレルギー疾患の予知に有用である．しかしながら，すべてのアレルギー疾患で上昇するわけではないため，診断的価値は限定的である．通年性アレルギー性鼻炎では通常上昇するが，季節性の症状だけを示す花粉症では，抗原特異的IgEは検出されるものの総IgEは正常範囲内にとどまる例が多い．アレルギー性気管支肺アスペルギルス症やChurg-Strauss症候群等の比較的まれな疾患においては総IgE値は病勢を反映することから定期的測定は経過観察に有用である．このような場合を除いては，総IgEはスクリーニング測定以後は，経過中に大きな変化要因が起こっていないことの確認のため，1～数年の間隔をあけて測定すれば充分であろう．

一方，血清中の特異的IgE値上昇のほうが，抗原・疾患とのかかわりを医師・患者双方にとって理解しやすい．同様の意義を有する即時型皮膚反応（後述）では各種抗原液を常備しておく必要があるが，血清中特異的IgEについては特別な準備は必要ない（血清を検査に提出するのみ）ため抗原スクリーニング目的で頻用されるようになってきている．また，臨床的に抗ヒスタミン薬投与中で皮膚反応が抑制される場合でも，特異的IgE測定には支障がないことも大きな利点である．特異的IgEの測定可能抗原は実に100種類以上もあるが，保険上の制限があり，実際の測定項目は臨床的に重要なものに絞り込む必要がある．また，IgE RASTの測定法には，RASTを改良したCAPシステムのほか，ALASTAT，MAST，LUMIWARDなど複数あるが，基本的にはいずれも信頼性の高い結果を得ることができる（表2）．したがって，通常，一つの抗原に関しては一種類の測定法で充分であり，数種類の測定法にて結果を比較する必要はなかろう．注意すべき点として，特異的IgE RASTが陽性であっても，当該アレルゲンが確かに病像を形成しているとは限らないため，慎重に病歴とつき併せて判断する必要がある．

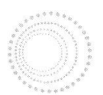

画像検査

アレルギー性喘息およびその他のアレルギー疾患で，画像検査を必要とする患者は多い．全例において診断に必須な情報というわけではないが，初診時一般検査としてだけでなく，鑑別疾患の除外目的でもしばしば有用である．たとえば気管支喘息においては，胸部X線検査は肺炎，気胸やその他の肺疾患の鑑別に参考となる．

呼吸機能検査

喘息など呼吸器系の疾患の精査治療を進めるにあたって，呼吸機能の把握は重要である．施行される呼吸機能検査としては，拘束性・閉塞性障害のスクリーニングや拡散能，血液ガスの確認のほか，専門施設では抗原吸入誘発や気道過敏性検査も行われる．これらの検査により，肺の状態を判断するとともに治療内容の決定や効果判定に結びつけることができる．気管支喘息の診療においては，普段から1日2～4回ピークフロー値を日誌に記録していくことで長期管理に有用な情報を与えてくれる．

表2　特異的IgE各種測定法

	RAST	UniCap	ルミワード	MAST26	イムライズ（AlaSTAT）	オリトンIgE
測定法	RIA, EIA	(RIA), EIA	CLEIA	CLEIA	CLEIA	EIA
単位	PRU	UA/ml	IU/ml	ルミカウント	IU/ml	IU/ml
判定基準	スコア0～4 2～4が陽性	クラス0～6 2～6が陽性	クラス0～6 2～6が陽性	クラス0～3 1～3が陽性	クラス0～6	クラス0～6 2～6が陽性
アレルゲンの種類	シングル 総IgE	シングル マルチ 総IgE	シングル 総IgE	MAST26 （26種同時）	シングル マルチ	シングル 総IgE
測定時間	2日	約1時間	約1時間	約24時間	約1時間	16分
皮膚テストとの一致率	74%	ダニ 80% 花粉 87.5% 真菌 69%	82%	—	75%	—
感度	82%	94%	86%	—	71%	—
特異度	96%	87%	96%	—	87%	—
販売元	ファルマシア	ファルマシア	シオノギ	カイノス，日立化成	DPC，ダイアヤトロン	日本ケミファ

RASTは現在販売中止．PRU：pharmacia RAST unit，RIA：放射性免疫測定法，
EIA：酵素免疫測定法，FEIA：蛍光EIA，CLEIA：化学発光EIA

（田中良一ら，2003[2]）より引用）

皮膚検査

I型アレルギー疾患で抗原を特定する作業は，原因抗原を回避するという予防法に結びつく点で重要である．上述の特異的IgEの証明とならんで即時型皮膚反応は重要である．具体的には，プリックテスト，スクラッチテストや皮内反応が行われる．

プリック・スクラッチテストでは，背部や前腕部の皮膚を消毒したあと，抗原液を滴下する．木綿針を用いて，この抗原液を通して皮膚を少し持ち上げる（プリックテスト）かあるいは短い引っかき傷をつくる（スクラッチテスト）．15～20分後に膨疹と紅斑の大きさを測定する．膨疹4mmまたは紅斑15mm以上で陽性と判定する．皮内反応は，前腕部皮膚で施行し，抗原液0.02mlを皮内に注入して15～20分後に膨疹と紅斑を測定する．膨疹9mmまたは紅斑20mm以上で陽性と判定する．

プリック，スクラッチテストでは皮膚に注入される液量が非常にわずかであるため（プリックテストでは3nlといわれている）全身アレルギー反応に発展する可能性は低く安全性が高いが，感度は鈍く比較的高濃度の抗原液でないと陽性とならない．これに対して，皮内テストでは皮膚に注入される量はプリックテストの数千倍に達し，感度は高いものの，検査時に全身反応（アナフィラキシー）を誘発する危険がある．

即時型皮膚反応は，皮膚のマスト細胞が刺激されて起きてくる反応である．これに対し，血液を用いたヒスタミン遊離反応は白血球中の好塩基球が刺激されて惹起される脱顆粒をみる検査である．抗原特異的IgEは全身に広く分布することから，基本的な考え方としては，即時型皮膚反応で陽性を呈する抗原は，同一個体において好塩基球ヒスタミン遊離反応でも陽性となる．しかし食物アレルギーで原因食物を避けていると，好塩基球ヒスタミン遊離反応については弱まってくることが知られており，正確な機序は不明ではあるが好塩基球の脱顆粒能はIgE以外の要因でも調節を受けていると考えられる．

パッチテストは，抗原を48時間皮膚に貼っておき，局所皮膚の変化をみるもので，IV型アレルギーに対して施行される検査である．接触性皮膚炎の検査として信頼性が高い．

リンパ球刺激試験は，血液中のリンパ球を抗原と一緒に入れて数日間培養し，抗原特異的リンパ球が活性化，増殖することで判定する検査法である．偽陽性，偽陰性が多いことから信頼性が低い検査法であり，リンパ球を刺激あるいは抑制する性質をもつ物質は検査に適さない．この試験については，結果を鵜呑みにせずにほかの検査結果と併せて判定するのが安全であろう．

抗原による誘発試験

ある抗原が本当に症状を誘発するのか，原因確定の目的で誘発試験が行われることがある．たとえば，気管支喘息で抗原吸入誘発検査を行うと，抗原を確認するとともに閾値を知ることができる．アレルギー性鼻炎患者に対する鼻粘膜誘発試験，アレルギー性結膜炎患者に対する眼反応も行われる．抗原を常に用意しておく必要があり，また，誘発される症状の加療に慣れた医師の下でのみ行われる検査である．薬物アレルギーに対しても負荷投与試験が行われうるが，アレルギー症状が重篤で対処法が確立されていない場合には，負荷投与は禁忌である．アナフィラキシーといった強い全身反応が疑われる場合には，まず極少量の舌下投与を行って口腔粘膜の変化を観察してから，徐々に全

表3　気管支喘息患者で血中の好酸球数が著増していた場合の検査項目（例）

- 一般的な血液検査（血算，生化，凝固，血沈，IgE，RAST），尿検査，心電図，胸部X線
- 呼吸機能検査，動脈血液ガス，必要に応じ気道過敏性検査
- 心エコーなどによる心機能評価（好酸球による心筋・心膜傷害の有無）
- 即時型皮膚反応（各種の抗原液を用いる）
- 薬剤使用歴や常用薬の確認（薬剤アレルギーを考慮）
- 便中の寄生虫卵検査（寄生虫感染を考慮）
- 副鼻腔の検査（X線）
- 喀痰の細胞診（好酸球の存在確認）・培養検査（各種感染性疾患を考慮）
- 気管支鏡検査（原因不詳の肺陰影を伴う場合．喘息発作に注意する）
- 血管炎や膠原病関連の検査：リウマトイド因子，P-ANCA，C-ANCA，抗核抗体，補体
- 悪性腫瘍に関連する検査：腫瘍マーカー，便潜血，腹部エコー，骨髄穿刺など適宜
- 上部消化管内視鏡（悪性腫瘍の検索，潰瘍の有無）
- 神経や皮膚の異常があればその検査を追加．生検を考慮．
- ステロイド長期使用の必要性が予測される場合：糖尿病・高血圧の有無，骨密度，眼科検査

身投与量を増量していくようにする．薬物の負荷投与試験は，リスクはあるものの，原因薬を確かめるために最も信頼性の高い方法である．

具体的にどのような検査を行うか

表3に，気管支喘息の経過中に血液中の好酸球著増を来した場合を想定して，施行が望ましい検査一式（例）を記載した．診断がおおよそ判っていれば検査項目を限定しても差し支えないが，心機能については，もし異常があれば早急な治療を要する重要臓器病変であること，好酸球により比較的異常をきたしやすいことから，至急心エコー検査を行うべきである．

気管支喘息発作で来院した場合には，身体所見や症状の様子をみながら，発作治療をまず開始して，検査は必要なものだけあとで行う，といった臨機応変な態度が望ましい．

●文　献●
1) 石川哮, 中川武正：検査法総論－IgE検査法. 臨床アレルギー学 改訂第2版（監修 宮本昭正）. 南江堂 pp178-192, 1998.
2) 田中良一, 山本一彦：アレルギーの臨床に必要な検査の常識－成人の場合. JIM 13：115-118, 2003.

［山口　正雄］

総論 8 膠原病・リウマチ性疾患に使われる治療薬 生物学的製剤を中心として

はじめに

　膠原病は，原因不明の炎症性疾患で，その病態には免疫学的異常が深くかかわっている．治療は，主として炎症をコントロールし，その結果として引き起こされる組織障害を防ぐことを目的としている．これまで，非ステロイド系抗炎症薬，副腎皮質ステロイド薬，免疫抑制薬などがその目的に使用されてきたが，近年，疾患の病態が分子レベルで解明され，治療の分子標的が明らかとなってきた．同時に，障害組織の機能不全に対する薬剤も開発され，対症療法の幅が広がった．進歩の著しい分子生物学的手法，細胞工学的手法の導入によって，分子標的に対する特異性の高い薬剤開発も進められてきた．その結果，最新の技術を駆使した蛋白質製剤，生物学的製剤が産み出されている．関節リウマチでは，すでに欧米で6年前から臨床現場で使用され，治療体系をぬりかえるほどの大きなインパクトイを与えている．本稿では，治療薬の最近のトピックスや，この生物学製剤の話題を中心に，膠原病に使われる治療薬について解説する．

従来からの治療薬

1．非ステロイド系抗炎症薬
（non-steroidal anti-innflammatory drugs：NSAID）

　標的であるシクロオキシゲネース（Cyclooxigenese：COX）が2種類あることが判明し，構成的に発現され生理学的機能に関与するCOX-1に対する作用が弱く，誘導型で炎症と密接に関与するCOX-2により強い作用のあるCOX-2選択的阻害薬が開発されている．わが国においては，94年に承認されたエトドラック（ハイペン／オステラック）に続き，2001年メロキシカム（モービック）が関節リウマチに承認された．欧米ですでに使用されているセレコキシブ，ロフェコキシブの2剤のコキシブ系薬剤のうち，前者は，現在承認申請／治験中である．これらNSAIDは，COX選択性のないものに比べ胃潰瘍などの消化器系副作用の発生頻度が少ないことが実証されており，血小板凝集抑制効果も少ないため出血のリスクのある症例では使いやすい．一方，COX-1選択性が極めて高いロフェコキシブでは，心筋梗塞の発生頻度が高まるという大規模臨床試験での成績が明らかにされ，2004年秋，全世界で販売が停止され，それに伴って日本での治験も中止された．血小板凝集抑制がないためのデメリットと考えられている．症例の疾患リスクに応じた薬剤選択が求められる．

2．抗リウマチ薬
（disease modifying anti-rheumatic drugs：DMARD）

　関節リウマチの自然歴を変えうる薬剤として開発されてきたが，種々の膠原病でも関節炎コントロールのために使用されることも多い．
　特徴として，
　1）抗リウマチ剤の有効率は数10％であるが，有効例をあらかじめ予知することができない．
　2）効果が出現するまでに数カ月を要し，効果判定に時間がかかる．
　3）さまざまな副作用がある．
　4）良好な反応を示した症例でも，2～3年後にその薬剤に抵抗性になることがある
点に，注意する．1999年にRAに承認されたメトトレキサート（リウマトレックス）は，8 mg/週という最高用量のしばりはあるものの，これまでのDMARDを上回る有効性が確認されている．口内炎，胃部不快感，肝機能障害などの副作用に加え，重篤なものとして骨髄抑制，間質性肺炎が知られており注意が必要である．2003年，新しいDMARDとしてレフルノミド（アラバ）がRAに承認された．欧米でメトトレキサート15mg/週と同等の効果があるとされ，わが国の

用量が欧米とまったく同じであることから，本邦では高い有効性が期待されている．投与は，初期投与量として100mgを1日1回，3日間，その後20mgを1日1回，連日経口投与する．副作用時には，10mg/日に減量する．レフルノミドの膠原病に対する効果が期待されるが，現在のところ膠原病に対しては欧米においても承認されていない．最近，成人スティル病，ネフローゼ症候群に対する有効性が報告されており，今後の動向が注目される．

3．免疫抑制薬

メトトレキサート，レフルノミドはともに免疫抑制効果を有するが，承認がRAのみのためDMARDの項で解説した．ループス腎炎に適応のある唯一の免疫抑制薬ミゾリビン（ブレディニン）に加え，臨床の現場では，アザチオプリン，シクロフォスファミドがさまざまな膠原病の各種難治性病態に使用される．血管炎などの予後不良病態には病初期から，ステロイド薬に抵抗性の病態や減量困難例では，ステロイド投与中途から併用する．シクロスポリンA（ネオーラル）は腎機能低下のみられないループス腎炎に有効で，FK506（プログラフ）は，ループス腎炎に治験中である．シクロスポリンAは，間質性肺炎の一部で有効であり，FK506についてもその期待が高まっている．世界的には，ミコフェノレート・モフェティール（MMF：セルセプト）がSLEに使用されているが，2003年，140例の重症ループス腎炎を対象としたシクロフォスファミド点滴静注（IVCY）とMMFの多施設共同比較試験が行われた．MMF 1g/日から3g/日増量群は，NIHプロトコールによるIVCY群に対して同等の有効性を示し，かつ副作用が少なかったことから，MMFがIVCYより有用性が高いと結論されている[1]．

4．ガンマグロブリン大量療法

特発性血小板減少性紫斑病に適応を有しているが，近年，多発性筋炎/皮膚筋炎の筋炎症状に有効であるとの報告があり，本邦においても治験が行われている．

新しい治療薬

これまで，膠原病の対症療法薬は限られていたが，障害組織の機能不全に対する薬剤が開発されている．QOL低下をきたす口腔乾燥症に対するものから，生命予後に直結する肺高血圧症まで，広範な薬剤が承認あるいは申請中である．

1．塩酸セビメリン（エボザック/サリグレン）

シェーグレンによる口腔乾燥症は，浸潤T細胞やサイトカインによって唾液線が障害され分泌機能低下をきたしたものである．唾液線細胞からの分泌は，細胞上のムスカリン受容体によって促進されるため，これを持続的に活性化する薬剤が開発された．それが塩酸セビメリンで，シェーグレン症候群による口腔乾燥症の70％程に有効である．

2．ボセンタン（トラクリア）

2001年米国で承認された経口肺高血圧治療薬で，非ペプチド系のエンドセリン受容体-1拮抗薬である．現在日本でも承認申請中である．

3．エポプロステノールNa（フローラン）

肺動脈を拡張させ，同時に血小板凝集を抑制するプロスタグランジン製剤で，原発性肺高血圧症に承認されている持続点滴製剤である．強皮症に伴う肺高血圧症に有効との報告もあり，膠原病に伴う重症肺高血圧の治療薬として期待されている．

生物学的製剤（表1）

関節リウマチ（RA）に対する抗サイトカイン療法の開発と時を同じくして，膠原病においても生物学的製剤が開発され臨床現場への導入が検討されていた．しかし，病態と関連する分子標的に対して開発された製剤は，RAに対する抗サイトカイン療法のような素晴しい臨床効果は報告されず，足踏み状態の感はいなめなかった．最近多方面で，また生物学的製剤への期待が高まっている．RAで有効性が確立しているTNFなど炎症性サイトカインに対する阻害薬，RAで最近有効性が報告されている抗CD20抗体，CTLA-4：IgGFc融合蛋白などの抗B，抗T細胞薬がオープン試験で有効性が報告され，一部では治験が開始されている．加えて，新たな分子標的として，新規TNF分子BAFF/BlySを標的とした生物学的製剤の基礎的研究が行われ，米国では治験が開始されている．

1．抗サイトカイン製剤

現在，全世界で治療に使われている炎症性サイトカインを標的とした生物学的製剤は，RA，クローン病，強直性脊椎炎に適応のあるキメラ型抗TNFαモノクローナル抗体infliximabと，RA，小児リウマチ，乾癬性関節炎，強直性脊椎炎に適応のあるTNFR 2-IgGFc融合蛋白etanercept，RAに対し承認されているIL-IRアンタゴニストanakinra，完全ヒト抗TNFモノクロナ

38　I．総論

表1　膠原病・リウマチ性疾患に使われる生物学的製剤

標的	製剤	構造	適応／（効果報告）
炎症性サイトカイン TNF	インフリキシマブ	キメラ型抗TNFαモノクローナル抗体	RA, Crohn, AS／（血管炎、SLE、RA合併肺、成人スティル、アミロイドーシス、サルコイドーシス）
	エタネルセプト	TNFR2-IgGFc融合蛋白	RA, JIA, AS, 乾せん／（血管炎、成人スティル、アミロイドーシス、サルコイドーシス）
	アダリムマブ	完全ヒト型抗TNFαモノクローナル抗体	RA（米国承認、日本治験）／
IL-1	アナキンラ	IL-1ra	RA
IL-6	トシリツマブ	ヒト化型抗IL-6Rモノクローナル抗体	RA（日本、欧州治験中）、SLE（米国治験）、ベーチェット病（日本治験）、JIA（日本治験）／（成人スティル、血管炎）
新規サイトカイン BAFF/BlyS	ベリムマブ	完全ヒト型抗BAFFモノクローナル抗体	SLE（米国治験）
細胞表面分子 T細胞	アバタセプト	CTLA4-Ig	RA（米国治験）、SLE（米国治験）
B細胞	リツキシマブ	キメラ型抗CD20モノクローナル抗体	RA（米国治験）、SLE（米国治験）

ール抗体adalimumabの4剤である．IL-6Rに対するヒト化型モノクローナル抗体もRAに対して順調に治験が進行しており，キャッスルマン病，血球貪食症候群，成人スティル病などのIL-6が病態に関与するまれな疾患に対してもその有用性に期待が高まっている．Infliximabのように抗核抗体や抗DNA抗体産生が誘導されたとする報告もなく，逆にIL-6阻害がB細胞の抗体産生を抑制することを考えれば，自己抗体産生が病態に関与する膠原病の治療に有望と考えられる．米国では，ループス腎炎で治験が進行中である．

TNF阻害療法のなかでは，infliximabは，成人発症スティル病，乾癬，シェーグレン症候群，サルコイドーシス，血管炎など，炎症性サイトカインが病態形成に関与する疾患においてさまざまな形で有効性が報告されている[2)～6)]．当初，infliximab投与後に，抗核抗体，抗DNA抗体が陽転化し，SLE発症のリスクが高まるのではないかと懸念されたが，10万人以上に使用された結果その可能性は否定的である．逆に，SLEも病態によっては，炎症性サイトカインが関与し，TNF阻害が有効であるとする報告がなされ興味深い[7)8)]．同様に，エタネルセプトも種々の疾患で有効性が報告され[9)～12)]，その適応拡大に向けた研究が行われている．

2．抗B，抗T細胞製剤

キメラ型抗CD20モノクローナル抗体リツキシマブ（リツキサン）は，悪性リンパ腫治療薬としてすでにわが国においても使用されているが，最近，RA，SLEに対しても有効性が報告され，注目を集めている．大量のステロイド薬や免疫抑制薬との併用で使用され，単独の効果が判定しにくいが，短期集中の投与法によって優れた臨床的効果が観察されている．一方，CTLA-4は，T細胞副刺激分子CD28と強く結合する抗原提示細胞上の分子で，これとIgGFcを融合させたCTLA-4：IgGFc融合蛋白は，CD28と結合してT細胞活性化シグナルを遮断する．最近RAに対してACR20％反応率66％という数字が報告され，注目されている[13)]．用量反応性を検証中であるが，今後RAのみならずSLEなどの膠原病に対する効果に期待が集まっている．一方，抗CD40L抗体はSLEで治験中であったが，重篤な血栓症が発生したため，治験が中止されている．血小板表面上にもCD40Lが発現されているため，これを介した副作用と理解されている．

3．新たなTNFファミリー分子BAFFと全身性エリテマトーデス（SLE）

＜BAFF/BlySの構造と機能＞

BAFF（B cell activating factor belonging to the TNF family）は，TNFファミリーに属する新規ヒトB細胞活性化因子として1999年に初めて報告された[14)]．ヒトBAFFは285アミノ酸からなるII型膜蛋白で，フリンプロテアーゼによって切断され可溶性蛋白として分泌される．ヒトBAFFmRNAは，末梢血T細胞，樹状細胞，脾臓に強く発現されるが，B細胞には発現しない．B細胞上に発現するレセプターに結合し，B細胞の生存，増殖および抗体産生を引き起こすと考えられ

ている[15)〜17)]．BAFFは，BLyS（B Lynphocyte Stimulator），TALL-1（TNF-and ApoL-related leukocyte-expressed ligand 1）ともよばれる．

BAFFレセプターには，BCMA（B cell maturation antigen），TACI（transmembrane activator and calcium-modulator and cyclophilin ligand interactor）[12]が報告されていたが，第3のレセプターとしてBAFF-R（BAFF receptor）が最近クローニングされた[18)]．これらの発現はB細胞にほぼ限定されるが，TACIでは活性化T細胞においても認められる．その生理的機能は，BAFF-RはトランジショナルB細胞の分化，成熟B細胞生存延長，TACIはB細胞活性化の負の制御やT細胞非依存性免疫反応，BCMAは形質細胞生存延長？に関与しているとされる[19)]．

BAFFトランスジェニックマウスは全身性エリテマトーデス（SLE）に類似した症状を示し，自己免疫に関与する脾臓B1-aリンパ球集団の増加がみられた．SLEモデルのNZB/W F1やMRL-lpr/lprマウスでは，SLEの発症と進行に際して血中BAFF量が増加し，それを抗体やレセプターアンタゴニストで阻害すると生存期間の延長が認められたことより，BAFFは動物モデルにおいてSLE様病態の発症に関与していると報告された[20)]．

一方ヒトSLEでは，血中BAFFの増加が3つの独立したグループから報告されている．血中BAFFの増加と血中免疫グロブリン量および抗核抗体価に正の相関が認められている一方で，SLEの活動性そのものとは相関しない[21)22)]．末梢血単核球中のBAFFmRNAは増加しており，転写レベルでの上昇が示唆された[23)]．

米国では，完全ヒト抗BAFF/BlyS抗体の第1相試験が2003年にスタートした．プラセボ，1mg，4mg，10mg，20mg/kgの5群を単回あるいは21日間隔で2回投与し，安全性と疾患活動性を評価するもので，安全性は問題なく，末梢血B細胞数の有意な減少がみられたと結論されている[24)]．

将来展望

RAでの生物学的製剤の成功をロールモデルとして，膠原病においても既存の製剤あるいは新たな標的に対する生物学製剤の開発が進められている．これらは，製造の困難さや，高コスト，感染症誘発などの共通する問題点があり，できれば短期集中的な投与法が望まれる．膠原病では，ステロイド抵抗性の難治性病態の多くが急性期で，この使用法にかなっている．これから5年，この領域でRAにみられたような治療法の大変革が起こることを期待したい．

文　献

1) Ginzler EM, Aranow C, Buyon J, et al：A multicenter study of mycophenolate mofetil (MMF) vs intravenous cyclophosphamide (IVC) as induction therapy for severe lupus nephritis. Arthritis Rheum S647, 2003.
2) Cavagna L, Caporali R, Epis O, et al：Infliximab in the treatment of adult Still﹖s disease refractory to conventional therapy. Clin Exp Rheum 19：329-31, 2001.
3) Chaudhari U, Romano P, Mulcahy L, et al：Efficacy and safety of infliximab monotherapy for plaque-type psoriasis：a randomised trial. Lancet 357：9271, 2001.
4) Steinfeld SD, Demols P, Salmon I, et al：Infliximab in patients with primary Sjogren's syndrome. A pilot study. Arthritis Rheum 44：2371-75, 2001.
5) Yee A M, Pochapin M B：Treatment of complicated sarcoidosis with infliximab anti-tumor necrosis factor-alpha therapy. Ann Intern Med 135：27-31, 2001.
6) Kallenberg C G, Cohen Tervaert J W：New treatments of ANCA-associated vasculitis. Sarcoidosis Vasculitis & Diffuse Lung Diseases 17：125-9, 2000.
7) Pisetsky DS：Tumor necrosis factorablockers and the induction of anti-ds DNA autoantibodies. Arthritis Rheum 43：2381-2, 2000.
8) Aringer M, Steiner G, Graninger W, et al：Role of tumor necrosis factorand potential benefit of Tumor necrosis factorblockade treatment in systemic lupus erythematosus. comment on the editorial by Piestsky. Arthritis Rheum 44：1721-2, 2001.
9) Stone JH, Uhlfelder ML, Hellmann DB, et al：Etanercept combined with conventional treatment in Wegener﹖s granulomatosis. a six-month open-label trial to evaluate safety. Arthritis Rheum 44：1149-54, 2001.
10) Elaine Husni M, Maier AL, Mease PJ, et al：Etanercept in the treatment of adult patients with Still﹖s disease. Arthritis Rheum 46：1171-1176, 2002.
11) Utz JP, Limper AH, Kalra S, et al：Etanercept for the treatment of stage II and III progressive pulmonary sarcoidosis. Chest 124：177-85, 2003.
12) Gottenberg J-E, Merle-Vincent F, Bentaberry F, et al：Anti-tumor necrosis factor therapy in fifteen patients with AA amyloidosis secondary to inflammatory arthritides. A followup report of tolerability and efficacy. Arthritis Rheum 48：2019-2024, 2003.
13) Kremer JM, Westhovens R, Leon M, et al：Treatment of Rheumatoid Arthritis by selective inhibition of T-cell activation with fusion protein CTLA4Ig. New Eng J Med 349：1907-15, 2003.

14) Schneider P, et al：BAFF, a novel ligand of the tumor necrosis factor family, stimulates B cell growth. J Exp Med 189：1747-56, 1999.
15) Moore PA, et al：BLyS；member of the tumor necrosis factor family and B lymphocyte stimulator. Science 285：260-3, 1999.
16) Mackay F, et al：Mice transgenic for BAFF develop lymphocytic disorders along with autoimmune manifestations. J Exp Med 190：1697-710, 1999.
17) Yu G, et al：APRIL and TALL-I and receptors BCMA and TACI. system for regulating humoral immunity. Nat Immunol 1：252-6, 2000.
18) Thompson JS, et al：BAFF-R, a newly identified TNF receptor that specifically interacts with BAFF. Science 293：2108-11, 2001.
19) Waldschmidt TJ, et al：Long live the mature B cell–a baffling mystery resolved. Science 293：2012-3, 2001.
20) Gross JA, et al：TACI and BCMA are receptors for a TNF homologue implicated in B-cell autoimmune disease. Nature 404：995-9, 2000.
21) Zhang J, et al：Cutting edge：a role for B lymphocyte stimulator in systemic lupus erythematosus. J Immunol 166：6-10, 2001.
22) Cheema GS, et al：Elevated serum B lymphocyte stimulator levels in patients with systemic immune-based rheumatic diseases. Arthritis Rheum 44：1313-9, 2001.
23) Suzuki K, et al：Molecular mechanism of BAFF expression in peripheral blood lymphocytes in systemic lupus erythematosus patients. Arthritis Rheum 44：S99, 2001.
24) Furie R, Stohl W, Ginzler E, et al：Safety, pharmacodynamic results of a phase 1 single and double dose-escalation study of lymphostat-B（Human monoclonal antibody to BlyS）in SLE patients. Arthritis Rheum 48：S377, 2003.

［竹　内　　　勤］

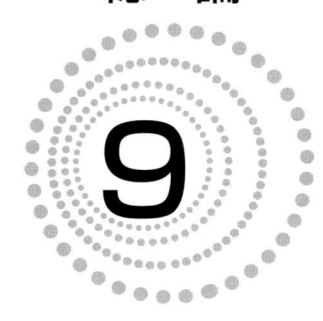

総論 9 アレルギー疾患に用いられる治療薬

緒言

アレルギー性疾患は気管支喘息,アレルギー性鼻炎,アトピー性皮膚炎など,アレルギー性炎症を主体とした病態をもつ疾患群である.とくに,これら3つのアレルギー性疾患に罹患している人口は国民の3割を超えるともいわれており,本項では成人におけるこの3疾患に用いられる治療薬について述べたい.

気管支喘息

1. はじめに

気管支喘息は気道炎症により気道過敏性が亢進し,喘息増悪因子に曝露されると気流制限をきたす.気流制限は気管支平滑筋収縮,気道壁の浮腫,気道の過分泌による粘液栓の形成,さらに不可逆的な気道壁のリモデリングが生じることで,気管支喘息は重症化・難治化する.喘息慢性管理においては,自覚的所見と客観的指標であるピークフローなどの呼吸機能から喘息予防・管理ガイドライン(表1)[1]に準じた段階的薬物療法を行う.

2. 気管支喘息の治療指針
1)長期管理薬(コントローラー)

喘息症状の軽減・消失,呼吸機能の正常化とそれらの維持をはかる薬剤であり,抗炎症薬と長時間作用性気管支拡張薬に分けられる(表2).

(1)副腎皮質ステロイド薬

副腎皮質ステロイド薬(以下ステロイド薬)は,現在の喘息治療における最も効果的な抗炎症薬である.喘息治療におけるステロイド薬の効果発現は多くの作用機序が想定されている.

(1) 炎症細胞の肺・気道内への浸潤を抑制し,炎症細胞の遊走および活性化を抑制する,

(2) 血管透過性を抑制する,

(3) 気道分泌を抑制する,

(4) 気道過敏性を抑制する,

(5) サイトカインの産生を抑制する,

(6) β_2刺激薬の作用を促進する,

(7) 肥満細胞以外の細胞においてアラキドン酸の代謝を阻害し,ロイコトリエンおよびプロスタグランジンの産生を抑制する

ことなどである.

吸入ステロイド薬の副作用は少なく,喘息の長期管理薬として用いるステロイド薬は吸入薬が基本である.また,喘息発症後は早期に吸入ステロイド薬を開始することが気道壁リモデリング発生を抑制することも報告されている.重症例では,経口ステロイド薬が吸入ステロイド薬を補完,副腎皮質機能を補充,炎症物質の増多を抑制する目的で長期管理薬として使用される.

現在わが国で臨床使用できる吸入ステロイド薬は,表3に示した.加圧式ガスによる定量噴霧吸入器(p-MDI)には,フロンガス(CFC)を基剤とするものと代替フロンガス(HFA)を基剤にするものとがある.DPIやMDI-HFAが登場した現在BDP-CFCはこれらに変更するべきである.喘息予防・管理ガイドラインにおいて推奨される吸入ステロイド薬の投与量を示した(表4).

吸入ステロイド薬の全身性の副作用は少ないが,口腔・咽頭カンジダ症,嗄声などの局所の副作用があり,吸入後はうがいによる口腔・咽頭症状を軽減し,全身への吸収を最大限少なくする.ほかに,眼への影響(白内障,緑内障),皮膚への影響(皮膚の菲薄化,易出血性),視床下部・下垂体・副腎機能の抑制,骨への影響(骨粗鬆症)などがあげられる.これまでの臨床研究から副腎皮質への影響は,通常投与量ではおおむね許容範囲内にある.また,BUDは妊娠初期に対しても先天性奇形の発現のみならず妊娠自体に影響しないことが報告されている.

表1 喘息の長期管理における重症度対応段階的薬物療法

重症度	ステップ1[1)2)] 軽症間欠型	ステップ2[1)2)] 軽症持続型	ステップ3[1)2)] 中等症持続型	ステップ4[1)2)] 重症持続型
症状の特徴	●症状が週1回未満 ●症状は軽度で短い ●夜間症状は月に1～2回	●症状は週1回以上，しかし毎日ではない ●日常生活や睡眠が妨げられることがある：月1回以上 ●夜間症状が月2回以上	●症状が毎日ある ●短時間作用性吸入β2刺激薬頓用がほとんど毎日必要 ●日常生活や睡眠が妨げられる：週1回以上 ●夜間症状が週1回以上	●治療下でもしばしば増悪 ●症状が毎日 ●日常生活に制限 ●しばしば夜間症状
PEF FEV1.0[3)]	予測値の80％以上 変動20％以上，あるいはPEF自己最良値の80％以上	予測値の80％以上 変動20～30％以上，あるいはPEF自己最良値の80％以上	予測値の60～80％ 変動30％以上，あるいはPEF自己最良値の60～80％	予測値の60％未満 変動30％以上，あるいはPEF自己最良値の60％未満

1) 治療前の臨床所見による重症度．すでに治療を受けている場合は症状をほぼコントロールするのに（ステップ1程度）要する治療ステップでその重症度とする．症状がある場合はより高い重症度を考える．
2) いずれか1つが認められればそのステップを考慮する．これらの症状，肺機能は各ステップの概要を示したもので各ステップ間のオーバーラップがありうる．重症度は肺機能，症状，現在の治療レベルから総合的に判定する．
3) 症状からの判断は重症例や長期罹患例で重症度を過小評価する場合がある．肺機能は気道閉塞の程度を客観的に示し，その変動性は気道過敏性と関連する．

長期管理薬 ●：連用 ○：考慮	○喘息症状がやや多いとき（たとえば1カ月に1～2回），血中・喀痰中に好酸球増加のあるときは下記のいずれか1つの投与を考慮 ・吸入ステロイド薬（最低用量） ・テオフィリン徐放製剤 ・ロイコトリエン拮抗薬 ・抗アレルギー薬[4)5)]	●吸入ステロイド薬（低用量）連用 ●あるいは下記のいずれか連用，もしくは併用する ・テオフィリン徐放製剤[2)] ・ロイコトリエン拮抗薬[2)] ・DSCG[2)] ●夜間症状，持続する気道閉塞に吸入ステロイド薬と併用して ・長時間作用性β2刺激薬（吸入／貼付／経口）[3)] ●アトピー型喘息を主な対象として上記薬剤のいずれかと併用して ・抗アレルギー薬[4)5)]	●吸入ステロイド薬（中用量）連用 下記のいずれか，あるいは複数を吸入ステロイド薬と併用する ・テオフィリン徐放製剤 ・長時間作用性吸入β2刺激薬（吸入／貼付／経口）[3)6)] ・ロイコトリエン拮抗薬 ○Th2サイトカイン阻害薬併用考慮[4)]	●吸入ステロイド薬（高用量）連用 下記の複数を吸入ステロイド薬と併用する ・テオフィリン徐放製剤[6)] ・長時間作用性β2刺激薬（吸入／貼付／経口）[3)] ・ロイコトリエン拮抗薬 ○Th2サイトカイン阻害薬併用考慮[4)] ●上記でコントロール不良の場合 ・経口ステロイド薬を追加
発作時	短時間作用性吸入β2刺激薬または短時間作用性経口β2刺激薬，短時間作用性テオフィリン薬[1)]	短時間作用性吸入β2刺激薬，その他[1)]	短時間作用性吸入β2刺激薬，その他[1)]	短時間作用性吸入β2刺激薬，その他[1)]

1) 発作時に短時間作用性吸入β2刺激薬または短時間作用性経口β2刺激薬，短時間作用性テオフィリン薬を頓用する．1時間を目安に症状が改善しない場合，中発作以上であれば救急外来を受診する（「急性増悪（発作）への対応」を参照）．短時間作用性吸入β2刺激薬の追加頓用が1日3～4回以上であればステップアップする．
2) 単独でも低用量吸入ステロイド薬のオプションとなりうる．
3) 長期使用には必ず抗炎症薬（吸入ステロイド薬など）を併用する．
4) アトピー型喘息が適応とされる．効果を認めた場合に連用する．
5) 抗アレルギー薬：本表では，メディエーター遊離抑制薬，ヒスタミンH1-拮抗薬，トロンボキサン阻害薬，Th2サイトカイン阻害薬を指す．
6) 長時間作用性β2刺激薬または／およびテオフィリン徐放製剤を高用量吸入ステロイド薬に併用する．

> ステップアップ：現行の治療でコントロールできないときは次のステップに進む（FEV1.0/PEF 予測値60％＞では経口ステロイド薬の中・大量短期間投与後に行う）．
> ステップダウン：治療の目標が達成されたら，少なくとも3カ月以上の安定を確認してから治療内容を減らしてもよい．以後もコントロール維持に必要な治療は続ける．

（厚生省免疫・アレルギー研究班，2003[1)]）

表2 喘息長期管理薬の種類と薬剤

1. ステロイド薬
　（1）吸入ステロイド薬
　　　プロピオン酸ベクロメタゾン（BDP）
　　　CFC-BDP，HFA-BDP
　　　プロピオン酸フルチカゾン（FP）
　　　ブデソニド（BUD）
　（2）経口ステロイド薬

2. 徐放性テオフィリン薬

3. 長時間作用型β2刺激薬（経口，貼付，吸入）
　　　サルメテロール吸入薬

4. 抗アレルギー薬
　（1）メディエーター遊離抑制薬
　　　クロモグリク酸ナトリウム（DSCG）
　　　トラニラスト
　　　アンレキサノクス
　　　レピリナスト
　　　イブジラスト
　　　タザノラスト
　　　ペミロラストカリウム
　（2）ヒスタミンH1拮抗薬
　　　フマル酸ケトチフェン
　　　塩酸アゼラスチン
　　　オキサトミド
　　　メキタジン
　　　テルフェナジン
　　　塩酸エピナスチン
　（3）トロンボキサン阻害薬
　　　①トロンボキサンA2阻害薬　塩酸オザグレル
　　　②トロンボキサンA2拮抗薬　セラトロダスト
　（4）ロイコトリエン拮抗薬
　　　プランルカスト水和物
　　　ザフィルルカスト
　　　モンテルカストナトリウム
　（5）Th2サイトカイン阻害薬
　　　トシル酸スプラタスト

表3 わが国で使用されている吸入ステロイド薬

	p-MDI（加圧式定量噴霧吸入器）	DPI（ドライパウダー吸入器）
BDP（ジプロピオン酸ベクロメタゾン）	BDP-CFC（アルデシン®，ベコタイド®，ほか）BDP-HFA（キュバール®）	なし
FP（プロピオン酸フルチカゾン）	FP-HFA（フルタイド®エアー）	FP-DPI（フルタイド®ディスカス，フルタイド®ディスクヘラー）
BUD（ブデソニド）	なし	BUD-DPI（パルミコート®）

表4 各吸入ステロイド薬のステップ別の推奨量

薬剤名	ステップ1（最少量）	ステップ2（低用量）	ステップ3（中用量）	ステップ4（高用量）
BDP-CFC	200μg/日	200～400μg/日	400～800μg/日	(800～1,600μg/日)
BDP-HFA	100μg/日	100～200μg/日	200～400μg/日	400～800μg/日
FP-HFA	100μg/日	100～200μg/日	200～400μg/日	400～800μg/日
FP-DPI	100μg/日	100～200μg/日	200～400μg/日	400～800μg/日
BUD-DPI	200μg/日	200～400μg/日	400～800μg/日	800～1,600μg/日

　BDP-CFCの高用量は，保健で未承認のため，括弧で示した．ステップ1以上では，吸入ステロイド薬が長期管理薬のなかの第1選択薬と位置づけられる．なお，この推奨量は，各吸入ステロイド薬の抗喘息効果の力価を示すものではなく，各吸入ステロイド薬の健保で承認されている最高用量をステップ4の最高用量とし，その半分をステップ3の最高用量，さらにその半分をステップ2の最高用量として示したものである．したがって，担当医は各患者に最も有効で，かつ安全な薬剤を選択する必要がある．

（2）テオフィリン

テオフィリン薬徐放製剤は，喘息症状を持続的に抑制する目的で長期管理薬として使用されるようになった．その作用機序は非特異的な phosphodiesterase（PDE）阻害作用があげられる．さらに最近ではテオフィリン薬がT細胞や好酸球の気道への浸潤を抑制，T細胞の細胞増殖反応やサイトカイン産生能を抑制することなどの抗炎症作用が報告されている．テオフィリンは，ときに血中濃度の上昇によって重篤な副作用を発現する．一般的には $5\sim15\mu g/ml$ の血中濃度を目標とする．テオフィリン薬の副作用には中毒症状として，悪心，嘔吐などがあり，さらに血中濃度が上昇すると頻脈，不整脈があり，高度となるとけいれんから死に至ることがある．

（3）β_2刺激薬

β_2刺激薬は気管支拡張薬で，気道平滑筋を弛緩させ，線毛運動による気道分泌液の排泄を促す．従来からある経口薬ではプロカテロール，クレンブテロール，ホルモテロール，ツロブテロール，マブテロールなどが長時間作用性である．ツロブテロールの貼付薬も長時間作用性である．また新たに長時間作用性吸入薬であるキシナホ酸サルメテロールが加わった．同剤は単独使用がよりも吸入ステロイド薬との併用が非常に有効である．

副作用として振戦，動悸，頻脈などがあり，必要に応じ，減量・中止が必要である．また，重大な副作用として，血清カリウム値の低下がある．虚血性心疾患や甲状腺機能亢進症，糖尿病のある患者には注意を要する．

（4）抗アレルギー薬

I型アレルギー反応に関与する化学伝達物質の遊離ならびに作用を調節するすべての薬剤およびTh2サイトカイン阻害薬を一括して，抗アレルギー薬と呼称する（表2）．

メディエーター遊離抑制薬：

I型アレルギー反応における肥満細胞からの化学伝達物質の遊離を抑制する薬剤である．軽・中等症のアトピー型喘息の30〜40％に効果がある．個々の患者での効果判定には4〜6週以上の投与期間が必要である．クロモグリク酸ナトリウム（DSCG）は，アトピー型喘息患者の気道炎症を抑制して，長期管理薬として使用される．

ヒスタミンH_1-拮抗薬：

メディエーター遊離抑制薬と同様に，軽・中等症のアトピー型喘息の20〜30％に効果があるといわれている．アルコール喘息の予防にも有効である．同剤は，アトピー咳嗽や咳嗽の強い喘息に対して有効であり，効果発現は2週間前後と早い．副作用としては，眠気，倦怠感などが出現することがある．

トロンボキサンA_2阻害・拮抗薬：

本薬剤群はときに，血清ビリルビン値の上昇を伴う重篤な肝機能異常がみられることがあり，最近ではあまり用いられなくなった．

ロイコトリエン拮抗薬：

ロイコトリエン（Leukotriene；LT）C_4，D_4，E_4はシスティニルLT（CysLTs）と称され，CysLT1受容体にはCysLT1受容体が存在する．現在あるLT拮抗薬はCysLT1受容体拮抗薬であり，表2に示した．LT拮抗薬を投与すると，内服早期（1〜3時間）より呼吸機能が改善する．とくに，中等量から高用量の吸入ステロイドを使用しても喘息が完全にコントロールされない症例に対し有用である．また，LT拮抗薬の有効性の判定は，一般に2〜4週投与して判断する．ザフィルルカストでは，重篤な肝障害の報告があるので定期的な検査が必要である．

Th2サイトカイン阻害薬：

現時点ではトシル酸スプラタストのみである．同剤はin vitroでTh2細胞からのIL-4，IL-5産生を抑制し，喘息患者に対して，気道粘膜の好酸球浸潤を抑制し，喘息症状を軽減させることが示されている．

2）発作治療薬（リリーバー）

（1）ステロイド薬

喘息症状の増悪に対して中〜高用量経口ステロイド薬（プレドニゾロン0.5mg/kg前後）の短期投与（通常1週間以内）によって早期に治療する．経口ステロイド薬の短期投与を必要とする例では治療方針の再検討が必要である．急性重症発作に対してステロイド薬の経静脈的な短期投与（通常1週間以内）が必要な場合も，十分改善が認められれば速やかに減量する．2週間以内の短期投与なら急速な減量，中止で副腎皮質機能不全（ステロイド離脱症候群）は起こらない．

（2）β_2刺激薬

エアロゾルおよびネブライザーによる吸入療法がある．吸入β_2刺激薬の使用回数が1日に5回以上になれば治療の長期管理薬の強化を検討する．アレルゲン曝露や運動誘発喘息（EIA：exercise induced asthma）の予防治療には，β_2刺激薬の吸入療法が適している．発作が季節性のみにみられる例でも同療法でよいと思われる．

（3）エピネフリン皮下注射

エピネフリン（0.1％）の0.1〜0.3mlの皮下注射はβ_2作用による気管支平滑筋の弛緩と，α作用による気道粘膜浮腫の除去による気管支拡張作用を示す．20〜30分ごとに反復投与できるが，心拍数を130/分以

下に保つようにモニターする．虚血性心疾患，緑内障，甲状腺機能亢進症では禁忌である．

（4）テオフィリン薬

アミノフィリンの点滴静注やアミノフィリン末の内服頓用は発作治療薬として位置づけられる．発作前にテオフィリンの投与がなされておらず，テオフィリンのクリアランスが正常であればアミノフィリンの初回投与は 6 mg/kg の半量を最初の15分で，残りの半量を45分程度で投与すると比較的安全である．

（5）吸入抗コリン薬

吸入抗コリン薬は β_2 刺激吸入薬に比して，気管支拡張効果は弱く，最大効果に達するのに通常1～2時間を要する．気管支拡張効果の持続時間は β_2 刺激薬と同じかやや長く，副作用は少ない．抗コリン薬は気道収縮が存在するときにその有効性が示され，その場合 β_2 刺激薬と相加効果がある．

アレルギー性鼻炎

1．はじめに

アレルギー性鼻炎はハウスダスト，チリダニなどが原因で起こる通年性アレルギー性鼻炎とスギなどの花粉症といわれる季節性のものとがある．とくに花粉症は有病率の多さや，多彩な症状より各科の医師に正確な診断・治療の知識が要求される．

2．通年性アレルギー性鼻炎

通年性アレルギー性鼻炎の主たるアレルゲンはハウスダストやチリダニである．本疾患ではアレルゲン除去といったセルフケアと薬物投与といったメディカルケアに分けられる．セルフケアによる症状の改善は多くの例で認められるものの，臨床上薬物投与が第一選択となっている．通年性アレルギー性鼻炎はチリダニなどの比較的抗原性が弱く，日常慢性刺激による鼻粘膜の好酸球性炎症であり，粘膜の過敏性の亢進と炎症性間質浮腫による鼻粘膜腫脹（鼻閉）が主な病態である．現在，さまざまな薬剤が登場している（表5）．通常，患者の症状から「鼻アレルギー診療ガイドライン：通年性鼻炎と花粉症」[2] に従い，病型，重症度を分類して表6に示す治療を行う．本疾患は長期にわたることも多く，免疫療法や外科的治療も考慮に入れる必要がある．

表5　アレルギー性鼻炎用抗アレルギー薬

1．ケミカルメディエーター遊離抑制薬（肥満細胞安定薬）
クロモグリク酸ナトリウム（インタール®），トラニラスト（リザベン®），アンレキサノク（ソルファ®），ペミロラストカリウム（アレギサール，ペミラストン®）
2．ケミカルメディエーター受容体拮抗薬
(1) ヒスタミン拮抗薬（抗ヒスタミン薬） 第一世代：d-マレイン酸クロルフェニラミン（ポララミン®，レクリカ®），フマル酸クレマスチン（タベジールR，ヒスタベリン®）など 第二世代：フマル酸ケトチフェン（ザジデン®），塩酸アゼラスチン（アゼプチン®），オキサトミド（セルテクト®），メキタジン（ゼスラン，ニポラジン®），フマル酸エメダスチン（ダレン®，レミカット®），塩酸エピナスチン（アレジオン®），エバスチン（エバステル®），塩酸セチリジン（ジルテック®），塩酸レボカバスチン（リボスチン®），ベシル酸ベポタスチン（タリオン®），塩酸フェキソフェナジン（アレグラ®），塩酸オロパタジン（アレロック®），ロラタジン（クラリチン®） (2) トロンボキサン A₂ 拮抗薬（抗トロンボキサン A₂ 薬） ラマトロバン（バイナス®） (3) ロイコトリエン拮抗薬（抗ロイコトリエン薬） プランルカスト水和物（オノン®）
3．Th₂ サイトカイン阻害薬
トシル酸スプラタスト（アイピーディ®）
4．ステロイド薬
(1) 局所用：プロピオン酸ベクロメタゾン（ベコナーゼ®，アルデシン®，リノコート®），フルニソリド（シナクリン®），プロピオン酸フルチカゾン（フルナーゼ®） (2) 経口用：d-マレイン酸クロルフェニラミン・ベタメタゾン配合剤（セレスタミン®）
5．その他
変調療法薬，生物製剤，漢方薬

アミ文字：小児適応あり　　　　　　　　　　　（文献2より改変引用）

表6 通年性アレルギー性鼻炎の治療

症状が改善してもすぐには投薬を中止せず，数カ月の安定を確かめて，ステップダウンしていく．

重症度	軽症	中等度		重症	
病型		くしゃみ・鼻漏型	鼻閉型	くしゃみ・鼻漏型	鼻閉型
治療	①第二世代 抗ヒスタミン薬 ②遊離抑制薬 ①，②のいずれかひとつ	①第二世代 抗ヒスタミン薬 ②遊離抑制薬 ③局所ステロイド薬 ①，②，③のいずれかひとつ 必要に応じて①または②に③を併用する	①LT拮抗薬 ②TXA₂拮抗薬 ③局所ステロイド薬	局所ステロイド薬 ＋ 第二世代 抗ヒスタミン薬	局所ステロイド薬 ＋ LT拮抗薬 または TXA₂拮抗薬 必要に応じて点鼻用血管収縮薬を治療開始時の5〜7日間に限って用いる
				鼻閉型で鼻腔形態異常を伴う症例では手術	
		特異的免疫療法			
	抗原除去・回避				

(文献2より引用)

3．花粉症

スギを代表とした花粉症の有病率は年々増加している．花粉症においてもセルフケアは重要であるが発現した臨床症状をコントロールするためには薬物投与が必要である．とくにスギ花粉症は短期的，大量の抗原曝露に伴う即時相反応が強く，飛散初期から中期ではとくに顕著である．

1）初期療法

花粉症では花粉飛散1〜2週間前から抗アレルギー薬を投与し，その時期の症状を軽減する初期療法が推奨されている．中枢抑制作用や抗コリン作用などの副作用の少ないケミカルメディエーター遊離抑制薬や第二世代抗ヒスタミン薬が第一選択薬となることが多い．

2）導入療法

基本的な治療方針はガイドラインに準じて行う．軽症例の鼻閉型ではケミカルメディエーター遊離抑制薬も用いるが，症状を速やかに改善しうる塩酸オロパタジンなどの第二世代薬剤を用いることにより，患者満足度を上げ，治療継続意欲を上げる．最近，1日1回の内服でコンプライアンスのよいエバスチン，塩酸セチリジン，ロラタジンなども効果がある．くしゃみ・鼻漏型には第一世代抗ヒスタミン薬を併用投与しないと効果が得られないことがある．さらに強い鼻症状に対しては局所ステロイド薬が不可欠で，プロピオン酸ベクロメタゾン，フルニソリド，プロピオン酸フルチカゾンなどを併用して用いるが，いずれも副作用は鼻掻痒感，刺激感，鼻出血が軽度にあるのみで全身的副作用はほとんど認めず，その効果は大きい．効果発現も1〜2日と早い．

アトピー性皮膚炎

1．はじめに

アトピー性皮膚炎は遺伝的な素因に環境要因が加わって慢性湿疹という皮膚炎症をくり返す病態である．遺伝素因としては，IgEを産生しやすいアトピー素因と皮膚の乾燥により皮膚過敏性を呈するドライスキン素因が重要である．前者にはアレルギー炎症の制御，後者には異常な角層生理機能を元に戻すスキンケアを要することとなる．本項ではアレルギー炎症の制御を主とした治療について述べる．

2．外用薬

皮膚炎を抑制するために用いる外用薬はステロイド薬，免疫抑制薬，非ステロイド系消炎薬，古典的外用薬に大別される．

1）ステロイド薬

ステロイド薬は，T細胞の活性化，ランゲルハンス細胞やマクロファージ・単球などの抗原提示能，肥満細胞の脱顆粒やサイトカイン産生，表皮細胞や血管内皮細胞の接着分子発現など，本症の病態を形成するさまざまな細胞の機能を抑制することにより，皮膚炎を軽快させる抗炎症外用薬の代表である．一方で，これらの免疫担当細胞の機能抑制は易感染性，線維芽細胞の機能抑制は皮膚萎縮や毛細血管拡張作用といった副作用につながる．

ステロイド外用薬は表7のように分類されている

表7　ステロイド外用薬のランク

	薬剤名	商品名
strongest		
0.05%	プロピオン酸クロベタゾール	デルモベート
0.05%	酢酸ジフロラゾン	ジフラール，ダイアコート
very strong		
0.10%	フランカルボン酸モメタゾン	フルメタ
0.05%	酪酸プロピオン酸ベタメタゾン	アンテベート
0.05%	フルオシノニド	トプシム
0.06%	ジプロピオン酸ベタメタゾン	リンデロンDP
0.05%	ジフルプレドナート	マイザー
0.05%	ブデソニド	ブデソン
0.10%	アムシノニド	ビスダーム
0.10%	吉草酸ジフルコルトロン	ネリゾナ，テクスメテン
0.10%	酪酸プロピオン酸ヒドロコルチゾン	パンデル
strong		
0.03%	プロピオン酸デプロドン	エクラー
0.10%	プロピオン酸デキサメタゾン	メサデルム
0.12%	吉草酸デキサメタゾン	ボアラ，ザルックス
0.10%	ハルシノニド	アドコルチン
0.12%	吉草酸ベタメタゾン	リンデロンV，ベトネベート
0.03%	プロピオン酸ベクロメタゾン	プロパデルム
0.03%	フルオシノロンアセトニド	フルコート
medium		
0.30%	吉草酸酢酸プレドニゾロン	リドメックス
0.10%	トリアムシノロンアセトニド	ケナコルトA，レダコート
0.02%	ピバル酸フルメタゾン	ロコルテン
0.10%	プロピオン酸アルクロメタゾン	アルメタ
0.05%	酪酸クロベタゾン	キンダベート
0.10%	酪酸ヒドロコルチゾン	ロコイド
0.10%	デキサメタゾン	デカダーム
weak		
0.05%	プレドニゾロン	プレドニゾロン
1.00%	酢酸ヒドロコルチゾン	コルテス

[3]．毛包が多く，表皮の薄い顔面・頸部・外陰部では経皮吸収がよい．びらん面や掻破痕からは容易に吸収され，苔癬化・痒疹などの発疹では吸収が悪い．乳幼児の皮膚は経皮吸収がよく，高齢者の皮膚は角層のturn overが遅いため，ともにランクの低いステロイドで効果が出やすい．

発疹の程度によるランク選択は（顔面を除く），浸潤をふれない紅斑や軽度の鱗屑ならmedium，浸潤をふれる紅斑，漿液性丘疹などの中等度の炎症にはstrongあるいはmediumを，浸潤の強い紅斑，苔癬化，痒疹結節にはvery strongを使用するのが一般的である．

ステロイド外用薬の剤型別では，軟膏は油脂性基材で乾燥肌に対して水分保持作用があり，掻破痕やびらん面への刺激も少なく，本症患者で安全に使える．一方で使用感が悪いのが欠点である．クリームは使用感がよく浸透性に優れることから痒疹や掌蹠の異汗性湿疹に好適だが，適度の乾燥や刺激性がみられることがあり，本症患者に使用する際には保湿外用薬と併用する必要がある．ローションは被髪頭部の皮疹に有用である．テープは密封による吸収率の向上と物理的な掻破予防効果から，難治性の痒疹結節に有用である．薬剤を処方したら，反応はできれば1週間，遅くとも2週間後には観察して，効果が得られた場合にはステロイド薬のランクダウンや保湿剤に変更する．効果が乏しい場合，その理由が抗炎症効果の不足であればランクアップや止痒剤などの追加を行う．

2）免疫抑制外用薬

カルシニューリン阻害作用によりT細胞の活性化を抑制することが主作用で，国内ではタクロリムスが使用可能である．多彩な免疫反応修飾効果により本症に対する臨床効果はstrongクラスのステロイドと同等の効果を発揮する．一方で，ステロイドにみられる皮膚萎縮や毛細血管拡張といった副作用はみられず，経皮吸収が良好な顔面・頸部の慢性皮疹にきわめて有効である．本剤は正常皮膚からほとんど吸収されないが，炎症によってはバリアが破壊された皮膚からは吸収される．外用開始後数日間，ほてり感など本剤特有の刺激症状が約8割の患者に認められるが，これらの症状はほとんどの例で皮疹の軽快とともに消失する．臨床的には，掻痒に対して効果が大きく，掻破による発疹の悪化をステロイド薬でコントロールできなかった皮疹に著効を示す．体幹・四肢の皮疹には速効しないことが多いが，very strongクラスのステロイド薬で急性増悪病変や慢性期皮疹をある程度軽快させたあとにタクロリムスにきりかえて寛解を維持していくことで良好なコントロールが得られやすい．

3）掻　　痒

掻痒には末梢神経性の掻痒と中枢神経性の掻痒があるとされている．本症の掻痒は末梢性で，表皮真皮境界部に存在するC線維からなる知覚線維の自由神経終末が活性化されることで掻痒が発生する．神経線維を活性化する刺激には掻破のような機械的な刺激に代表される物理的刺激と，ヒスタミンのような化学物質による化学的刺激とがある．本症において掻痒とは主要な症状であり，掻破により皮膚炎の悪化をきたすことから掻痒を抑制することは治療上重要である．本症患者の多くは夜間や就寝時の掻痒の増強を訴えることが多く，夕食後または就寝前に塩酸セチリジンやフマル

酸エメダスチンなど多少の眠気を伴う薬剤を処方する．夜間掻痒による睡眠障害を伴う場合には，パモ酸ヒドロキシジンを就寝前に投与する．日中の掻痒に対し，眠気の少ない塩酸フェキソフェナジンや塩酸エピナスチンの朝食後内服が用いやすい．これらの薬剤を治療開始時や増悪時には定期的に内服して持続的な掻痒軽減をはかり，皮膚炎の軽快とともに頓用に変更していく．また，痒疹に対してマスト細胞，線維芽細胞の機能抑制を期待してトラニラストを，難治性顔面紅斑に対してトシル酸スプラタシトを処方することがある．

●文　　献●
1) 厚生省免疫・アレルギー研究班：喘息予防・管理ガイドライン1998改訂第2版（牧野荘平ほか編），協和企画通信，2003．
2) アレルギー診療ガイドライン作成委員会：鼻アレルギー診療ガイドライン―通年性鼻炎と花粉症（改訂第4版），東京，ライフ・サイエンス，2002．
3) 木花　光：ステロイド外用剤．皮膚外用剤，その適応と使い方（原田敬之 編），pp25-43，東京，南山堂，2002．

［橋本　直方，足　立　　満］

疾患編

1. 抗核抗体が陽性なら膠原病か？●51
2. かゆくない皮疹・かゆい皮疹●56
3. SLE患者が胸痛を訴えた！ どうする？●62
4. SLE患者が発熱と汎血球減少症を呈した！何を考えるか？●67
5. SLE，抗リン脂質抗体症候群の経過中に発熱，貧血および血小板減少が出現●72
6. 蛋白尿を呈したSLE患者は腎生検が必要！？●77
7. SLE患者に認知障害が出現！？●82
8. SLE患者を経過観察していたら新たな症状が出現し，検査値が変動した！●88
9. 多関節炎と朝のこわばり RAらしいが診断基準に満たない！どうする？●95
10. 発症1年のRAだが，関節の炎症は強く，骨・軟骨の変化を認める！治療は？●99
11. 10年来のRA患者 2週間前から徐々に息切れが強くなってきた！？●105
12. 口と目の乾燥状態と唾液腺の腫脹を認めた中年女性 どうする？●112
13. 肝障害あるも放置 最近階段の昇降がつらくなった！？●117
14. CKが高いと筋炎か？●122
15. PM/DMの患者が乾性の咳と呼吸困難を訴えた！？●126
16. 筋肉が痛いがCKが正常な高齢の患者は筋炎？●130
17. レイノー症状がある指先がしびれるが他は何ともなかったが 急に指が腫脹してきた！ 何を疑う？●134
18. 強皮症患者が急に高血圧を呈した！？●139
19. 高齢男性が持続する発熱，体重減少，多関節炎，網状皮斑，下垂足を訴えた！？●143
20. 数年来の喘息患者が急に手足の感覚障害と筋力低下を訴えた！？●148
21. 鼻閉，眼痛，胸部XPでの結節影！ 急速進行性腎炎？●154
22. 若い女性が微熱が続き 貧血，赤沈・CRPの亢進を指摘された！？●160
23. 高齢者がこめかみに痛み 咀嚼時の疲労感，肩から上肢への筋肉痛を訴えた！？●164
24. 諸症状からベーチェット病と診断された患者に小脳症状と精神症状が出現！ なにを考えるか？●168
25. 若年女性 高熱・間歇熱と隆起のない5mm程の紅斑が出現し 解熱時褪色 リンパ節の腫大あり！？●172
26. 中年男性 夜間起座呼吸で救急へ 肺野にWheezeを聴取！？●177
27. 喘息発作で来院 薬物療法にて軽快！ 今後は？●182
28. 中年に発症した喘息患者が 歯科処置後の薬を服用後 呼吸困難！？●188
29. 制御困難な喘息症状の患者 末梢好酸球とIgEの異常高値 胸には異常影！何を疑う？●194
30. 肺炎で抗生剤を使用 肺の陰影，呼吸困難感，CRPもほぼ改善したが弛張熱が持続！ 重症感はないがどうする？●199
31. 抗けいれん薬投与数週で皮疹，高熱，リンパ節腫脹，異型リンパ球の出現！？●204
32. あまり摂食はしないがカニを食べたら数十分で蕁麻疹出現 次第に気管支喘息様症状が！？●208
33. アボカド，バナナなどを食べるとのどにかゆみを訴えていた！ 虫垂炎の手術で手術開始直後に血圧が低下？●212

疾患 1 抗核抗体が陽性なら膠原病か？

問 題 編

◎ 症例提示

症　例：56歳，女性
主　訴：朝のこわばり，両膝関節痛，筋肉痛
家族歴：特記事項なし
既往歴：特記事項なし
現病歴：生来健康であった．半年前より時々両膝関節に痛みをおぼえていたが，最近，朝，手のこわばりおよび上腕の筋肉痛を感じるようになり，精査希望し，近医受診した．受診時，朝のこわばりは30分程度認めたが，関節の腫脹は認めなかった．また，圧痛もなかった．口腔内潰瘍はしばしばできることはあるが，日光過敏はないとのことであった．近医は関節リウマチをはじめとする膠原病を疑い，血算，生化学検査に加え，抗核抗体，リウマトイド因子などの検査を実施した．その結果，CRP，リウマトイド因子は陰性で，CKも正常であったが，白血球減少に加え，検査センターの報告書には，ANA（陽性：Homogeneous型80倍，speckled型160倍，細胞質陰性）と記載されていた．近医は血算を再検し，再び白血球減少とDNAテスト160倍陽性の結果を得，SLEを疑い某大学病院を紹介した．

◎ 設　問

問題1 上述の結果の解釈として考えうるのはどれか，3つ選べ．
a．抗ssDNA抗体が出現している
b．抗dsDNA抗体が出現している
c．抗dsDNA抗体は陽性であるが抗ssDNA抗体は陰性
d．抗ssDNA抗体は陽性であるが抗dsDNA抗体は陰性
e．抗ssDNAおよびdsDNA抗体が共存している

問題2 この症例で出現している可能性のある抗体を2つ選べ．
a．抗リボゾームP抗体
b．抗ヒストン抗体
c．抗SS-B抗体
d．抗Jo-1抗体
e．抗セントロメア抗体

問題3 この症例は現段階で全身性エリテマトーデスの診断基準を確実に何項目みたしているか．
a．1項目
b．2項目
c．3項目
d．4項目
e．5項目

問題4 診断のために行うべき検査は何か．
1）検尿
2）骨X線撮影
3）骨髄穿刺
4）筋生検
5）抗DNA抗体（ラジオイムノアッセイ）

a（1），（2），（3）　　b（1），（2），（5）
c（1），（4），（5）　　d（2），（3），（4）
e（3），（4），（5）

解説編

● 抗核抗体とは

抗核抗体（ANA）は，有核細胞の核成分に対する自己抗体の総称で全身性エリテマトーデス（SLE）をはじめとする膠原病類縁疾患で高率に検出される[1)2)]．核抗原は，大きくわけてDNA，RNAなどの核酸，ヒストンおよび非ヒストン酸性核蛋白などの蛋白に分類され，DNAと結合してクロマチンの一部を成しているものや，生理的食塩水に可溶性ないわゆる可溶性核抗原（ENA）などのように核質内に存在しているもの，さらに核小体に局在しているものに分類される（図1）[1)2)]．一方，抗細胞質抗体は細胞質に存在する抗原に対する自己抗体で，原発性胆汁性肝硬変の抗ミトコンドリア抗体や自己免疫性肝炎の抗平滑筋抗体などがよく知られている．ここで，注意すべき点は，実際は抗細胞質抗体でありながら，日常診療の場で便宜的にANAとよばれている自己抗体が存在することにある．たとえば，シェーグレン症候群（SjS）で高率に検出される抗SS-S/Ro抗体の対応抗原は主として細胞質に存在し，この抗体が単独に存在するSLEは"ANA negative lupus"とよばれる特異な病像を有す病態として報告されている[1)2)]．また，多発性筋炎（PM）に特異的な抗Jo-1抗体などの対応抗原であるアミノアシールtRNA合成酵素も細胞質抗原で，これらが単独に患者血清中に存在していると，ANAは陰性となり，抗細胞質抗体が陽性となる（図1）．

この図1に示す核抗原の細胞内分布はこのあと，解説する蛍光抗体間接法（IF）における染色像に直接関与している．

1．ANAの種類

表1は現在明らかにされているANAを中心とする自己抗体（細胞質抗原などに対する自己抗体も含む）の対応抗原とその構造，および関連する疾患とその病態を示す[1)2)]．抗原の構造は一見，臨床的には意味のない事項のように思われる．しかし，一連の抗原が核酸などに結合する複数の蛋白からなっている実体を理解しておくことが重要で，診断上，ある抗原自体に対する抗体の有無に加え，抗原を構成するどの蛋白に対する抗体が存在しているかということが要求されることがある[1)2)]．

抗DNA抗体は，一本鎖DNA（ssDNA）とのみ反応するもの，二本鎖DNA（dsDNA）のみに反応するもの，そしてssDNAとdsDNAの両方に反応する3種に分類される[1)2)]．SLEでは通常ssDNAとdsDNAの両

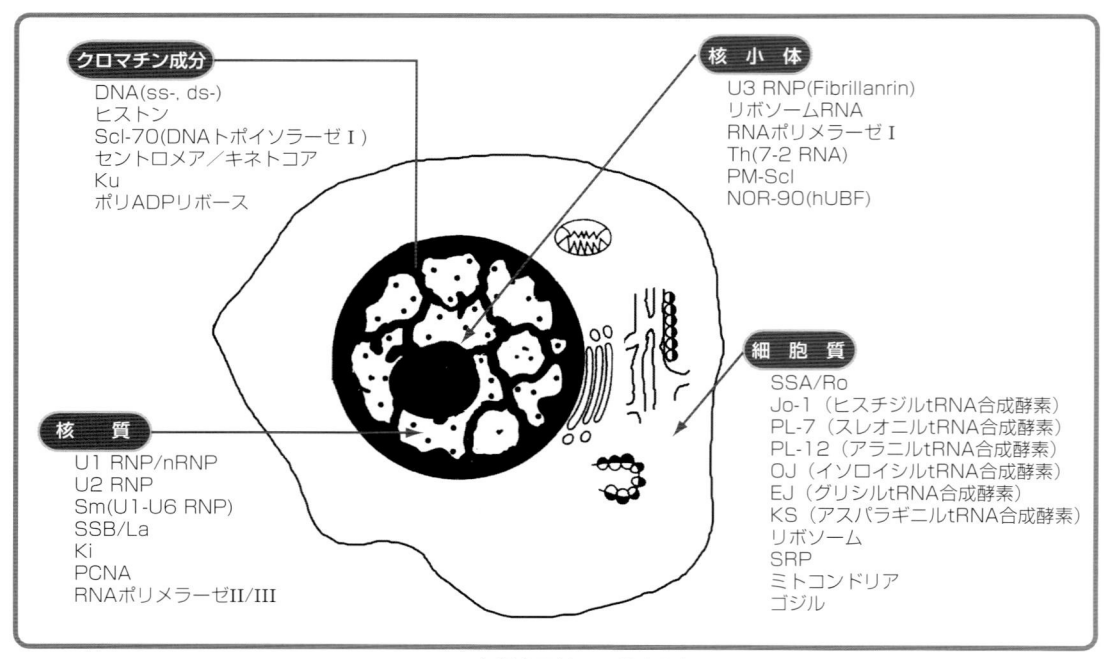

クロマチン成分
DNA(ss-, ds-)
ヒストン
Scl-70(DNAトポイソラーゼI)
セントロメア／キネトコア
Ku
ポリADPリボース

核小体
U3 RNP(Fibrillanrin)
リボソームRNA
RNAポリメラーゼI
Th(7-2 RNA)
PM-Scl
NOR-90(hUBF)

核質
U1 RNP/nRNP
U2 RNP
Sm(U1-U6 RNP)
SSB/La
Ki
PCNA
RNAポリメラーゼII/III

細胞質
SSA/Ro
Jo-1（ヒスチジルtRNA合成酵素）
PL-7（スレオニルtRNA合成酵素）
PL-12（アラニルtRNA合成酵素）
OJ（イソロイシルtRNA合成酵素）
EJ（グリシルtRNA合成酵素）
KS（アスパラギニルtRNA合成酵素）
リボソーム
SRP
ミトコンドリア
ゴジル

図1　各種自己抗原の核内分布

方に反応する抗体が検出され，低い頻度でdsDNAのみに反応す抗体が検出される．このいずれかの抗dsDNA抗体が高い疾患特異性を有し，診断基準の一項目に採択されている[3]．これに対し抗ssDNA抗体はほかの膠原病でも検出される．

抗ヒストン抗体はLE細胞現象に相関し，各ヒストン分画（H1，H2A，H2B，H3，H4）に対する抗体とH2A-H2B，H3-H4などの複合体に対する抗体が知られており，その臨床的意義も異なっている[1,2]．

非ヒストン核蛋白に対する抗体は最も種類が多く，これらの対応抗原は大部分が酸性核蛋白のため，非ヒストン酸性核蛋白抗原（nonehistone acidic nuclear protein，NAPA）ともよばれ，前述のENAがこれに相当する．これらの抗原の名前には一定の法則があり，Sm，Ki，Ku，Jo-1などはその抗体を有していた患者の頭文字，SS-A，SS-BのSSはSjögren's syndorome（SjS），Scl-70のSclはsclerodermaなどの関連病名を意味し，その他は，対応抗原の性状に基づいて名づけられている[1,2]．

抗核小体抗体は核小体の自己抗原対する抗体の総称であるが，今日ではその対応抗原の解析も進められ，種々の抗体が分類されている（表1）．

表1 各種自己抗体の対応抗原の構造と関連疾患・病像

自己抗原	構造 核酸	構造 蛋白	出現頻度	関連病像
全身性エリテマトーデス				
dsDNA	DNA		50〜80%	ループス腎炎，活動性SLE
Sm	U1, U2, U4-6 RNA	200KD,150KD,68KD, A,B/B'',C,D,E,F,G	15〜30%	CNSループス，ループス腎炎，抗U1 RNP抗体陽性
Ki		32KD	15〜25%	持続性関節炎，乾燥症候群
リボゾームP 5S-rRNA	28S,18S,5.8S,RNA	38KD(P0),19kD(P1),17KD(P2)1	10%	CNSループス（精神症状）
PCNA	DNA	34KD	<5%	CNSループス，血小板減少，ループス腎炎
ヒストン	DNA	H1, H2A,H2B,H3,H4	40〜70%	LE細胞，薬剤誘発性ループス
強皮症				
トポイソメラーゼI	DNA	100KD(70-90KDの分解産物)	20〜30%	び漫型皮膚硬化，肺線維症
セントロメア	DNA	17KD(CENP-A),80KD(B),140KD(C),50KD(D),312KD(E),367KD(F),95KD(G)	10〜15%	限局型皮膚硬化，レイノー現象，PBC，乾燥症候群，慢性甲状腺炎
RNA polymerase II	DNA(転写時)	240K,220K,145Kの各蛋白集合体	<5%	び漫性皮膚硬化，強皮症腎
RNA polymerase III	DNA(転写時)	155K,138Kの各蛋白集合体	<5%	び漫性皮膚硬化，強皮症腎
核小体抗原				
U3 RNP	U3 RNA	34KD	3〜6%	肺高血圧，骨格筋障害
NOR 90	DNA	90KD,86KD	<5%	
Th/To	7-2 /8-2 RNA	38KD	<5%	限局型皮膚硬化
RNA polymerase I	DNA(転写時)	210-11KD	<5%	び漫性皮膚硬化，強皮症腎
多発性筋炎/皮膚筋炎				
JO-1	tRNA	55KD	20〜30%	肺線維症
PL-7	tRNA	80KD	<5%	肺線維症
PL-12	tRNA	110KD	<5%	肺線維症
SRP	7SL-RNA	72K,68K,54K,19K,14K,9K	<5%	重症筋炎，皮膚筋炎
Ml-2	DNA	240K,190K,150K,65K,63K,30K	5〜10%	皮膚筋炎
関節リウマチ				
リウマトイド因子		ヒトIgG Fc	80%	
シトルリン化抗原		CCP，フィブリン	50〜90%	
カルパスタチン		73KD	50%	
シェーグレン症候群				
SS-A	hY1-hY5	52KD,60KD	70%	C4欠損，新生児ループス環状紅斑
SS-B	hY1-hY5, RNA Pol III 転写RNA	50KD	40%	
α-フォドリン		120K	90%	
膠原病重複症候群				
U1 RNP	U1 RNA	70KD, A,B/B',C,D,E,F,G	100%(MCTD)	レイノー現象，肺線維症，肺高血圧症
U2 RNP	U2 RNA	A',B'',B'/B,D,E,F	<5%	PM+SSc
Ku	DNA	70KD,80KD	25%	PM+SSc
PM-Scl		110-20K	10%	PM+Ssc

2. ANAの検出法

ANAの検出法にはIFをはじめ，二重免疫拡散法（DID），受身赤血球凝集反応（PHA），ラジオイムノアッセイ（RIA），enzyme-linked-immunosorbent-assay（ELISA），免疫沈降法（IP）および免疫ブロット法（IB）などがあり，検出しようとする抗体や目的によって適切な方法を選択する必要がある．

IFはANAのスクリーニングには最も適した方法で，これによる結果がSLEの診断基準の1項目となっている[3]．IFによるANAの染色パターンを図2に示す．図2Aは均質型（homogeneous pattern）で，核全体が核小体も含め，均質に染色され，抗ヒストン抗体によるとされている．抗DNA抗体もこの染色像を呈する．Bは辺縁型（peripheral pattern）で，核の辺縁が中心より濃く染まるパターンで抗DNA抗体によるとされている．Cは斑紋型（speckled pattern）でENAに対する抗体が一般にこのパターンを示す．Dは核小体型（nucleolar pattern）で，核小体内のRNAやその合成に関与した酵素およびその関連蛋白に対する抗体によるとされている．この抗体は強皮症（SSc）に特徴的とされていたが，SLEやPM，SjSなどでも検出される．このほかの染色パターンとしては抗セントロメア抗体による粒状斑紋型（discrete speckled pattern）が知られている．これらの染色像は対応する核抗原の核内分布に依存している．

われわれの国際抗核抗体標準化委員会で行った検討では，正常人でも40倍で31.7％，80倍で13.3％，160倍では5.0％が陽性となり，かなり高い頻度でANAが検出されることが確認されている[4]．したがって正常人でもANA陽性となることを認識しながら，臨床像を勘案し，適切な診断を進めていく必要がある[3]．

IFにてANAが検出された場合には，抗体に応じて適切な検査を選択し，同定を行なっていく．

抗dsDNA抗体はRIAもしくはELISAなどで検出する．これらの方法は感度も高く，定量性にすぐれている．

一連のENAや抗セントロメア抗体の測定には，リコンビナント蛋白を用いたELISAによる測定が一般的に用いられる様になってきた．これらの方法はこれまで用いられてきた寒天ゲル内の沈降反応によって抗体を検出するDIDとほぼ同等の感度を有し，定量性にも優れている．しかし，一般的にやや疾患特異性が低下する傾向が認められ，診断上，結果に疑問を感じる場合にはDIDにより確認する．

いわゆるENAの検出法としてPHAが知られている．このPHAによって検出された抗体を抗ENA抗体とよび，RNase処理によって凝集が抑制されるRNase感受性抗ENA抗体と凝集が阻止されないRNase抵抗性抗ENA抗体に分けられる．前者の代表が抗U1 RNP抗体で後者が抗Sm抗体であるが，最近はほとんど用いられていない．

IBは自己抗原を構成する各成分に対する抗体を測定するときに用いられる．同じ抗U1 PNP抗体でもMCTD患者血清ではSLEに比較しU1 RNPの70-kdのポリペプチドと高率に反応し，両者の鑑別に役立つと報告されている[2]．また，SjSや新生児ループスでは同じ抗SS-A抗体であっても，通常の60-kdよりも52-kd SS-Aに対する抗体の特異性が高いとされている[2]．

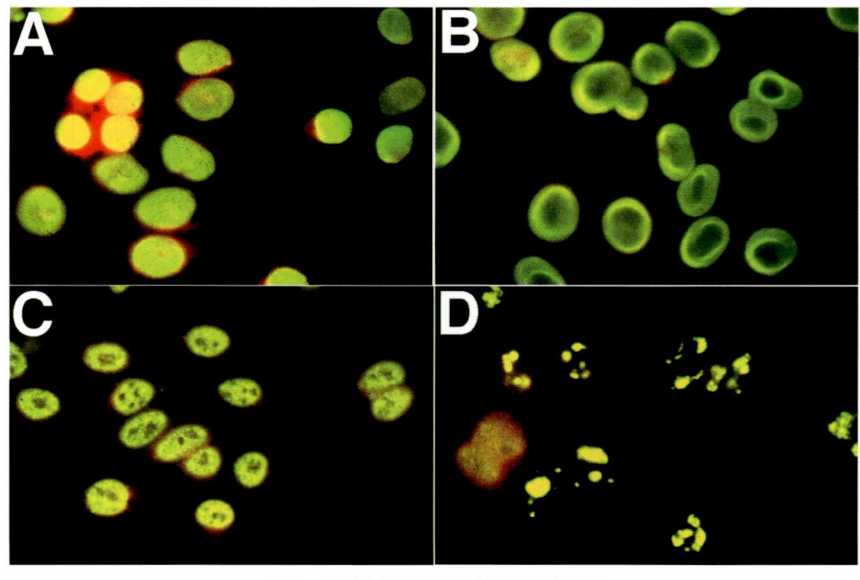

図2　ANAのIFにおける各種染色像

3. 抗核抗体の臨床的意義

ANAには前述のごとく疾患への特異性を認めるものがあり，その診断に有用である（表1）．また，特異な病像との相関を示すものもあり，その抗体を有する患者の予後なども予測可能なこともある（表1）．疾患特異性の高い抗体としては，SLEの抗ds DNAおよびSm抗体，SjSの抗SS-B抗体，PSSの抗Scl-70 (topoisomerase I) 抗体，CREST症候群の抗セントロメア抗体，PM/DMの抗Jo-1およびMi抗体，SSc-PM重複症候群の抗PM-Scl (PM-1) およびKu抗体などが知られている．抗U1 RNPおよびSS-A抗体は，それぞれ混合性結合組織病 (MCTD)，SjSにて高率に検出されるが，ほかの膠原病でも比較的高率に検出されることに留意する必要がある．

病像との相関では，抗U1 RNP抗体はMCTDの特徴的症状としてよく知られるレイノー現象，手指の腫脹および肺高血圧症などの病像とよく相関し，腎症を発症してもその程度が軽症であるなどの特徴がある．また，SScでは，抗Scl-70抗体陽性例は皮膚硬化の範囲が広く，肺線維症を合併しやすいなどの特徴がある．しかし，これに対して抗セントロメア抗体陽性例は，ほとんどの症例でCREST型の病像を示し，皮膚硬化の範囲もせまい．また，PMのアミノアシールtRNA合成酵素に対する抗体は肺線維症に高い相関を有する．その他の相関については表1を参照されたいが，これらはしばしば患者の予後を予測するうえで有用である．

また，抗dsDNA抗体などの特定の抗体は，血清補体価とともに腎症の活動性とよく相関し，治療の指標として有用な情報を提供する．しかし，一般的にはANAの抗体価は疾患の活動性とは相関しないので，あくまでも，臨床症状の評価を中心に据え，抗体価自体を目標に治療を行ってはならない．

問題の解説および解答

問題 1

近医はhomogeneous型のANAが検出され，抗DNA抗体の存在を疑いDNAテストを実施した．本法は抗dsDNA抗体を特異的には検出できず，抗ssDNA抗体が存在すると陽性になる．したがって，SLEの診断に必要な抗dsDNA抗体を測定するにはRIAおよびELISAか，クリシジアを用いたIFが必要となる．

問題 2

IFの染色像はANAの対応抗原によって異なっている．問題症例の血清ではhomogeneous型とspeckled型を呈する抗体が共存している．抗リボゾームP抗体は核小体に加え，細胞質，抗Jo-1抗体は細胞質，さらに抗セントロメア抗体はdiscrete speckled型の染色像を認める．

問題 3

ANAが陽性であっても膠原病とは限らない．本症例では，口内炎，白血球減少（2回確認する必要がある），抗核抗体陽性の3項目を満たしている．関節痛はあっても，関節炎は存在しないし，DNAテストでは抗dsDNA抗体が存在しているとはいえない．

問題 4

SLEの診断はANAの結果にとらわれず，腎症やその他，臨床像を的確にとらえ，さらに適切な検査の選択を行って実施する必要がある．

解 答
問題1；a, b, e
問題2；b, c
問題3；c　問題4；b

●文　　献●
1) Tan E M：Antinuclear antibodies：Diagnostic markers for autoimmundiseases and probes for cell biology. Adv. Immunol 44：93-151, 1989.
2) 高崎　芳成：自己抗体とその臨床的意義. Annual Review 免疫 1992（菊地　浩吉，矢田　純一，奥村　康編），pp266-277, 東京，中外医学社，1992.
3) 高崎　芳成：膠原病の診断基準をどのように使うか. Medical Practice 20：550-557, 2003.
4) Tan EM, Feltkamp TEW, Smolen JS, et al：Range of antinuclear antibodies in "Healthy" individuals. Arthritis Rheum 40：1601-1611, 1997.

［高崎　芳成］

疾患 2 かゆくない皮疹・かゆい皮疹

問題編

● 症例提示

症　例：65歳，男性
主　訴：かゆみを伴う顔面，手背，背部の紅色皮疹
家族歴：特記事項なし
既往歴：高血圧のため複数の薬剤を内服中
現病歴：平成14年9月末，快晴の日に自宅の庭で防虫剤を散布した翌日に顔面にかゆみを伴う紅色皮疹が出現した．その後，上眼瞼が腫れぼったくなり，紅色皮疹は手背ついで背部，全身に拡大してきた．10月末からは椅子から立ち上がりにくくなってきたため受診した．

初診時現症：頭部，顔面，前頸部，項部に浮腫状の紫紅色紅斑があり，上眼瞼の腫脹が目立つ．手指背，両上肢，前胸部，背部から腰部，下腿から足背にかけて半米粒大から米粒大までの鱗屑，痂皮を伴う紅斑が多発し，一部は融合している．全手指爪囲に紅斑あり，後爪廓には毛細血管の拡張，出血あり．肘頭・膝蓋では角化を伴う紫紅色紅斑がみられる．

初診時検査所見：
尿所見 n.p.
WBC 7900/ul（Neu 64.8％，Eos 1.4％，Baso 0.8％，Mono 9.3％，Lym 22.1％），RBC 460 x10^4/ul Hb 13.8 g/dl，Hct 40.1％，Plt 31.6 x10^4/ul
TP 6.2 g/dl，Alb 3.6 g/dl，T bil 0.3 mg/dl，<u>CK 2003 IU/l</u>，<u>Ald 20.6 IU/l</u>，AST 112 IU/l，ALT 69 IU/l，LDH 371 IU/l，T chol 193 mg/dl，TG 170 mg/dl，BUN 10 mg/dl，Cr 0.6 mg/dl，CRP 0.2 mg/dl，KL-6 612 U/ml
抗核抗体40倍（homogenous speckled pattern），抗DNA抗体（－），抗RNP抗体（－），抗SS-A抗体（－），抗SS-B抗体（－），抗Scl-70抗体（－），抗Jo-1抗体（－），RF＜9 IU/ml

● 設問

問題1　まず疑う病態はなにか？
a．接触皮膚炎
b．光線過敏型薬疹
c．全身性エリテマトーデス
d．皮膚筋炎
e．脂漏性湿疹

問題2　診断のために行うべき検査はなにか？
a．パッチテスト
b．DLST
c．光線検査
d．皮膚生検
e．細菌培養

問題3　病理組織学的に液状変性をきたす疾患は？
（1）扁平苔癬
（2）皮膚筋炎
（3）脂漏性湿疹
（4）尋常性天疱瘡
（5）多形滲出性紅斑
a（1），（2），（3）　　b（1），（2），（5）
c（1），（4），（5）　　d（2），（3），（4）
e（3），（4），（5）

問題4　はじめに行う適切な治療法は？
a．血漿交換療法
b．免疫グロブリン大量療法
c．高用量ステロイド投与

d. 低用量ステロイド投与　　　　　　e. 免疫抑制剤投与

解説編

皮膚筋炎（Dermatomyositis：DM）とは

1．疾患概念

皮膚筋炎（dermatomyositis）は主に皮膚と筋肉を標的とする系統的炎症疾患である．すなわち皮膚に特有な発疹がみられ，主に横紋筋が侵される．最近は筋症状を伴わない皮膚筋炎の存在も提唱されており，amyopathic dermatomyositis（ADM）[1]とよばれる．ADMは筋症状を伴う通常の皮膚筋炎よりも急性間質性肺炎を伴いやすく，むしろ予後が悪いことが知られている．

皮膚筋炎・多発性筋炎の病型分類にはさまざまな分類があるが，最もよく用いられるBohan & Peterの分類[2]では5型に分類されている．

1．原発性多発性筋炎
2．原発性皮膚筋炎
3．悪性腫瘍に伴う皮膚筋炎・あるいは多発性筋炎
4．小児皮膚筋炎
5．他の結合織病に合併した多発性筋炎・皮膚筋炎（重複症候群）

最近ではこれらにamyopathic dermatomyositisを加える病型分類が提唱されている[3]．診断基準としてもやはりBohan & Peterによる診断基準[4]が一般的に用いられている．

筋症状として，筋力低下は主に四肢近位筋に対称性に発症する．通常，下肢筋の筋力低下が上肢よりも早期に出現する．椅子から立ち上がりにくい，階段の昇り降りが困難という症状などを呈する．重症例では後咽頭筋，胸郭呼吸筋に炎症が生じ，おのおの嚥下困難，呼吸不全を生じる．

皮膚筋炎に伴う特徴的な皮疹として以下の皮疹があげられる（＊をつけた）．これらの皮疹を知っておくことは皮膚筋炎の診断をするにあたってきわめて重要である．

1）＊ヘリオトロープ疹

上眼瞼あるいは眼瞼周囲の紫紅色調の浮腫性紅斑である．通常両側性である．同様の皮疹は前額部，頬部，鼻翼，上口唇にもみられることがある．

2）蝶形紅斑

全身性エリテマトーデス（SLE）との鑑別が必要となる．原則としてSLEの蝶形紅斑は鼻唇溝を超えない．一方，皮膚筋炎の蝶形紅斑は鼻唇溝を超えて外鼻孔，鼻翼基部にも皮疹がみられる．

3）＊ゴットロン徴候（図1）

手指間接背面の紫紅色の角化性紅斑ないし丘疹．指腹，手掌に現れた場合には逆ゴットロン徴候あるいは鉄棒まめ様紅斑とよぶ．

4）＊肘頭・膝蓋の角化性紅斑

肘頭・膝蓋にみられる角化性紅斑．外力が加わる部位に生じる．

5）爪上皮点状出血・爪囲紅斑

爪上皮の延長・肥厚・点状出血，爪周囲に紅斑がみ

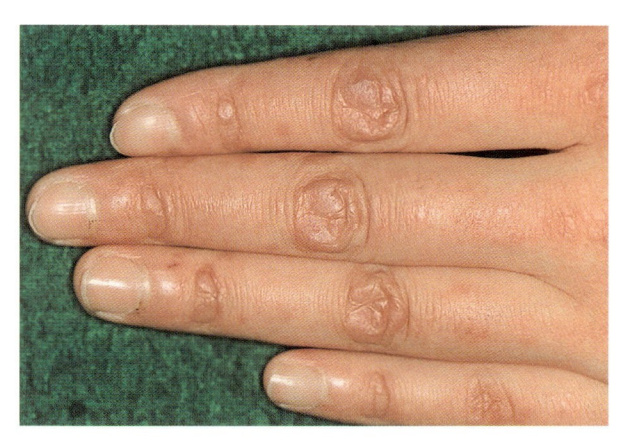

図1　手指関節背面の角化性丘疹（ゴットロン徴候）

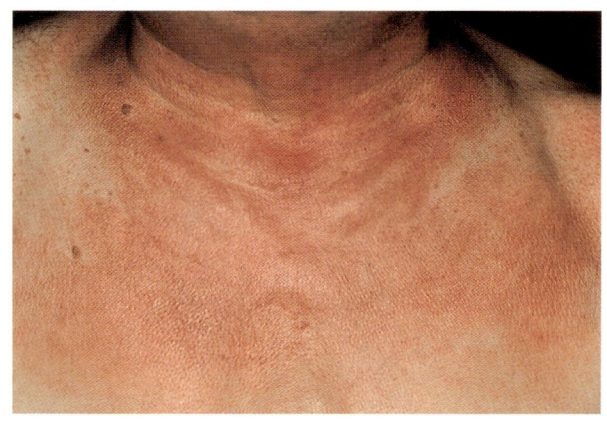

図2　前頸部から上胸部にかけての紅斑（V徴候）

6）＊蕁麻疹様紅斑

かゆみを伴い，掻破痕に一致する蕁麻疹様紅斑が背部にみられる．flagellate erythemaともよばれる．同様の皮疹はブレオマイシン投与中の患者にも生ずることがある（scratch dermatitisとよばれる）．

7）脂肪織炎

上腕，臀部に好発し，板状硬結として触知し，表面に紅斑を伴うことがある．脂肪織炎後に石灰沈着をきたす．

8）ポイキロデルマ

上記の皮疹が長期間存在すると皮膚の萎縮，色素沈着，色素脱失，毛細血管拡張が混在した多形皮膚萎縮を呈する．

9）＊V徴候，Shawl徴候

前頸部から上胸部にかけての紅斑（V徴候）（図2），項部から両肩に広がる紅斑（Shawl徴候）は皮膚筋炎に特徴的である．

予後は内臓悪性腫瘍と急性間質性肺炎の合併に左右される．

2．合併症

以下にこれらの合併症についてごく簡単にまとめる．

1）内臓悪性腫瘍の合併

成人皮膚筋炎患者のうち約30％に何らかの悪性腫瘍が合併する．一方，小児皮膚筋炎では悪性腫瘍の合併は少ない．皮膚症状と内臓悪性腫瘍の出現時期についてはさまざまである．注意すべき点として以下のことがあげられる．

(1) 皮膚筋炎と診断した際に悪性腫瘍の検索を徹底的に行う．
(2) 全身検索で悪性腫瘍が発見されず，治療に抵抗性を示す場合あるいは皮疹が消退しない場合には定期的に検索をくり返す．
(3) 悪性腫瘍の根治的治療後にも皮疹が消退しない場合，再発の可能性も考え再度検索を行う．

2）急性間質性肺炎

皮膚筋炎患者に急性間質性肺炎が発症するとほぼ致死的である．病理組織学的にはdiffuse alveolar damage（DAD）の像を呈する．急性間質性肺炎をきたす患者の特徴として以下の点があげられる．

(1) 定型的な皮膚症状を呈する．
(2) 筋症状が比較的軽く，筋原性酵素の上昇も軽度である（いわゆるCK/LDH比が低い）．
(3) 副腎皮質ステロイド剤に抵抗性の経過をとる．

急性間質性肺炎は突然発症することが多い．その発症のサインとして次の3点が重要であり，見のがしてはならない．

(1) 発熱
(2) 突然の咳・呼吸困難
(3) 動脈血酸素分圧の低下

3．診　　断

世界的に最も用いられている診断基準はBohan & Peterの診断基準[4]である．これを表1に示す．

表1　皮膚筋炎／多発性筋炎の診断基準

1．対称性の近位筋力低下
2．筋原性酵素の上昇
3．筋電図上の筋原性変化
4．典型的筋病理組織所見
5．典型的皮膚症状

判定：	definite	4項目以上（DMは5を含む）
	probable	3項目以上（DMは5を含む）
	possible	2項目以上（DMは5を含む）

(Bohan A & Peter JB, 1975[4])

皮膚筋炎に特徴的な皮疹としてヘリオトロープ疹，ゴットロン徴候，肘頭・膝蓋の角化性紅斑があげられる（「1．疾患概念」の項目を参照）．皮膚筋炎の皮疹か否かは必ず皮膚科専門医にコンサルトする．ついで皮疹の生検を行い，皮膚筋炎に矛盾しないかを確認する．病理組織学的には基底層の液状変性，組織学的色素失調症，真皮の浮腫，真皮血管周囲の単核球浸潤がみられる．

筋症状としては近位筋優位の筋肉痛，筋力低下を示し，椅子から立ち上がりにくい，階段の昇り降りが難しい，和式トイレでいったんしゃがんだあと立ち上がれないなどの症状を呈する．通常筋原性酵素は上昇する．最も一般的な検査データはCK（CPK）である．CKは診断のために有用であるのみならず病勢を把握する指標として最も重要である．初期に投与する高用量の副腎皮質ステロイド薬の減量を開始する時期の目安はCKの正常化後である．一部の症例では完全に正常域まで改善しないが，その際は筋力の改善を治療の指標とする．自覚症状はCKの正常化に遅れて改善する．一方，アルドラーゼはCKと比較して必ずしも病勢を反映しない．しかしCK正常の症例ではアルドラーゼを指標とすることもある．

最近では筋炎の有無，治療効果の判定に**MRI検査**が用いられるようになりつつある．筋炎が存在する場合にはT2強調画像で高信号域となる．筋生検の適切な部位を決めるのに有用である．また，筋生検をくり

返し行うことは侵襲的であり非侵襲的にくり返すことのできるMRIは臨床的有用性が高い．

筋電図では筋原性変化（fibrillation，complex polyphasic short duration，low amplitude，pseudomyotonic potentials）を呈し，神経原性疾患との鑑別に有用である．

筋生検は診断確定のために不可欠な検査である．筋生検を行うことにより筋炎の存在の証明（筋線維の大小不同，変性と壊死・再生像，血管周囲性や間質への炎症細胞浸潤），ほかの筋疾患（封入体性筋炎，ニューロパチーなど）との鑑別が可能である．皮膚筋炎では病理組織学的に血管周囲性にB細胞優位の浸潤がみられる．一方，多発性筋炎では筋線維間にCD 8陽性のT細胞が浸潤する．可能であればMRI，筋電図で筋炎の所見がみられた部位，あるいは筋症状のある部位を生検する．通常，三角筋，上腕二頭筋，大腿四頭筋のいずれかを生検する．

血清学的検査

SLEと比較すると，皮膚筋炎の抗核抗体の陽性率は約50%とそれほど高くない．皮膚筋炎に比較的特異的な抗体として，アミノアシルt-RNA合成酵素抗体の存在がある．この抗原は細胞質に存在するため，低力価の細胞質パターンとして報告されることもある．

皮膚筋炎の2大合併症である間質性肺炎，悪性腫瘍に関する診断

皮膚筋炎には慢性間質性肺炎だけでなく，いったん発症すると致死的となる急性間質性肺炎を生じる．間質性肺炎の検索として，動脈血酸素分圧の測定，胸部X線検査，胸部CT検査，血清KL-6（SP-D，SP-A）を行う．初診時（あるいは診断時）にこれらの検査を行い，肺病変の有無・現状について評価しておくことはきわめて重要である．治療中，経過中にこれらの検査データに増悪傾向がみられた場合には急性間質性肺炎の発症も念頭において迅速に対処しなければならない．

成人皮膚筋炎の約30%に悪性腫瘍が合併するといわれている．皮膚筋炎診断時には悪性腫瘍に関する全身検索を必ず行う．注意すべき点としては1の疾患概念の項目を参照のこと．

4．治　療

皮膚筋炎に対する治療目標は筋炎の鎮静化，筋力の保持・回復である．そのため，筋炎の活動性が高い時期は，筋の破壊を防ぐために安静が必要である．一方，筋炎の活動性が治まってきた際には理学療法を含めたリハビリテーションが必要となる．

また悪性腫瘍合併例では腫瘍の治療を優先する．

皮膚筋炎に対する治療の第一選択薬剤は副腎皮質ステロイド薬である．

一般的にはプレドニゾロンを用いる．軽症例を除いて初期量は通常1 mg/kgを3回分割で内服投与する．初回投与量を最低1カ月継続し，筋力の回復とCKの正常化を確認し，症状や検査所見を勘案しながら，1カ月あたり10〜20%の減量を目標に行う．維持量は10mgを目標とする．効果が得られにくい例にはメチルプレドニゾロン（ソル・メドロール）パルス療法（500〜1000mg），3日間点滴静注を追加する．後療法としてプレドニゾロン40〜60mgを投与する．それでも改善がみられない場合にはプレドニゾロン増量，ほかのステロイド剤への変更，免疫抑制剤の併用を考える．改善後はステロイドを減量する．

活動性の高い間質性肺炎を伴う例では早期に免疫抑制剤の併用を考える．シクロフォスファミドによるパルス療法（500〜750mg/m^2），シクロスポリン内服，最近ではガンマグロブリン大量療法（400mg/kg，5日間点滴静注）も試みられている．

合併症の治療

高用量ステロイド療法の際に一般的に行っている治療に準ずる．すなわち感染症，胃潰瘍，高血圧，糖尿病，高脂血症，骨粗鬆症などである．とくに骨病変に対しては留意が必要である．喉頭や咽頭の筋炎の著しい例では，誤嚥性肺炎予防も重要である．血液学的検査，胸部X線の検査を含め，真菌症やカリニ肺炎に対する予防投与を行う．

発症原因

皮膚筋炎の発症機序はいまだ不明である．抗アミノアシルt-RNA合成酵素抗体，HLA関連，ウイルス・寄生虫説，薬剤，担癌関連などの種々の因子が推察されているが，発症機序の決定的な証明とはなっていない．

● 問題の解説および解答

問題　1

高血圧などに対して降圧剤，利尿剤を内服中の患者が日光に曝露したあと，あるいは殺虫剤など接触皮膚炎を引き起こす可能性のある物質を扱ったあとに皮疹が出現した際には薬剤性の光線過敏症，接触皮膚炎を鑑別しなければならない．顔面，手は露出部であるため接触皮膚炎，日光，虫など外的要因による皮膚症状も生じやすい．鑑別点として，接触皮膚炎は通常，かゆみが強く接触部位に皮疹が限局し，原発疹として漿液性丘疹・小水疱がみられる．色調は皮膚筋炎と比べ

るとより紅色調が強い．眼囲の腫脹がみられる場合にはヘリオトロープ疹との鑑別が難しいこともあるが，皮膚筋炎では痒みは軽度である．皮膚筋炎を含め膠原病の皮疹はかゆくないと思われがちであるが，実際にはかゆみを訴えることも少なくないので「かゆいから皮膚筋炎ではない」と考えてはならない．先に述べたように，皮膚筋炎で生じる蝶形紅斑は全身性エリテマトーデスにおける紅斑とはやや性状が異なる．皮膚筋炎ではびまん性の浮腫性紅斑で眼囲にもみられ，内眼角や鼻周囲，すなわち鼻唇溝を超えて皮疹が分布することが多い．全身性エリテマトーデスでは通常鼻唇溝は侵されない．ただし小児皮膚筋炎の顔面皮疹は鼻唇溝を超えにくく注意が必要である．図1のように手指背面に特徴的な角化性紅色丘疹（ゴットロン徴候）がみられれば皮膚筋炎をより疑う強い根拠となる．

問題 2

上記より皮膚筋炎を疑った場合には皮膚生検を行い，基底層の液状変性の存在を確認する．接触皮膚炎，脂漏性湿疹との鑑別が可能である．同時に筋原性酵素を含めた血液学的検査・胸部X線検査を含めたスクリーニング検査を行う．

問題 3

皮膚筋炎，扁平苔癬，多形滲出性紅斑では液状変性をきたす．病理組織学的に脂漏性湿疹では表皮の変化がつよく海綿状態を呈する．尋常性天疱瘡は自己免疫性水疱のひとつで表皮内水疱を形成する．皮膚筋炎と扁平苔癬，多形滲出性紅斑との鑑別は皮膚科専門医であれば臨床的に鑑別が可能である．皮膚筋炎では成人の場合，皮疹が筋症状よりも先行して発生することが多く[5]皮膚筋炎の皮疹を見のがしてはならない．むしろ筋症状が軽微で典型的な皮疹を呈している症例は急性間質性肺炎の危険因子であり，皮疹から皮膚筋炎の診断を導くことはきわめて重要である．

問題 4　まずはじめに行う適切な治療法は？

皮膚筋炎の治療の第一選択薬剤は副腎皮質ステロイド薬である．ただし悪性腫瘍合併例では腫瘍の治療を優先する．副腎皮質ステロイド薬はプレドニゾロンを用いる．軽症例を除き，初期量は通常1 mg/kg，3回分割で内服投与する．初回投与量を最低1カ月継続し，CKの正常化を待ってから減量を開始する．一方，amyopathic dermatomyositis（ADM）に対して高用量ステロイド投与を行うかどうかはいまだ結論は出ていない．3の治療の項目を参照のこと．

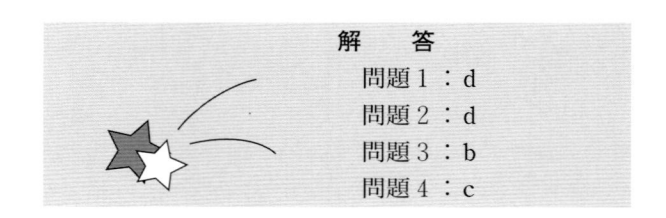

```
解　答
問題1：d
問題2：d
問題3：b
問題4：c
```

レベルアップをめざす方へ

ガンマグロブリン大量療法（IVIG）

最近，皮膚筋炎の急性間質性肺炎に対するガンマグロブリン大量療法の有用性が報告されつつある．問題点として，ガンマグロブリン大量療法が皮膚筋炎に対する治療として保険診療では投与を認められていないため，病院側の負担となることがあげられる．1クールあたり約100〜150万円必要となる．

投与方法：1日400mg/kg，5日間点滴静注．

作用機序：血管壁，マクロファージ，NK細胞のFcレセプターのブロック，サイトカイン産生の調節，活性化補体の組織への沈着抑制，あるいは活性化補体に結合して免疫複合体を除去する機序などが考えられている．

副作用：比較的安全性は高い．

頻度の高いものは，頭痛・嘔気・発熱・血管痛・発疹である．重篤なものとして頻脈・呼吸困難・血圧低下・血管塞栓症・急性腎不全・無菌性髄膜炎・血小板減少・肺水腫などがある．

IVIGは皮膚筋炎の急性間質性肺炎において有望な治療法ではあるが，生物製剤であるため未知の感染症が発症する危険性は否定できないのが現状である．

●文　　献●
1) Sontheimer RD：Cutaneous features of classic dermatomyositis and amyopathic dermatomyositis. Curr Opin Rheumatol 11：475-482, 1999.
2) Bohan A, et al：A computerassisted analysis of 153 patients with polymyositis and dermatomyositis. Medicine 56：255-286, 1977.
3) Kovacs SO, et al：Dermatomyositis. J Am Acad Dermatol 39：899-920, 1998.
4) Bohan A, et al：Polymyositis and dermatomyositis. N Engl J Med 292：344-347, 1975.
5) Rockerbie NR, et al：Cutaneous changes of dermatomyositis precede muscle weakness. J Am Acad Dermatol 20：629-632, 1989.

[天　野　博　雄／石　川　　治]

疾患 3 SLE患者が胸痛を訴えた！どうする？

問題編

症例呈示

症　例：30歳，女性，主婦
主　訴：胸痛
既往歴：とくになし
家族歴：特記事項なし
現病歴：生来健康であった．本年3月8日に男児（第3子）を出産．妊娠出産は満期安産であった．5月上旬より朝のこわばりと，両手関節および両手近位指節間関節（PIP）の関節痛と腫脹を自覚するようになった．6月上旬，外出後日焼けがきつく，顔面や頸部には水疱を生じたため，近医受診した．37℃代の発熱と顔面紅斑があり，血液検査で白血球減少，抗核抗体陽性など認めたことより，SLEと診断され，プレドニゾロン20mg/日の処方を受けた．プレドニゾロン服用後，顔面紅斑と関節痛は軽快したため，6月下旬には10mg/日まで漸減された．その後蛋白尿を指摘されていたが，7月に入り，手と手指関節痛再発し，胸痛をおぼえたため，7月2日本院を紹介され受診した．胸痛は咳嗽時に増強する胸部圧迫感で，前傾すると軽快する．狭心発作ではなく，喀痰や血痰も認めない．口腔内アフタやレイノー症状は自覚していない．
入院時現症：身長160cm，体重48.9kg，体温37.3℃，血圧140/92，脈拍88/分・整．意識清明，表在リンパ節触知せず．眼瞼結膜軽度蒼白，眼球結膜に黄疸なし，顔面紅潮．心濁音界軽度拡大，心音清．左下肺野に軽度捻髪音．腹部平坦・軟，肝脾をふれず．下腿浮腫なし，四肢・体幹に紅斑・紫斑なし，両手第II，III指PIP関節に腫脹と圧痛あり，両手関節に圧痛あり，神経学的に異常を認めない．

入院時検査所見：
CBC：WBC2600/μl(Stab20%，Seg49%，Eos 1%，Mono 5%，Lym 25%)，RBC312×10⁴/μl，Hb8.7g/dl，Ht 27.6%，Ret2.3%，Plt10.1×10⁴/μl
Chemistry：TP 7.3g/dl，Alb 3.2g/dl，A/G比 0.78，GOT 51 IU/l，GPT 74IU/l，T-Bil 0.4mg/dl，ChE 4.8 IU/ml，LDH 501 IU/l，Alp 197 IU/l，γ-GTP 20 IU/l，Amy129IU/l，CK44 IU/l，T-cholesterol 135mg/dl，BUN 21mg/dl，Creatinine 0.65mg/dl，Uric Acid 8.0mg/dl，Na 143meq/l，K 4.1meq/l，Cl 111meq/l，Ca8.5 mg/dl，Fe 57 μg/dl，UIBC 213 μg/dl，CRP＜0.1，ハプトグロビン＜8mg/dl，蛋白分画(alb 51.7%，α1 3.7%，α2 5.3%，β 6.3%，γ 33.0%)，CH50＜10.0U/ml，C3 17mg/dl，C4＜5 mg/dl，IgG 2796mg/dl，IgA 340mg/dl，IgM 184mg/dl
Serological tests：RF 7 IU/ml（＜10），抗核抗体640倍陽性（homogeneous pattern），抗dsDNA抗体（RIA）＞300IU/ml（＜6），Sm抗体（－），RNP抗体（－），クームス試験（直接＋，間接±），STS（－），TPHA（－），HBs-Ag（－），HCV-Ab（－）
赤沈：49mm/時　凝固：PT INR 1.02，aPTT 28.4sec，Fibrinogen 304mg/dl
尿所見：pH 5.5，比重1.017，蛋白（＋＋＋），潜血（＋），糖（－），ウロビリ（正常），沈渣：赤血球 10～19/HPF，白血球 5～9/HPF，扁平上皮（＋＋），硝子円柱（＋＋）
胸部X線：（図1a）
心電図：（図1b）
腎生検所見（図2）

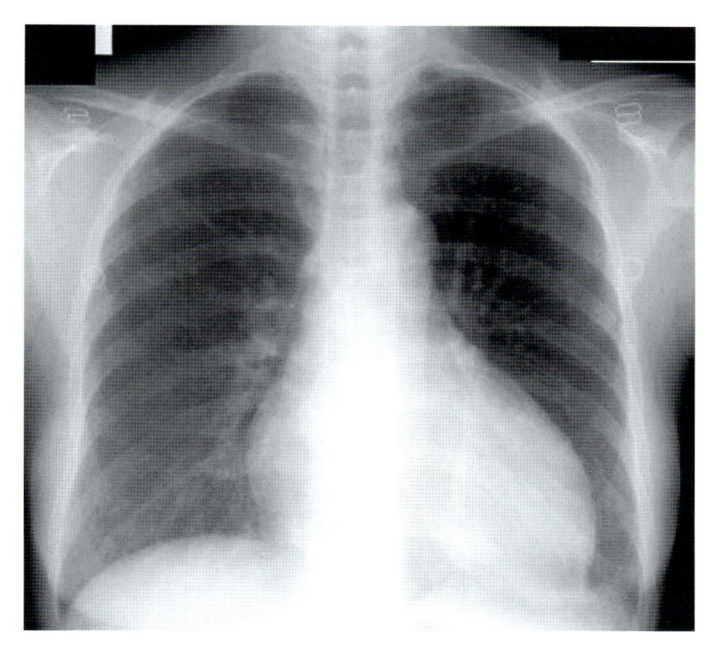

図1a　胸部X線（入院時）　　　　　　　　　　　図1b　心電図（入院時）

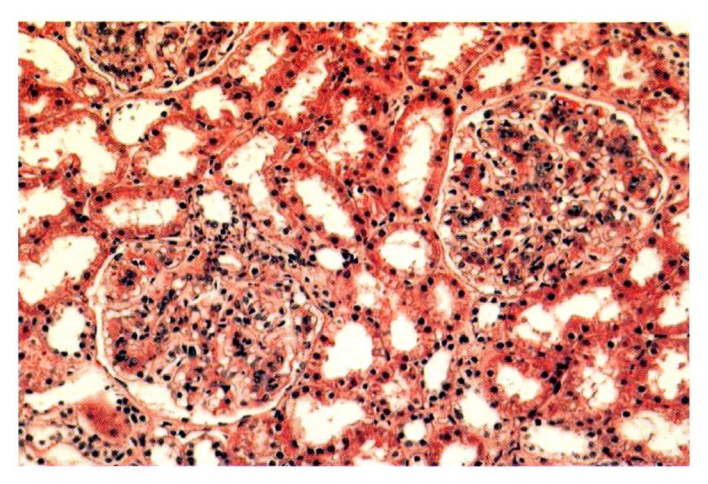

図2　腎生検所見（HE染色）

設問

問題1　図1に本患者の入院時の胸部X線写真と心電図を示す．胸痛の原因として疑う病態はどれか？
a．ループス肺炎
b．肺高血圧症
c．肺梗塞
d．心外膜炎
e．Libman and Sacks心内膜炎

問題2　治療方針決定のために行うべき検査はどれか？2つえらべ．
a．骨髄穿刺
b．心エコー
c．皮膚生検
d．腎生検
e．気管支鏡検査

問題3　肺梗塞の原因となりうるものはどれか？ 2つえらべ.
a. 下肢深部静脈血栓症
b. 胸膜炎
c. 間質性肺炎
d. 心外膜炎
e. 抗リン脂質抗体症候群

問題4　図2に本症例の腎生検像を示す？ 本症例の治療法について適切なものはどれか？ 2つ選べ.
a. 高用量のステロイド
b. シクロホスファミド併用
c. NSAIDs
d. ニトロ製剤
e. 観血的心膜液除去

解説編

SLEの心肺病変

1. SLEの心血管病変[1)2)]

1) 臨床的特徴

心病変はSLE患者の40〜60％で認められるが，SLEに特徴的なものは少ない．SLEの心病変としては，1924年にLibmanとSacksが記載した弁膜の障害を特徴とする心内膜炎が有名であるが，SLEの治療にステロイドが導入されて以後は，ステロイドの長期大量投与による高血圧，糖尿病，高脂血症に起因する動脈硬化促進による心血管病変が増加している．実際SLEの予後改善と相まって，心血管病変はSLE患者の死因として，感染症に次ぐものとなっている．

心病変に多く認められる症状は，胸痛，圧迫感，息切れなどである．心病変として頻度の高い心外膜炎の胸痛は，体を前傾すると和らぐが，仰向けや嚥下で増強するという特徴がある．その他，日常可能であった行動で呼吸困難を感じたり，発熱，全身倦怠感，冷汗などを感じたりすることもある．通常心膜水の貯留は大量ではないが，ときに心タンポナーデとなり，心不全による浮腫や起座呼吸をともなうこともある．

2) 心病変の検査と診断

胸部X線と心電図が基本である．心電図異常はSLE患者の17〜77％に認められ，心外膜炎，心肥大，不整脈，心筋炎，心虚血，心筋梗塞などが認められる．心エコーは心外膜炎をはじめ多くの疾患の発見に有用であるが，心内膜炎による弁疣贅の検出には，経食道エコーが優れている．虚血性心疾患の診断には，負荷心電図，心筋シンチ，SPECTなどが有用であり，動脈硬化など末梢血管障害の検索には，頸動脈エコーやABIなどが用いられる．

3) 心病変の治療

心外膜炎の頻度は12〜100％と多いが，心タンポナーデとなることはまれである．治療は重症度により，NSAIDで軽快することもあるが，通常はステロイド（プレドニゾロン換算で20〜30mg）が奏功する[3)]．心筋炎はSLE患者の10〜14％にみられ，呼吸困難，動悸，発熱などが主症状である．心筋傷害が広範なときには，拡張型心筋症へ移行し，心不全をきたす場合がある．全部の弁を傷害するLibman and Sacks型の心内膜炎はステロイド導入後まれとなったが，僧坊弁の傷害は多い．Splinter hemorrhageや心雑音（MR）が，臨床的特徴である．

高血圧症は25％の患者で認め，ループス腎炎患者で多い．また高血圧が腎機能悪化因子であることも知られていることから，腎炎を有する患者では厳密な血圧の管理が必要である．ステロイドの長期使用と予後改善により，動脈硬化が大変重要な問題でとなりつつある[4)]．SLEの死因の20％は動脈硬化に基づく血管障害とされ，35〜44歳の女性患者の心筋梗塞リスクはコントロールの50倍にもなる．さらに抗リン脂質抗体も心血管障害のリスクファクターであり，SLE患者が胸痛を訴えたときには，若年者であっても虚血性心疾患も考える必要がある．

2. SLEの肺病変[5)6)]

1) 臨床的特徴

SLE患者の肺病変は腎病変について頻度の高い臓器病変で，臨床的には20％，subclinicalには90％で肺機能異常を認める．肺病変のうち最も頻度が高いものは，漿膜炎（胸膜炎）で活動期には50％に及ぶ．症状としては息切れや胸痛が主であるが，胸水が増加すると胸痛は和らぐこともあり，胸痛の軽快は必ずしも漿膜炎の消失を意味しない．ループス肺炎の頻度は15〜50％とされるが，病態はさまざまで二次性のものも多く，原発性のものはまれ（2.7％）との報告もある．急激に発症する胸痛は肺梗塞による可能性があるが，胸痛を自覚しないことも多く，知らないうちに息切れを感じているなどの訴えが多い．呼吸困難は多

くの肺病変の症状となり，歩行可能距離が肺病変の程度を知るよい指標となる．血痰の存在は感染症とともに，肺梗塞や心不全，まれに肺胞出血に伴う．

2）診　　断

診断の基本は胸部X線であるが，HR-CTが有用で，X線で34％異常のとき，HR-CTでは72％で異常が発見されるとの報告がある．拘束性障害，気道病変，肺血管閉塞が3大病変であるが，その診断には呼吸機能検査が有用で，肺病変既往患者の90％で異常を認める．また明らかな肺病変を認めないSLE患者においても，71％で肺機能検査異常を認め，とくにDLcoなどの拡散能検査が重要である．胸痛ともに息切れを自覚したときには肺梗塞が疑われ，造影CTが診断に有用であり，D-dimerとの併用で診断率が上昇する．肺塞栓や肺出血の診断には，V/Q scanやarterial angiographyあるいはMRIも有用である．Ga-67 シンチグラムはサルコイドーシスの診断に有用であり，間質性肺炎患者（IP）の35％で異常を認める．

胸水や胸膜炎による胸痛が，SLEの初発症状となることもある．胸痛は片側あるいは両側性で，costophrenic marginsのあたりに数日続くことが多いが，胸水が持続すると数週間続くこともあり，咳，呼吸困難，熱も伴う．胸水は，ネフローゼ，感染症（とくに結核性），心不全，肺塞栓（抗リン脂質抗体症候群などによる）などによっても生じる．胸水は少から中等量で，通常は浸出液である．pHは7.35以上で，RAでは糖は低下するが（胸水/血清比　0.3以下），SLEでは低下しない（0.5以上）．SLEによる胸水の場合は抗核抗体が陽性で，抗体価は胸水/血清比が1以上である．

気管支鏡による肺胞洗浄液検査（BAL）は，感染症のr/oに有用である．IPではBAL中の細胞数が増加し，肺胞炎が疑われれば免疫抑制療法が必要である．急性期ループス肺炎ではCD 8+細胞やNK細胞増加し，CD19+B細胞は減少するとされ，慢性期びまん性IPとの鑑別に有用である．

3）肺病変の治療

胸水や胸膜炎はNSAIDsに反応することもあるが，通常は少量ステロイド（プレドニソロンで10〜20mg/日）で治療する．急性ループス肺炎はまれ（1〜7％）な病態であるが，熱，呼吸困難，咳嗽（痰は少ない），血痰，頻脈，胸痛などの症状を呈し，大量のステロイド治療が必要である．本疾患は，多種類の病変の集合と考えられ，50％はIPである．治療を行っても，慢性間質性肺病変やARDSを併発することも多く，死亡率は50％との報告もある重症の病態である．

肺胞出血は，急激な喀血，進行性の貧血，びまん性肺陰影を三大症状とするまれな病態であるが，死亡率70％以上と高い．症状は急性ループス肺炎と同様であるが，血痰を認めないこともある．多臓器障害性の完成したSLE患者に発症し，94％は腎障害も有し，肺腎症候群の一病態である．抗DNA抗体高値や補体低下を認め，BALやTBLBで肺胞内出血やヘモジデリンを貪食した細胞を認める．治療は，ステロイドパルスやシクロホスファミドの投与，さらに血漿交換の併用など精力的な治療が必要である．心不全，非心原性肺浮腫（尿毒症，膵炎，薬剤など），感染症などとの鑑別が必要である．

慢性びまん性間質性肺病変はSSc，PM/DM，RAで多いが，SLEではさほど多くない（3％）．徐々に発症する型と急性ループス肺炎に引き続いておこる型とがある．HRCTでスリガラス様陰影あるいは浸潤影が主のときは，ステロイドに反応するが，蜂巣状肺となれば効果は期待できない．

抗リン脂質抗体陽性者あるいは静脈血栓症のあるSLE患者が胸痛を訴えた場合は，肺塞栓を考える必要がある．V/Q scans，D-dimer，HRCT，場合によりangiographyにより診断する．5〜14％のSLE患者で肺高血圧を合併するが，重症例はまれで多くは軽症や中等症である．肺血管炎や肺線維症，抗リン脂質抗体や抗内皮細胞抗体などが原因とされるが，レイノー現象を有する患者に多いことから肺血管のレイノー現象との考えもある．治療は免疫抑制薬，プロスタサイクリン，NOなどであるが，重症例ではプロスタサイクリンの血管内持続投与（フローセル）やエンドセリンレセプター拮抗薬（ボセンダン）などが使用される．

問題の解説および解答

問題　1

胸部X線では心拡大を認め，心電図では低電位や陰性T波があり，心外膜炎に合致する所見である．血液ガス検査ではPO2が71.1mmHgと低下し，呼吸機能検査でも％VCが79.2％，％DLcoが60.0％と低下していた．肺に捻発音を聴取することから，間質性肺炎などループス肺炎合併の可能性もあるが，肺高血圧症や肺梗塞を含めて，心拡大を説明できない．HRCTでは異常を認めなかったことから，心外膜炎による軽度肺うっ血による低酸素血症と考えられた．また心内膜炎では通常胸痛は訴えず，心雑音を聴取することが多い．前傾すると軽快する胸痛は心外膜炎に特徴的で，心エコー検査やCTで心膜水が確認された．

問題 2

　SLEの治療方針は臓器病変の程度と活動性により決定される．本症例の胸痛の原因となった心外膜炎に対しては，通常プレドニソロン換算で20～30mg/日で治療する．しかしながら，心タンポナーデや心内膜炎を併発していれば，より大量のステロイドが必要であり，心エコーは必須である．ちなみに本症例では，中等量の心膜液を認めたが，心筋の動きは良好で肺高血圧の所見もなかった．汎血球減少症や顔面紅斑は活動期SLEにしばしば認めるものであり，すぐに骨髄穿刺や皮膚生検の必要はない．本症例では蛋白尿を認め，活動性ループス腎炎の存在が疑われ，腎生検による治療方針の決定が望ましい．肺病変の存在も疑われるが，HRCTや呼吸機能検査などをまず行い，そのうえで必要があれば気管支鏡検査も行う．

問題 3

　胸痛の原因として肺梗塞も考えねばならない．静脈血栓症のある患者や抗リン脂質抗体症候群併発患者では肺梗塞に対する警戒が必要である．その他，肺高血圧症や心内膜炎においても肺梗塞や肺塞栓を起こすことがあり，その予防のために抗凝固療法や抗血小板薬を使用する．間質性肺炎，心外膜炎，胸膜炎は，直接的には肺梗塞の原因とはならない．

問題 4

　腎生検の所見は，びまん性増殖性糸球体腎炎（WHO Ⅳ型）である．抗DNA抗体高値や補体低値など血清学的にも活動性が高いことから，パルス療法を含むステロイドの大量療法が必要である．びまん性増殖性糸球体腎炎については，免疫抑制薬の併用が腎機能の予後を改善することが示されており，本例でもシクロホスファミドなどの併用が望ましい．関節炎や心外膜炎に対しては，NSAIDsが奏効することもあるが，大量ステロイドを使用すれば不要である．虚血性心疾患の可能性は少なく，ニトロ製剤の必要もない．観血的心膜液除去は，心タンポナーデなど緊急を要するときのみに適応となり，通常の心外膜炎のステロイド反応性は良好である．

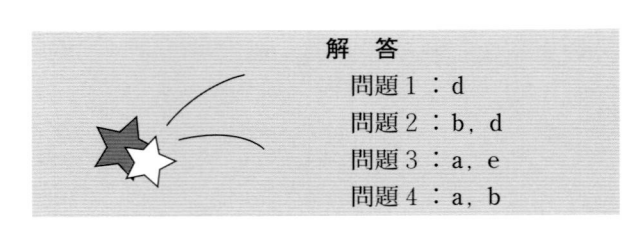

解　答

問題1：d
問題2：b，d
問題3：a，e
問題4：a，b

●文　献●

1) D'Cruz D, Khamashta M, Hughes G：Cardiovascular manifestation of systemic lupus erythematosus. In Dubois' lupus erythematosus (6th edition), ed. by Wallace DJ and Hahn BH (Lippincott Williams & Wilkins), pp 645-661, 2002.
2) 松本美富士：膠原病の心病変．日内会誌 85：1833-1839, 1996.
3) 熊谷俊一，中村知子：全身性エリテマトーデスの薬物治療．臨床免疫学会雑誌 25：14-20, 2002.
4) Bruce IN, Urowitz MB, Gladman DD, et al：Risk actors for coronary heart disease in women with systemic lupus erythematosus. Arthritis Rheum 48：3159-3167, 2003.
5) D'Cruz D, Khamashta M, Hughes G：Pulmonary manifestation of systemic lupus erythematosus. In Dubois' lupus erythematosus (6th edition), ed. by Wallace DJ and Hahn BH (Lippincott Williams & Wilkins), pp663-683, 2002.
6) 猪熊茂子：膠原病の肺病編．内科 80：79-85, 1997.

[熊谷　俊一]

疾患 4　SLE患者が発熱と汎血球減少症を呈した！　何を考えるか？

問題編

症例呈示

症　例：E. Y. 41歳　女性
主　訴：発熱，下痢
家族歴：特記事項なし
既往歴：24歳SLE以外特記すべきものなし

＜原病歴＞

24歳；多関節炎，レイノー症状，顔面紅斑，抗核抗体陽性，抗DNA抗体陽性よりSLEと診断され，経過観察されていた．29歳；皮膚潰瘍，血行障害による壊死で入院，退院後も補体低値，抗dsDNA抗体陽性が続いていた．36歳；腎機能が悪化，入院，腎生検にて膜性増殖性糸球体腎炎（WHO IV）と診断され，ステロイドパルス，エンドキサンパルス，後療法にてプレドニゾロン60mgより漸減された．維持量10 mg/日前後で，ときどきデータの悪化をみるが，経過観察されていた．入院の3週間前38.3℃の発熱，悪寒戦慄，下痢を認めた．近医受診しインフルエンザを疑われ，抗インフルエンザウイルス薬（オセルタミル），抗生物質などを処方されたが，夜間の発熱は持続．当院外来受診し，WBC 3000，血小板 6.4万，LDH 955，CRP 25.9，フェリチン 2020のため緊急入院となった．

＜入院時現症＞

身長 159cm，体重61kg，体温36.7℃，血圧118/62，脈拍98回/分，体温39℃，意識清明，表在リンパ節触知せず，眼瞼結膜　貧血なし，眼球結膜黄疸なし，顔面紅潮，心音・呼吸音　異常なし，腹部平坦・軟，　体幹，四肢の紅斑・紫斑なし，関節痛なし，下肢に浮腫あり，腱反射全体に亢進，左右差なし．病的反射なし．

＜入院時検査所見＞

CBC：WBC 3,000/μl（Stab 20％，Seg 51％，Mono 3％，Lym 25％），Hb 11.2g/dl，Reti 0.3％，Plt 6.4×10⁴/μl．

Chemistry：TP 7.1g/dl，Alb 3.5g/dl，LDH 955 IU/l，GOT 62 IU/l，GPT 23 IU/l，T Chol 186mg/dl，TG 241mg/dl，BUN 19.1mg/dl，Cr 1.54mg/dl，CRP 25.9mg/dl，Fer 2020ng/dl，CH50 45.0U/ml，C3 139mg/Dl，C4 39mg/dl，

Serological Test：ANA 320倍（homogenous 320倍，speckled 320倍），抗dsDNA抗体 7.0，抗ssDNA抗体 117.0，抗RNP抗体 33.8，抗SS-A抗体 91.0，EB抗VCA IgG抗体 320倍，EB抗VCA IgM抗体 10未満，パルボB19IgM抗体　陰性，CMVアンチゲネミア陰性，サイトメガロIgG 660.0 陽性，サイトメガロIgM 0.61陰性

赤　沈：68 mm/時，凝固　Fib 385mg/dl，
尿所見：protein（＋），OB（－），sediment 異常なし
血液培養：陰性　咽頭培養　常在菌以外なし
胸部レントゲン：心拡大（CTR 59％）以外異常なし
腹部エコー：軽度の肝・脾腫あり

設問

問題1　まず疑う病態はなにか
（1）感染症
（2）血球貪食症候群
（3）DIC
（4）悪性リンパ腫
（5）SLEの増悪

　a（1），（2），（3）　　b（1），（2），（5）
　c（1），（4），（5）　　d（2），（3），（4）
　e（3），（4），（5）

68 Ⅱ. 疾患編

問題2　診断のために行うべき検査は何か．
（1）リンパ節生検
（2）骨髄穿刺
（3）頭部MRI
（4）腹部CT
（5）腎生検

問題3　血清フェリチン著明高値をきたす疾患は
（1）ウイルス感染症
（2）SLE
（3）成人スチル病
（4）血球貪食症候群
（5）悪性リンパ腫
　a（1），（2），（3）　　b（1），（2），（5）
　c（1），（4），（5）　　d（2），（3），（4）
　e（3），（4），（5）

問題4　適切な治療は何か
（1）血漿交換療法
（2）ガンシクロビル
（3）高用量のステロイド
（4）非ステロイド性消炎薬（NSAIDs）
（5）CHOP療法

解　説　編

血球貪食症候群（hemophagocytic syndrome：HPS）とは

疾患概念

　網内系（骨髄，肝臓，脾臓，リンパ節）において血球貪食をきたす組織球（fixed macrophage, tissue macrophageの意味でマクロファージと同義と考えてよい）が増加し，2系統以上の血球が減少し，発熱，肝障害，肝脾腫，血清フェリチン著増，DICの所見を呈する症候群である．

　血球貪食症候群（HPS）は原発性と二次性に分類される．原発生は新生児から幼児にみられる遺伝性のものであり，北欧に多く中枢神経浸潤をきたしやすい．わが国では二次性がほとんどで，大半はウイルス，細菌，真菌感染に続発する感染関連血球貪食症候群（infection associated hemophagocytic syndrome：IAHS）と悪性腫瘍に続発する悪性腫瘍関連血球貪食症候群（malignancy associated homophagocytic syndrome：MAHS）である．このなかでは，ウイルス関連血球貪食症候群（virus associated hemophagocytic syndrome：VAHS）や悪性リンパ腫関連血球貪食症候群（lymphoma associated hemophagocytic syndrome：LAHS）が多い．その他後述する自己免疫関連，脂肪織炎を伴うもの（cytophagic histiocytic panniculitis：CHP）などがある．CHPはまれであるが致命的なHPSをともなう脂肪織炎で，皮下浸潤型のT細胞リンパ腫の可能性も指摘されている．

　1991年WongらによってSLEの疾患活動性に伴って発症するSLE関連血球貪食症候群が記載された（acute lupus hemophagocytic syndrome：ALHS）[1]．発熱と汎血球減少症を呈するSLE患者6例の報告で，骨髄所見では全有核細胞の2〜8％が成熟組織球であり，多くの組織球が赤血球，顆粒球，血小板を貪食していた．さらにステロイド治療に劇的に反応した．またSLE以外でも関節リウマチ，強皮症，混合性結合組織病，成人スチル病，シェーグレン症候群，抗リン脂質抗体症候群などでHPSが合併することからKumakuraらにより自己免疫関連血球貪食症候群（autoimmune-associated hemophagocytic syndrome：AAHS）という名称も提唱されている[2]．しかしAAHSの病態は基礎疾患の違いなどから必ずしも同一でないことは注意が必要である．ただし，一般的には自己免疫関連のHPSは軽症である．

　病態に関しては，これらのHPSは基礎疾患は異なっているが，臨床症状は類似し，高サイトカイン血症という共通の病態で，活性化したT細胞，マクロファージ，組織球がサイトカインを過剰産生する結果であると考えられている．すなわちHPSでは何らかの原因により活性化したT細胞から産生されるIFN-γやM-CSFがマクロファージなどを刺激し，その活性化されたマクロファージがTNF-α，IL-1β，IL-6など

の炎症性サイトカインを産生し，これらがさらにT細胞を刺激するという悪循環が形成され，高サイトカイン血症に至ると考えられている．この高サイトカイン血症により，血球減少症候群の多彩な症状が惹起される．ただし細菌感染ではIL-6が，ウイルス感染ではIFN-γが主体となるなど，基礎疾患により若干病像が異なる可能性が推定されている．

SLEでは同様なメカニズムが高頻度に起こっている可能性があるが，原病に対するステロイド治療が行われることでHPS自体の発症が阻害されているとも考えられる．

診　断

血球減少のなかでは好中球と血小板が先行することが多い．活性化組織球から産生され，また破壊された肝細胞から放出されるためフェリチンは著増を呈する．診断には高熱，リンパ節腫大，肝脾腫，複数系統の血球減少，血清フェリチン高値，血清LDH高値，血清トリグリセリド高値，低フィブリノーゲンなど凝固線溶系異常，骨髄など網内系での貪食で非悪性の組織球の存在などを参考にする．AAHSは基礎疾患の活動性が亢進した時期に一致して出現する場合が多い．

SLEを中心とした膠原病の経過中のHPSは，原病によるものか，感染症関連HPSかの区別が重要である．通常の活動期SLEにおいて白血球減少は頻度が高いが，2500/μl以下のことは少ない．溶血性貧血や血小板減少もみられるが，活動期SLEだけでは血球減少は2系統までのことが多く，汎血球減少はまれである．また血清フェリチンの異常高値はみられない．また肝機能障害もGOT/GPTが100を超えることは少ない．これらの所見がみられたらSLE関連血球貪食症候群の可能性を疑い，骨髄穿刺検査を行い，血球貪食細胞増加を認めれば診断できる．骨髄穿刺の時期が遅くなると，骨髄低形成が進行して血球貪食増がみられなくなってしまうことがある．一方，ステロイド治療が長い症例でSLEの活動性所見がみられずに上記の症状が出現したときには感染関連血球貪食症候群（IAHS）の可能性を第一に疑うべきである．

不明熱や脂肪織炎として膠原病医に紹介されHPSの所見を呈した場合，悪性リンパ腫，CHPなどを鑑別する必要がある．感染症関連のHPSを疑ったら，ウイルスに関しては随伴症状，抗体価，細菌については培養を行う．

治　療

SLE関連血球貪食症候群の治療の原則はステロイドの大量投与である．血球減少が比較的軽度の場合はPSLとして30～40mg/日を，重篤または急速な血球減少を伴う場合は50～60mg/日以上を投与する．しかし，これに抵抗を示した場合は，ステロイドパルス療法，血漿交換療法，さらにシクロフォスファミドパルス，シクロスポリン，γ-グロブリン大量療法なども考慮される[3]．シクロスポリンはマクロファージによるサイトカイン産生を抑制したり，抗原提示細胞の副刺激分子の発現を抑制することが報告されている．

感染症関連HPSの場合は，起因病原体により抗生物質，アシクロビル，ガンシクロビルなどを考慮し，HPSに対しては大量ステロイド（プレドニン2mg/kg/day）単独またはシクロスポリン併用の2週間投与（以後プレドニンは漸減）が行われる．効果不十分であればエトポシドの投与も考える．DICには通常の治療として，ヘパリンまたはFOY，血小板輸注，新鮮凍結血漿を行う．

問題の解説および解答

問題　1

長い経過のSLE患者が抗生物質に反応しない発熱，悪寒戦慄，下痢とともに，白血球，血小板の2系統の減少（貧血も若干あり汎血球減少と考えてもよい），CRP，LDH，フェリチンの著明高値を呈している．まず鑑別として，ウイルスなどの感染症，原病のSLEの増悪とともに血球貪食症候群をあげる必要がある．感染症として各種ウイルス抗体を提出しているが，陰性または既感染であり，フェリチン高値などが説明できない．SLEの増悪の可能性もあり，SLEで通常みられる白血球減少に自己免疫性溶血性貧血と自己免疫性血小板減少性紫斑病の合併，DIC，出血と血小板の消費，TTPの合併などが加われば，汎血球減少症の病像となるので，注意深い鑑別が必要である．しかし，本症例のようなCRPの著明高値は，血管炎，漿膜炎，関節炎や感染症などがないと説明できない．本症例では複数系統の血球減少，肝障害，フェリチン高値，LDH高値などから血球貪食症候群を強く疑う．血球寿命の差により貧血の進行が遅れてみえることが多い．

問題　2

上記より血球貪食症候群を疑った場合は骨髄のスメアにて活性化組織球の血球貪食像を確かめる必要がある．一度で不明であればくり返すことも必要である（図1）．

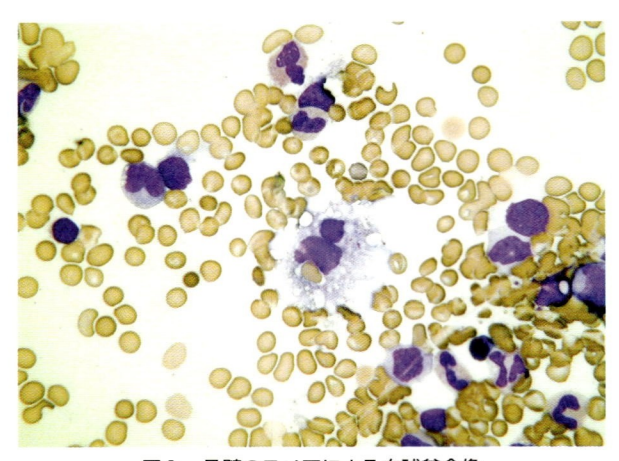

70　II．疾　患　編

図1　骨髄のスメアによる血球貪食像
（東京大学血液・腫瘍内科　伊豆津宏二博士提供）

問題　3

　フェリチンは鉄貯蔵蛋白である．ほとんど全身の組織に認められ，とくに肝細胞や骨髄などのマクロファージ中のフェリチンは鉄の供給源となる．血清中のフェリチン濃度は体内のフェリチン量に比例する．したがって貯蔵鉄の増加しているヘモクロマトーシス，ヘモジデローシスなどでは増加する．肝細胞は多量のフェリチンを含有するので，肝炎，急性肝細胞壊死などで，また膵炎でも組織から逸脱し，血清フェリチンの濃度が上昇する．一方，腫瘍細胞や白血病細胞ではフェリチンが産生され血中に逸脱するため，悪性腫瘍や白血病では血清フェリチンが増加する．結核などの慢性炎症，関節リウマチなどの膠原病などでは，鉄が網内系に過剰にとり込まれ貯蔵鉄が増加する．
　一方，本症例のように，フェリチンが著増する場合は特異な所見で，血球貪食症候群，スチル病，悪性リンパ腫にみられる．血球貪食症候群でのフェリチンは活性化組織球から産生される．

問題　4

　血球貪食症候群の治療は原因別に大きく異なる．リンパ腫に伴うもの（LAHS）や家族性などは化学療法が主体となる．そのほかの場合はステロイドの中程度から大量，化学療法まで幅広く適応を考慮する．感染症によるものは起因病原体に応じて，抗生物質，アシクロビル，ガンシクロビルも考慮する．膠原病にともなうAAHSの場合は，標準化はされていないが重症度に応じたステロイド経口，ステロイドパルスが使用される．不十分の場合は，シクロスポリンやシクロフォスファマイドが併用される．

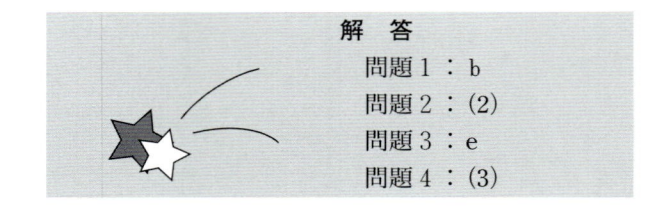

```
　　　解　答
　　問題1：b
　　問題2：(2)
　　問題3：e
　　問題4：(3)
```

レベルアップをめざす方へ

AAHSの免疫学的機序

　本病態の免疫学的機序として，血球細胞が貪食されやすくなる機序と組織球，マクロファージなどの網内系細胞の貪食能の亢進があげられる．血球細胞が貪食されやすくなる機序として，まず抗血球自己抗体（抗血小板抗体，抗顆粒球抗体，抗赤血球抗体など）の存在がある．これらが反応した感作細胞をFc受容体をもつ網内系細胞が貪食する．また免疫複合体の関与も推定されている．一方，T細胞，単球，マクロファージなどの異常活性化により，TNF-α，IL-1，IL-6，IFN-γ，M-CSFなどの炎症性サイトカインが誘導され，さらに細胞の活性化，サイトカインの産生が亢進することでマクロファージなどの網内系細胞の貪食能が亢進する．このような高サイトカイン血症はサイトカインストームとよばれている．これらの2つの機序のどちらが病態の中心となっているかによって，病態が異なってくる可能性がある．すなわち高フェリチン血症や肝機能障害，高中性脂肪血症などの検査値異常が軽度にとまり，抗血球抗体の検出される症例では，前者の機序が主体であることも想定される．
　1999年に家族性血球貪食症候群の原因遺伝子のひとつとしてパーフォリン遺伝子が同定された[4]．パーフォリンは，リンパ球などが産生する蛋白で，標的細胞の細胞膜に穴を開けて細胞障害を引き起こす分子である．おそらくパーフォリン欠損や機能低下が，持続的リンパ球の活性化を引き起こし，IFN-γやGM-CSFの過剰産生から，本症候群を惹起するのではないかと推定されている．

新しい治療の可能性

小児関節炎に合併した血球貪食症候群に対して，抗TNF-α療法である可溶性TNF受容体（エタナセプト）をステロイドとともに投与して効果のあったことが報告されており，この方向の治療が将来的に期待される[5]．

●文　献●

1) Wong KF, et al：The acute lupus hemophagocytic syndrome. Ann Intern Med 114：387-390, 1991.
2) Kumakura S, et al：autoimmune-associated hemophagocytic syndrome. Am J Med 102：113-115, 1997.
3) Papo T, et al：The spectrum of reactive hemophagocytic syndrome in systemic lupus erythmatosus. J Rheumatol 26：927-930, 1999.
4) Stepp SE, et al：Perforin gene defects in familial hemophagocytic lymphohistiocytosis. Science 289：1957, 1999.
5) Prahalad S, et al：Rtanercept in the treatment of macrophage activation sundrome. J Rheumatol 28：120, 2001.

［山本　一彦］

疾患 5 SLE，抗リン脂質抗体症候群の経過中に発熱，貧血および血小板減少が出現

問題編

◉ 症例呈示

症　例：44歳　女性
主　訴：発熱，頭痛，腹痛
家族歴：特記事項なし
既往歴：大腿骨頭壊死にて手術
現病歴：22歳時に発熱および皮疹が出現した．蝶型紅斑，胸膜炎，血小板減少，蛋白尿，抗核抗体，抗DNA抗体陽性よりSLEと診断された．腎生検にてループス腎炎（WHO classⅣ）を認め，ステロイド大量療法にて軽快した．32歳時にせん妄などの精神症状とともに補体低下および抗DNA抗体の上昇を認め，NPSLE（neuropsychiatric SLE）としてパルス療法を含むステロイド大量療法を行い，軽快した．39歳時ループスアンチコアグラント（LA）が持続陽性であったため，血栓予防目的に少量アスピリンを投与していた．44歳時，脳MRIにて無症候性梗塞を認めたため抗リン脂質抗体症候群と診断し，チクロピジンの投与を開始した．2週後，発熱，頭痛，腹痛が出現し，急激な血小板減少と軽度の貧血，腎障害を認めたため入院となった．

入院時現症：身長149cm，体重46kg，体温39.0℃，血圧132/84mmHg，脈拍72回/分．意識清明．眼瞼結膜貧血様，眼球結膜軽度黄染．胸部，腹部所見異常なし．神経学的所見：上肢深部腱反射軽度亢進．

＜入院時検査所見＞
尿所見；prot（＋），occ（＋），glu（－），bil（－），ket（－），RBC 5-9/視野，硝子円柱（＋），便潜血（－），CBC；WBC 3700/μl（neu. 74％, lym. 19％, mon. 3％, eos. 1％, bas. 1％），RBC 248×10⁴/μl，Hb 9.6 g/dl，Hct 24.4％，Plt 5.5×10⁴/μl

生化学；TP 6.0 g/dl, Alb 3.0 g/dl, T-Bil 2.0 mg/dl, GOT 105 IU/l, GPT 84 IU/l, LDH 852 IU/l, γGTP 71 IU/l, BUN 28 mg/dl, Cr 1.5 mg/dl, Na 137 mEq/l, K 5.2 mEq/l, Cl 109 mEq/l, C_3 66 mg/dl, C_4 17 mg/dl, CH50 30.1 U/ml, CRP 0.50 mg/dl, ferritin 424 ng/dl, IgA 169 mg/dl, IgG 780 mg/dl, IgM 60 mg/dl, haptoglobin 4 mg/dl

凝固系；PT-INR 1.11, APTT 32.3 s, フィブリノゲン 458 mg/dl, FDP 10.1 μg/ml, D-dimer 2.82 μg/ml, 免疫；d-Coombs（－），ANA 640倍, 抗dsDNA抗体 60.85 U/ml, 抗Sm抗体 5.2 index, 抗SS-A/Ro抗体 105.4 index, 抗SS-B/La抗体 24.6 index, $β_2$-GPI依存性抗カルジオリピン抗体（－），lupus anticoagulant（＋）

胸部レントゲン，腹部エコー，心電図に異常なし．末梢血塗末標本を図1に示す．

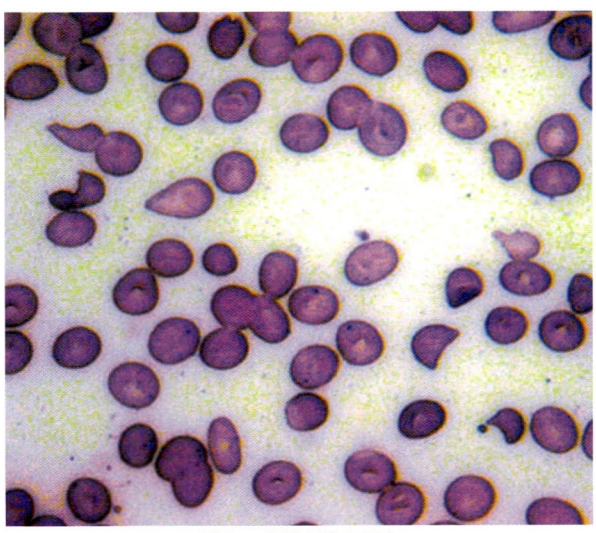

図1　末梢血塗末標本

設問

問題1 末梢血塗末標本にて写真のような所見を示す頻度の高い疾患を選べ
（1）転移性悪性腫瘍
（2）血栓性血小板減少性紫斑病
（3）自己免疫性溶血性貧血
（4）遺伝性球状赤血球症
（5）DIC

a（1），（2），（3）　　b（1），（2），（5）
c（1），（4），（5）　　d（2），（3），（4）
e（3），（4），（5）

問題2 この症例にみられる検査所見は，次のうちどれか？
a. rennin-angiotensin系の活性化を認める．
b. LDHはisozyme 1増加のパターンをとる．
c. Donath-Landsteiner抗体が証明される．
d. 骨髄にて血球貪食像を認める．
e. 網状赤血球の低下を認める．

問題3 この症例の病態について正しいのはどれか？
（1）自己免疫生溶血性貧血に自己免疫性血小板減少症を合併している．
（2）骨髄におけるマクロファージの活性化が本態である．
（3）unusually large von Willebrand factor multimerが病態に関与する．
（4）微小血管性溶血性貧血を認める．
（5）SLEに合併する場合，原病の活動性が低い時期に発症することはまれである．

a（1），（2）　b（1），（5）　c（2），（3）
d（3），（4）　e（4），（5）

問題4 この症例の治療について適切なのはどれか？
（1）血漿輸注または血漿交換療法
（2）血小板輸注
（3）IVCY（cyclophosphamide間欠静注）
（4）ACE inhibitor
（5）副腎皮質ステロイドの増量

a（1），（2）　b（1），（5）　c（2），（3）
d（3），（4）　e（4），（5）

解　説　編

SLE患者における血小板減少症

　SLE患者において，血小板減少を呈する病態はさまざまであり，それによって治療方針も異なってくる．血球減少が多系統か単系統か，血球減少の程度，SLEの活動性などを総合的に評価し，診断することが重要である．以下に代表的な病態をあげ，簡単に解説する．

1．自己免疫性血小板減少症

　SLE患者の7〜26％に自己免疫性血小板減少症が認めらる．自己免疫性血小板減少症の経過中にSLEが発症することもあることからも，両者は巨核球の増多を伴う血小板の破壊亢進という点で似た病態であり，明らかな巨核球の減少による血小板減少は，SLEでは比較的まれである．SLEにおける自己免疫性血小板減少症では巨大血小板を末梢血中に認めることがある．また，血小板凝集能の低下や，血小板内のセロトニン濃度の低下が明らかにされており，これらは血管内皮障害，微小血栓や免疫複合体などによって血小板がmediatorの放出を強いられることが原因と考えられる．血小板減少は，それ自体で深刻な合併症を生ずることは少ないが，SLEの病勢を反映するため予後予測因子として重要である．治療に関しては，副腎皮質ステロイドが第一選択となる．無効例には摘脾を考慮するが，70％で効果が得られるものの50％に再発を認めるとされる．cyclophosphamideやazathioprineも，再発例に対して有効例が報告されている．IVIGは効果が一過性であり，重篤な出血傾向や手術前に選択される．

2．抗リン脂質抗体による血小板減少

　抗リン脂質抗体症候群（APS）や抗リン脂質抗体（aPL）陽性患者では，比較的軽度の血小板減少症を認めることがある．抗リン脂質抗体が活性化血小板表面に結合することによる破壊や，潜在性の血栓傾向による消費の亢進がその機序として考えられている．出血のリスクになることはまれであり，逆に血栓症のリスクとなる．APSでは抗凝固療法や抗血小板療法のみで血小板数が回復することも多い．血小板減少症は，APSの分類基準からは除外されたため，抗リン脂質抗体陽性の血小板減少症は，ほかの症状がなければ自己

免疫性血小板減少症に分類されてしまうが，実際に自己免疫性血小板減少症患者の40％近くに抗リン脂質抗体が陽性であり，これらの症例では血栓症のリスクが高いとの報告もある．

3．血球貪食症候群
（hemophagocytic syndrome；HPS）

膠原病の経過中に発熱を伴う2系統以上の血球減少をみたときは，本症を念頭において骨髄穿刺を行う必要がある．詳細は他項を参照頂きたい（68頁）．

4．血栓性血小板減少性紫斑病（TTP）

TTPは，発熱，血小板減少，破砕赤血球を伴う溶血性貧血，変動する精神神経症状，および腎障害を呈する疾患であり，微小血栓の形成とそれによる血小板消費によって出血傾向が生ずることがある．凝固系検査の異常はないか，あっても軽度にとどまる．骨髄所見では赤芽球系および巨核球の過形成を認め，20％に抗核抗体が検出される．SLEに合併する場合，半数は現病の活動期に，残りの半数は非活動期に発症する．肝脾腫は通常認めず，発熱のほかに上気道炎症状，腹痛，筋肉痛や関節痛など非特異的な症状を呈することもある．Bukowskiによる特発性TTPの診断基準が広く用いられているが，急激に発症するため診断基準を満たさないまま治療を始めることも多い．本症例においても，精神神経症状は認めず腎障害も軽度であったが，発熱，血小板減少，破砕赤血球を伴う溶血性貧血を認め，Coombs（－），基礎疾患を有することからTTPと診断した．また，チクロピジンによるTTPの誘発の可能性が報告されており，注意が必要である．治療に関しては，問題4の解答編を参照頂きたい．

5．DIC

感染症を合併した際や，疾患活動性が高い時期にはDICを発症することがある．症状や凝固系検査からscoring systemを利用して診断するが，悪化傾向があればpre-DICの時期から治療を開始すべきである．

6．擬性血小板減少

一般に基礎疾患の明らかでない血小板単独の減少をみたときには，まずEDTAによる血小板凝集を疑い，ヘパリン採血，あるいはクエン酸採血で再検してみる必要がある．

7．薬剤性血小板減少

骨髄抑制によるものと免疫性血小板減少症に類似する末梢破壊型の両者がある．投与中のすべての薬剤を疑う必要があることはいうまでもないが，SLE患者では副腎皮質ステロイドの副作用予防のため，H₂ blocker，ST合剤などを投与することがあり，治療開始後の疾患活動性に乏しい時期に血小板減少をみた場合には，これらの薬剤による副作用を疑ってみる必要がある．ネフローゼやAPSに対してheparinを使用する場合にも注意が必要である．

● 問題の解説および解答

問題　1

標本にみられる破砕赤血球は心血管系での赤血球の機械的破砕を反映し，心弁膜異常，とくに人工弁置換術後，TTP，溶血性尿毒症症候群（HUS），転移性悪性腫瘍，血管腫，悪性高血圧，DICにみられることがある．本症例では，LDHの上昇，haptoglobinの低下，正球性正色素性貧血を呈し，破砕赤血球を伴う溶血性貧血を認める．また，血小板減少，発熱，腎障害を認めるが，凝固系の異常は軽度であり，Coombsも陰性であることから，TTPがもっとも考えられる．Coombs陰性のAIHAも存在し，Evans症候群も完全には否定できないが，こちらは血管外溶血が主体であり，一般に破砕赤血球をみる頻度は低い．

問題　2

a．rennin-angiotensin系の活性化は，膠原病の分野では強皮症腎クリーゼに伴う悪性高血圧の際に認め，ACE inhibitorが有効である．

b．溶血性貧血では，赤血球由来のLDH isozyme 1の上昇を認める．

c．Donath-Landsteiner抗体は，発作性寒冷ヘモグロビン尿症で認められる．

d．血球貪食症候群は，CRP，ferritinの上昇が軽度であることと末梢血塗末標本より考えにくいが，本症例でも重要な鑑別疾患のひとつであり，骨髄穿刺は必要な検査である．TTPでは，赤芽球系および巨核球の正〜過形成を認める．

e．本例では，fibrinogenはむしろ上昇，PTは正常であり，DICを疑わせる所見はない．

問題　3

unusually large von Willebrand factor multimer（UL-vWF multimer）は，傷害された血管内皮から放出され，これを切断することがでないために血小板凝集が亢進し，生じた微小血栓によって臓器障害がもたらされると考えられている．

微小血管性溶血性貧血（microangiopathic hemolytic

anemia；MAHA）は，微小血管内皮へのフィブリン沈着や内皮障害のある部位を赤血球が通過する際に障害を受ける病態である．本症例では弁置換の既往や弁膜異常もなく，MAHAが病態を形成していると考えられる．

この症例では，リンパ球減少，抗ds-DNA抗体高値，溶血性貧血および血小板減少症からSLE自体の活動性上昇に伴う溶血性貧血，血小板減少を考えたくなるが，d-Coombs陰性，破砕赤血球を認めることより，第一には考えにくい．また，前述のようにTTPがSLEの非活動期に発症することは決してまれではない．

なお，マクロファージの活性化は，HPSや成人Still病にみられ，血清ferritin値が病勢の指標となる．

問題　4

TTPの治療は，第一選択が血漿交換であり60～80％の奏功率が得られるとされる．施行困難な場合には血漿輸注を行うが，容量負荷の問題がある．いずれもTTP研究班によるプロトコールに基づき，連日施行後に効果を判定しながら減量を行う．副腎皮質ステロイドの大量投与も併用される．また，アスピリン，チクロピジン，ジピリダモールなどの抗血小板療法も，有効性は明らかではないが併用されることが多い．摘脾の有効性も報告されているが，全身状態が悪く行えない場合が多い．prostaglandin I2の有効性も報告されており，再発例にはビンクリスチンも試みられる．血小板輸注は新たな血栓を引き起こす可能性があり，行うべきではない．副腎皮質ステロイドの投与に関しては必ずしも有効でないとする意見もあるが，少なくとも原病に活動性の膠原病が存在する場合には投与することが多い．

本症例では，プレドニゾロンを60mg/dayに増量し，血漿交換をTTP研究班治療プロトコールに従って1クール（12回）施行した．血小板数の回復とともにLDH，血清Crの低下を認め，破砕赤血球もほとんど認められなくなった．なお，抗血小板療法に関しては，チクロピジン開始後に今回のエピソードを発症したため選択しなかった．

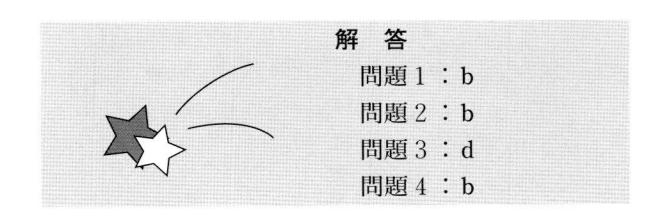

解　答
問題1：b
問題2：b
問題3：d
問題4：b

レベルアップをめざす方へ

抗リン脂質抗体と血球減少

抗リン脂質抗体（aPL）はAPSの診断には必須であるが，おもに固層酵素抗体法によって抗カルジオリピン抗体（aCL）として，あるいはin vitroでリン脂質依存性の凝固時間を延長させるlupus anticoagulant（LA）として検出される．その対応抗原は単一ではなく，リン脂質に結合したb2-glycoprotein Iやプロトロンビンが代表的であるが，ほかにもアネキシンVやvon Willebrand因子が考えられている．APS診断基準に掲載されているのは，IgGまたはIgM型のb2-glycoprotein I依存性aCL，および活性化部分トロンボプラスチン時間（aPTT），カオリン凝固時間（KCT），希釈ラッセル蛇毒時間（dRVVT），テキスタリン時間などのスクリーニング法を用いたLAの検出であるが，b2-glycoprotein I依存性aCLはIgG型しかキット化されておらず，LAも施設や検査試薬によってばらつきがある．われわれは，IgA，G，M型b2-glycoprotein I依存性aCLおよびaPTT，KCT，dRVVTの3法を用いたLAの検出に加え，最近血栓症との関連が注目されているフォスファチジルセリン・プロトロンビン複合体に対する抗体をすべてスクリーニングしている．

これらのaPLが関連する血球系の異常として，血小板減少（前述）以外には溶血性貧血があげられる．SLE患者において直接Coombs試験とaPLの陽性率には相関があるといわれており，IgGおよびIgMクラスのaCLとAIHA発症との関連が報告されている．AIHA患者ではaCLの赤血球への結合も示されているが，その対応抗原や詳細な病態は明らかにされていない．特発性AIHAやEvans症候群でもaPLの関与が指摘されており，なかにはのちにAPSを発症する例もある．

また，APSのなかに急激に多発性の動静脈血栓で発症し，数日で多臓器不全に至る予後不良の一群があり，catastrophic APS（CAPS；劇症型抗リン脂質抗体症候群）といわれる．約7割に血小板減少を，1/4に溶血性貧血を認める．CAPSでは，通常のAPSに比べて大血管に血栓が生ずることはまれ

表1 APS，CAPS，TTPおよびDICの鑑別のポイント

	APS	CAPS	TTP	DIC
腎障害	＋－	＋＋	＋－	＋－
中枢神経障害	＋－	＋＋	＋＋	＋－
多臓器不全	＋－	＋＋	＋＋	＋－
出血傾向	－－	±－	＋－	＋＋
d-Coombs	＋－	＋－	－－	－－
破砕赤血球	－－	±－	＋＋	＋－
フィブリノゲン低下	－－	±－	－－	＋＋
プロトロンビン時間の延長	＋－	＋－	－－	＋＋
FDP上昇	－－	＋－	－－	＋＋
補体低下	＋－	＋－	－－	－－
ANA	＋－	＋－	－－	－－
aCL	＋＋	＋＋	－－	－－

(Khamashta, MA, 2000[2]) より一部改変して引用)

であるため，ときにTTPとの鑑別が難しいことがある．逆に，慢性再発性TTPにおけるaPLの関与を示唆する報告もある．表1にAPS，CAPS，TTPおよびDICの鑑別のポイントを示すが，たとえばCAPSでは出血傾向はまれであるが，DICの合併も多いなど，これらの病態は混在することもあり，またSLEなどの基礎疾患を有する場合も多く，個々の症例に応じた判断が必要である．

●文献●
1) Lahita RG (ed)：Systemic Lupus Erythematosus 3rd edition, Academic Press, 1999.
2) Khamashta MA (ed)：Hughes Syndrome；Antiphospholipid Syndrome, Springer-Verlag, 2000.
3) Wilson WA, et al：International consensus statement on preliminary classification criteria for definite antiphospholipid syndrome：report of an international workshop. Arthritis Rheum 42.7：1309-11, 1999.
4) Bukowski RM, et al：Thrombotic thrombocytopenic purpura：a review. Prog Hemost Thromb：287-337, 1982.
5) Atsumi T, et al：Association of autoantibodies against the phosphatidylserine-prothrombin complex with manifestations of the antiphospholipid syndrome and with the presence of lupus anticoagulant. Arthritis Rheum 43.9：1982-93, 2000.

［保田　晋助／小池　隆夫］

疾患 6 蛋白尿を呈したSLE患者は腎生検が必要！？

問題編

症例呈示

症例：39歳女性

3年前に，顔面紅斑，発熱，多発関節炎，抗核抗体陽性，リンパ球減少，抗ds-DNA抗体陽性認め，SLEと診断され，プレドニゾロン（PSL）40mgの内服を開始．発熱，関節痛，および検査値が改善し，PSL 12.5mgまで減量し経過良好であった．半年前から尿蛋白陽性・潜血反応陽性を認めるようになり，抗ds-DNA抗体上昇，補体価低下出現したため，当科入院．

既往歴：虫垂炎（'76年）
職業歴：主婦
家族歴：母；糖尿病，心筋梗塞
生活歴：アルコール（−），タバコ（−），薬剤アレルギー（−）
入院時現症：独歩入院

＜全身＞BW 69kg BH 154.0cm（BMI：29.1）BT 36.8℃ BP 142/88mmHg PR 96/min 意識清明

満月様顔貌，顔面（蝶形）紅斑（＋），眼瞼結膜に貧血（＋），体幹部Buffalo hump（＋），心・肺に異常なし，腹部異常なし，両側前頸骨部に圧痕を残す浮腫を認める．

＜入院時検査所見＞

＜血算＞WBC 6.37×10³/μl（Neu 87.3％, Lym 9.1％, Mo 2.7％, Eo 0.3％, Ba 0.6％），RBC 3.13×10⁴/μl, reti 2.27％, Hb 9.4g/dl, Ht 31.4％（MCV 100.3fl, MCH 30.0pg, MCHC 29.9％），Plt 19.5×10⁴/μl.

＜血液生化学＞TP 7.1g/dl, Alb 3.1g/dl, LDH 260IU/l, GOT 25IU/l, GPT 47IU/l, ALP 209IU/l, γ-GTP 35IU/l, T.Bil 0.3mg/dl, Amy 114IU/l, CK 62IU/l, UN 20mg/dl, Cr 0.41mg/dl, UA 3.3mg/dl, Na 135mEq/l, K 4.1mEq/l, Cl 101mEq/l, Ca 8.3mg/dl, iP 3.0mg/dl, Glucose 248mg/dl, HbA1c 6.5％, CRP 0.37mg/dl, ESR 85mm/hr, T.Chol 172mg/dl

＜凝固系＞PT 117（％），aPTT 33.0 sec, Fbg 403mg/dl

＜免疫系＞C3 41, C4 5, CH 50 20.7, ANA 640（H），ds-DNA Ab＞400, Sm-Ab＜7, RF 10, SS-A＞500, SS-B＜7.0, ループスアンチコアグラント 1.04（−），抗CLβGP1複合体抗体＜1.2, RNPAb 6.7

＜尿定性＞SG 1.025, pH 6.5, Prot（100mg/dl），Glu（300mg/dl），Ket（−），OB（2＋），Uro（−），Bil（−），Nit（−），1日尿蛋白 1.64g

＜尿沈渣＞RBC 11-19/HPF, WBC 5-9/HPF

＜胸部・腹部X-P＞明らかな異常所見は認められない．

設問

問題1 臨床診断は何か．
 a. 糖尿病性腎症
 b. 膜性増殖性糸球体腎炎
 c. IgA腎症
 d. ループス腎炎
 e. 急性尿細管壊死

問題2 腎生検の組織所見はどのようなものが予想されるか（複数可）．
 a. WHO class Ⅰ
 b. WHO class Ⅱ
 c. WHO class Ⅲ

78　Ⅱ．疾患編

　　d．WHO class Ⅳ
　　e．WHO class Ⅴ

問題3　この病態に対する正しい治療法はどのようなものか．
　　a．経過観察
　　b．副腎皮質ステロイドホルモン剤少量投与
　　c．副腎皮質ステロイドホルモン剤大量投与
　　d．シクロフォスファミド単独経口投与
　　e．血漿交換

問題4　この病態の予後に関する記載のなかで最も正しいものを選べ．
　　a．予後不良で5年後には半数の症例が血液透析に移行する
　　b．治療薬の副作用のために5年生存率は70％以下である．
　　c．5年生存率は80％以上である
　　d．5年間腎不全に至らないものは10年後にも腎機能は増悪しない
　　e．治療薬の副作用はほとんど無視できる程度である

解　説　編

● ループス腎炎（lupus nephritis：LN）とは

1．疾患概念

　全身性エリテマトーデス（SLE）の経過中には，さまざまな臓器障害を呈することが知られている．腎障害は主に免疫複合体の沈着を伴う糸球体腎炎として発現し，70％程度のSLE症例に合併するともいわれており高頻度であり，さらに生命予後・臓器予後にも強く関与する重要な病態である．糸球体腎炎がその主な病態であることから，出現する症状としては，蛋白尿・血尿が高頻度で蛋白尿はネフローゼ症候群をきたす程度の高度なこともまれではない．腎機能低下をきたすこともあり，実際にわが国におけるSLEによる透析導入患者数はこの10年間で2.5倍に増加している．診断は，SLEを背景とした糸球体腎炎によると考えられる症状を呈した場合に疑うが，最終的には腎生検を行い診断を確定する．治療は，副腎皮質ステロイドホルモン剤を中心として病態に応じて免疫抑制剤を併用していくのが一般的である．

2．病　　因

　ループス腎炎の発症機序としては，主に腎糸球体局所での特異的自己抗原と自己抗体による免疫複合体形成と補体の活性化により，Coombs & GellのⅢ型組織障害が惹起されると考えられている．自己抗体生成機序に関しては不明な点が多いが，病態に関与する特異的自己抗体としては，抗ヌクレオソーム抗体，抗ds-DNA抗体などが推定されている．糸球体における特異的自己抗原の分布が広範なためか，免疫複合体の多彩性のためか，免疫複合体の沈着部位は上皮下，内皮下，メサンジウム領域など多岐にわたり，この点が，疾患によって免疫複合体沈着部位に一定の法則性のある原発性慢性糸球体腎炎組織像とは異なるところである．また，腎炎惹起抗体の関与，リンパ球などの組織浸潤も病因としてあげられている．さらに進行したものでは，糸球体硝子化，尿細管間質の萎縮と線維化など，慢性進行性糸球体疾患に共通して認められる組織像を呈し，慢性腎不全へと不可逆性の進行をしていくものと考えられる．

3．症　　候

　ループス腎炎においては，さまざまな程度の蛋白尿，血尿から，透析導入に至る腎機能低下まで，多彩な症候を呈するのが特徴である．実際に，蛋白尿や尿沈渣異常は30～65％に，またネフローゼ症候群は13～26％のSLEにみられたという報告がある．ループス腎炎は，わが国の2次性腎障害を原疾患とする新規透析導入患者数の3番目に位置するいまだに予後不良な疾患であるが，一方，腎生検組織をみると免疫蛍光抗体法にて免疫複合体の沈着を糸球体に認めるが尿所見のない患者もあり，臨床的に非常に多彩であることがわかる．

4．診　　断

1）診断の手順

　一般的にはSLEの診断がついたうえで，持続的な蛋白尿，腎機能低下などを認める場合に，腎生検を行い最終診断とする．糸球体腎炎なので蛋白尿の存在は必須と考える．腎生検は現在超音波ガイド下で安全に行われることから，施設によっては，蛋白尿を認めな

表1 ループス腎炎のWHO分類と臨床所見

class	組織所見	臨床症状	予後
I 正常または微小変化型	光顕上正常	尿蛋白陰性	
II メサンギウム病変	メサンギウム基質・細胞の増加	尿蛋白陰性〜軽度陽性,尿潜血陰性〜軽度陽性,時にIV型への移行あり	腎不全への進行はまれ
III 巣状分節状糸球体腎炎	segmentalな細胞増加,メサンギウムおよび内皮下への免疫複合体の沈着	持続性蛋白尿,軽度血尿,ネフローゼ症候群はまれ,低補体血症,抗DNA抗体上昇	IV型への移行あり,腎不全への進行は多くはない
IV びまん性糸球体腎炎	50％以上の糸球体におけるglobalおよびsegmentalな細胞増加・壊死・細胞性半月体,メサンギウム・内皮下（さらに上皮下）への免疫複合体の沈着	中等度からネフローゼ・レベルの蛋白尿,沈渣にて赤血球円柱・細胞円柱,低補体血症,抗DNA抗体高値	腎不全への進行が多い,治療によりII型,V型へ移行することがある
V 膜性腎症	係蹄壁の肥厚,メサンギウムおよび上皮下の免疫複合体沈着	主にネフローゼ・レベルの蛋白尿,血尿も認めることが多い,低補体血症,抗DNA抗体高値	腎不全への進行は少ない
VI 硬化性腎症	糸球体硝子化,尿細管萎縮,間質の線維化,免疫複合体の沈着はない	中等度蛋白尿,腎機能低下	腎不全へ至る

いSLE患者に対しても腎生検を行う場合があるが，

2）症状・臨床所見，検査所見

LNの分類は，World Health Organization（WHO）による組織学的な分類が一般的で臨床所見，予後との相関もよい．WHOの分類と臨床所見・予後を表1にまとめた．なお，2004年に国際腎臓学会（ISN）と腎臓病理学会（RPS）により，ループス腎炎の組織学的分類が新たに報告された．

3）確定診断

腎生検において確定する．

5．分　類

上記WHO分類を用いるのが一般的である．

6．治　療

ループス腎炎で問題になるのは，増殖性腎炎と膜性腎症である．増殖性腎炎のWHO class IIIおよびIVに対しては，大量副腎皮質ホルモン剤（ステロイド剤）とシクロフォスファミド大量点滴療法（エンドキサンパルス療法；IVCY）を併用した治療法が米国NIHから報告されており，世界的な標準療法となっている[1]．一方，ヨーロッパでは，最近低用量のエンドキサンパルス療法をステロイド剤に併用した治療法を提唱している．さらに，mycophenolate mofetil（MMF）が増殖性ループス腎炎に有効であるという報告もなされている．膜性腎症に対しては，ステロイド剤大量およびそれに加えてシクロスポリンなどの免疫抑制剤が推奨されている．ループス腎炎の治療時期とその結果を1980年代と90年代で比較した検討がある．同一の施設において，20年間副腎皮質ステロイドホルモン剤とエンドキサンを含む同様の治療を行っているにもかかわらず，80年代に比べて90年代では，ループス腎炎診断時に，有意に尿中蛋白の排泄が少なく，有意に腎不全への移行が少なく，組織学的に硬化性病変が少ないことが示されている[2]．その理由として，蛋白尿出現から腎生検施行までの期間が，90年代においては平均3.9カ月であるが，80年代では15.4カ月かかっていると報告され，早期診断・早期治療の重要性が示されている．つまり，早期に腎生検を施行し，早期診断を確立し，早期に適切な治療をすることがループス腎炎の予後を著明に改善していると考えられる．

7．予　後

SLEの予後は近年著明に改善している．1950年代には5年生存率が50％程度であったが，80〜90年代には90％以上となっており，10年生存率も90％前後である．発症時期が若年成人であることからも，SLEはもはや15〜20年生存率とQOLの改善で評価すべき疾患になりつつある．ループス腎炎においては，前述したとおりに症状や重篤度が多彩であることから，一概に予後を述べることはできない．最も予後不良と考えられる増殖性ループス腎炎は，50年代から60年代には診断時からの平均生存年数は2年以内であったが，報告によっても異なるとはいえ80年代以降は5

年生存率が80〜90％以上となっている[3)4)].

問題の解説と解答

問題 1
大量蛋白尿と潜血尿を呈していることから，糸球体疾患であることが予想され，活動性のあるSLE経過中であることを考えると，ループス腎炎が最も考えやすい．

問題 2
腎機能は正常であるが，低補体血症，ds-DNA抗体高値，大量蛋白尿と潜血尿を呈していることから増殖性ループス腎炎の可能性が高い．膜性の可能性も否定できない．

問題 3
増殖性ループス腎炎の治療なので，少なくとも大量副腎皮質ステロイド剤を用いる．組織所見または有効性が不十分な場合などにはエンドキサンパルス療法などの免疫抑制剤を併用する．血漿交換療法はループス腎炎の予後を改善しないという報告がある[5)].

問題 4
前述したようにループス腎炎の予後は著明に改善している．

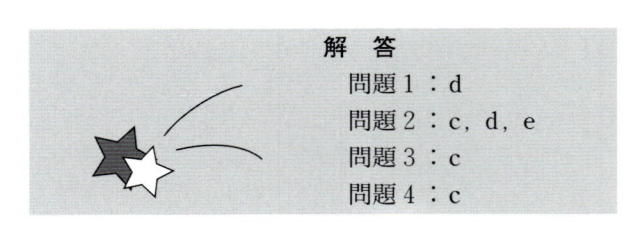

解 答
問題1：d
問題2：c, d, e
問題3：c
問題4：c

入院後経過
SLEをベースとした糸球体腎炎で，低補体血症，ds-DNA抗体高値など活動性を認めることから，ループス腎炎の発症と考え，腎生検を施行．組織学的には，糸球体のメサンギウム細胞と基質のびまん性増殖と係蹄壁の肥厚を示し（wire loop lesion），WHO分類でclass IVbと診断した（図1）．大量ステロイド剤による治療のみにてはステロイドの減量が困難で，アザチオプリンを併用したところステロイドはpreniso-loneで7.5 mgまで減量し，再発をみてない．

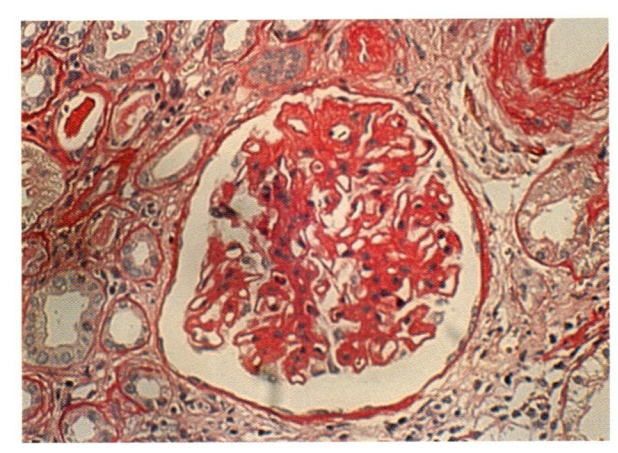

図1　腎組織像（PAS）

レベルアップをめざす方へ

腎生検の必要性
以上述べたように，きわめて多彩な臨床症状および組織所見を示すループス腎炎においては，腎生検を行うことは，1）早期診断・早期治療に必要，2）予後推定において重要な情報になる，そしてその結果，3）治療方針の決定に有用となるなどの理由において必要であると考えられる．とくに，エコーガイド下バイオプティーガンなどを用いたより安全な手技が行える現在，禁忌症例でなければループス腎炎に対して腎生検を行うことは，患者自身にとって有用であると思われる．なお，腎生検禁忌症例であれば，臨床症状および検査所見から腎組織を推定することになる（表1）．しかし，臨床所見からの推定は，的確性を欠く場合もある．たとえば，最近当科にて経験した別のSLE症例では，本症例と同様に，低補体血症，抗ds-DNA抗体高値で，ネフローゼ症候群に近い蛋白尿を呈したが（血圧正常），腎生検結果はWHO class Iであり，この症例はステロイド剤単独で完全寛解を示している．

activity index と chronicity index

　活動性指標（activity index）とは，腎生検組織上で，細胞増殖，白血球浸潤，核融解・線維性壊死，細胞性半月体，硝子様物質の沈着，間質への単核球浸潤の6点に関して，それぞれの程度を0～3点に点数化し，総計で活動性の程度を示すものである．

　慢性化指標（chronicity index）とは，腎生検組織上で，糸球体硬化，線維性半月体，尿細管萎縮，間質の線維化の4点に関して，それぞれの程度を0～3点の点数化し，総計で不可逆性腎傷害の程度を表すものである．点数の高いものは，慢性腎不全へと進展しやすい．

　どちらもWHO分類のみでは表しにくいような，進行した状態や経過中の治療などによりさまざまに修飾を受けたループス腎炎などにおいて，腎組織の状態を示すのに適している．とくにchronicity indexは，治療法の選択および予後の判定において有効である．但し，再現性に乏しいとする報告もある．

ループス腎炎の予後不良因子：

　予後不良な病態としては，診断時に，高血圧や腎機能低下の存在，組織所見での慢性化指数（chronicity index）高値は，腎不全への進行の危険因子であることが報告されている[2]．同様に，組織所見において慢性化指数高値，間質線維化の存在，持続する高血圧，治療後における補体低値は，腎不全への危険因子であるとの報告もある[6]．

●文　　献●

1) Austin HA III, Balow JE : Treatent of lupus nephritis. Semin Nephrol 20 : 265-276, 2000.
2) Fiehn C, Hajjar Y, Mueller K, et al : Improved clinical outcome of lupus nephritis during the past decade : importance od early diagnosis and treatment. Ann Rheum Dis 62 : 435-439, 2003.
3) Balow JE, Boumpas DT, Austin HA : Systemic lupus erythemsatosus and the kidney. In systemic lupus erythematosus 3rd edition（ed by Lahita RG）: 657-685, 1999.
4) 神田浩子，三村俊英：ループス腎炎EBMに基づく臨床データブック．臨床医増刊号 27 : 1431-1437, 2001.
5) Lewis EJ, Hunsicker LG, Lan SP, et al : A controlled trial of plasmapheresis therapy in severe lupus nephritis New. Engl J Med 326 : 1373-1379, 1992.
6) Cortes-Hernandez J, Ordi-Ros J, Labrador M, et al : Predictors of poor renal outcome in patients with lupus nephritis treated with combined pulses of cyclophosphamide and methylprednisolone. Lupus 12 : 287-296, 2003.

［三　村　俊　英］

疾患 7　SLE患者に認知障害が出現!?

問題編

症例呈示

症　例：30歳　女性
主　訴：物覚えが悪い
家族歴：特記事項なし
既往歴：27歳時，SLE以外特記すべきものなし
現病歴：24歳；多発関節炎，蛋白尿，血小板減少，抗核抗体陽性，抗DNA抗体陽性などによりSLEと診断され，プレドニゾロン50mgおよびシクロフォスファミドパルス療法により治療開始された．以後プレドニゾロンは7mgまで減量，シクロフォスファミドパルス療法は継続されたのち，アザチオプリン50mgに変更となり維持療法をうけていた．30歳；新たな仕事に就くも，仕事の内容が覚えられないと感じるようになり2カ月で退職した．ほぼ同時期に，家では本やテレビドラマの話の展開が途中でわからなくなると家族にこぼすようになった．その後，37度前半の微熱が出現，食欲低下も認め，家でも寝ていることが多くなった．この頃より，電話で話した内容が電話をきった直後には忘れたり，夕方には朝食や昼食の内容を忘れることもあった．また約束を忘れることが多く，メモをよくとるようになった．新しい店に立ち寄るとその帰路がわからず1〜2時間その周囲を歩くこともあった．これらの症状の精査加療目的のため当科入院となった．

＜初診時現症＞身長167cm，体重54kg，体温37.1℃，血圧138/86，脈拍76整，意識 清明，言語 異常なし，見当識（場所）異常なし，（時間）ときに年号を間違える，（人）異常なし，digit span（順唱）6桁（逆唱）5桁，serial 7 s 51-7でしばらく悩む，長期記憶 異常なし，短期記憶 4つの物品名を5分後にはすべて忘れている，長谷川式 21点，失行・失認 異常なし，四肢腱反射亢進左右差なし，病的反射，脳神経・運動・感覚 異常なし，不随意運動なし，協調運動 異常なし，皮膚 異常なし，表在リンパ節 触知せず，頭頸部 異常なし，胸腹部 異常なし，四肢 異常なし

＜初診時検査所見＞

＜血算＞WBC 5600/μl（Neu 69%，Eos 1.7%，Baso 0.1%，Mono 8.5%，Lym 20.7%），RBC 434×10^4/μl，Hb 13.0g/dl，Ht 38.7%，Plt 13.2×10^4/μl

＜生化学＞TP 7.3g/dl，Alb 3.7g/dl，LDH 151IU/l，GOT 27IU/l，GPT 31IU/l，γ-GTP 61IU/l，ALP 211IU/l，T.Bil 0.8mg/dl，D.Bil 0.2mg/ml，T.chol 172mg/dL，TG 60mg/dL，AMY 66IU/l，CK 50IU/l，BUN 11.0mg/dl，Cr 0.60mg/dl，UA 3.4mg/dl，Na 141mEq/l，K 3.9mEq/l，Cl 106mEq/l，Ca 9.1mg/dl，iP 3.6mg/dl，CRP <0.3mg/dl，TSH 2.52，FT4 1.48，CH50 31.0 U/ml，C3 60 mg/dl，C4 11 mg/dl，IgG 1858 mg/dl，IgA 175 mg/dl，IgM 44 mg/dl

＜凝固＞PT 97.3%，APTT 29.3sec.，Fib 360mg/dl

＜血清学的検査＞STS（−），HBs-Ag（−），HCV-Ab（−），RA <20IU/ml，抗核抗体320倍（homogeneous 320倍，speckled 320倍），抗ds-DNA抗体 21.1，抗ss-DNA抗体 44.2，抗RNP抗体 <5，抗Sm抗体<1，抗SS-A抗体 77.5，抗SS-B抗体 3.8

＜尿＞Prot（−），Glu（−），Ket（−），OB（−），Uro（±），Bil（−）

＜胸部単純X線＞＜腹部単純X線＞異常なし．

＜心電図＞NSR，HR 68/分

設問

問題1 本患者の症状で鑑別すべきものは何か．
(1) 意識障害
(2) 気分障害
(3) Psychosis
(4) 不安障害
(5) 認知障害

 a (1), (2), (3)　　b (1), (2), (5)
 c (1), (4), (5)　　d (2), (3), (4)
 e (3), (4), (5)

問題2 本患者でとくに鑑別すべき原因は何か．
(1) 薬剤
(2) 感染
(3) 腎障害
(4) 肝障害
(5) SLE

 a (1), (2), (3)　　b (1), (2), (5)
 c (1), (4), (5)　　d (2), (3), (4)
 e (3), (4), (5)

問題3 SLEによる認知障害の治療における選択肢は．
(1) 経過観察
(2) 免疫抑制療法
(3) 抗血栓療法
(4) 血管拡張剤
(5) 抗うつ剤

 a (1), (2), (3)　　b (1), (2), (5)
 c (1), (4), (5)　　d (2), (3), (4)
 e (3), (4), (5)

問題4 治療の選択に際し有用な検査は何か．
(1) 神経心理学的検査
(2) 頭部MRI
(3) 髄液 IgG index/IL-6
(4) 抗リン脂質抗体
(5) 脳波

 a (1), (2), (3)　　b (1), (2), (5)
 c (1), (4), (5)　　d (2), (3), (4)
 e (3), (4), (5)

解説編

CNSループスとは

1. 診断

　全身性エリテマトーデス（SLE）はさまざまな臓器症状を示すが，神経に限っても非常に多彩な症状を呈する．中枢神経症状を呈する場合をとくにCNSループスとよぶが，末梢神経系も障害される場合があるため，これらをまとめてneuropsychiatric lupus（NPSLE）とよぶことも多い．

　SLEにおける精神神経に対しては，通常の鑑別診断とともに，SLEとして注意すべき特殊病態を考慮にいれつつ，診断治療を行っていく．また，神経内科医や精神科医との連携も重要である．とくに考慮にいれるべき病態は，SLEによる中枢神経症状だけではなく，SLEに伴う腎炎や肝炎，TTPによる中枢神経症状のほか，反応性精神症状，ステロイドや免疫抑制剤などの薬剤，免疫抑制状態による中枢神経系感染症などである．さらに，NPSLEとした場合でも，どのような機序が関与したかに注意しなければならない．NPSLEの症状の分類に関しては，ACR Ad Hoc Committee on Neuropsychiatric Lupus Nomenclatureが発表したACR Nomenclature System（表1参照）が参考になる．この病型分類は，臨床研究を意識してつくられたものだが，実際の診療でも，診断や治療の選択に際して参考となる場合がある．たとえば，中枢神経症状は神経症状と精神症状に，あるいは前者を局所徴候（focal manifestations），後者をびまん性徴候（diffuse/nonfocal manifestations）として分類されている．この様な分類により，たとえば局所徴候が存在する場合は脳血管障害との関連が示唆されることから，検査では抗リン脂質抗体の検索が重要となり，治療では，脳血管炎や劇症型抗リン脂質抗体症候群を除けば，抗血栓療法が中心となる．一方，びまん性徴候は，とくに意識障害やpsychosisでは，中枢神経系における活動性所見を有する例が多いことも知られており，ステロイド治療の対象となることも多い．

　しかし，局所徴候でも脊髄障害では，脊髄MRIでGdによる増強効果を認め炎症が示唆されたり，ステロイドや免疫抑制剤の治療が適応となることも多い．

表1 NPSLEの病型分類

1. 中枢神経系
　（A）神経症状／局所徴候（focal manifestations）
　　　無菌性髄膜炎
　　　脳血管障害
　　　脱髄疾患
　　　頭痛
　　　運動異常（舞踏病）
　　　脊髄症
　　　てんかん発作
　（B）精神症状／びまん性徴候（diffuse manifestations）
　　　意識障害
　　　不安障害
　　　認知障害
　　　気分障害
　　　psychosis

2. 末梢神経系
　　　急性炎症性脱髄性多発根神経炎
　　　自律神経障害
　　　（多発性）単神経炎
　　　重症筋無力症
　　　脳神経障害
　　　神経叢障害
　　　多発神経炎

てんかん発作では抗てんかん薬が治療の基本だが，抗リン脂質抗体の関与が示唆される場合もあれば，ステロイドや免疫抑制剤の適応となる場合も存在している．びまん性徴候でも認知障害では，抗リン脂質抗体の関与など種々の病態により形成されていると考えられ，経過観察以外に抗血栓療法やステロイド治療の対象となる例もある．この様に，SLEにおいて中枢神経症状を認めた場合は，薬剤や感染などの他疾患によるものを慎重に鑑別したうえで，病型の診断とともにどの様な機序で生じた症状なのかを個々の症例で検討することが重要である．そのためには，必要に応じて髄液検査（細胞数，蛋白，IgG index，IL-6など）や血液検査（抗リン脂質抗体など），頭部MRIなどを施行し機序の推測や鑑別診断の参考とする．

本症例は認知障害を呈しているが，種々の報告からSLEでは認知障害の頻度が17～59%と高いことが示されている．しかし，これらの多くは，本例と異なり神経心理学的検査で初めて明らかになる場合であり，これらの無症候性認知障害のに関しては不明な点が多い．実際の神経心理学的検査の臨床応用や，無症候性認知障害への対応に関してはこれからの課題である．

2．治　　療

CNSループスの治療は，対症療法，免疫抑制療法，抗血栓療法に大別することができる．対症療法は症状に応じて用いられるが，その症状の背景に中枢神経系における活動性所見や抗リン脂質抗体の関与がないかを検討する必要がある．中枢神経系における活動性所見を伴う場合は免疫抑制療法の適応を考えることになり，抗リン脂質抗体症候群に伴う病態が考えられる場合は抗血栓療法の適応を検討する．

対症療法には，てんかん発作に対して抗てんかん薬，不安障害に対して抗不安薬，気分障害には抗うつ薬，psychosisに対しては抗精神病薬，頭痛に対しては消炎鎮痛剤やエルゴタミン，5-HT1B/1D受容体刺激薬などが用いられる．免疫抑制療法における急性期治療の中心はステロイドであり，プレドニゾロン1mg/kg/day前後を使用することが多い．重症の場合，ステロイドパルス療法やシクロホスファミドパルス療法などが用いられることもある．血漿交換療法や大量ガンマグロブリン静注療法，メソトレキセート，アザチオプリン，ミコフェノール酸モフェチルなどの併用の報告もある．維持期では低用量ステロイドが中心となるが，減量困難例や難治例では，シクロホスファミドパルス療法の継続，メソトレキセート，アザチオプリン，ミコフェノール酸モフェチルなどの併用が報告されている．抗血栓療法では，予防として低用量アスピリンが用いられることが多く，発症例ではワーファリンが用いられている．再発例では，これらの併用や，PT-INRの目標値をやや高く設定することもある．劇症型抗リン脂質抗体症候群では，免疫抑制療法も併用することもある．

● 問題の解説および解答

問題　1

本患者では，記銘力障害があることは現病歴や簡単な診察からも推察できるが，それだけでは認知障害には通常分類しない．まず，意識障害は重要な鑑別である．SLEでは，SLE自体による中枢神経病変のほか，薬剤や感染，原病に付随した慢性腎不全や肝性脳症，TTPなどにより，種々の程度の意識障害が生じうる．意識障害では，注意力，集中力に欠け，記憶障害も認められることがあり鑑別しなければならない．明らかな傾眠傾向や，変動する幻覚や錯覚を伴いしばしば精神運動興奮の認められる典型的せん妄では鑑別も容易な場合があるが，軽度の意識障害では念頭においてみないと気づかれないこともある．治療後に，質問への応答や病床での睡眠や活動の変化に気づいて，初めて認識されることもある．症状の出現の経過や変動，脳波などが参考になる．また，気分障害，とくにうつ病も鑑別が必要である．うつ病では精神運動抑制が認められ，思考緩慢や注意力の低下などの症状が出るため本例でも鑑別となりうる．抑うつ症状の先行や不安焦

燥，自律神経症状をしばしば伴う点も鑑別に参考となる．SLEでうつ状態が認められる場合は，SLE自体による中枢神経病変によるほか，反応性うつ病，内因性うつ病，薬剤の影響などの場合もある．さらに，うつの把握はSLEの中枢神経症状の治療において，自殺の予防の観点からも重要である．Psychosisは幻覚や妄想によって特徴づけられ，日常生活の遂行に支障をきたし現実との接触が損なわれる状態である．せん妄でも幻覚や妄想を認めることがあるため，psychosisにおいても意識障害との鑑別が重要である．SLEでpsychosisが認められる場合は，SLE自体による場合もあればステロイドなど薬剤による場合もある．本例では幻覚や妄想が主体とはなっていない．また，不安障害もSLEで認められることがあるが，本例では不安や恐怖が主体となっているわけではない．認知障害は，種々の程度のさまざまな障害がSLEに生じうることが知られている．認知障害は，SLEの17〜59％に認め，最も多い中枢神経症状と報告されているが，その多くは神経心理学的検査ではじめて検出できる症状であり，本例のように認知障害が主訴となる例は少ない．本患者では，明らかな意識障害や抑うつ症状はなく，認知障害と診断された．地誌的記憶障害も含めた記憶障害が主症状となっていた．

問題 2

SLEでは，ステロイドのほか，免疫抑制剤，抗潰瘍剤など種々の薬剤を使用している場合が多い．また，免疫抑制により易感染性を有していることも少なくない．したがって，SLEでは，意識障害や気分障害，psychosis，認知障害などの種々の中枢神経病変の存在を疑う場合は，SLE以外にとくに薬剤や頭蓋内感染症も考慮しなければならない．一般的には，特定の高次脳機能のみが障害をうけるよりも，意識障害や精神症状などが随伴しているが多い．薬剤や感染でも，症状の経過が重要である．感染ではさらに，頭部MRIや髄液検査も重要である．薬剤でも髄液検査が有用な場合があり，たとえば，本例とは異なるが，ステロイドやSLEによるpsychosisを疑う場合は髄液所見が鑑別に参考となる．SLEによる腎障害や肝障害，TTP，橋本病合併による甲状腺機能低下症も鑑別に入れることになるが，本例ではこれらの所見は認められない．薬剤は複数使用している可能性がありその副作用に関しては十分検討する必要がある．また免疫抑制療法をうけているので，真菌や抗酸菌感染症，まれだが進行性多巣性白質脳症などの頭蓋内感染症の鑑別も重要である．

問題 3

SLEによる意識障害やpsychosisでは，一般に中枢神経系における活動性所見を認めることが多い．たとえば，髄液の蛋白量・細胞数の上昇や，髄液IgG indexやIL-6の上昇を認めることも多い．また，頭部MRIは，びまん性徴候においては感度は低いが，一部の例で造影剤による増強部位が認められることもある．これらの場合ステロイドの適応も考慮される．しかし，認知障害はびまん性徴候に含まれるものの，さまざまな原因で生じていると考えられる．たとえば，抗リン脂質抗体や抗神経細胞抗体，抗リンパ球抗体，サイトカインなどが原因の一部として報告されている．最近では，抗リン脂質抗体との関連を示唆する報告も複数でており，抗リン脂質抗体が認められる認知障害例では，抗血栓療法，とくに抗血小板療法を薦める意見もある．ステロイドの効果に関しては不明であるが，PSL 0.5mg/kgより治療開始し，種々の神経心理学的検査からなる認知障害の評価方法において改善を示したとする報告もある．この報告では，症例の64％に抗リン脂質抗体，20％に抗神経細胞抗体，70％に抗リンパ球抗体を有していたとあるが，どのような患者群に効果を示したのか不明であり，ステロイドの適応に関しては慎重に決定する必要がある．やはり，現時点では中枢神経系における活動性所見を認める場合が適応となろう．抗リン脂質抗体や中枢神経系における活動性所見のいずれも認められない場合は経過観察の選択も出てくる．

問題 4

SLEでは神経心理学的検査で種々の異常を示すことが報告されていることから，SLEの中枢神経病変の評価に神経心理学的検査は今後重要性を増すと思われる．しかし，日本での施行に適した検査バッテリーに関してはさらなる検討が必要である．明らかな認知障害例でも，もちろん神経心理学的検査は有用であり，たとえば記銘力障害なのか，その他の高次脳機能障害はないのか，どの程度の障害なのかなど多くの情報を与え，診断の際や経過を長期間みていくうえで有用である．しかし，現時点では，障害のパターンと治療への応用は確立されていない．むしろSLEでは，明らかな脳血管障害に伴う場合を除き，さまざまな機能が同時に種々の程度で障害されることが知られている．抗血栓療法に関しては，抗リン脂質抗体の存在や頭部MRIにおける血管性病変を疑わせる所見の有無などがその選択に際して重要である．髄液IgG indexやIL-6に関しては，ステロイドの適応となるか判断する際に参考となる．脳波に関しては，SLEでは，てんかん

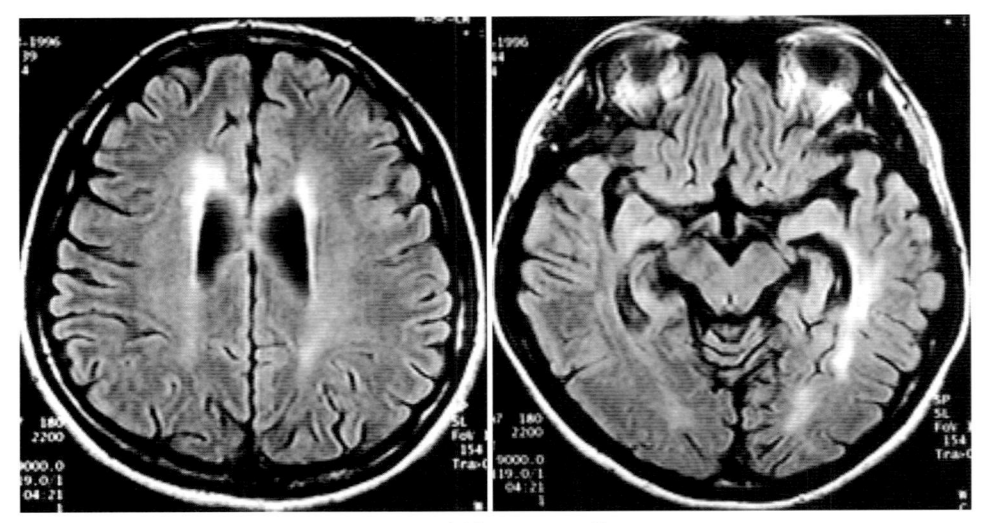

図1 本例のFLAIR画像

発作以外に意識障害の有無や，鑑別において一部頭蓋内感染症，代謝性脳障害の診断において有用であり，また意識障害例では治療経過を追っていく際に有用である．しかし，認知障害の治療選択においてはその有用性は知られていない．本症例では，IgG indexが1.01，髄液IL-6が37pg/ml（血清IL-6は1.5pg/ml）と上昇を示し，抗リン脂質抗体は認められなかった．頭部MRIでは，右前頭葉白質，脳梁，橋，左海馬，左側頭葉茎，左視床，左retrospleniumにT2強調画像およびFLAIR（図1）で高信号域を認めた．感染や薬剤の可能性は否定的で，抗リン脂質抗体の関与は考えにくく，中枢神経系の活動性を伴っておりステロイド治療を施行した．その後症状の軽度の改善を認めた．

解　答
問題1：b
問題2：b
問題3：a
問題4：d

レベルアップをめざす方へ

中枢神経系と免疫

　中枢神経病変を呈しうる膠原病およびその類縁疾患として，SLE以外に，シェーグレン症候群，ベーチェット病，サルコイドーシスなども知られており，さらに多発性硬化症や急性散在性脳脊髄炎，腫瘍随伴性脳脊髄炎，primary angiitis of the central nervous systemなど中枢神経系が炎症の主座となるさまざまな疾患が知られている．しかし，CNSループスをはじめとしてこれらの原因については，自己抗体や血管障害，サイトカインなど種々の機序が想定されているものの不明な点が多い．これらの疾患の原因や治療を追求していくうえで，通常の生体が中枢神経系に対して病的な反応をしないようにいかに免疫系を制御しているのか明らかになることが期待されるが，近年，いくつかの重要な知見が報告されている．

　中枢神経系は，これまで免疫学的特権部位といわれてきた．それは，移植された組織はほかの器官に移植されるよりも長く生着しうることや，血液脳関門の存在，中枢神経系におけるMHCの低い発現レベル，明らかなリンパ管の欠如など中枢神経系の免疫学的特殊性が指摘されてきたことによる．しかし，積極的に免疫系が中枢神経系に対する自己免疫応答を抑制する機序があることが知られてきた．一つは，制御性T細胞という自己免疫応答を抑制するT細胞の存在である．多発性硬化症のマウスモデルを用いて中枢神経系の自己免疫応答を抑制するT細胞が胸腺もしくは末梢で誕生していることが示されている．さらに，胸腺が積極的に中枢神経特異的自己抗原反応性T細胞の負の選択（細胞死の誘導）に関与していることが明らかになっている．これまで，胸腺では骨髄由来抗原提示細胞が全身性自己抗原を提示す

ることにより，全身性自己抗原反応性T細胞に負の選択を誘導していると考えられていたが，膵臓におけるインスリンや肝臓におけるCRP，神経系におけるミエリン塩基性蛋白など臓器特異的と考えられていた自己抗原が，異所性に胸腺髄質上皮細胞や樹状細胞に発現し負の選択を誘導しうることが知られている．

●文　　献●

1) ACR Ad Hoc Committee on Neuropsychiatric Lupus Nomenclature. The American College of Rheumatology nomenclature and case definitions for neuropsychiatric lupus syndromes. Arthritis Rheum 42：599-608, 1999.
2) Sanna G, Bertolaccini ML, Mathieu A：Central nervous system lupus：a clinical approach to therapy. Lupus 12：935-942, 2003.
3) Denburg SD, Denburg JA：Cognitive dysfunction and antiphospholipid antibodies in systemic lupus erythematosus. Lupus 12：883-890, 2003.

[川畑　仁人]

疾患 8 SLE患者を経過観察していたら新たな症状が出現し，検査値が変動した！

問題編

症例提示

症　例：26歳　女性
主　訴：発熱，顔面紅斑，下肢の浮腫
家族歴：特記事項なし
既往歴：特記事項なし
現病歴：2000年8月（23歳時），プールで日光浴した直後より，全身倦怠感，38℃台の発熱，手指と膝の関節痛，顔面紅斑，日光曝露部に水疱が出現し，近医を受診．多発関節炎，顔面紅斑，日光過敏症，抗dsDNA抗体（25 IU/ml）陽性，抗核抗体陽性より，SLEと診断され，非ステロイド性抗炎症薬を投与された．しかし，発熱，多発関節炎，顔面紅斑が持続し，プレドニゾロン（PSL）20mg/日を投与され，症状は消失した．その後，冬季の寒冷時にレイノー現象を認める以外とくにほかの症状を認めず，PSLは漸減，5mg/日を維持量として経過観察された．2003年1月（26歳時），転居のため，当科を紹介され初診．右手，両膝の関節炎，抗dsDNA抗体低値陽性のほかに所見は認めなかった（表1-(A)）．2003年5月には関節炎も消失し，PSL 3 mg/日のみで経過観察されていた．2003年6月，38.5℃の発熱，両手指，両手，左膝の関節痛，顔面紅斑，下腿の浮腫を認めるようになった．検尿でタンパク尿，血液検査で著明な貧血（Hb 6.4g/dl），低タンパク血症（TP 5.8g/dl, Alb 2.2g/dl），腎機能障害（Cr 1.3mg/dl）を認め，入院した（表1-(B)）．

入院時現症：身長160cm，体重65kg，血圧140/86，脈拍96/分，体温37.5℃．

眼瞼結膜貧血なし，眼球結膜黄疸なし．顔面両頬部に拡がる境界鮮明な隆起性紅斑．心音・呼吸音異常なし．腹部平坦・軟，肝・脾触知せず．下腿の浮腫あり．両手，両手指，左膝関節の腫脹・圧痛あり．神経学的異常所見なし．

初診時および入院時血液・尿検査所見：表1を参照．

胸部X線検査：特記する所見を認めない．
胃十二指腸内視鏡検査：異常所見なし．
骨髄穿刺・生検所見：巨核球軽度増加．血球貪食像は認めない．
細菌／結核菌培養検査（血液，尿，喀痰）：陰性

設問

問題1 SLEの活動性と関連しない臨床症状・検査所見はどれか？1つ選べ．
a. 顔面紅斑
b. 発　熱
c. レイノー現象
d. タンパク尿
e. 関　節　炎

問題2 本例の貧血と関連する検査所見はどれか．
（1）骨髄赤芽球の減少
（2）血清直接ビリルビン値の増加
（3）血清LDHの上昇
（4）血清ハプトグロビンの低下
（5）血清エリスロポエチンの上昇
a（1），（2），（3）　　　b（1），（2），（5）
c（1），（4），（5）　　　d（2），（3），（4）
e（3），（4），（5）

問題3 SLE活動性と相関する血液検査はどれか．
（1）抗核抗体価（蛍光抗体法）

疾患8．SLE患者を経過観察していたら新たな症状が出現し，検査値が変動した！

表1　初診時検査および入院時検査

	基準範囲	(A) 初診時検査 2003年6月10日	(B) 入院時検査 2003年12月20日
(1) 血沈 (mm/1時間)	<15	47	94
(2) 検尿			
糖	(−)	(−)	(−)
タンパク	(−)	(−)	(3+)
蓄尿タンパク定量 (g/日)			8 g/日
沈渣			
赤血球 (/HPF)	2イカ	2イカ	タスウ
白血球 (/HPF)	2イカ	2イカ	11〜20
円柱			
赤血球	(−)	(−)	(+)
顆粒	(−)	(−)	(+)
硝子	(−)	(−)	(−)
その他	(−)	(−)	脂肪
(3) 検便 (潜血反応)	(−)	(−)	(−)
(4) 末梢血検査			
赤血球 ($\times 10^6/\mu l$)	3.7〜4.9	3.8	2.3
Hb (g/dl)	11.5〜15	11.3	6.4
白血球 (/μl)	4.0〜8.5	3,500	2,900
好中球 (%)	40〜70	45	72
好塩基球 (%)	0〜2	0.5	0
単球 (%)	2〜9	9	6
リンパ球 (%)	20〜50	46	22
血小板 ($\times 10^4/\mu l$)	15〜35	16.5	7.2
網赤血球 (%)	0.5〜2	0.8	3.8
(5) 凝固検査			
APTT (秒)	23〜36	28	29
PT (INR)	0.8〜1.2	0.97	0.95
ループス抗凝固因子	(−)	(−)	(−)
(6) 生化学検査			
TP (g/dl)	6.8〜8.2	8.7	5.8
Alb (g/dl)	4.3〜5.2	4.2	2.2
LDH (IU/l)	120〜200	219	
AST (IU/l)	14〜32	27	52
ALT (IU/l)	8〜41	16	18
T Chol (mg/dl)	135〜240	112	144
BUN (mg/dl)	8〜19	11.8	23.2
Cr (mg/dl)	0.4〜0.8	0.8	0.9
CK (IU/l)	51〜155	77	113
CRP (mg/dl)	<0.15	0.17	0.72
IgG (mg/dl)	1280〜1710	3010	2130
IgA (mg/dl)	190〜340	694	687
IgM (mg/dl)	100〜230	70	66
CH50 (U/ml)	30〜40	24.3	12
C3 (mg/dl)	60〜80	25	10
C4 (mg/dl)	20〜35	12	5
(7) 免疫血清学検査			
抗核抗体 (蛍光抗体法)	<×40	×640 Speckled+Homogenous	×1280 Speckled+Homogenous
抗dsDNA抗体 (IU/ml)	<12	46	145
抗Sm抗体 (Index)	<7	76	65
抗RNP抗体 (Index)	<15	70	68
抗カルジオリピン抗体 (U/ml)	<10	15.3	15.6
直接クームス試験	(−)	(−)	(+)

(2) 抗dsDNA抗体価
(3) 血清補体価
(4) 赤沈値
(5) 抗Sm抗体価

a (1), (2), (3)　　b (1), (2), (5)
c (1), (4), (5)　　d (2), (3), (4)
e (3), (4), (5)

問題4　本例の腎病理組織像はびまん性増殖性腎症（WHO IV型）であった．本例の今回入院時の治療として適切なものはどれか？
(1) ステロイド（PSL 1 mg/kg）大量療法
(2) シクロホスファミド間歇大量静注療法
(3) プロスタグランジン製剤
(4) 非ステロイド性抗炎症薬
(5) 抗生物質

a (1), (2)　　b (1), (5)　　c (2), (3)
d (3), (4)　　e (4), (5)

解説編

SLEの活動性評価

　全身性エリテマトーデス（SLE）は種々の細胞成分に対する自己抗体産生と皮膚・粘膜，関節，腎臓，神経など多臓器障害を特徴とし，再燃と寛解をくり返す慢性の全身性炎症性疾患である．個々の患者でその臨床症状や検査所見はきわめて多彩で，臨床経過・予後も異なる[1]．したがって，治療の際には全般的な疾患活動性を包括的に評価するとともに，個々の患者の各障害臓器とその活動性・重症度を的確に検討し，病態を把握することが必要である．ここでは，現在用いられているSLEの活動性判定基準と本例で認めた臓器障害の活動性と重症度の評価について概説する．

1．SLEの全般的活動性判定基準[2)～4)]

　SLEと診断された場合，治療に先だって，その疾患活動性の把握が，治療法の選択，治療効果の判定に必要となる．しかし，SLEの病態は多様で，障害臓器やその重症度も異なる個々の患者の活動性を包括的に評価することは困難である．現在，SLE診断に対する「SLE分類基準（アメリカリウマチ学会）」のようなgold standardとなる基準はないものの，全般的な活動性を評価する多数の判定基準が提唱されており，その代表的なものについて述べる．

1）SLEDAI（SLE Disease Activity Index）[5]

　カナダ（Toronto大学）と米国の共同研究グループにより作成された，最も普及している疾患活動性判定基準の一つである．リウマチ専門医15人により，過去にSLEの活動性と関連すると報告された37臨床指標から24項目が選択され，統計学的手法を用いたscoring systemが導入されている（表2）．9つの臓器病変・検査所見の重症度が回帰係数による数量的重みづけで4つのカテゴリー（8：CNSループス，血管病変，4：腎症，筋炎・関節炎，2：皮膚病変，漿膜炎，免疫学的所見，1：発熱，血液学的異常）に分けられている．この基準は受診10日以内に認められた所見を評価するという時間的要素も定められている．本基準によるスコアは0～105点に分布し，大多数の症例は10～15点の活動性を示す．評価者がリウマチ専門医ばかりでなく，経験の浅い研修医の場合でもその有効性は認められている．しかし，予後や重症合併症の発症を予測する指標にはならないとする報告もある．

2）BILAG（British Isles Lupus Assessment Group Scale）[6]

　英国のリウマチ専門医グループ（Birmingham大学）により作成された活動性判定基準で，8つの異なる臓器病変（非特異的症状，皮膚粘膜病変，中枢神経病変，腎病変，筋骨格系病変，心肺病変，血管炎，血液異常）により評価するが，SLEDAIと異なり臓器病変による重みづけはない．活動性は8臓器病変を「医師による治療の必要性」（A = ACTION：ただちに疾患修飾治療を要す．B = BEWARE：Aより軽症で，注意深い観察あるいは対症療法を要する．C = CONTENTMENT：安定した状態，あるいは治療によりコントロールされている．D = SYSTEM UNAFFECTED：異常なし．）によりスコア化され合計し，0～72点で変動する．本基準は患者の経時的な活動性変化に対する評価に適しているが，免疫学的検査が含まれていない点，CNS病変の重症筋無力症，Guillain-Barré症候群や腎病変の悪性高血圧などの採用臨床項目の妥当性が課題とされた．近年，Hayらにより，各8臓器病変を5段階で評価してスコア化する修正基準が提唱され，その有効

表2　SLEDAI：DATA COLLECTION SHEET

Chart no.：＿＿＿＿＿＿＿＿＿＿＿　　　　　　　　　　Date of Visit：＿＿＿＿＿＿＿＿＿＿＿＿＿
M.D.：＿＿＿＿＿＿＿＿＿＿＿＿＿＿＿＿＿　Patient's Name：＿＿＿＿＿＿＿＿＿＿＿＿＿＿＿

(Enter weight in SLEDAI Score column if descriptor present at the time of the visit or in the preceding 10 days.)

Weight	SLEDAI Score	Descriptor	Definition
8	＿＿＿＿	Seizure	Recent onset. Exclude metabolic, infectious, or drug causes.
8	＿＿＿＿	Psychosis	Altered ability to function in normal activity due to severe disturbance in the perception of reality. Include hallucinations, incoherence, marked loose associations, impoverished thought content, marked illogical thinking, bizarre, disorganized, or catatonic behavior. Exclude uremia and drug causes.
8	＿＿＿＿	Organic brain syndrome	Altered mental function with impaired orientation, memory, or other intellectual function, with rapid onset and fluctuating clinical features. Include clouding of consciousness with reduced capacity to focus, and inability to sustain attention to environment, plus at least 2 of the following: perceptual disturbance, incoherent speech, insomnia or daytime drowsiness, or increased or decreased psychomotor activity. Exclude metabolic, infectious, or drug causes.
8	＿＿＿＿	Visual disturbance	Retinal changes of SLE. Include cytoid bodies, retinal hemorrhages, serous exudate or hemorrhages in the choroid, or optic neuritis. Exclude hypertension, infection, or drug causes.
8	＿＿＿＿	Cranial nerve disorder	New onset of sensory or motor neuropathy involving cranial nerves.
8	＿＿＿＿	Lupus headache	Severe, persistent headache; may be migrainous, but must be nonresponsive to narcotic analgesia.
8	＿＿＿＿	CVA	New onset of cerebrovascular accident(s). Exclude arteriosclerosis.
8	＿＿＿＿	Vasculitis	Ulceration, gangrene, tender finger nodules, periungual infarction, splinter hemorrhages, or biopsy or angiogram proof of vasculitis.
4	＿＿＿＿	Arthritis	More than 2 joints with pain and signs of inflammation (i.e., tenderness, swelling, or effusion).
4	＿＿＿＿	Myositis	Proximal muscle aching/weakness, associated with elevated creatine phosphokinase/aldolase or electromyogram changes or a biopsy showing myositis.
4	＿＿＿＿	Urinary casts	Heme-granular or red blood cell casts.
4	＿＿＿＿	Hematuria	>5 red blood cells/high power field. 'Exclude stone, infection, or other cause.
4	＿＿＿＿	Proteinuria	>0.5 gm/24hours. New onset or recent increase of more than 0.5gm/24 hours
4	＿＿＿＿	Pyuria	>5 white blood cells/high power field. Exclude infection.
2	＿＿＿＿	New rash	New onset or recurrence of inflammatory type rash.
2	＿＿＿＿	Alopecia	New onset or recurrence of abnormal, patchy or diffuse loss of hair.
2	＿＿＿＿	Mucosal ulcers	New onset or recurrence of oral or nasal ulcerations.
2	＿＿＿＿	Pleurisy	Pleuritic chest pain with pleural rub or effusion, or pleural thickening.
2	＿＿＿＿	Pericarditis	Pericardial pain with at least 1 of the following; rub, effusion, or electrocardiogram or echocardiogram confirmation.
2	＿＿＿＿	Low complement	Decrease in CH50, C3, or C4 below the lower limit of normal for testing laboratory.
2	＿＿＿＿	Increased DNA binding	>25% binding by Farr assay or above normal range for testing laboratory.
1	＿＿＿＿	Fever	>38℃. Exclude infectious cause.
1	＿＿＿＿	Thrombocytopenia	<100,000 platelets/mm^3.
1	＿＿＿＿	Leukopenia	<3,000 white blood cells/mm^3. Exclude drug causes.

TOTAL SLEDAI SCORE ＿＿＿＿＿＿

Systemic Lupus Erythematosus Disease Activity Index (SLEDAI) form.

3) SLAM (systemic lupus activity measure)[7]

米国ボストン (Brigham and Women's Hospital) のリウマチ専門医グループにより作成された，24項目の臨床所見と8項目の検査所見からなる活動性判定基準である．受診1カ月以内にみられた臨床症状や検査所見を各臓器病変の活動性と重症度に基づいてgradingするもので，BILAGとともにSLEの全般的活動性把握に優れている．

4) 日本の活動性判定基準

厚生省特定疾患自己免疫調査研究班よりSLE活動性判定基準[8]が提唱されている．活動期あるいは非活動期と判定された症例を対象とし，統計学的解析により感度・特異性を検討した9項目からなる（表3）．3項目以上満足すれば活動性と判定し，その感度は95.7％，特異性は94％を示す．感染症，精神神経症状の鑑別，免疫学的検査の検討が課題とされる．

表3　SLE活動性判定基準

1. 発　　　熱
2. 関 節 痛
3. 紅　　　斑（顔面以外も含む）
4. 口腔潰瘍または大量脱毛
5. 血 沈 亢 進（30mm/hr以上）
6. 低補体血症（CH50：20U/ml以下）
7. 白血球減少症（4,000/mm³以下）
8. 低アルブミン血症（3.5g/dl以下）
9. LE細胞またはLEテスト陽性

9項目中3項目以上満足すれば活動性と判定される．

（厚生省調査研究班，1986[8]）

5) そ の 他

Lupus activity index［LAI：受診2週間以内の活動性を5項目（1．医師の全般活動性，2．全身倦怠感，紅斑，関節炎，漿膜炎，3．神経，腎，肺，血液障害，4．治療法の評価，5．検査所見）により判定する］[9]，European consensus lupus activity measure（ECLAM：15の臨床検査項目を多変量解析で検討する）などが報告されている．

これらのSLE活動性判定基準は臨床研究にも不可欠であり，多施設共同研究により早急に標準的基準が開発されることが望まれる．

2．臓器病変による活動性の評価

SLEは個々の患者で病態がまったく異なるため，CNSループス，ループス腎炎のネフローゼ症候群，自己免疫性血小板減少症，抗リン脂質抗体症候群などでは，全般的な活動性判定基準による活動性と重症度が必ずしも一致しない．そこで，治療方針の決定に際しては，個々の病態・障害臓器の活動性・重症度の評価が必要である[3)～4)]．

1) ループス腎炎

腎障害は軽症例も含めSLE患者の50～80％にみられ，中枢神経障害とともに予後と関連する重要な臓器病変である．タンパク尿や尿沈渣異常（赤血球，白血球，円柱尿，これらが混在したテレスコープ沈渣）の出現，尿タンパクの増加，ネフローゼ症候群，腎機能の増悪は活動性を示唆する．血清Crが上昇するものの尿所見に異常を認めない場合は，薬剤，尿路の閉塞などほかの要因を鑑別する必要がある．腎生検による病理組織像の検討は，活動性病変の判定，治療方針の選択の上で有用である．ループス腎炎はWHO分類により6型（I～VI型）に分類され，びまん性増殖性ループス腎炎（IV型）は高度のタンパク尿，血尿を認め急速に腎不全に進行することがある．メサンギウム細胞・内皮細胞の増殖，核崩壊，ヘマトキシリン体，ワイヤーループ病変，半月体形成，フィブリン血栓，壊死性血管炎，などは活動性病変を示す．

血清学的指標では，抗dsDNA抗体価の上昇と血清補体価の低下などがループス腎炎（とくにWHO IV型，III型）の活動性とよく相関することが知られている．

2) 血液学的異常

自己免疫性溶血性貧血と血小板減少性紫斑病は活動期にみられる重要な病態である．自己免疫性溶血性貧血は，抗赤血球抗体により発症し，正球性正色素性貧血，網状赤血球の増加，直接クームス試験陽性，血清LDH（LDH I型）の増加，血清間接ビリルビンの増加，血清ハプトグロビンの低下，尿中・便中ウロビリン体の増加，骨髄赤芽球の増加を認める．血小板減少性紫斑病は抗血小板膜糖タンパク（GPIIb-IIIaなど）抗体などにより発症し，血小板減少，骨髄巨核球数正常から増加，血小板結合性免疫グロブリン増量，GPIIb-IIIaに対する抗体などを認める．白血球減少，リンパ球減少はSLEの活動性と関連することもあるが，非活動期にもみられる．

3) 関　節　炎

関節炎はSLE患者の50％以上に疾患活動性とともに出現する．移動性の多発関節炎を特徴とし，関節リウマチと異なり骨びらんをきたすことはまれである．関節の腫脹，圧痛，液貯留を認めるが，感染性関節炎，ステロイド長期使用例の骨壊死などとの鑑別が必要となる．

4) 皮　　疹

SLEには顔面紅斑，円板状紅斑，環状紅斑，乾癬様

皮疹，蕁麻疹様紅斑，多形滲出性紅斑，脱毛，レイノー現象，手掌・足底紅斑，脱毛，日光過敏症（日光曝露部に紅斑，水疱を認める），口内炎（一般に無痛性），爪周囲紅斑，青色網状皮斑，凍瘡様皮疹など多彩な皮膚症状を認める．蝶形紅斑は鼻唇溝を超えない頬部に蝶々が羽を広げるような形の隆起性紅斑で活動性と関連し，急性型皮膚LEとされる．一方，円板状紅斑は顔面，外耳，頸部などにみられ，瘢痕を残し，慢性型皮膚LEとされ活動性と相関しない．蕁麻疹様紅斑，多形滲出性紅斑は薬剤アレルギーやほかの皮膚疾患との鑑別が必要である．

問題の解説および解答

問題 1

　SLEは多臓器障害を特徴とし，個々の患者で障害臓器とその程度が異なる．本例は発症時には，SLE分類基準4項目を満たす非腎症SLEで，少量ステロイド療法にてコントロール良好であった．しかし，2003年12月，SLE活動性と考えられる発熱，関節炎，蝶形紅斑，腎障害，血液異常，抗dsDNA抗体価上昇，血清補体価低下を認め入院となった．SLEDAIを用いて当院初診時と入院時の疾患活動性を比較すると，8点［関節炎（4），血清補体価低下（2），抗DNA抗体陽性（2）］→29点［関節炎（4），円柱尿（4），タンパク尿（4），血尿（4），膿尿（4），蝶形紅斑（2），血清補体価低下（2），抗DNA抗体陽性（2），発熱（1），血小板減少（1），白血球減少（1）］とスコアは増加し，全般的疾患活動性は上昇していると判定される．

　レイノー現象は寒冷刺激や精神的ストレスで細動脈，静脈がれん縮し皮膚が蒼白，紫，紅色に変化する現象で，SLEの30～40％にみられるが，疾患活動性とは関連しない．

問題 2

　SLEの患者に貧血を認めた場合，その原因として鉄欠乏性貧血，溶血性貧血（自己免疫性溶血性貧血，薬剤性溶血性貧血），慢性疾患に伴う貧血，血球貪食症候群，腎性貧血，出血性貧血，薬剤性貧血，赤芽球癆，溶血性尿毒症性貧血などの鑑別が必要となる．本例は急性の貧血，網赤血球の増加，直接クームス試験陽性で，出血性病変や骨髄の血球貪食像は認めず，腎機能障害の程度，薬剤の関与が否定的なことより，自己免疫性溶血性貧血と考えられる．したがって，血清LDHの上昇，血清ハプトグロビンの低下，血清エリスロポエチンの上昇，骨髄赤芽球の増加を認める．溶血により血清間接ビリルビンは増加するが，直接ビリルビンは増加しない．

問題 3

　SLE（とくにループス腎炎）の活動性は抗dsDNA抗体価の上昇と血清補体価の低下と相関することが知られている．また，赤沈もSLEの活動性とともに亢進することが多い．一方，同じく炎症反応マーカーのCRP値は赤沈値ほど上昇しないことが多く，SLE活動性と感染症との鑑別に役立つことがある．しかし，血管炎や漿膜炎合併例ではCRP値が上昇することがあり，注意を要する．抗核抗体価（蛍光抗体法）とSLEの疾患標識抗体である抗Sm抗体価は活動性の指標にはならない．

問題 4

　本例は全般的な疾患活動性が高く，難治性病態とされるループス腎炎（WHO IV型），自己免疫性溶血性貧血，血小板減少を発症した重症SLEである．まず，ステロイド大量療法（PSL 60～80 mg/日以上，反応性によりパルス療法も検討する）が適応となる．また，シクロホスファミド間歇大量静注療法は，ステロイド抵抗性難治性病態に対する有効性およびループス腎炎の腎機能障害の予後改善が報告されており，考慮すべき治療法である．しかし，保険適用外治療であり，2次性悪性腫瘍の併発，易感染性，生殖機能障害，骨髄抑制などの重篤な副作用を伴うこともあり，十分な説明と同意が必要である．本例は寒冷時にレイノー現象を認めるものの，今回の入院時に四肢の皮膚潰瘍などの明らかな末梢血行障害病変を認めず，プロスタグランジン製剤は適応とならない．また，臨床経過（SLE活動性上昇），検査所見（各種細菌培養検査陰性，赤沈に比べCRP値が比較的低値など）より，発熱の原因として感染症は否定的で，抗生剤は投与しない．発熱，関節炎は重症病態（ループス腎炎，血液異常）に対するステロイド大量療法により軽快すると考えられ，非ステロイド性抗炎症薬の投与は行わない．

解　答

問題1：c
問題2：e
問題3：d
問題4：a

●文　　献●

1) Buyon JP：Systemic lupus erythematosus. Clinical and laboratory features（in Klippel JH eds）：Primer on the Rheumatic Diseases, 12th ed, pp335-346, Atlanta, the Arthritis Foundation, 2001.
2) Hay EM：Systemic lupus erythematosus：Bailliere Clin Rheum 9：437-470, 1995.
3) 橋本博史：SLEの活動性指標. 医学のあゆみ 176：277-283, 1996.
4) 高崎芳成：SLEの活動性評価. 医学のあゆみ 191：994-999, 1999.
5) Bombardier C, Gladman DD, Urowitz MB, et al：Derivation of the SLEDAI. A disease activity index for lupus patients. Arthritis Rheum 35：630-640, 1992.
6) Symmons DPM, Coppock JS, Bacon PA, et al：Development of a computerised index of clinical disease activity in systemic lupus erythematosus. Q J Med 69：927-937, 1988.
7) Liang MH, Socher SA, Larson MG, et al：Reliability and validity of six systems for the clinical assessment of disease activity in systemic lupus erythematosus. Arthritis Rheum 32：1107-1118, 1989.
8) 横張龍一：厚生省特定疾患自己免疫疾患調査研究班（班長：恒松徳五郎）昭和60年度研究報告書：p50-57, 1986.
9) Hellmann DB, Petri M, Whiting-O'keefe Q：Fatal infections in systemic lupus erythematosus：the role of opportunistic organisms. Medicine 66：341-347, 1987.

［平形　道人］

疾患 9 多関節炎と朝のこわばり RAらしいが診断基準に満たない！どうする？

問題編

症例呈示

症　例：60歳　女性
主　訴：朝のこわばりと手指の痛み
家族歴：父　前立腺癌，母　糖尿病・高血圧
既往歴：特記事項なし
現病歴：1カ月前より朝の手のこわばり（40分前後）と手指の関節痛が出現．次第に，タオルを絞ることが困難となり受診した．
来院時身体所見：身長160 cm，体重56 kg，表在リンパ節触知せず，頭部・頸部・胸部・腹部に異常なし．四肢では両側第Ⅱ指近位指節間関節（proximal interphalangeal joint，PIP関節）に腫脹と圧痛があり，右第Ⅲ指の全体の腫脹と左第Ⅲ指PIP関節に圧痛を認めた．
来院時検査所見：尿所見：蛋白（−），糖（−），沈渣異常なし
赤　沈：12.0 mm/時
血　算：WBC 6,400 /ml（Neut 67.2，Lymph 23.7，Mono 6.1，Eosino 2.7，Baso 0.3），Hb 12.3 g/dl，Plat 24.9万/ml
生化学：TP 7.5 g/dl（Alb 61.8％，γ-glob 16.8％），AST 14 IU/l，ALT 10 IU/l，ALP 166 IU/l，LDH 163 IU/l，BUN 15 mg/dl，Cre 0.6 mg/dl
血清学的：CRP 0.2 mg/dl，RF 130 IU/ml
手のX線所見：両側第Ⅱ指PIP関節周囲の軟部組織の腫脹を認めたが，関節周囲の骨密度，関節裂隙の狭小化はなし．

設問

問題1 診断のため，重要な聴取すべき症候はどれか？
1．レイノー現象
2．筋肉痛
3．皮疹
4．胸痛
5．下痢
　a（1），（2），（3）　　b（1），（2），（5）
　c（1），（4），（5）　　d（2），（3），（4）
　e（3），（4），（5）

問題2 鑑別診断に有用な検査はどれか？
1．抗核抗体
2．クレアチンキナーゼ
3．血清尿酸値
4．フェリチン
5．MPO-ANCA
　a（1），（2）　b（1），（5）　c（2），（3）
　d（3），（4）　e（4），（5）

問題3 関節痛に対し，現時点で投与して良い薬物はどれか？
a．非ステロイド系抗炎症薬
b．ステロイド薬
c．ブシラミン
d．メトトレキサート
e．アスピリン（100mg）

解説編

1. 多関節炎をきたす疾患
関節炎（arthritis）をきたす疾患はその原因・病態などさまざまである．関節炎をおこした関節の数により，単関節炎（mono-）・少関節炎（oligi-）・多関節炎（poly-）型，罹患関節の大きさにより大関節型・小関節型，関節炎の持続状況により急性・慢性もしくは一過性（移動性・再発性）・持続性（進行性）に分類される．疾患により特徴的な関節炎のタイプがあるが，年齢，性別，生活歴なども鑑別診断に重要である．

2. 朝のこわばり・手の浮腫感
朝のこわばりは関節リウマチでよくみられる症状であるが，関節リウマチに特異的とはいえない．強皮症，混合性結合織病，全身性エリテマトーデス・筋炎・シェーグレン症候群，リウマチ性多発筋痛症などの膠原病性疾患でみられるほか，甲状腺機能低下症，頸椎症，ネフローゼ症候群などでもみられることがある．

3. 関節リウマチとは
慢性多発性関節炎をきたす原因不明の疾患で，関節炎は手指のPIP関節，中手指節関節（metacarpophalangeal joint，MCP関節）や手関節，足趾の中足趾節関節（metatarsophalangeal joint，MTP関節）などの小関節から始まることが多い．進行すると膝・股・足関節などにもおよび，疼痛や関節障害のため日常生活動作に制限が生じる．ときに，間質性肺炎など肺や腎などに関節外症状をきたすことがある．

4. 関節リウマチを疑ったときの検査
関節リウマチが疑われる患者では，赤沈・CRPなどの炎症反応のほか，リウマトイド因子，血算，肝・腎機能，検尿，手・足および胸部のX線所見などを検査する．また，筋原性酵素，抗核抗体，補体価，抗好中球細胞質抗体（ANCA）なども鑑別診断の助けになる．

5. リウマトイド因子について
リウマトイド因子は変性IgGのFc部分に対する自己抗体の1種で，主としてIgMクラスである．従来，粒子・血球凝集反応で測定されていたが，最近では免疫比濁法などによる定量法が用いられている．リウマトイド因子は年齢とともに陽性率・抗体価が高くなることが知られており，健常人でも60歳以上では5％以上に陽性である．関節リウマチでは80％に陽性であるが，逆に20％はリウマトイド因子は陰性である．リウマトイド因子は強皮症で40％，シェーグレン症候群で30％，全身性エリテマトーデスで20％など膠原病でみられるほか，結核や慢性肝炎，甲状腺疾患でも陽性である場合がある．

IgG型リウマトイド因子（IgG RF）は感度は20～30％と低いが，特異度は高いといわれ，また血管炎，関節外症状，破壊性関節炎と相関すると報告されている．

6. 鑑別診断・類縁疾患
全身性エリテマトーデス，強皮症，筋炎症候群，血管炎症候群，シェーグレン症候群，リウマチ性多発筋痛症，血清反応陰性関節炎，変形性関節症など，多くのリウマチ膠原病性疾患で関節痛や関節炎が認められる．また，感染症（EBウィルス，パルボB19ウィルス，B型・C型肝炎ウィルス，風疹ウィルス感染症，エルシニア，サルモネラ，クラミジア，溶連菌感染症など）でも関節炎がみられることがある．また感染性関節炎もあるため，鑑別診断には注意が必要である．

7. 関節リウマチの診断
アメリカリウマチ学会による関節リウマチの分類基準[1]を示す．

≪アメリカリウマチ学会による関節リウマチの分類基準≫

1. 少なくとも1時間以上続く朝のこわばり（6週間以上）
2. 3領域以上の関節炎（6週間以上）
3. 手関節炎：手（wrist），中手指節（MCP）関節，近位指節間（PIP）関節のうち少なくとも1領域の腫脹（6週間以上）
4. 対称性関節腫脹（6週間以上）
5. リウマチ結節（皮下結節）
6. 血清リウマトイド因子陽性
7. 手のX線所見における定型的変化

以上の7項目中，4項目を満たすものを関節リウマチと診断する．

本症例においては，3のPIP関節の腫脹，4の両II指PIP関節の対称性の腫脹，6のリウマトイド因子陽

性はあるが，1の朝の手のこわばりは1時間未満，2の3関節領域の罹患はなく，5のリウマチ結節，7のX線の変化はないため，7項目中3項目は陽性であるが診断基準を満たさず，関節リウマチとは現時点では診断できない．

このアメリカリウマチ協会の診断基準は，早期の患者を診断するには感度が低いといわれており，わが国では日本リウマチ学会が早期に関節リウマチを診断する基準[2]をあげている．

<<日本リウマチ学会による早期RAの診断基準>>

1. 3関節以上の圧痛または他動関節痛
2. 2関節以上の腫脹
3. 朝のこわばり
4. リウマトイド結節
5. 赤沈20mm以上の高値またはCRP陽性
6. リウマトイド因子陽性

上記6項目中，3項目以上に該当する患者は詳細に経過を観察し，病態に応じて適切な治療を開始する必要がある．

本症例をこの診断基準に照らし併せると，3関節に圧痛があり，2関節以上が腫脹し，朝のこわばりがあり，リウマトイド因子が陽性であるため，リウマトイド結節や炎症反応は陽性ではないが，この診断基準を満たし，早期関節リウマチである可能性が高い．

しかし，日本リウマチ学会の診断基準は特異性が低い[3]ため，全身性エリテマトーデスや多発性筋炎，混合性結合織病，高齢者ではリウマチ性多発筋痛症なども初期にはこの関節リウマチの診断基準を満たし，関節リウマチと診断されてしまうこともある．ひき続き十分な注意が必要である．

8．関節リウマチの治療

関節リウマチか診断がはっきりしない場合で関節痛が強いときなどは，非ステロイド系の抗炎症薬を投与し経過をみる．患者の年齢，臓器障害の有無などに応じ，使用する薬物を選択する．最近では胃腸障害の少ないCOX2選択性の高い薬物やプロドラッグが使用されるが，従来の非ステロイド系抗炎症薬と同様，腎障害などには注意を要する．

関節リウマチの診断が確定し十分な活動性を有する症例には，抗リウマチ薬（disease modifying anti-rheumatic drugs，DMARDs）を開始する．単剤，少量から開始し，漸増する．一般に抗リウマチ薬は副作用の頻度が高く，ときに重篤な副作用も認められる．患者の年齢，関節リウマチの疾患活動性の程度，臓器障害の有無，薬物アレルギーの有無などを鑑み，薬物を選択する．個々の抗リウマチ薬の特徴・効果・副作用に熟知したリウマチ専門医の指示を仰ぐことが好ましいと思われる．関節リウマチにおいても早期治療が大切であり，診断確定後3カ月以内の治療が勧められている[4]．しかし，抗リウマチ薬の投与については，1～2週間を争って治療を開始するよりは，診断が確定してからの使用が望まれる．

問題の解説および解答

問題 1

リウマチ性疾患ではさまざまな症状が共通してみられたり，また疾患が重複してみられることもある．多関節痛を訴える患者においては，筋炎や強皮症，全身性エリテマトーデス，高齢者ではリウマチ性多発筋痛症などがないかを鑑別する必要がある．

問題 2

全身性エリテマトーデスにおける抗Sm抗体など疾患に特異的な検査もあるが，関節リウマチでは診断に特異的な検査はなく，症状・臨床所見・検査所見などから総合的に診断される．また，鑑別診断に有用な検査や活動性評価に有用な検査など，使用される目的は異なる．

問題 3

患者の自覚症状に応じ，まずは非ステロイド系抗炎症薬で経過を追う．抗リウマチ薬は，診断が確定してから使用するほうが望ましい．

解　答
問題1：a
問題2：a
問題3：a

レベルアップをめざす方へ

これまで関節リウマチの診断や活動性に対する新たなマーカーが見いだされてきた．抗CCP抗体やCA RFは関節リウマチの診断に有用，MMP-3は関節リウマチの活動性の指標となるマーカーと考えられている．

1．抗環状シトルリン化ペプチド抗体（抗CCP抗体），抗ケラチン抗体（AKA），抗核周囲抗体（APF）

関節リウマチに特異度が高いとされていた抗ケラチン抗体（AKA），抗核周囲抗体（APF，抗フィラグリン抗体）の対応抗原はフィラグリンであるが，フィラグリン分子のアルギニンが変換されたシトルリン（citrulline）残基が抗原エピトープとしてこれらの抗体の認識に重要であることが明らかにされた．このシトルリン化ペプチドに対する抗CCP抗体は，関節リウマチに特異度が高く，関節リウマチの診断に重要なマーカーと考えられている[5]が，わが国ではまだ保険未適応である．

2．抗ガラクトース欠損IgG抗体（CA RF）

IgGのCH2ドメインにグリコシド型糖鎖が結合しているが，関節リウマチ患者由来のIgGではこの糖鎖のうちガラクトースを欠いた糖鎖の割合が有意に高い．抗ガラクトース欠損IgG抗体は，このガラクトース欠損IgGを抗原としたリウマトイド因子測定法である．早期の関節リウマチ患者においては，従来のリウマトイド因子の検出より感度に優れているとされている．

3．マトリックスメタロプロテアーゼ3（MMP-3）

MMP-3は滑膜表層細胞で産生される主な蛋白分解酵素である．関節軟骨の滑膜より分泌され血中に漏れ出す．関節リウマチの活動性や早期の関節リウマチではその6カ月後のレントゲン所見とよく相関する[6]．感染などによる影響は受けにくいため，このような際はMMP-3の測定が関節リウマチ活動性の評価に有用と考えられる．

●文　献●

1) Arnett FC, Edworthy SM, Bloch DA, et al：The American Rheumatism Association 1987 revised criteria for the classification of rheumatoid arthritis．Arthritis Rheum 31：315-324，1988．
2) 山本純巳，柏崎禎夫，延永正：日本リウマチ学会による早期慢性関節リウマチの診断基準－2 診断基準の作成－．リウマチ 34：1013-1018，1994．
3) 近藤啓文，小林茂人，田中清介，ほか：日本リウマチ学会による早期慢性関節リウマチの診断基準－3 診断基準の検証－．リウマチ 40：54-59，2000．
4) American College of Rheumatology Subcommittee on Rheumatoid Arthritis G：Guidelines for the management of rheumatoid arthritis：2002 Update．Arthritis Rheum 46：328-346，2002．
5) Kroot EJ, de Jong BA, van Leeuwen MA, et al：The prognostic value of anti-cyclic citrullinated peptide antibody in patients with recent-onset rheumatoid arthritis．Arthritis Rheum 43：1831-1835，2000．
6) Yamanaka H, Matsuda Y, Tanaka M, et al：Serum matrix metalloproteinase 3 as a predictor of the degree of joint destruction during the six months after measurement, in patients with early rheumatoid arthritis．Arthritis Rheum 43：852-858，2000．

［中島　亜矢子／山　中　　寿］

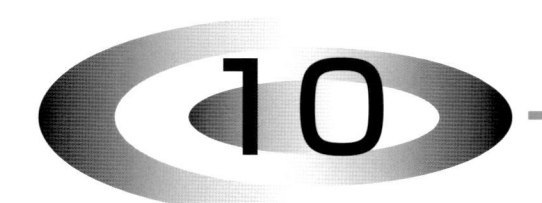

疾患 10 発症1年のRAだが，関節の炎症は強く，骨・軟骨の変化を認める！ 治療は？

問題編

症例提示

症例：47歳，女性．

1年前から手指MCP，PIP関節，足関節痛が出現．近医受診しリウマトイド因子陽性で関節リウマチと診断された．少量のステロイドとNSAIDで治療を受け，一時関節痛は軽減するも，その後，関節痛が増悪し当科受診となった．受診時，右第2，3，4 PIP関節，左第3，4 PIP関節，両側第2，3 MCP関節，両手関節の圧痛，腫脹を認め，左膝関節水腫，両足関節の圧痛，腫脹がみられた．両肘関節遠位部にはリウマトイド結節を認めた．

＜初診時検査所見＞

赤沈値 68 mm/h，末梢血 赤血球385x $10^4/\mu l$ Hb 10.1g/dl, Hct 32％，白血球8200/ml,血小板50×$10^4/\mu l$, TP 7.2g/dl, アルブミン 3.8g/dl, AST 18 IU/L, ALT 15 IU/L, LDH 238IU/L, ALP 216 IU/L, gGTP 38 IU/L, BUN 14mg/dl, CRTNN 0.7 mg/dl, CRP 5.4 mg/dl, MMP-3 624 ng/ml, RF 524 U/ml抗核抗体 80倍speckled，抗SSA抗体 8倍（DID），

関節X線写真：罹患関節の関節列隙狭小化と両側第2MCP関節に骨びらんを認め，Steinblockerの Stage IIに相当する所見であった．

胸部X線写真：間質性変化は認めず．

設問

問題1 この症例に投与すべきDMARD（疾患修飾性抗リウマチ薬）はなにか？
（1）メトトレキサート
（2）レフルノミド
（3）スルファサラジン
（4）アクタリット
（5）オーラノフィン

問題2 メトレキサート（MTX）の投与に際して，禁忌となるのはどれか
（1）血液透析中
（2）HBV carrier
（3）糖尿病
（4）シェーグレン症候群合併
（5）肝硬変

問題3 メトトレキサート（MTX）の副作用で注意すべきものはどれか？
（1）骨髄抑制
（2）肝酵素上昇
（3）自己免疫疾患誘発
（4）急性間質性肺炎
（5）蛋白尿

問題4 抗リウマチ薬と副作用の組み合せで誤りはどれか？
（1）レフルノミド……………………高血圧
（2）スルファサラジン……………脱毛
（3）ブシラミン……………………黄色爪
（4）インフリキシマブ……………結核
（5）注射金剤………………………蛋白尿

解説編

1．早期DAMRD療法の意義

関節リウマチ（RA）は慢性増殖性滑膜炎により骨・軟骨破壊が起き，その結果，関節の変形，機能障害をきたす疾患である．このRAの自然歴を遅延・停止させる作用が疾患修飾作用である．Conventional DMARDや生物学的製剤では疾患修飾作用が確認されている．ステロイド薬は単独では相当量使用しないと疾患修飾作用はないが，最近DMARDとの併用では骨・軟骨破壊の進行抑制効果が報告されている．RA治療の最大の目的は骨・軟骨破壊を抑制し，関節機能，生活動作を維持し，さらには生命予後を改善することである．関節破壊の進行は発症後数カ月間が速いことから，発病早期にDMARDを投与することが薦められている．アメリカリウマチ学会（ACR）のRA治療ガイドラインでも診断後3カ月以内にDMARD投与を開始することが勧められている．早期にDMARD治療を開始する意義は効果のうえでも以下の点で確認されている（表1）．

（1）有効率（ACR response rate）：発病早期（1年以内）にMTXやDMARD治療を開始した症例では，ACR反応率が高い．

（2）寛解率：発病早期にDMARD単剤治療を開始した症例では遅れた症例より寛解率が高い．

（3）骨破壊進行抑制効果：MTX治療開始時骨びらん（＋）の症例では進行率が高く27％のみが非進行例，骨びらん（−）の症例では進行率が低く非進行例は69％と高い．また，DR 4（shared epitope）を有する例ではDMARD治療開始が遅れると骨破壊進行が速い．

（4）継続率：発病後2年以内にMTXを開始した症例では，10年以上経過した症例に比べて継続率が高い．また，罹病期間20年以上の症例ではMTX継続率が低い．

（5）エスケープ現象：MTX治療中のエスケープ現象は罹病期間が長くstageが進行した例に頻度が多い．これらの臨床的エビデンスは，早期にDMARD治療を開始した症例では，有効率，寛解率，継続率が高く，また骨破壊進行抑制効果が優れており治療効果の減弱も起こりにくいことを示している．

2．Strong DMARDとmild DMARD

FelsonはDMARDの有効性を検討した臨床試験の

表1　早期DMARD治療の有効性に与える影響

1）有効率（ACR response rate）
- 発病早期（1年以内）にMTXやDMARD治療を開始した症例では，ACR反応率が高い．
  ＜1年：ACR 20（MTX）＝60％　versus　＞10年：ACR 20＝40％
  （Anderson JJ et al., 2000）

2）寛解率
- 発病早期にDMARD単剤治療を開始した症例では遅れた症例より寛解率が高い．
  治療開始4カ月以内：35％　versus　治療開始4カ月以降：10％
  （MöttonenT et al, 2002）

3）骨破壊進行抑制効果
- MTX治療開始時　骨びらん（＋）の症例では進行率が高く27％のみが非進行例
  　　　　　　　骨びらん（−）の症例では進行率が低く非進行例は69％
  （Rich E et al. J Rheumatol 26, 1999）
- DR 4（shared epitope）を有する例ではDMARD治療開始が遅れると骨破壊進行が速い
  （Lard LR et al. 2002）

4）治療効果の持続性
(1)継続率
- 発病後2年以内にMTXを開始した症例では，10年以上経過した症例に比べて継続率が高い（自験例）
- 罹病期間20年以上の症例ではMTX継続率が低い

(2)エスケープ現象
- MTX治療中のエスケープ現象は罹病期間が長くstageが進行した例に頻度が多い（鈴木）

薬剤（商品名）	有効率	骨破壊進行抑制効果
金チオリンゴ酸ナトリウム（シオゾール注射薬）	・約40％以上の有効率の報告が多い	
ブシラミン（リマチル錠）	・≧中等度善：40％(〜50％)	
D-ペニシラミン（メタルカプターゼカプセル）	・≧中等度善：65％*（300〜600mg/日）	
メトトレキサート（メソトレキセート錠）（リウマトレックスカプセル）	・≧中等度善：60％(6mg), 64％(9mg)	
サラゾスルファピリジン（アザルフィジンEN腸溶錠）（サラゾピリン錠）	・≧中等度善：58％*	
レフルノミド（アラバ錠）	ACR 20：52.6％	
オーラノフィン（リドーラ錠）	・≧中等度善：40％*	
アクタリット（オークル，モーバー錠）	・≧中等度善：37％*	
ロベンザリット（カルフェニール錠）	・≧中等度善：33％*	

Strong DMARDs ↑ ↓ Mild DMARDs

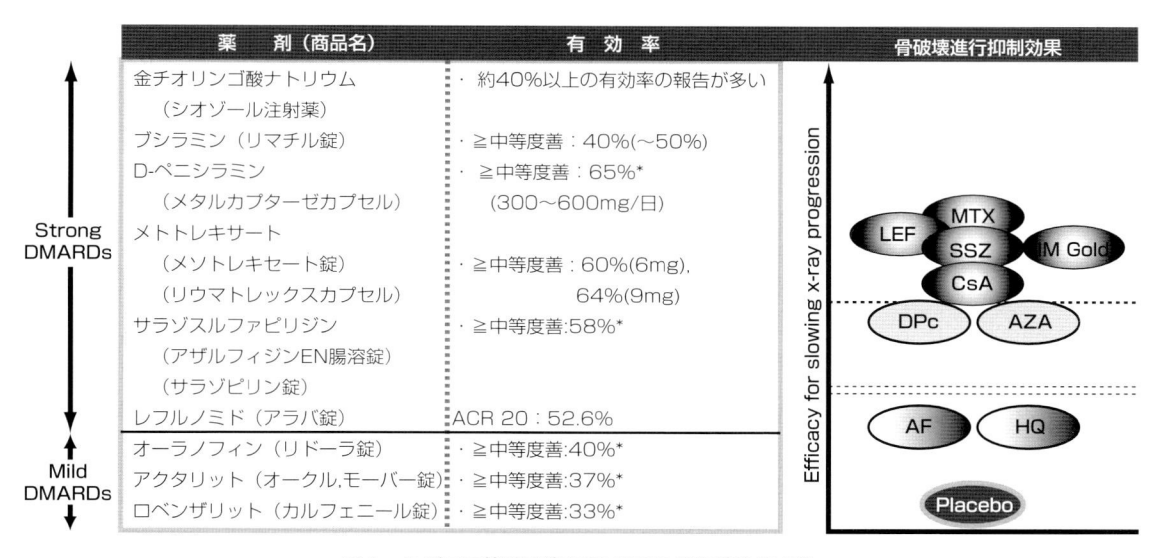

Efficacy for slowing x-ray progression: LEF, MTX, SSZ, IM Gold, CsA / DPc, AZA / AF, HQ / Placebo

図1　わが国で使用可能なDMARDの有効性の比較

成績をmeta-analysisし，治療効果を比較すると，メトトレキサート（MTX），スルファサラジン（SSZ），D-ペニシラミン（DPC），注射金剤（GST）が経口金剤に比べて有意に優れていた．この結果から治療効果の高い薬剤をstrong DMARDと位置づけ，これに対して経口金剤や抗マラリア薬をmild DMARDとした．わが国の承認時の臨床試験の成績をみるとMTX，SSZ，DPCは中等度改善以上が60％前後と高く，経口金剤，アクタリット，ロベンザリットは40％以下と低かった．ブシラミンは40-50％とその中間に位置づけられる．骨破壊進行抑制効果を検討した海外の二重盲験比較試験の成績から，各DMARDの効果をランクづけすると図1のごとく，MTX，レフルノミド（LEF），SSZ，GSTの効果が高く，経口金剤と抗マラリア薬はplaceboとの差が少なかった．有効率と骨破壊進行抑制効果の点から，MTX，LEF，SSZ，GST，DPCはstrong DMARDと位置づけてもよいと考えられる（図1）．最近のRA治療戦略の主流は病初期から強力に滑膜炎を抑制する考えであることから，活動性の高い例，予後不良因子をもっている例では，初期よりstrong DMARDによる強力な治療を行う考え方が主流になると思われる．

3．DMARD治療効果の評価法

DMARDの治療効果は，
1）症状・徴候（symptoms & signs），
2）関節破壊（structural damage），
3）日常生活機能（functional disability）

の大きく3項目に対して有効であるか評価される．有効性が明らかになっていない薬剤に関しては，症状・徴候に対する改善効果を6カ月で，関節破壊進行抑制効果を1年，日常生活機能改善効果を1〜2年で評価するのが通常の方法である．症状・徴候に対する効果はACR response rate（20％, 50％, 70％）あるいはDAS（disease activity score）（図2）で評価されている．関節破壊進行抑制効果は関節単純X線写真上の関節裂隙狭小化，骨びらんの程度をスコアー化するSharp法（van der Heiji変法）やLarsen法が用いられている．日常生活機能の評価にはHAQ，mHAQ，SF36が使用されるが，日常診療では日本版mHAQが簡便で使用しやすい．Conventional DMARDではMTX，LEF，SSZが，この3項目に関して有効性が確認されている．最近の，infliximab，adalimumab，eternerceptなどの生物学的製剤も同様に有効性が確認されている．実際の臨床でこれらの治療薬を患者に投与した場合の有効性の評価は，DMARDの効果が最大となる3カ月で行うことになるので，ACR response rateやDAS 28が使用しやすい．ACR 20％ responseあるいはDAS moderate responseが得られれば，有効と判断される．しかし，最終目標を骨破壊進行の抑制，停止するならば，上記の基準は不十分と思われる．最近の海外の臨床試験の成績をみれば，ACR 70％ responderやDAS scoreの絶対値が2.4以下，改善率が－3.0以上といった著効例では骨破壊が殆ど進行しないと考えられる．したがって，DMARDの短期的有効性評価では最低ACR 50％，DAS good response以上を目標とするのが適当であろう．3カ月投与してもこの基準に到達しない場合は，DMARDの変更，追加を行い，それでも不十分な場合は生物学的製剤も考慮に入れる．1年経ったらX線写真で骨破壊が進行して

ACR core components and ACR response

ACRコアセット	
①圧痛関節数：ACR68関節のうち圧痛のある関節数	医師評価
②腫脹関節数：ACR68関節のうち腫脹のある関節数	
③医師の全般的評価：医師による活動性の総合評価(VAS)	
④患者疼痛：患者による疼痛の評価（VAS）	患者評価
⑤患者の全般的評価：患者による症状の総合評価(VAS)	
⑥運動機能障害の評価：AIMS, HAQ, mHAQ, QWB*など	
⑦急性期反応物質の測定：赤沈，CRP	
⑧X線所見，または他の画像診断	

*AIMS:arthritis impact measurement scale, HAQ:health assessment questionnaire
mHAQ:modified HAQ, QWB:quality of well being

ACR20(50,70)改善基準

ACRコアセットの①，②項目がともに20%(50,70%)以上の改善（減少）を示すとともに以下の③〜⑦の各項中3項目以上で20%(50,70%)以上の改善が認められた際にRAが改善したと定義する．

DAS (Disease activity score) 28

スコアー計算法　DAS28 = $0.56\sqrt{TJC} + 0.28\sqrt{SJC} + 0.70 \ln ESR + 0.014 GH\ score$
TJC = tender joint count (28 評価関節数あたりの圧痛関節数)
SJC = swollen joint count (28評価関節数あたりの腫脹関節数)
ESR = erythrocyte sedimentation rate (赤沈値)
GH = general health (全般健康度)

DAS28≦3.2 (low disease activity)
3.2＜DAS28≦5.1 (moderate disease activity)
DAS28 ＞ 5.1 (high disease activity)

改善＞1.2　　1.2≧改善＞0.6　　改善≦0.6
Good response
Moderate response
No response

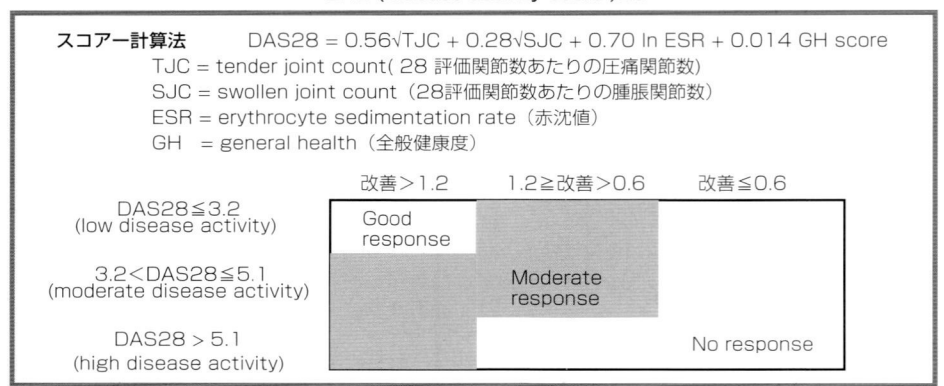

図2　DMARD治療効果の評価法

いないかを確認することが重要である．

問題の解説と解答

問題　1

本例は発症1年目の早期RAで，腫脹関節数が6カ所以上あり，赤沈，CRP値は高値，RF高値陽性，MMP-3高値でRA活動性が高いといえる．RAの予後不良因子は明らかになっていないが，関節破壊の進行という点ではDR4を初めとするshared epitopeをもつ症例，RF陽性例，MMP-3高値例が指摘されている．また，炎症反応が高く活動性が高い症例では骨・軟骨破壊進行が速いとの報告もある．本例は活動性の高い早期RA症例で，strong DMARDによるすみやかなRA活動性のコントロールが重要と考えられる．MTX，LEF，SSZは有効率も高く，またconventional DMARDのなかでは効果の発現が早いことが示されている．

問題　2

MTXの禁忌として高度肝障害，腎障害，肺障害，感染症の活動期，妊娠があげられる．B型肝炎ウィルス（HBV）陽性例では，MTX投与後中止の際に劇症肝炎による死亡例の報告がある．HBV-DNAが陽性の症例では投与すべきでない．MTXは血液透析で除去されないので，透析症例に使用すると重症の骨髄障害が起きる可能性が高い．糖尿病例ではMTX間質性肺炎が起きやすいとの報告もあるが，否定的な報告もあり，現時点では禁忌ではない．また，ほかの膠原病合併例に使用しても問題はない．

問題　3

MTXの副作用は用量依存的な肝酵素上昇，骨髄障害，消化器症状（嘔気，食思不振，腹痛，下痢），口内炎と用量とは関係なく起きる間質性肺炎，皮疹が代表的である（表2）．特殊な副作用として結節症，リンパ増殖性疾患があげられる．腎臓に対する副作用はまれである．

表2 メトトレキサート（MTX）の副作用

	副作用	用量との関係	発現時期
肝臓	肝酵素上昇	用量依存的	開始，増量後6カ月以内が多い
	肝線維症	総投与量と関連？	
	肝硬変		
消化器粘膜	悪心，胃痛，食欲不振	用量依存的	開始，増量後6カ月以内が多い
	口内炎		
	悪心（服用日～翌日）	用量依存的	発現時期に特徴ない
血液	汎血球減少	用量依存的	発現時期に特徴ない
	白血球減少		
	大球性貧血		
	血小板減少		
その他	皮疹	用量非依存的	初期
	間質性肺障害	用量非依存的	開始，増量後6カ月以内が多い
	結節症	用量非依存的	発現時期に特徴ない
	リンパ増殖性疾患	用量非依存的	治療開始後3年以降が多い
	HB劇症肝炎	用量非依存的	MTX中止後に劇症化

問題 4

LEFの副作用で頻度が多いのは下痢，脱毛，高血圧，肝機能障害，皮疹，感染症である．SSZで頻度が多い副作用は，皮疹，発熱，骨髄障害，胃腸障害であり，特殊なものとして精子減少，伝染性単核球症がある．ブシラミンはSH基剤で副作用として多いのは皮疹，味覚障害，口内炎，肝障害，爪の変形（黄色爪）があり，頻度は少ないが蛋白尿，間質性肺炎，自己免疫疾患は注意を要する．インフリキシマブの主な副作用はアレルギーによる急性インフュージョンリアクション，遅延型過敏反応と免疫抑制による結核をはじめとする感染症である．抗核抗体，抗DNA抗体が陽性になることがあり，まれにSLE様症状をきたす．注射金剤では皮疹の頻度が多いが，蛋白尿，間質性肺炎，骨髄障害にも注意を要する．

解 答
問題1：(1)(2)(3)
問題2：(1)(2)(5)
問題3：(1)(2)(4)
問題4：(2)

レベルアップをめざす方へ

DMARD併用療法

DMARD併用療法は，単剤DMARD治療の有効率，寛解率の向上目的で行われる．Step-up（追加併用），Parallel（同時併用），Step-down（多剤併用後減量）の3つの方法がある．しかし，有用性が確認されている組み合せは，MTX＋シクロスポリンのstep-up併用療法，MTX，SSZ，ヒドロキシクロロキン（HQ）の3者同時併用療法，Step-down治療のFIN-RACo trial（MTX＋SSZ＋HQ＋プレドニゾロン［PSL］），COBRA trial（PSL大量＋SSZ＋MTX）など数少ない．MTX，SSZ，HQ 3者併用では，単剤あるいは2剤併用に比べて寛解率，ACR50 responseが高く，FIN-RACo trialでは治療開始時期が遅い症例でも単剤に比べ寛解率や骨破壊進行抑制効果が優れていた．COBRA trialでは初期に大量ステロイド，MTX，SSZを併用した群では，ステロイド中止後も骨破壊進行が抑制されていた．わが国では厚生労働省研究班で行われた臨床試験で，MTX＋ブシラミン同時併用療法が有効率の点で単剤治療より優れていることが示された．

●文　　献●

1) American College of Rheumatology Subcommittee on Rheumatoid Arthritis Guidelines. Guidelines for the management of rheumatoid arthritis：2002 Update．Arthritis Rheum 46：328-346，2002．
2) Anderson JJ et al：Factors predicting response to treatment in rheumatoid arthritis：the importance of disease duration．Arthritis Rheum 43：22-29，2000．
3) Rich E et al：Paucity of radiographic progression in rheumatoid arthritis treated with methotrexate as the first disease modifying antirheumatic drug．J Rheumatol 26：259-261，1999．
4) Mottonen T et al：Delay to institution of therapy and induction of remission using single-drug or combination-disease-modifying antirheumatic drug therapy in early rheumatoid arthritis．Arthritis Rheum 46：894，2002．
5) Lard LR et al：Early and aggressive treatment of rheumatoid arthritis patients affects the association of JLA class II antigens with progression of joint damage．Arthriotis Rheum 46：328-346，2002．

［鈴木　康夫］

疾患 11　10年来のRA患者　2週間前から徐々に息切れが強くなってきた!?

問題編

症例呈示

症　例：52歳女性.
主　訴：労作時呼吸困難
家族歴：父が気管支喘息
既往歴：特記事項なし
現病歴：37歳時両側の手，手指，肩，膝関節の疼痛，腫脹出現し，RAと診断され外来にて治療されていた．NSAIDsに加えて，金製剤（シオゾール）が投与され，コントロールは比較的良好であった．5年前に，シオゾールは中止されスルファサラジン（アザルフィジン）が開始されていた．2年前胸部CTで両側下肺野背側に粒状網状影を指摘されていたが，単純X線では明らかな異常なく，呼吸苦もないため無治療で経過観察されていた．3カ月前，関節痛増強してきたため，スルファサラジンをブシラミン（リマチル）に変更．2週間前より，発熱，乾性咳，呼吸困難が出現．さらに少量の喀痰も加わり，症状が次第に増悪してきたために緊急入院となった．なおシェーグレン症候群を指摘されたことはない．

入院時現症：身長150 cm，体重40 kg，体温37.6℃，血圧120/84 mmHg，脈拍112回/分，SpO$_2$ 91%，意識清明，表在リンパ節触知せず，眼瞼結膜 貧血なし，眼球結膜 黄疸なし，心音 異常なし，呼吸音 両側背側下肺に優位の吸気時の断続性ラ音（crackles）を聴取，腹部 平坦・軟，体幹・四肢に皮疹なし，両側手指関節尺側偏位，手・手指関節痛軽度あり，下腿浮腫なし，神経学的異常なし．

＜入院時検査所見＞
血算：WBC 10800/μl (Stab 9%, Seg 75%, Eos 1%, Mono 4%, Lym 11%), Hb 10.8g/dl, Reti 1%, Plt 53.1×10^4/μl
生化学：TP 7.3 g/dl, Alb 2.5 g/dl, LDH 315 IU/l, GOT 20 IU/l, GPT 11 IU/l, AlP 443 IU/l, T Chol 201 mg/dl, BUN 16.5 mg/dl, Cr 0.44 mg/dl, CRP 18.4 mg/dl, IgG 2360 mg/dl, IgA 628 mg/dl, IgM 266 mg/dl, CH50 56.0 U/ml, RA test 353 IU/ml, ANA 320倍（speckled），KL-6 954 U/ml, SP-D 194 ng/ml, P-ANCA 陰性，β D グルカン 2.0 pg/ml（基準値11.0以下），CMVアンチゲネミア 陰性
凝固：PT 70%, APTT 31sec, Fib 705 mg/dl, Dダイマー 3.0 μg/ml（基準値1.2以下）
血沈 114 mm/hr
動脈血ガス：(room air) pH 7.456, PO$_2$ 64.8 Torr, PCO$_2$ 35.7 Torr, HCO$_3^-$ 25.1 mEq/l, BE 1.4 mEq/l, SatO$_2$ 92.8%
尿所見：異常なし
心電図：異常なし
胸部レントゲン（図1）：両側下肺野末梢側優位にスリガラス影，網状影を認め，横隔膜は挙上し，シルエット不鮮明．
胸部CT（図1）：両側下葉背側優位に網状影～スリガラス影，一部濃い斑状影を認めた．

設問

問題1　鑑別診断は？
（1）細菌性肺炎
（2）気管支喘息
（3）肺血栓塞栓症
（4）間質性肺炎
（5）薬剤性肺炎

　　a（1），（2），（3）　　　b（1），（2），（5）

2年前　　　　　　　　　　　　　　入院時

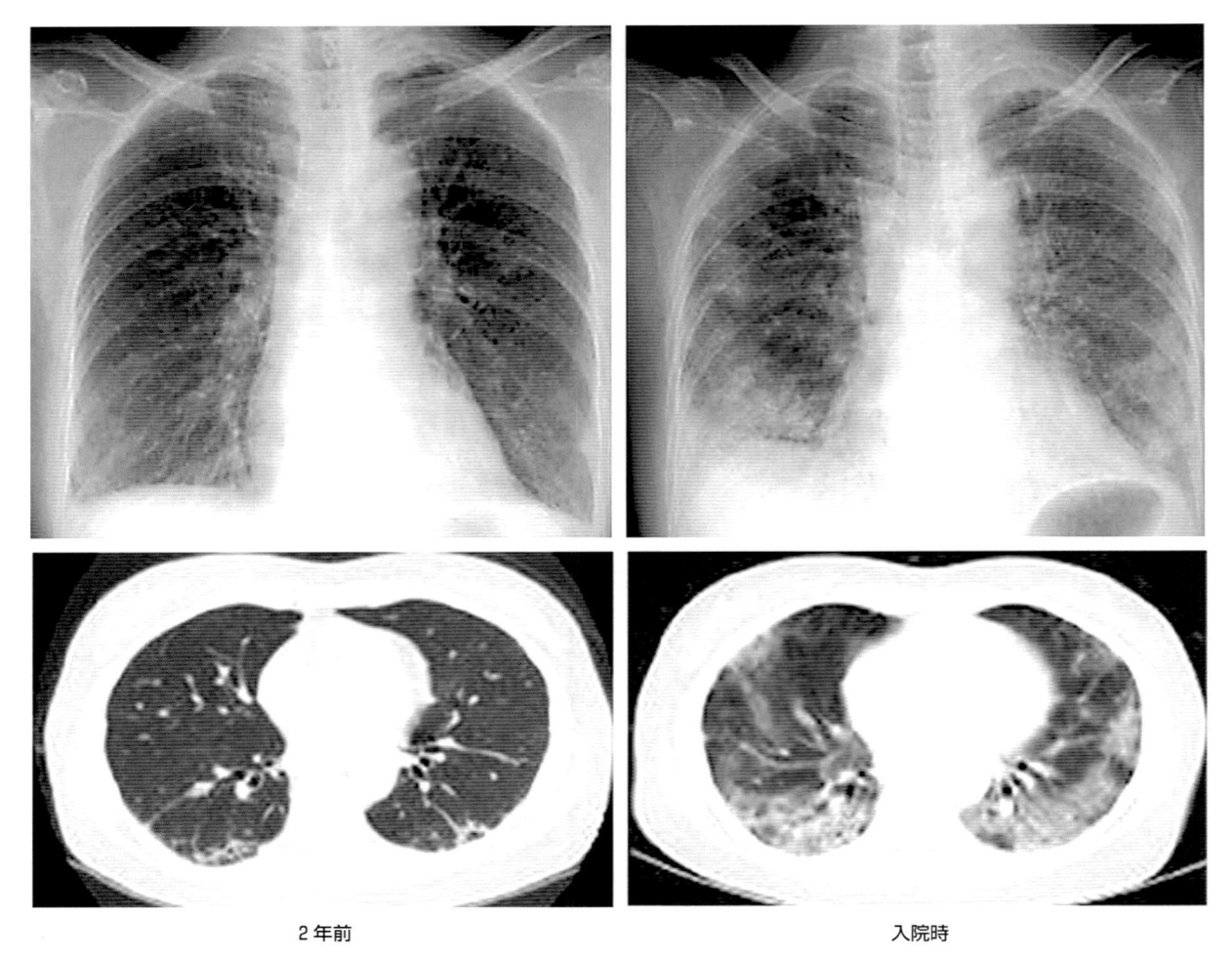

図1　胸部X線およびCT

　　c（1），（4），（5）　　d（2），（3），（4）
　　e（3），（4），（5）

問題2　診断，および病態評価のための適切な検査は？
（1）胸部CT
（2）呼吸機能検査
（3）ガムテスト
（4）薬剤に対するprick test
（5）喀痰培養検査
　　a（1），（2），（3）　　b（1），（2），（5）
　　c（1），（4），（5）　　d（2），（3），（4）
　　e（3），（4），（5）

問題3　酸素投与に加えての適切な治療は？
（1）エピネフリン注射
（2）血栓溶解剤の注射
（3）高用量のステロイド
（4）抗生剤
（5）ネオフィリン注射
　　a（1），（2）　　b（1），（5）　　c（2），（3）
　　d（3），（4）　　e（4），（5）

問題4　血清KL-6が，増加することが多い疾患はどれか？　3つ選べ．
（1）細菌性肺炎
（2）慢性気管支炎
（3）過敏性肺炎
（4）膠原病関連間質性肺炎
（5）薬剤性肺炎

解 説 編

● RAの肺病変[1]

　RAに伴う肺病変は，胸膜炎，リウマトイド結節，間質病変，気道病変と多彩である．また薬剤性肺炎や肺感染症との鑑別に苦慮することも多い．RA患者では，関節病変のためADLが制限されていることが多く，自覚症状の出現が遅れるため，他覚的に肺を評価することが重要である．以下病変ごとに，概念，診断，治療について述べる．

1．胸膜病変

　中高年男性に多く，RA罹患長期の人に多いとされるが，関節炎発症に先行することもある．剖検では38％から73％にもみられる．無症状のことが多く，症状があっても胸痛は軽度で，治療不要のことが多い．胸水はRAの約5％に認めるが，片側性で少量であることが多い．性状は滲出液で，低グルコース（40 mg/dl以下），pH 7.1以下，リウマトイド因子高値（血清より），補体低値，白血球（リンパ球または多核球）10,000/μl以下が特徴とされるが，いずれも非特異的で，結核，膿胸，SLE，悪性腫瘍との鑑別が困難なことも多い．ADA高値のこともある．以上より，診断は除外診断が中心であり，感染症，悪性腫瘍の除外が必要である．

　胸水は月単位で自然軽快することが多く，治療としては，ほとんどの場合，経過観察のみでよいが，呼吸不全を呈する場合は，排液を施行する．ステロイドや免疫抑制剤は一般に有効であるが不応性の場合は胸膜癒着術も考慮される．

2．リウマトイド結節

　小血管の血管炎に関係すると考えられている中心部の壊死層と，それを取りまく結合織の柵状配列，最外層の肉芽組織と炎症細胞浸潤からなる結節で，リウマトイド因子高値患者に皮下結節として認められることが多い．病理学的に同様の結節が胸膜や小葉間隔壁に近接してみられる．孤立性のことも多発性のこともある．胸部X線では0.2％に，HRCTでは22％に，開胸肺生検では32％にみられたとの報告がある．ただし後二者では微小結節も含んでいるが，これは健常人でもみられることがあり，その病的意義は不明である．悪性腫瘍，ほかの炎症性腫瘤との鑑別は，CT，生検により行うが，診断がつかず悪性病変が否定できないときは外科的摘出を行うこともある．

　ほとんどの場合，無症状で治療を要しないが，まれに胸腔内に破裂し膿気胸をきたしたり，肺内結節が空洞化し，血痰や感染をきたすことがある．

3．間質性肺炎

　高齢男性で，RA因子高値患者に多いとされる．抗核抗体陽性例も多い．慢性のものから，亜急性，急性のものまでみられる．無症状のことも多いが，乾性咳嗽，労作時呼吸困難がみられる．両下肺背側の吸気終末に増強する捻髪音（Velcroラ音）が特徴的である．頻度は検査法により異なり，胸部X線では，RAの6％，HRCTでは33％，呼吸機能検査では22％，気管支肺胞洗浄液（BAL）の異常は52％にみられると報告されている．

　一般に特発性間質性肺炎は以下のように病理学的に分類され，膠原病における間質性肺炎も同様の病理所見がみられる．

1）UIP（usual interstitial pneumonia）

　間質への細胞浸潤と線維化の新旧病変が混在する．ステロイドは無効．X線上両側下肺野の粒状網状影を呈し，CTでの胸膜直下の蜂窩肺は示唆的である．BALでは細胞数，リンパ球数増加を認めない．経過は慢性．RAでは特発性UIPと異なり，気腫性変化を伴うことが多い．

2）BOOP（bronchiolitis obliterans organizing pneumonia）

　閉塞性細気管支炎と器質化肺炎とがみられる．特発性BOOPでは，両肺多発性の斑状影を呈し，ときに陰影が移動するようにみえるI型，両側中下肺野に粒状網状影～斑状影が出現するII型（IP型）に分けられるとされるが，後者は膠原病肺に多く，最近提唱されたNSIPに相当するものが多いと思われる．ステロイドに対する反応性は概ね良好．BALでは細胞数，リンパ球増加を認め，CD4＋/CD8＋比が低下する．経過は急性～亜急性．なお最近BOOPのBOは拘束性細気管支炎と混同すること，BOOPでは閉塞性換気障害は少なく，拘束性換気障害主体で病理所見の主体はOPであることより，従来特発性BOOPとされたものはCOP（cryptogenic OP）とよび，病理所見はOPとすることが提唱されている．

3）NSIP（nonspecific interstitial pneumonia）

間質への細胞浸潤と線維化がみられるが，UIPと違い病期が一様であるのが特徴である．NSIPは当初3群に分類して報告された．すなわち間質の炎症が主体のgroup I，線維化病変が主体のgroup III，I とIIIの中間のgroup IIである．最近ではgroup I（研究者によりgroup II も）をcellular NSIP（細胞性型），group III（＋II）をfibrosing（fibrotic）NSIP（線維化型）とよぶことも多い．ステロイドに対する反応性はさまざま．従来ステロイドの奏功したUIPと報告された例やIP型BOOPとされたものは，今日ではNSIPに相当すると考えられる．経過は亜急性～慢性．NSIPは暫定診断名であり，また細胞性型と線維化型では予後が大きく異なり，将来さらに細分化される可能性が高い．

4）DAD（diffuse alveolar damage）

急性間質性肺炎や慢性型の急性増悪時にみられる．広汎な肺胞上皮障害から浸出性肺浮腫，さらに硝子膜形成へと進展する．

間質性肺炎に関しては，胸部CT（HRCT），Gaシンチグラフィー，拡散能を含む呼吸機能検査，血中LDH，KL-6[2]，SP-Dを測定して，その活動性を把握する．活動性が低く，慢性で進行の遅い場合は経過観察とすることが多い．低酸素血症が進めば，在宅酸素療法を導入する．活動性があり，病変が進行性ならステロイド治療を行う．プレドニン0.5～1.5 mg/kg/日から開始して，病勢の低下を確認しながら徐々に減量する．高用量のステロイドを長期に使用することになるので，胃薬，ビタミンD，カリニ肺炎に対する予防投与などを併用し，糖尿病などの副作用に常に留意する．間質性肺炎が急速に増悪する場合や，ステロイドだけでは難治の場合は，高用量ステロイドに免疫抑制剤を併用する．

4．気道病変

慢性気道閉塞，気道反応性の亢進が一部に認められる．RA患者の55％がメサコリン吸入検査で過敏性を示したとの報告もある．くり返す気道感染や，RAに高率に合併するシェーグレン症候群の関与が推定されている．また輪状披裂軟骨関節炎による上気道閉塞を呈することがあり，異物感，嗄声，呼吸苦，喘鳴，嚥下困難などの症状を呈する．

気管支，細気管支病変としては以下のものがある．

1）気管支拡張症

HRCTではRAの30％にもみられるという．くり返す気道炎症によると考えられている．

2）閉塞性細気管支炎
（bronchiolitis obliterans：BO，またはobliterative bronchiolitis：OB）

1977年Geddesらが報告し，予後不良とされているが，本邦では予後不良例の報告はあまりないようである．ほかの肺病変と違い，女性に多い．症状は乾性咳嗽，呼吸困難である．胸部X線は正常もしくは過膨張のみであるが，CTでは，とくに呼気時，air trappingを反映した低濃度領域を認めることがある．病理学的には粘膜下および細気管支周囲の線維化により，内腔の狭窄をきたすもので，原因は不明である．ステロイドが治療に使われるが効果は一定しない．エンドキサンが有効だったとの報告もある．以上はconstrictive bronchiolitisと別称される型のBOであり，BOOPにおけるBO病変（細気管支が炎症性ポリープにより閉塞：proliferative bronchiolitis）とは病理学的に異なるものである[3]．

3）濾胞性細気管支炎（follicular bronchiolitis：FB）

これはRAにおける全身のLymphoid hyperplasia（LH）の一形態として気道に生じたものと理解されている．病理学的にはBALT（Bronchus-associated lymphoid tissue）の過形成（胚中心を伴うリンパ濾胞）が細気管支周囲にみられ，細気管支内腔の狭窄を生じる．HRCTで小葉中心性の小粒状影がみられる．LHが気管支血管周囲束から胞隔，胸膜というリンパ流に沿った領域にみられた場合，Lymphocytic Interstitial Pneumonia（LIP）とされるが，FBとLIPは混在することも多く，一連のスペクトラムとも考えられる．

4）びまん性汎細気管支炎（difuse panbronchiolitis：DPB）

近年RAに合併したDPB症例の報告が散見される．細気管支炎（FB，DPB）に対してはマクロライドの少量投与が行われる．

5．肺血管病変

非常にまれであるが，肺腎症候群としての肺胞出血例や，ANCA陽性で肺胞出血をきたしたRAの報告がある．

6．薬剤性肺障害

RAに使用される薬剤で肺病変を呈することは多い．治療はまず薬剤の中止である．中止のみで改善することが多いが，遷延するようならステロイド治療などが行われる．薬剤性間質性肺炎は一般に非対称性で上中肺野に多いが，全肺に及ぶこともある．

1）非ステロイド抗炎症薬（NSAIDs）

過量投与により非心原性肺水腫をきたす．また急性過敏性反応として，間質性肺炎を生じることがある．投与開始から数日で起こることもあれば，数年たって

から起こることもある.

2) メソトレキセート（MTX）

1〜5%に肺障害をきたす．症状は咳，呼吸苦で亜急性の経過をとる．50%に末梢血好酸球増加を認め，BALではリンパ球増加を認めるため，何らかのアレルギー反応の関与が想定されるが，一方，中止後の再投与により肺病変が再発しないことも多く，古典的なアレルギー反応としては説明できない．

胸部X線では両側びまん性のスリガラス影や浸潤影を示し，ときに胸水や肺門リンパ節腫脹を伴う．BALでCD4＋/CD8＋比が4〜17に著増したとの報告がある[4]．MTX肺臓炎の危険因子として，高齢，糖尿病，RAの肺病変，抗リウマチ薬の使用歴，低アルブミン血症などが報告されている[5]．これらの危険因子をもつ患者への投与は慎重に行う．

3) 金製剤

1〜2%に肺障害をきたす．投与後，2〜4カ月もしくは総投与量500mg以上で出現することが多い．咳，発熱，呼吸苦，皮疹などの症状ともに末梢血好酸球が増加することが多い．胸部X線では上中肺野，肺門近くに斑状影，網状影がみられ，CTでは気管支血管周囲束に沿った濃度上昇がみられる．再投与により再燃をきたす可能性が高い．

4) ブシラミン

約1.5%に金製剤による肺障害と同様の，上中肺野，肺門近くの気管支血管周囲束に強い間質性肺炎を呈す．血中の免疫グロブリンの低下時に，起こりやすく，これはまたRA固有の間質性肺炎との鑑別となる[6]．

5) D-ペニシラミン

まれに間質性肺炎をきたす．またGeddesらのBOの報告例6例中3例にD-ペニシラミンが投与されており，BOとの関連性が指摘されている．

6) レフルノミド

2003年9月に本邦発売後，5カ月で18例の間質性肺炎が報告された．発症率は1%以下と低いものの，急速に進行して予後の悪い例が報告されている（18例中6例死亡）．2004年1月には，間質性肺炎，肺線維症，肺炎などの合併のあるものには，投与の可否を慎重に判断せよとの警告が，薬剤添付文書に追加された．

7．肺感染症

RA患者では気道病変があるため，感染をくり返すことが多い．またRA自体による免疫能低下に加え，免疫抑制剤使用により，易感染状態にあることが多い．肺結核，真菌症，カリニ肺炎，サイトメガロウイルス感染などの日和見感染に常に留意する必要がある．カリニ肺炎では血中のKL-6が増加することもあるが，βDグルカンも上昇することが多く，鑑別に役立つ．

8．睡眠時無呼吸症候群
（Sleep Apnea Syndrome：SAS）

顎関節病変による下顎骨の後退が原因と考えられる，閉塞型（obstructive）のSAS（OSAS）の報告が散見される．また中枢性（central）のSAS（CSAS）の報告もあり，環軸関節垂直亜脱臼により，歯状突起が脳幹を圧迫することが一因と推定されている．

◉ 問題の解説および解答

問題 1

RA患者が亜急性の経過で，乾性咳と呼吸困難を訴え，診察上は吸気時の断続性ラ音を背側肺底に聴取し，画像上では両側下葉背側優位に網状影〜スリガラス影を認め，中下葉の容積減少も疑われる．KL-6も高値であり，IP（間質性肺炎）もしくはIP型のBOOPが最も疑われる．RAの一部分症としてのIPのほかに，ブシラミンによる薬剤性（間質性）肺炎も鑑別にあがる．ただしブシラミンのIPは上中肺野に多いと報告されており，また本例ではRAの活動性も高いことから，RAに伴う亜急性型のIPのほうが考えやすい．

また本例では少量の喀痰を伴いCRPもかなり高いので，細菌性肺炎の合併は疑うべきである．典型的には肺炎では，吸気時coarse cracklesを，IPでは吸気時fine cracklesを呈するとされるが，鑑別の困難なことも経験する．気管支喘息は呼気時優位のwheeze（連続性ラ音）を呈し，感染を合併しない限りCRP上昇をみないので，本例では否定的である．肺血栓塞栓症は診断が困難なことが多い．Dダイマーが陰性なら，ほぼ否定できるとされるが，Dダイマーは炎症などでも非特異的に上昇する．本例では，心電図異常もなく，肺血栓塞栓症を積極的に疑うことはできない．

問題 2

IPの診断に，胸部CT検査は非常に有用である．本例では胸部CTで両側下葉背側優位に網状影，スリガラス影，一部濃い斑状影を認めた．呼吸機能検査は急性期には施行困難であることが多いが，IPの評価には有益な検査であり，とくに慢性〜亜急性型なら施行すべきである．本例では治療1カ月後に呼吸機能検査を施行し，%VC 45%の高度の拘束性換気障害を認めた．ガムテストは唾液の定量検査で，シェーグレン症候群の診断法の一つである．本例でも施行してよい検査ではあるが，肺病変の診断には直接はつながらない．

薬剤性肺炎を疑う場合，まず被疑薬剤の中止，さらに状況に応じてステロイドなどの投与を行う．prick testはⅠ型（即時型，IgE介在型）アレルギーの診断法であり，本例では不適当である．気道感染を疑うなら，喀痰培養は必須の検査である．

問題　3

気道感染は否定できないので，抗生剤投与は必要である．またIPが亜急性に増悪したと考えられるので，高用量のステロイドが必要である．ステロイドは短期間なら感染症を増悪させることは少ないと考えられるので，IPによる急性呼吸不全の可能性があれば，早急に開始すべきである．CT，血液データ（KL-6，SP-Dなど），治療反応性などを経時的に観察して，IPの可能性が低いと判断したらステロイドを減量，中止とすればよい．IPの可能性が高いならPSL 0.5～1.5 mg/dayの投与を2～6週行い，その後漸減するのが普通である．

問題　4

間質性肺炎の病態は概ね次のように考えられている．肺胞隔壁（狭義の間質）に炎症細胞が浸潤し，Ⅰ型肺胞上皮細胞が傷害され脱落し，肺胞腔内に線維芽細胞，炎症細胞などが浸潤し，腔内器質化，線維化をきたす．さらに病態が進行すると，構造改築をきたし，蜂窩肺に至る．Ⅰ型肺胞上皮細胞の脱落時には，Ⅱ型肺胞上皮細胞が増生し，Ⅰ型に分化して脱落部位を補填する．KL-6はこの再生Ⅱ型肺胞上皮細胞で，主に産生される．血中KL-6上昇は，産生上昇とともに，肺胞上皮層の傷害によるものと考えられている．したがって活動性の間質性肺炎（膠原病関連，特発性，サルコイドーシス，薬剤性の一部，過敏性，放射線肺炎，塵肺など）でKL-6は上昇する．一般の細菌性肺炎では上昇しないが，レジオネラ，カリニ，ウイルスなどによる感染性肺炎では，上皮傷害の高度な例では上昇する．またまれに卵巣癌，乳癌などの悪性腫瘍でも上昇する．

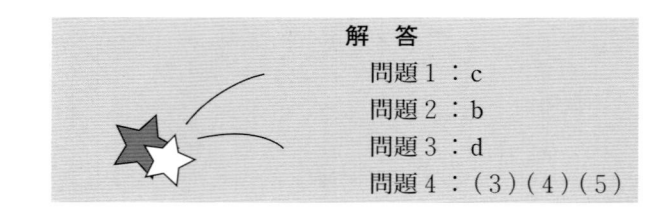

```
解　答
　問題1：c
　問題2：b
　問題3：d
　問題4：(3)(4)(5)
```

レベルアップをめざす方へ

間質性肺炎の分類

1975年Liebowらは慢性の特発性IPを病理像により，UIPなどの5型に分類した．一方1985年にはEplerらがBOOPの概念を提唱した．BOOPは，組織ではポリープ型腔内器質化を特徴とするが，IP所見（胞隔炎）も伴う．予後の悪いUIPに対して，治療に奏効し予後のよいIPは一部がBOOP（IP型）であると考えられたが，それらに属さない分類不能型のIPの報告も多くみられた．1994年Katzensteinらは，Liebowの分類に該当しないIPとして，NSIPの概念を提唱した．その後，過去にUIPと病理診断された組織を再検討すると，14～36％程度がNSIPと診断されることがわかってきた．また肺専門の病理医でさえ，UIPとNSIP（Ⅲ）の鑑別に対する2診断医のκ値（偶然でない診断一致率）は26％しかなかったとの報告もある[7]．さらにIIP患者の複数の肺葉からの外科的肺生検組織を調べたところ，26％の症例で，UIPとNSIPが混在していたとの報告もある．つまり，外科的肺生検による検体であっても肺全体の病像を代表しない可能性があること，病理医により認識の違いがあり，組織診断は絶対的なものではないことを理解する必要がある．したがって，NSIPなどの用語は診断名ではなく，病理所見（pattern）をあらわすものであり，診断は組織，画像，臨床所見から総合的に行うべきというのが，最近の考え方である．CTは肺全体を評価できるが，典型例を除いて画像から組織所見を推定するには限界がある．

膠原病に合併する間質性肺炎は，リンパ濾胞の過形成や形質細胞浸潤が多い点を除けば，特発性IPと同様に組織patternで分類できる．そして従来，RAにはUIP，BOOPが，PM/DMにはBOOP，UIPが，SScにはUIPが多いとされてきた．しかしNSIPの登場以来，再検討された結果，PM/DMでは，BOOPとされたものの多くはNSIP（とくにⅡ，Ⅰ），SScでUIPとされたものの多くはNSIP（とくにⅢ）であると，現在では考えられている．

RAでは，現時点で再検討された研究は少ない．RAではADLが低いためか積極的な肺生検がなされ

ないのが，一つの理由であろう．RAの肺病変は多彩であり，間質性肺炎だけでも複雑であるが，概ね次のように考えられる．RAのIP合併率はSScやPM/DMほどは高くないが，RA患者の総数はほかの膠原病より多いので，RA-IP患者数は相当数いると思われる．多くは慢性型のIPで，進行が遅く，患者年齢も高いため治療を行わず，経過観察するだけで済むことが多い．CT上蜂窩肺を形成することも多く，従来より組織はUIPとされてきた．ただしNSIP（とくにIII）でも蜂窩肺を形成してよいとされる．まれに慢性IP経過中に急性増悪をきたすこともある（多くはDAD on UIPと思われる）．急性〜亜急性のIPでは，NSIP II & I（以前のIP型BOOPの多くはこれに相当）が多いと思われるが，斑状影型のBOOPもまれにみられる．またこれらの混合している例も多いのではないかと推測される．

　本症例は，慢性のIPが急性増悪したものと考えられる（ブシラミンによる薬剤性肺炎も否定できないが）．病理検体は得られていないが，急性IPの主体はNSIP II & I で一部はOPであると推測された．従来IP型BOOPとされていたものと考えられる．

　IPの理解は，ここ10年で大きく進歩したが，いまだ不十分である．とくにRAをはじめとする膠原病のIPは，解析があまり進んでいない領域である．膠原病のIPは，一括して膠原病肺とされてきたが，実際は疾患毎に，患者ごとに病像が大きく異なる．さらにRA肺では，同一肺内に異なる病理所見が併存することも多い．IP研究のさらなる進歩を期待したい．

●文　献●
1) Tanoue LT：Pulmonary manifestations of rheumatoid arthritis．Clin Chest Med 19：667-685, 1998.
2) Oyama T, Kohno N, Yokoyama A, et al：Detection of interstitial pneumonitis in patients with rheumatoid arthritis by measuring circulating levels of KL-6, a human MUC1 mucin. Lung 175：379-385, 1997.
3) Anaya JM, Diethelm L, Ortiz LA, et al：Pulmonary involvement in rheumatoid arthritis. Semin Arthritis Rheum 24：242-254, 1995.
4) Schnabel A, Richter C, Bauerfeind S, et al：Bronchoalveolar lavage cell profile in methotrexate induced pneumonitis. Thorax 52：377-379, 1997.
5) Alarcon GS, Kremer JM, Macaluso M, et al：Risk factors for methotrexate-induced lung injury in patients with rheumatoid arthritis. A multicenter, case-control study. Methotrexate-Lung Study Group. Ann Intern Med 127：356-364, 1997.
6) 瀬戸口京吾, 猪熊茂子：慢性関節リウマチに合併する疾患とその対策．肺疾患　内科78：235-239, 1996.
7) Nicholson AG, Colby TV, et al：The prognostic significance of the histologic pattern of interstitial pneumonia in patients presenting with the clinical entity of cryptogenic fibrosing alveolitis. Am J Respir Crit Care Med 162：2213-2217, 2000.

［田中　良一］

疾患 12 口と目の乾燥状態と唾液腺の腫脹を認めた中年女性 どうする？

問題編

症例呈示

症　例：46歳，女性
主　訴：口が乾く，目がごろごろする
家族歴：特記事項なし
既往歴：30歳時，虫垂炎で手術
現病歴：2～3年前から口腔内の乾燥を自覚し始めた．はじめはあまり気にしていなかったが，1年ほど前から食事に際して乾燥した食品では水分を十分いっしょに飲まないと飲み込めなくなり，食パンやビスケットなどは食べにくい．目も最近疲れやすい気がしており，なんとなくごろごろとしている．
現　症：体格中等度，栄養状態ほぼ良好，意識清明，顔貌とくに異常ないが触診により両側耳下腺が腫脹しており，硬さは右側がやや弾性硬で少し大きい．顎下腺はとくに異常なし．頸部リンパ節腫脹は触知しない．眼瞼結膜貧血なく眼球結膜黄疸ないがともに乾燥感がある．口角びらんあり，舌乳頭萎縮あり溝状舌を呈する．心音・呼吸音異常なし，腹部平坦・軟，体幹・四肢の紅斑・紫斑なし，関節腫脹・関節痛なし．

設　問

問題1　まず疑う病態はなにか？
 a．SLE
 b．プラマービンソン症候群
 c．シェーグレン症候群
 d．流行性耳下腺炎
 e．ベーチェット病

問題2　診断のために行うべき検査は何か？
 (1) 貧血の検査
 (2) 唾液腺シンチグラフィー
 (3) Schirmer試験，蛍光色素試験
 (4) 口唇腺生検
 (5) ムンプスウイルス抗体価
　a (1), (2), (3)　　　b (1), (2), (5)
　c (1), (4), (5)　　　d (2), (3), (4)
　e (3), (4), (5)

問題3　抗Ro/SS-A抗体陽性をきたす疾患は？
 (1) 鉄欠乏性貧血
 (2) 血小板減少性紫斑病
 (3) SLE
 (4) シェーグレン症候群
 (5) ギランバレー症候群
　a (1), (2)　b (1), (5)　c (2), (3)
　d (3), (4)　e (4), (5)

問題4　適切な治療法は何か？
 a．非ステロイド性消炎薬（NSAIDs）
 b．血漿交換療法
 c．高用量のステロイド剤投与
 d．抗ウイルス薬
 e．含嗽剤，点眼薬と経過観察

解説編

1. シェーグレン症候群の疾患概念

シェーグレン症候群 Sjögren's syndrome：SS（以下原則的に「シェーグレン症候群」の略称としてSSを用いる）は口腔の乾燥や眼の乾燥を主症状とする自己免疫疾患である[1]．その内容は唾液腺，涙腺，粘液腺などの外分泌腺にリンパ球が集簇し，腺細胞が破壊され，腺実質が萎縮することによって乾燥症状があらわれる．慢性唾液腺炎と口腔粘膜萎縮，乾燥性角結膜炎を二大主徴候としているが，これら外分泌腺以外にも腺外病変として腎病変，呼吸器病変，肝病変，甲状腺病変，皮膚病変，神経性病変，リンパ性病変などをしばしば合併する．免疫異常や血清中に抗核抗体をはじめとする自己抗体がみられることも多く，しばしばほかの自己免疫疾患と合併する．中年期以後の女性に多く，男女比は1：13.7と圧倒的に女性で，推定発症年齢の好発時期は50歳前半である[2]．

2. 症候

1) 1次性と2次性

ほかの結合組織病の合併のない1次性ないし原発性（primary）SSとほかの結合組織病を合併する2次性ないし続発性（secondary）SSとに分類される．2次性の場合に合併する結合組織病はその多くが自己免疫疾患に属するものであり，共通する自己抗体も多い．日本シェーグレン症候群研究会の改訂基準小委員会で2次性SSの226例を分析した結果では合併の内容は慢性関節リウマチ（RA）が44.6%，次いで全身性エリテマトーデス（SLE）が24.3%，全身性強皮症（SSc）が13.3%，混合性結合組織病（MCTD）が5.7%，皮膚筋炎（DM）・多発性筋炎（PM）が2.2%，その他オーバーラップ症候群が8.0%であった．

2) 1次性の病型，病期

1次性SSは口腔乾燥と眼乾燥が主たる症状であるが，唾液腺，涙腺などの外分泌腺に病変が比較的限局するものを腺型 glandular type，外分泌腺のみならずそれ以外の内臓諸臓器にも病変がみられるものを腺外型 extraglandular type と病型を亜分類することがある．腺外型では腎病変，呼吸器病変，肝病変，膵病変，甲状腺病変，皮膚病変，神経性病変，リンパ増殖性病変などの発現頻度が比較的高い．1次性SSは病期を3期に分類されることがあり，それによると病期Iは腺性SSであり，病期IIは腺外性SSで，さらに病期IIIとは腺外性SSで悪性リンパ腫または原発性マクログロブリン血症を発症したものとされる．

3. 診断

SSの診断はわが国では厚生省の診断基準が1999年に改訂されて表1に示すものになった[3]．改訂診断基準では診断のための項目は生検病理，口腔検査，眼科検査，血清検査の4項目からなっており，2項目以上陽性であればシェーグレン症候群と確定診断が可能である．検査項目は客観的項目からなっており，口腔，

表1 シェーグレン症候群の改訂診断基準（1999年）

1. 生検病理組織検査で次のいずれかの陽性所見を認めること
   - A）口唇腺組織で4mm²あたり1 focus（導管周囲に50個以上のリンパ球浸潤）以上
   - B）涙腺組織で4mm²あたり1 focus（導管周囲に50個以上のリンパ球浸潤）以上
2. 口腔検査で次のいずれかの陽性所見を認めること
   - A）唾液腺造影でStage I（直径1mm未満の小点状陰影）以上の異常所見
   - B）唾液分泌量低下（ガム試験にて10分間で10ml以下またはSaxonテストにて2分間で2g以下）があり，かつ唾液腺シンチグラフィーにて機能低下の所見
3. 眼科検査で次のいずれかの陽性所見を認めること
   - A）Schirmer試験で5分間に5mm以下で，かつローズベンガル試験（van Bijsterveldスコア）で3以上
   - B）Schirmer試験で5分間に5mm以下で，かつ蛍光色素試験で陽性
4. 血清検査で次のいずれかの陽性所見を認めること
   - A）抗Ro/SS-A抗体陽性
   - B）抗La/SS-B抗体陽性

＜診断基準＞
上の4項目のうち，いずれか2項目以上を満たせばシェーグレン症候群と診断する．

（藤林孝司ほか，1999[3]）

眼の乾燥の自覚症状は症候の把握には有用であるが，SSであるかどうかの診断のうえでは除外され，乾燥は客観試験で判定することになっている．

1）生検病理組織検査

生検病理検査は口唇腺でも涙腺でもよいが4 mm²あたり1 focus（導管周囲に50個以上のリンパ球浸潤）以上の病巣の存在が陽性の基準である．口唇腺を生検されることが多くlip biopsyとよんでいる．

2）口腔検査

A）唾液腺造影かB）唾液分泌量測定と唾液腺シンチグラフィーの組み合わせかで判定する．唾液腺造影は通常は耳下腺造影で行う．判定はRubinらの分類を用いて，Stage 0（正常像）からStage IV（漏洩・破壊像）まで5段階に行い，Stage I（直径1 mm以下の点状陰影）以上の変化があれば陽性と判定する．

唾液分泌量測定はガム試験とサクソンテストがある．ガム試験はチューインガムを10分間噛み排出する全唾液を計量する．10mL以下では唾液分泌減少と判定する．サクソンテストは所定の重量測定済みのガーゼを2分間噛んで，重量の増加分として測定する．2グラム以下を唾液分泌減少と判定する．

唾液腺シンチグラフィーはRIを用いた唾液腺の機能的画像診断である．time-activity curveを描いて，蓄積率や分泌率として定量的表示も可能である．

3）眼科検査

涙液の分泌量を測定するSchirmer試験と，角（結）膜上皮の異常を評価するローズベンガル試験または蛍光色素試験のどちらかと組み合わせて評価する．Schirmer試験は5分で5 mm以下を陽性とする．ローズベンガル試験は1％ローズベンガル液を点眼し，van Bijsterveld scoreで9点満点で3点以上を陽性とする．蛍光色素試験は角膜の1/3以上の部位に緑色点状染色があれば陽性である．

4）血清検査

SSの血清学的診断には抗核抗体，リウマトイド因子，高ガンマグロブリン血症，抗Ro/SS-A抗体，抗La/SS-B抗体などがある．1次性SSにおけるこれらの陽性率はおよそ前3者が40〜60％，抗Ro/SS-A抗体で60〜70％，抗La/SS-B抗体で20〜30％である．このうち診断基準には後2者が用いられている．

4．治療

いまだ原因が明らかには解明されていない自己免疫疾患であるSSに対して，特異的な治療法は開発されていない．乾燥症状を主体とする症状の緩和を目指した対症療法が主である．内服ではSSに伴う口腔乾燥の治療薬としてセビメリン（塩酸セビメリン水和物）がある．唾液腺のM3ムスカリン受容体に結合して刺激する．乾燥自覚症状の改善に多少効果がある．腹部症状の副作用がみられることもある．そのほか利胆剤のアネトールトリチオン，気道分泌促進薬の塩酸ブロムヘキシン，漢方薬の麦門冬湯，白虎加人参湯などが用いられる．局所療法薬には眼には人工涙液，角膜保護点眼液，ヒアルロン酸ナトリウム点眼薬，涙点プラグの装着，口腔では含嗽剤，トローチ，人工唾液，口腔保湿材の使用などがある．ステロイド剤や免疫抑制剤の内服は腺外症状が激しい場合に使用する．

問題の解説と解答

問題 1，2

症状から強く疑えるのはSSである．自覚症状では確定診断にならないので，問題2のような検査が必要になる．SSの診断のため行う検査には口唇腺生検，涙腺生検，唾液腺造影，ガム試験，サクソンテスト，唾液腺シンチグラフィー，Schirmer試験，ローズベンガル試験，蛍光色素試験，抗Ro/SS-A抗体，抗La/SS-B抗体がある．

問題 3

抗Ro/SS-A抗体はSSで出現頻度は高いが，SLE，SScなどほかの膠原病でも出現するので特異性はそれほど高くない．一方抗La/SS-B抗体はSSにおいても出現頻度は20〜30％と低いが特異性は高い．非SSでの陽性例は主にSLE，SScで，その10％弱程度であり，乾燥症状を呈し，2次性SSとの鑑別は必ずしも容易ではない．抗La/SS-B抗体陽性はほとんど抗Ro/SS-A抗体陽性であり，抗La/SS-B抗体単独陽性例は例外的である．

問題 4

症状からみて含嗽剤，点眼薬と経過観察はさしあたり妥当な治療と思われるが，耳下腺の腫脹に炎症を思わせる痛みも伴う場合はNSAIDsも試みられてよい．また口唇腺生検あるいは耳下腺腫脹部生検または針生検fine needle aspiration biopsyなどによりLELやMESAを思わせる組織所見があればステロイド剤も適応になる．

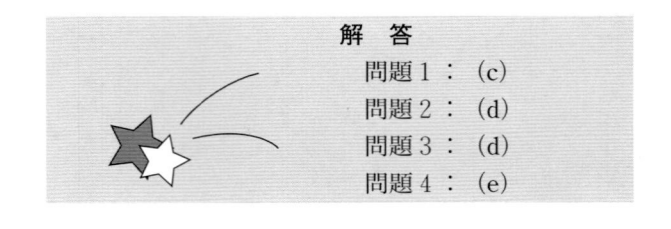

解 答

問題1：(c)
問題2：(d)
問題3：(d)
問題4：(e)

レベルアップをめざす方へ

1. シェーグレン症候群の腺外病変：

1）腎病変

1次性SSにおける腎病変の頻度は約30％で，その主たる病変は尿細管性アシドーシス（renal tubular acidosis：RTA）と尿細管間質性腎炎（tubulo-interstitial nephritis：TIN）である．RTAがSS患者の15～30％に，TINが約50％に認められる．SS腎病変の臨床症状は四肢脱力感，多尿，食欲不振などで，組織学的には尿細管上皮の変性と萎縮，尿細管腔内の硝子様円柱，間質の炎症性細胞の浸潤がみられる．

2）肝病変

SSに合併する肝疾患としては原発性胆汁性肝硬変（primary biliary cirrhosis：PBC）と自己免疫性肝炎（autoimmune hepatitis：AH）がある．PBCの臨床症状は皮膚掻痒感，持続性黄疸，門脈圧亢進症状などである．

3）甲状腺病変

SSに合併する臓器特異的自己免疫疾患のなかで自己免疫性甲状腺疾患は25～35％とかなり高率で，なかでも慢性甲状腺炎あるいは橋本病が大部分で，甲状腺機能は正常または機能低下例が多く，機能亢進はわずかである．

4）皮膚病変

皮膚の乾燥，紅斑，落屑，掻痒感を伴う皮脂欠乏性皮膚炎がみられる．皮疹として多いのは下肢の紫斑，環状紅斑，凍瘡様紅斑，リベド，結節性紅斑などである．なかでも環状紅斑は比較的SSに特異的で，顔面に好発し，周囲に辺縁隆起性に環状に拡大して1～2カ月持続する．

5）精神神経症状

精神神経症状の頻度は中枢神経症状で25％，末梢神経症状で10～20％である．中枢神経症状では認知障害，痴呆，うつ状態などの精神症状，痙れん，不随意運動，片麻痺などの脱落症状，無菌性髄膜炎，多発性硬化症様症状などがある．末梢神経症状は手指，足趾などの異常感覚で，脳神経症状としては三叉神経領域の顔面部の知覚異常，しびれ，違和感などが多い．

2. シェーグレン症候群のリンパ増殖性病変

SSが進行していくとそのうち5％程度にはリンパ増殖性病変をきたす例がある．その進展は次のような過程を経ると推定されている．

1）唾液腺導管細胞の抗原提示機能の発現と周囲へのCD4陽性Tリンパ球の浸潤，

2）ついでBリンパ球の浸潤と増強，

3）リンパ濾胞の形成，腺細胞の消失と導管の萎縮，B細胞の形質細胞への転化と抗体産生，

4）著明なリンパ球浸潤と濾胞の形成，筋上皮細胞の過形成や異形成，さらにリンパ球がこれら上皮間に浸潤した筋上皮島（myoepithelia island）の形成，このような組織像をリンパ上皮性病変（lymphoepithelial lesion：LEL），またはmyoepithelial sialoadenitis（MESA）とよぶ，

5）進行するとBリンパ球のみの増殖域の形成，この時期のBリンパ球の細胞質内免疫グロブリンはまだ多クローン性で真のリンパ腫とはいえないが，前リンパ腫 prelymphomaまたは偽リンパ腫 pseudo-lymphomaとよんでいる，

6）MESA中のリンパ球増殖域はまだ小規模ながらこれが単クローン性になればearly malignant B-cell lymphomaとなる．これを粘膜関連リンパ組織リンパ腫 mucosa-associated lymphoid tissue-derived lymphoma（MALT lymphoma）とよんでいる．その特色はLELの存在，反応性リンパ濾胞の存在，胚中心細胞に類似した形態のCD5−，CD10−の中間−中型B細胞のリンパ腫である，

7）最後には増殖域が拡大した中高度の悪性度をもつ悪性リンパ腫が発生する．SSから悪性リンパ腫まで進展する頻度は欧米では5％といわれ，わが国でも菅井らのSS患者296例中悪性リンパ腫への進展は13例（4.6％）で，女性SS患者が悪性リンパ腫を発症する危険率は対照に比して89.3倍と高い[4]．

●文　　献●
1) Henrick Sjögren：Zur Kenntnis Keratoconjunctivitis sicca. Acta Ophthalmol. Suupl. II：1-151, 1933.
2) 若井健志ほか：シェーグレン症候群・成人スチイル病の全国疫学調査成績，厚生省特定疾患難病の疫学調査研究班平成6年度研究業績集．pp34-40, 1995.
3) 藤林孝司ほか：シェーグレン症候群改訂診断基準，厚生省特定疾患免疫疾患調査研究班平成10年度研究報告書，pp135-138, 1999.
4) 菅井　進ほか：シェーグレン症候群に発症する固形癌とリンパ系腫瘍，厚生省特定疾患免疫疾患調査研究班平成6年度研究報告書，pp146-148, 1995.

［藤林　孝司］

疾患 13 肝障害あるも放置 最近階段の昇降がつらくなった!?

問題編

症例呈示

症　例：43歳　女性
主　訴：両手関節痛，筋力低下
現病歴：本年5月ごろ両手関節の痛みや手指のこわばりを自覚した．6月4日健康診断をうけ，軽度の肝障害を指摘されたがそのまま放置していた．7月，両上腕の筋肉痛が出現．階段が昇りにくくなり，しゃがみ立ちが困難となった．空咳が出没し，38度の熱がでるようになり当院を受診した．胸部X線で両下肺野に間質性陰影を認め入院となった．

入院時現症：身長152cm，体重50kg，体温37.6℃，血圧118/72mmHg，脈拍80/分整，呼吸18回/分．表在リンパ節腫脹なし，貧血，黄疸なし．心音正常，背部両下肺にベルクロ音聴取．腹部平坦・軟，肝脾触知せず．四肢に浮腫，紅斑なし．両手関節に圧痛，腫脹あり．腱反射正常，病的反射なし．知覚障害，運動障害なし．両大腿に筋の把握痛あり．徒手筋力テストにて頸筋4/5，両大腿四頭筋4/5，臀筋4/5，その他5/5．

＜入院時検査所見＞
検尿：蛋白（−），糖（−），潜血（−），沈渣正常
末梢血：WBC 8200/ml（Stab 1.0, Seg 73.0, Lym 20.0, Mono 1.0），RBC 435万/ml，Hb 12.7 g/dl，血小板 25.6万/ml
生化学：TP 7.0g/dl，Alb 4.3g/dl，AST 107 U/l，ALT 85 IU/l，LDH 1351 IU/l，ALP 142 IU/l，CK 2,875 IU/l，アルドラーゼ 114.5 mg/dl，T-Chol 181 mg/dl，Tg 105 mg/dl，BUN 15mg/dl，Cr 0.6 mg/dl，UA 4.5 mg/dl，血糖 90 mg/dl，ミオグロビン 890 ng/ml，KL-6 101 U/ml

免疫血清：CRP 7.1 mg/dl，RAPA ＞40x，IgG 1938 mg/dl，IgA 168 mg/dl，IgM 161 mg/dl，CH50 41.2 U/ml，WaR（−），抗核抗体（−），抗Jo1抗体（−），
動脈血ガス分析：PH 7.440，Pco_2 39.4，Po_2 73.1，Hco_4 26.7

胸部X線：両下肺に間質陰影
胸部CT：右中葉，下葉，左下葉の胸膜直下に多発性小粒状，網状陰影がある．ガラス状から蜂巣状陰影の多様な間質性変化を認める．
心電図：異常なし，
腹部，心エコー：異常なし
大腿MRI：T2W1，STIRで両大腿の中〜下部で中間広筋のほぼ全体に淡い高濃度の領域を認める．
筋電図：大腿四頭筋，上腕二頭筋に筋原性変化を認める．
筋生検：筋組織内にリンパ球浸潤，筋細胞の大小不同，筋繊維の変性，再生あり，血管周囲にリンパ球浸潤あり．
喀痰培養：一般細菌，抗酸菌，非定型抗酸菌，ニューモシスチスカリニすべて陰性．

設問

問題1　診断はどれか
a．ウイルス性肝炎
b．筋ジストロフィー
c．多発性筋炎
d．甲状腺機能亢進症
e．呼吸器感染症

問題2　確定診断に必要な検査はどれか，2つ選べ
a．筋電図

b．肝生検
　　c．筋生検
　　d．経気管支肺生検
　　e．頭部MRI

問題3　本疾患の合併症として注意すべきものはどれか，2つ選べ
　　a．中枢神経障害
　　b．間質性肺炎
　　c．肝障害
　　d．腎障害
　　e．悪性腫瘍

問題4　本症に適切な治療はどれか2つ選べ
　　a．抗生剤
　　b．抗炎症薬
　　c．肝庇護薬
　　d．免疫抑制薬
　　e．ステロイド薬

解 説 編

多発性筋炎（polymyositis：PM）

1．疾患概念

　多発性筋炎（polymyositis, PM）は四肢近位筋，頸筋の対称性の筋力低下を主症状とする原因不明の炎症性筋疾患である．筋症状に加えて特徴的な皮膚症状を伴うものは皮膚筋炎（Dermatomyositis, DM）という．年間発病率は5〜10/100万人，有病率は2/10万人で，5〜15歳と40〜60歳の二峰性の好発年令層がある．成人では1：2の割合で女性に多い．

　臨床像，病理像，年齢，経過，予後，治療に対する反応により，表1のような病型分類がなされている．

表1　筋炎の病型分類

I 型	原発性特発性多発性筋炎
II 型	原発性特発性皮膚筋炎
III 型	悪性腫瘍を伴った多発性筋炎または皮膚筋炎
IV 型	小児の多発性筋炎または皮膚筋炎
V 型	ほかの膠原病を合併する多発性筋炎または皮膚筋炎

2．病　　因

　原因は不明であるが，種々の自己抗体が認められ，自己免疫的機序の関与が想定されている．多発性筋炎では筋組織にリンパ球やマクロファージが浸潤し，細胞性免疫による筋細胞障害が主体と考えられている．皮膚筋炎においては筋組織内の血管周囲の炎症が著明で，血管壁に免疫グロブリンと補体の沈着が認められることから，免疫複合体による筋肉と皮膚の微少血管の炎症が病因と考えられている．このように筋炎においては（1）毛細血管の変化，（2）種々の細胞表面分子を発現して浸潤細胞と相互作用する筋細胞の変化，（3）筋細胞や浸潤細胞による種々のサイトカインの産生により筋細胞が障害されていると考えられている．発症には疾患感受性遺伝子と環境因子の関与が考えられている．

3．症　　候[1]

　対称性の近位筋の筋力低下が特徴で，階段昇降，起立，上肢の挙上に困難をきたし，頭が枕から持ち上げられなくなる．進行すると嚥下困難，構音障害も出現し，筋肉は萎縮する．50％に筋痛を伴う．

　DMでは上眼瞼の浮腫性で紫紅色のヘリオトロープ疹や関節伸側の鱗屑を伴うゴットロン徴候とよばれる皮疹が特徴的で，顔面，頸部，前胸部にも角化と落屑を伴う皮疹がみられる．予後を左右する臓器障害として，間質性肺炎，心筋障害，血管炎がある．

　間質性肺炎（IP）[2]は30〜70％にみられ，空咳，労作時の呼吸困難，低酸素血症を示す．呼吸機能検査では拘束性障害を示す．重症の筋炎では呼吸筋の障害により呼吸機能の低下をみることもある．心筋障害による，伝導障害，不整脈，ST-T変化などの心電図異常を示す．ときに心不全に至り，間質性肺炎とともに死因となる．

　皮下の結節，爪床梗塞，皮膚潰瘍などの皮膚の血管炎から消化管の潰瘍，穿孔などの重篤な臓器血管炎がある．

　その他，関節炎，レーノー現象，発熱，体重減少な

表2 多発性筋炎（PM），皮膚筋炎（DM）の診断基準

1. 躯幹近位筋の両側性の筋力低下
2. 筋生検で，筋線維の壊死，貪食像，再生，萎縮，大小不同および炎症性細胞の浸潤
3. 血清中の筋原性酵素（CK, aldolase, GOT, GPT, LDH）の上昇
4. 筋電図で安静時におけるfibrilation，随意収縮時の低電位，short durationおよび多相電位
5. 定型的皮膚症状（ヘリオトローブ疹，Gottoron徴候，膝，肘，頸，顔面の紅斑）

PM：5を除く4項目　　DM：5を含む4〜5項目

(Bohan, Peterによる，1975)

などを伴うこともある．

4．診　断

診断にはBohan & Peterの基準（表2）や厚生省自己免疫疾患調査研究班による診断基準が用いられる．筋炎を確診するには下記4項目を満たすことが必要である．

1) 四肢近位筋，頸筋の対称性筋力低下

筋力は徒手筋力テストにより評価する．

2) 血清中の筋原性酵素（CK，アルドラーゼ，ALT，AST，LDH）の上昇，また血中，尿中のミオグロブリンの上昇が認められる．CKは全体の96%が骨格筋由来で特異性が高く，罹患筋の範囲が広いほど，筋組織の破壊が急激なほど，病初期ほど上昇し，経過観察，治療効果判定のよい目安となる．クレアチンは筋収縮のエネルギー源として重要だが，筋の障害により消費されないと，血中，尿中のクレアチン値は上昇し，代謝産物であるクレアチニンの生成排泄は低下する．したがって，尿中クレアチン係数（%クレアチン尿＝24時間尿クレアチン排泄量/24時間尿クレアチン＋クレアチニン排泄量）は40%以上の高値を示す．

3) 筋電図にて筋原性変化を認める．

筋電図と神経伝導速度の測定は，ほかの神経疾患による筋症状との鑑別と確定診断に有用である．炎症性の筋症状に特異的な所見は

a．神経筋単位電位の持続時間の短縮，電位の多相性，低電位，干渉波の形成，
b．自発的な攣縮，安静時の棘波と易刺激性，
c．異常に反復する放電，

である．

4) 筋生検にて筋炎の病理組織所見を得る．

筋生検では筋組織内，小血管周囲にリンパ球，マクロファージを主体とする炎症細胞が浸潤し，筋細胞の変性と再生，筋組織の大小不同，硝子化あるいは空胞変性，壊死，核の中心化がみられる．重症例では筋組織の萎縮，間質の繊維化と脂肪変性がみられる．

近年発達した筋のMRIではT2強調画像，脂肪吸収画像で炎症所見が認められ，非侵襲的で，部位診断ならびに経過を追うのに有用である．

診断の助けになるものに種々の自己抗体があり[3]，なかでもアミノアシルtRNA合成酵素に対する抗体は特異性が高い．Jo-1抗体はヒスチジルtRNA合成酵素に対する抗体で，10〜30%の多発性筋炎にみられ，その50%が肺病変を有している．

5．治　療[4]

治療の目標は，筋肉の炎症を抑え，筋力を回復することと，合併する臓器障害を改善することである．DMではさらに皮膚症状の消失を目指す．薬物療法の第一選択は抗炎症効果と免疫抑制効果を有するステロイド剤で，効果不十分，あるいは副作用が問題となるとき，免疫抑制薬が用いられる．

1) ステロイド療法

プレドニゾロン（PSL）換算40mg/日以上の大量投与が一般的で，少量投与に比較してCK正常化までの期間，総投与量が有意に短い．CKの改善をみながら漸減し，正常化したら（通常4〜8週間）リハビリを行い再上昇のないことを確認しながらさらに減量する．PSL10mg/日程度を維持療法として，長期にフォローアップする．ステロイドの一日量，あるいは総投与量を減ずる目的，軽快までの時間の短縮，早期に筋炎を改善し，筋の喪失をさけるためなどの目的，また嚥下困難，血管炎，間質肺炎なで生命を脅かす臓器症状を有する症例にはメチルプレドニゾロン1g3日間点滴静注するステロイドパルス療法が試みられる．通常，75%の患者がステロイド単独で軽快するが，4週間以上のステロイド大量の内服，あるいはパルス療法でも改善が認められなければ，ステロイド抵抗性と考えてほかの免疫抑制薬の適応を考える．

2) 免疫抑制薬

免疫抑制薬はステロイド薬と併用する．葉酸拮抗薬のメトトレキサート（MTX）は，週1回5〜7.5mg

の経口投与を行う．アザチオプリンやシクロホスファミドは連日50〜100 mg/日の内服投与が行われる．間質性肺炎，血管炎合併例には，シクロホスファミド500〜700mgを3〜4週に1回点滴静注するエンドキサンパルス療法が行われる．

シクロスポリンは筋炎に伴う間質性肺炎に対する有効性が報告されており，血中濃度が100〜250mg/mlになるように投与する．

3）ガンマグロブリン大量静注療法

ステロイドや免疫抑制薬に反応しない症例に，ガンマグロブリン0.4g/kg/日を5日間連続点滴静注するガンマグロブリン大量静注療法の有効性が報告されている．しかしわが国では保険適応はなく，現在適応拡大のための治験を行っている．効果はガンマグロブリンと免疫担当細胞や，リンパ球のFcを介した相互作用，あるいは循環中のガンマグロブリンやリンパ球上の抗原レセプターを介した作用に負うところが多いと考えられている．

6．予　　後

重症度，治療開始までの期間も経過に影響を与える．通常治療によりCKはほぼ1カ月くらいで，ついでAST，ALTが正常化し，筋力回復には約3カ月ほどかかる．早期診断と治療の進歩によって5年生存率が90％，10年生存率は80％と改善している．死因は悪性腫瘍，感染症，心肺系合併症によるものが大部分である．悪性腫瘍の合併は50〜60歳代に多く，皮膚筋炎の20％，多発性筋炎の15％に合併し，正常人の5〜7倍高率である．合併する悪性腫瘍の種類は一般の発生頻度に準じて，肺癌，胃癌，大腸癌，乳癌，子宮癌が多い．ほかの膠原病，なかでも強皮症，全身性エリテマトーデスと合併する重複症候群は予後が悪い．ステロイド療法や免疫抑制薬併用による易感染性に伴い日和見感染が増加する．なかでもカリニ肺炎は筋炎に伴う間質性肺炎との鑑別が難しく，生命を脅かす点で重要である．

7．類縁疾患

PM/DM以外の特発性炎症性筋炎疾患には封入体筋炎，肉芽腫性筋炎，好酸球性筋炎，結節性筋炎がある．

8．患者の生活指導，その他

1．CKが正常化するまでは安静にする．
2．炎症がおさまれば筋力回復のためにリハビリを行う．
3．過労はさける．
4．病気と薬による免疫抑制状態にあり，感染に注意する．
5．改善してもステロイドの維持量をつづけ，再発を防ぐ．
6．定期的に（年に1〜2回）悪性腫瘍の合併につきチェックする．

問題の解説および解答

問題　1

筋痛，筋力低下，発熱を主訴とし，CKをはじめとする血清中の筋原性酵素の上昇を認める症例で，炎症性の筋疾患がもっとも考えられる．PM・DMとほかの筋炎，とくに封入体性筋炎との鑑別には，臨床症状，検査所見，筋組織所見を参考にする．筋力低下とCK上昇をきたす進行性筋ジストロフィーとの鑑別は発症年齢，遺伝形式，障害筋の分布，筋萎縮・肥大や関節炎の有無による．同時にCK上昇をきたすほかの原因，内分泌疾患，中毒性（薬剤性）ミオパチー，感染症，ほかの膠原病の筋症状，悪性腫瘍随伴症候群などの鑑別が必要となる．

問題　2

まず筋炎の証明には筋力低下，筋電図，血清中の筋原性酵素の上昇，筋生検による組織像で行う．ついで合併症の検索を行う．

問題　3

多発性筋炎の死因の大部分は悪性腫瘍，感染症，心肺系の合併症による．とくに間質性肺炎の合併率は高く，治療に難渋するものも少なくない．

問題　4

薬物療法の第一選択はステロイド薬で，効果不十分，あるいは副作用が問題となるとき，免疫抑制薬が用いられるが，本例は間質性肺炎を伴ったPMであり，当初より両薬剤による十分な治療が予後を改善するものと考える．

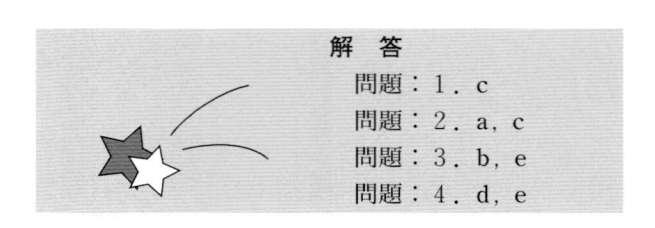

```
解　答
問題：1．c
問題：2．a, c
問題：3．b, e
問題：4．d, e
```

レベルアップをめざす方へ

PMの免疫学的発症機序

　筋炎局所では毛細血管が肥厚し，血管内皮は接着分子を発現し，IL-1などのサイトカインを産生している．筋細胞自身もDR抗原やICAM-1，VCAM-1などの接着分子を発現し，T細胞上のリガンドと反応してその浸潤を促している．活性化されたT細胞は表面にCD40Lを発現して，筋細胞上のCD40を介してIL-6，IL-8，MCP-1などのサイトカインの産生を誘導し，炎症細胞の浸潤，活性化を促進する．筋細胞が産生するIL-15はさらにT細胞の増殖，遊走を促す．浸潤マクロファージはIL-1 α を，T細胞はTGF-β を産生し，筋芽細胞の再生，増殖を抑える．毛細血管の減少による低酸素はさらに筋細胞を障害する．

　またT細胞の産生したIFN-γ は筋芽細胞の接着分子，DR抗原，CD40，Fasの発現やサイトカインの産生を増強する．一方T細胞上にはFasLが発現し，筋芽細胞上のFasを介してそのアポトーシスを誘導する．

筋炎関連自己抗体

　アミノアシルtRNA合成酵素に対する抗体は特異性が高い．Jo-1抗体はヒスチジルtRNA合成酵素にたいする抗体で，10〜30％に，スレオニン（抗PL-7抗体），アラニン（抗PL-12抗体），イソロイシン（抗OJ抗体），グリシン（抗EJ抗体），アスパラギン（抗KS抗体）のtRNA合成酵素に対する抗体は2〜4％に認められ，間質性肺炎と関連すると考えられている．ヒスチジルtRNA合成酵素はEBVとミオシン，アラニンtRNA合成酵素はEBV，インフルエンザウイルス，アデノウイルスとアミノ酸の相同性を有することから，分子類似性によりこれらの抗体が産生されたとも考えられている．アミノアシルtRNA合成酵素は細胞核周囲の細胞質にあって，RNA合成に働く酵素である．これに対する抗体はその酵素活性を完全に抑えることはできるが実際に生体内で細胞膜を通過して細胞質内の抗原に到達するか否かははっきりしていない．

　その他，RNA蛋白で，膜輸送や蛋白合成に関わる，SRP（signal recognition particle）に対する抗体は多発性筋炎に特異性が高い．クロマチンを修飾し，転写に関わるMi-2蛋白に対する抗体は皮膚筋炎に特異性が高い．抗Kj抗体はRNAの翻訳に関与する分子に対する抗体である．ミスマッチを修復する蛋白に対する抗体，PMS1，PMS2抗体も報告されている．PM-Scl抗体はリボゾームRNAを処理するexonucleaseに対する抗体で，白人のPMと強皮症の重複症例に出現する．抗Ku抗体は日本人のPMと強皮症の重複症例に高頻度に認められる．その他，プロテオゾームや筋成分，血管内皮，ヒストンに対する抗体も認められる．

●文　　献●
1) 針谷正祥：多発性筋炎・皮膚筋炎．EBMをいかす膠原病・リウマチ診療（鎌谷直之監修），pp112-123，東京，メジカルビュー社，2000．
2) Hirakata M, Nagai S：Interstitial lung disease in polymyositis and dermatomyositis. Curr Opin Rheumatol 12：501-508, 2000.
3) Targoff NI：Update on myositis-specific and myositis-associated autoantibodies. Curr Opin Rheumatol 12：475-481, 2000.
4) 原まさ子：多発性筋炎・皮膚筋炎の治療．リウマチ 39：670-678, 1999．

［原　まさ子］

疾患 14　CKが高いと筋炎か？

問題編

症例呈示

症　例：49歳　女性
主　訴：多関節痛，全身倦怠感，筋力低下
家族歴：特記事項なし
既往歴：45歳のとき，高コレステロール血症を指摘され，以降プラバスタチン10mg/日を服薬中．
現病歴：38歳の5月頃より左手関節の腫脹と疼痛が出現．6月初めには右手関節にも腫脹と疼痛が出現し，起床時に手指のこわばりを自覚するようになった．6月下旬になると顎・肩関節に疼痛，膝・足関節に腫脹と疼痛を感じるようになった．この頃より，全身倦怠感と下肢の筋力低下を自覚，疼痛もあり，歩行しにくくなった．8月に近医を受診し，検査にて高ガンマグロブリン血症，赤沈亢進，CRP陽性，リウマトイド因子陽性のため，関節リウマチを疑われ，非ステロイド系消炎鎮痛剤の投与を受けた．しかし，症状の改善なく，次第に，歩行困難が悪化し，嚥下困難も生じたため，9月当科外来を紹介受診した．

入院時身体所見：身長167.5cm，体重51.0kg，体温37.1℃，血圧102/60mmHg，脈拍数72/min，
　意識：清明
　頭部：異常なし
　頸部：甲状腺のびまん性腫大あり，弾性軟，表面平滑，圧痛なし，腫瘤触知せず．
　胸部：異常なし
　腹部：平坦軟，圧痛（－），肝腎脾：腫大なし
　皮膚：異常なし
　四肢：右手関節および両膝関節の腫張，圧痛あり．浮腫なし，チアノーゼなし．
　リンパ節：右頸部に0.5cm径のリンパ節触知，弾性軟，圧痛なし．
　神経学的所見：脳神経系に異常なし．近位筋優位の筋力低下あり．知覚，運動覚に異常なし．

＜入院時検査所見＞
赤沈：1時間値37mm
血算：WBC：9400/μL（Stab：11％，Seg：83％，Lym：4％（376/μL，Mo：2％），RBC：423万/μL，Hb：13.6g/dl，Ht：41.0％，Ret：9.7‰，Plt：17万/μl
凝固：PT：9.6（Cont．9.3）sec，APTT：27.5（Cont．36.3）sec，Fbg：319mg/dl
生化：CRP 1.0mg/dl，TP：7.3g/dl，Alb：4.1g/dl，BUN：13mg/dl，Cre：0.45mg/dl，UA：4.6mg/dl，Na：142mEq/L，K：3.mEq/l，Cl：103mEq/l，Ca：9.8mg/dl，P：3.8mg/dl，LDH 275U/l，AST：36IU/l，ALT：31IU/l，γGTP：32IU/l，ALP：191IU/l，T-Bil：0.8mg/dl，CK：556 IU/l（BB：0％，MB：3％，MM：92％，Band：3％），アルドラーゼ 12.5IU/l，TSH：9.2μU/ml，FT3：0.74pg/dl，FT4：0.48ng/dl，フェリチン：556.4ng/ml，ミオグロビン：99ng/ml，IgG：1135mg/dl，IgM：54mg/dl，IgA：397mg/dl
血清：CRP 1.5 mg/dl，RA 58 IU/l，RAPA 320倍，抗核抗体 1280倍陽性（speckled），抗Jo-1抗体（Index値）15（陽性），抗サイログロブリン抗体 10 U/ml（陽性），抗マイクロゾーム抗体 12 U/ml（陽性），CH50：46U/ml，C3：92mg/dl，C4：19mg/ml，IgG：2674mg/dl，IgM：289mg/dl，IgA：211mg/dl，
便潜血：陰性
検尿：比重：1.008，pH：6.5，タンパク-，Glu：-，Uro：±，OB：－，沈渣：異常なし
尿生化：CCr：70ml/min，％尿クレアチン比 43％
胸部X-p，腹部X-p：特記所見なし
筋電図所見：筋原性変化

設　問

問題1 この症例のCK上昇の原因と考えられる疾患は何か？
（1）進行性筋ジストロフィー
（2）多発性筋炎
（3）橋本病
（4）バセドウ病
（5）アジソン病
　a（1），（2）　b（1），（5）　c（2），（3）
　d（3），（4）　e（4），（5）

問題2 筋傷害の際に異常値を呈する筋原性酵素ではないものはどれか？
　a．アルドラーゼ
　b．LDH
　c．AST
　d．ALT
　e．γGTP

問題3 家族歴聴取で注意すべき疾患はどれか？
（1）ナルコレプシー
（2）悪性高熱
（3）進行性筋ジストロフィー
（4）体質性黄疸
（5）骨軟化症
　a（1），（2）　b（1），（5）　c（2），（3）
　d（3），（4）　e（4），（5）

問題4 副作用としてCK上昇が知られる薬剤はどれか？
（1）スタチン系薬剤
（2）クロフィブレート
（3）β遮断薬
（4）降圧利尿薬
（5）アンギオテンシン受容体遮断薬
　a（1），（2），（3）　　b（1），（2），（5）
　c（1），（4），（5）　　d（2），（3），（4）
　e（3），（4），（5）

解　説　編

クレアチン・キナーゼ（creatine kinase：CK）上昇の鑑別診断

1．CKとは

　CKはミトコンドリア内膜，筋線維（myofibril），筋細胞の細胞質に存在する酵素である．この酵素は，筋細胞が休止している間にエネルギーとして蓄えられたリン酸化クレアチンのリン酸をミトコンドリア内でADPに移して高エネルギーATPを産生するとともに，筋細胞活動時には，この高エネルギーATPをミトコンドリア内からエネルギー消費の場である筋細胞の細胞質に移すという2つの役割を担っている．

　CK分子はM型ないしB型というサブユニットが会合してできていて，MB型，MM型，BB型という3つの型に分けられる．骨格筋は最もCKを豊富に含む組織であり，99％がMM型で，わずかにMB型を含む．これに対して，心筋では，MB型が多く，心筋CKのうちの約20％がMB型である．

　その他の組織では，脳に90％がBB型で，残りがMM型のCKが存在し，また，肺，小腸，膀胱にもわずかながらCKが認められる．

2．筋逸脱酵素としてのCK

　前項に述べたように，CKは筋組織に最も多く存在する．したがって，循環血液中に増えて，その結果血中CK活性が高まるのは，筋障害で筋細胞からCKが放出される場合が圧倒的に多い．そのため，筋傷害の有無のマーカーとして広く一般的に用いられ，かつ筋障害の程度を知るためにも用いられる[1]．しかし，CKには感受性で及ばないものの筋傷害の際に，血清中で増加する酵素はほかにも存在し，これらは包括して筋原性酵素ないし筋逸脱酵素とよばれる．

　CK以外の筋原性酵素としては乳酸脱水素酵素（Lactose Dehydrogenase：LDH）がある．この酵素は，解糖系の最終段階で，ピルビン酸を乳酸に変換するという細胞活動に基本的な酵素であるため，あらゆる組織に広く分布する．その結果，組織傷害をきたす多様な疾患で血清中LDH増加が認められる．5つのアイソザイムのうち，骨格筋に多いものは，LDH 5であり，筋障害時に増加するが，このアイソザイムは肝疾患でも増加する．なお，心筋に多いのはLDH 1であり，心筋傷害時には，LDH 1が増加する．

　アルドラーゼもまた解糖系酵素であり，広く組織に分布するが，特に骨格筋，肝臓，脳に多い．そのため，

筋傷害時，血中に増加する．なお，筋炎例のなかには，CK値が正常でアルドラーゼのみ増加する場合もあるので注意を要する[1)2)]．

トランスアミナーゼであるALTやASTは，それぞれアラニンやアスパラギン酸などのアミノ酸を代謝する酵素であり，多くの組織に存在する．肝障害があるときにとくに増加しやすいのはよく知られる通りであるが，程度は低いながら筋傷害時にも増加する．

3．骨格筋由来CK上昇をともなう主な疾患
1）炎症性筋疾患
多発筋炎，皮膚筋炎などの炎症性筋疾患では，まれな例を除いては，疾患活動性に一致して，CK値増加が認められる．CK上昇を伴わずにほかの筋原性酵素が上昇する症例がある理由として，CK活性を抑制する未知の物質が血清中に含まれる可能性や筋組織障害のパターンが異なる可能性が指摘されている．なお，封入体筋炎でも約8割の症例でCK上昇が認められるが，その程度は多発筋炎や皮膚筋炎よりも弱い．

2）進行性筋ジストロフィー
病勢の進行とともにCK値が上昇する．Duchenne型，Becker型では著明高値になり，症状発現以前から高値となる．筋萎縮が進行し，筋組織が線維化組織と脂肪に置換されると低下し，正常値にまでも落ちてしまう．なお，両型では，女性のキャリアーでもCK値が高くなることが知られている．

3）横紋筋融解症
外傷，過度の筋使用，筋痙れん，電解質異常，感染，薬物などにより，筋組織が破壊される病態であり，CK値は非常に高くなる．

4）薬剤性筋障害
高コレステロール血症に対する薬物がCK上昇をきたしうることはよく知られる[3)]．スタチン系薬物のほか，ニコチン酸，クロフィブレートなどである．これらの薬物では，上記の横紋筋融解症をきたすこともあるが，投与による軽度のCK上昇が横紋筋融解症の前触れとなるわけではない．ほかに，ピンドロールなどのβ遮断薬，コルヒチン，大量の副腎皮質ホルモン薬，コカイン，アルコールなどでCKが上昇することが報告されている．

5）甲状腺機能低下による筋障害
甲状腺ホルモンが不足すると筋肥大を伴う筋症状をきたす．筋肉の緊満感，脱力，痙れん，ゆっくりとした深部腱反射などの自覚ないし他覚症状を伴うこともあるが，多くは無症状でCK上昇のみをみる．CK上昇のメカニズムは明らかではないが，筋細胞の細胞膜透過性増加やCKの循環血液中でのクリアランス低下が原因と考えられている．

4．健常者でCK上昇をともなう場合
1）運動後
運動後には，8～24時間後をピークとするCK上昇が認められる．普段，運動の習慣のないものほどCK上昇は高度であり，運動後の筋肉痛を伴わない程度でも上昇は認められる．なお，職業上，絶え間ない筋肉運動を伴う場合などは，持続的に高値となりうる．

2）マクロCK血症
マクロCKとは，分子量が正常よりも大きくなったCKを指し，通常は，BB型CKにIgAが結合したものである．このマクロCKがあると見かけ上CK値が高くなる．また，MB型CKの測定でB型分子だけを指標にしている場合には，マクロCKのために偽性高値となる．マクロCK血症が何故生じるのかは不明であるが，健常者にも認められている．

3）悪性高熱保因者
悪性高熱は，麻酔薬吸入時に高熱や筋緊張をきたす疾患であるが，家族性悪性高熱の場合には，保因者は麻酔吸入前からCKが上昇することが知られている．なお，前述の通り，一部の進行性筋ジストロフィーのキャリアもCKが上昇している．

● 問題の解説および回答

問題　1
近位筋の筋力低下，筋原性酵素の上昇，筋電図上の筋原性変化，関節炎，全身性炎症所見，抗Jo-1抗体陽性であり，皮膚症状を伴わないことから，多発筋炎の診断は容易である．この症例では，橋本病を合併した結果，甲状腺機能低下症をきたしている．そのため，筋炎の病勢評価のために参考とするCK値は，甲状腺機能低下症の影響を受けているものと考えなくてはならない．多発筋炎の診断が明らかでないような症例では，甲状腺ホルモン薬の投与により甲状腺機能機能を是正してからのちに，診断を考慮すべき場合がある．

問題　2
筋肉障害に際してCKとともに血中の活性が上昇する筋原性酵素には，アルドラーゼ，LDH，トランスアミナーゼがある．CKは最も鋭敏な場合が多い．筋炎の疑いをもたずCKやアルドラーゼを測定せずにLDHとトランスアミナーゼの上昇のみで肝障害を疑ったり，甲状腺機能低下症の疑いをもたずに甲状腺ホルモンを測定せずに肝障害を疑って，無駄な肝生検をすることはあってはならない．

問題　3

家族性悪性高熱，進行性筋ジストロフィーの保因者は，症状がない場合でもCK値が高値の場合がある．しかしながら，家族性悪性高熱の場合は，CKが高いものが必ずしも麻酔時に症状を起こすとも限らないので，この値だけをスクリーニングに使うことはできない．ナルコレプシー，体質性黄疸，骨軟化症患者ないしその家族でCK値の異常を伴うことはない．

問題　4

高脂血症薬，とくにスタチン系薬剤はCKを上昇させる場合がある．本症例もスタチン系薬剤のひとつであるプラバスタチンを内服中であり，薬剤によるCK上昇が重なっていることも念頭におく必要がある．プラバスタチン内服開始後，筋症状が発現する前のCK値を参考に判断する．なお，クロフィブレート，β遮断薬もCKを上昇させることがあるが，降圧利尿薬やアンギオテンシン受容体阻害剤では一般的な副作用としてCK上昇の報告はない．

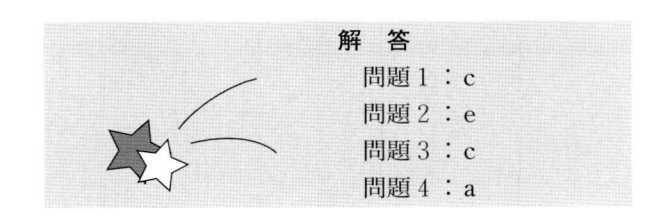

解　答
問題1：c
問題2：e
問題3：c
問題4：a

●文　献●
1) Bohlmeyer TJ, Wu AH, Perryman MB：Evaluation of laboratory tests as a guide to diagnosis and therapy of myositis. Rheum Dis Clin North Am 20：845-856, 1994.
2) Bohan A, Peters JB, Bowman RL, et al：A computer-assisted analysis of 153 patients with polymyositis and dermatomyositis. Medicine 56：255, 1977.
3) Zuckner J：Drug-related myopathies. Rheum Dis Clin North Am 20：1017-1032, 1994.

［上　阪　等］

疾患 15　PM/DMの患者が乾性の咳と呼吸困難を訴えた!?

問題編

症例提示

症　例：69歳　女性
主　訴：乾性咳嗽，労作時呼吸困難，発熱
家族歴・既往歴：特記事項なし
現病歴：200X年1月より階段歩行時の息切れとレイノー現象を自覚．同年6月より乾性咳嗽が出現．7月2日受診，胸部X線上，両下肺野に網状陰影を認めたため間質性肺炎（IP）を疑い外来精査の方針となった．7月20日頃より37.5℃の発熱と四肢の脱力が出現したため7月25日再診，CK値が初診時の110 IU/Lから1332 IU/Lに上昇していたためPM/DMを疑い加療目的で同日入院した．経過中Gottron徴候やヘリオトロープ疹は認めなかった．

入院時現症：身長155cm，体重50kg，体温37.2℃，血圧118/58mmHg，脈拍68/min，意識清明，結膜貧血・黄疸なし，心音異常なし，両下肺野でfine cracklesを聴取，肝脾腫なし，顔面・体幹・四肢に紅斑・紫斑なし，両手指掌側に顕著な皮膚乾燥・ひび割れあり，関節腫脹なし，両側三角筋・腸腰筋・大殿筋で徒手筋力テスト4点

＜入院時検査所見＞
WBC 9900/μL（Seg 83％，Band 7％，Lymph 6％，Mono 4％），Hb 11.4g/dL，PLT 19.4×10⁴/μL，AST 123 IU/L，ALT 80 IU/L，LDH 670 IU/L，γ-GTP 34 IU/L，TP 6.4g/dL，ALB 3.0g/dL，BUN 17mg/dL，CRE 0.5mg/dL，T-CHO 197mg/dL，CK 1578 IU/L，ALD 33.1 IU/L，CRP 2.2mg/dL，赤沈 44mm/h，甲状腺ホルモン基準範囲内，抗核抗体320倍（cytoplasmic），抗Jo-1抗体陰性，抗PL-7抗体陽性（免疫沈降法で同定）

動脈血液ガス：pH 7.467，PCO₂ 32.5Torr，PO₂ 75.1Torr（room air）
針筋電図：低振幅・短持続，early recruitment陽性
筋生検：未施行

入院後経過：労作時の息切れが強いため入院日よりO₂ 2L/min投与開始．精査を進めていたが，8月8日より38℃の発熱が出現，呼吸困難も増悪した．

8月12日の検査所見：WBC 7300/μL（Seg 89％，Lymph 10％，Mono 1％），Hb 12.9g/dL，PLT 21.0×10⁴/μL，AST 130 IU/L，ALT 84 IU/L，LDH 710 IU/L，CK 1442 IU/L，CRP 2.9mg/dL，赤沈70mm/h，β-Dグルカン陰性，CMVアンチゲネミア陰性
動脈血液ガス：pH 7.497，PCO₂ 34.6Torr，PO₂ 67.3Torr（O₂ 5L/min）
細菌検査：喀痰塗抹陰性，喀痰・血液培養は結果未着

7月16日（入院前）および8月12日撮影の胸部CT写真を図1に示す．

設　問

問題1　本例について正しいものはどれか？
（1）PM/DMだけで発熱はきたさない．
（2）本例の皮膚症状は「機械工の手」とよばれる．
（3）ヘリオトロープ疹とGottron徴候のいずれかをもってDMと診断する．
（4）本例はamyopathic DMの範疇に入る．
（5）抗PL-7抗体の検出は悪性腫瘍の合併を示唆する．

a（1），（2）　b（1），（5）　c（2），（3）
d（3），（4）　e（4），（5）

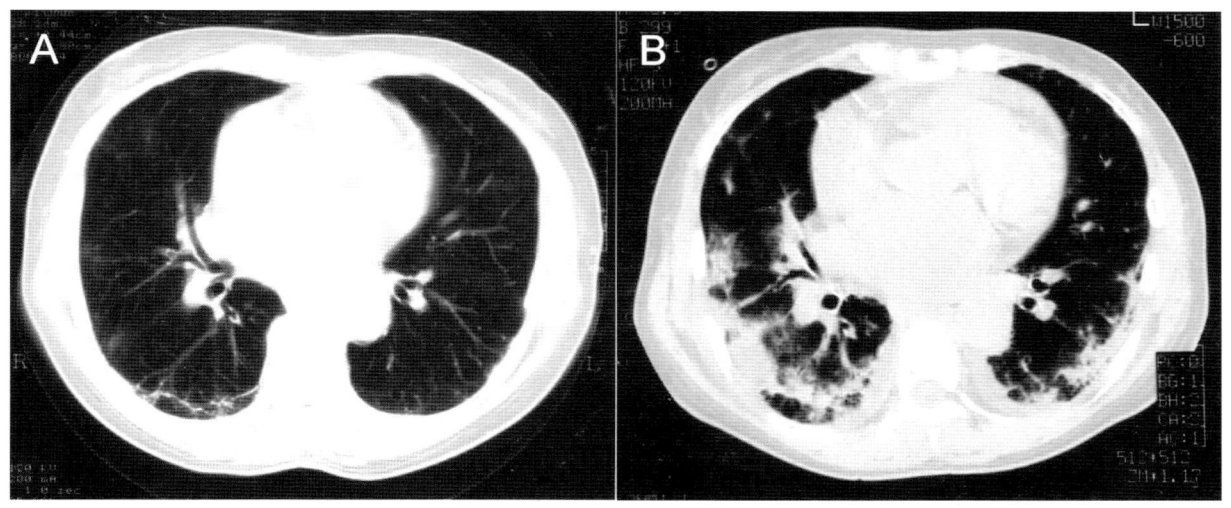

図1 7月16日(A)および8月12日(B)撮影の胸部CT写真

問題2 図1について正しいものはどれか？
(1) Aでみられる肺野の線状影はPM/DMに伴うIPに合致する．
(2) Bのような肺末梢優位の病変分布はカリニ肺炎に合致する．
(3) Bでみられる胸水は細菌感染の合併を示唆する．
(4) Bの肺野病変はconsolidationであり大葉性肺炎を疑う．
(5) Bでまだら（patchy）に分布する病変はPM/DMに伴うIPに合致する．
 a (1), (2)　b (1), (5)　c (2), (3)
 d (3), (4)　e (4), (5)

問題3 本例について正しいものはどれか？
(1) IPの活動性はLDHの変動と相関する．
(2) PM/DMに伴うIPでもCRPが上昇する．
(3) PM/DMの確定診断がIPの治療方針決定の前提になる．
(4) 早急に気管支肺胞洗浄（BAL）を行う．
(5) 細菌培養の結果をみてから大量ステロイド療法を行う．
 a (1), (2)　b (1), (5)　c (2), (3)
 d (3), (4)　e (4), (5)

解 説 編

● PM/DMに合併する間質性肺炎（IP）について

1．疾患概念

　PM/DMは不均一なサブグループの集合体と考えられているが，IPは約半数に合併し予後を左右するため重要である．IPが関与するサブグループとして抗ARS抗体症候群（anti-synthetase syndrome：ASS）がある．PM/DMの約30〜40％でみられる抗ARS抗体の対応抗原はアミノアシルtRNA合成酵素（aminoacyl-tRNA synthetase：ARS）で，抗ARS抗体は6種類知られている（抗Jo-1，抗PL-7，抗PL-12，抗EJ，抗OJ，抗KS抗体）．すなわち，20のアミノ酸のうち6つを担当するARSに対する自己抗体が報告されている．ASSに共通する筋病変以外の特徴として，IPがほぼ必発で，手指の皮膚乾燥・肥厚・ひび割れをきたす「機械工の手（mechanic's hand）」や発熱，多発関節炎，レイノー現象が多くみられる．ASSに伴うIPは，初期に急速な進行を示すものもあるが，一般にステロイド治療に反応する[1]．

　IPに関するもう一つの重要なサブグループは，amyopathic DM（ADM）である．1993年EuwerとSontheimerが「定型皮疹（および皮膚病理所見）を伴うが，2年以上筋力低下と筋逸脱酵素上昇を認めないもの」として定義した[2]．通常，抗ARS抗体などの

筋炎関連抗体は検出されないのでASSとは別のカテゴリーと考えられる．近年，治療不応性で致死的な急性IPを伴うADM例が注目されるようになった[3]．ただしこれらは，当初Euwerらが意図した「少なくとも2年間生存した」群とは異なる点に注意を要する．本邦では，ADMと予後不良IPを強く結びつける傾向にあり，重症IPを伴い，かつ「CKが数百IU/L程度にとどまる例」や「CK高値でも筋症状をきたさない例」をADMとみなすものもある．しかし，ADM全例が予後不良IPをきたすわけではない．

それ以外の各病型でもIPを合併しうるが，悪性腫瘍に合併する筋炎（cancer-associated myositis：CAM）ではIPの合併はまれである．CAMでは通常，抗ARS抗体などの筋炎関連抗体は検出されず，ASSとは一線を画する．

2．診　断

診断は症状・診察所見・画像・肺機能・血清マーカー（LDH，KL-6）などにより行う．CTでは，下肺の背外側からまだら（patchy）に広がる間質性陰影，気管支血管束肥厚（thickened bronchovascular bundle，図1），胸膜下線状影（subpleural line）などが特徴とされる．スリガラス陰影は活動性病変を，蜂窩肺および牽引性気管支拡張（traction bronchiectasis）は陳旧性病変を意味し，その評価には高解像度CTが有用である．

3．治　療

治療方針決定においては，活動性であるかどうかの判断が重要である（表1）．活動性IPでは標準ステロイド療法が原則で，プレドニゾロン1 mg/kg/dayまたは60 mg/dayを2～4週継続し，以後1～2週毎に－10％を超えない速度で漸減，30 mg/dayからはさらに緩徐に漸減し適当な維持量とする．急速進行性IPでは，速効性を期待しステロイドパルス療法（メチルプレドニゾロン1 g/dayを3日間投与）を行ったのち標準ステロイド療法につなぐ．ステロイド抵抗例や再燃を繰り返す例には，近年，シクロホスファミド（パルス療法）やシクロスポリンの併用が有効だったとする報告が相次いでいる[4]．非活動性IPでは治療反応性がわるく切迫性もないので，治療方針は筋病変の治療計画に従属する．肺機能低下例にはQOL向上と肺性心予防のため在宅酸素療法を行う．

●問題の解説および解答

問題 1

（1～2）本例ではIP，機械工の手，発熱，レイノー現象がみられASSに合致する．

（3）Peter-Bohanの診断基準[5]では，DMを分類するための皮膚症状としてヘリオトロープ疹とGottron徴候の2つをあげている．しかし機械工の手は含まれていない．もし機械工の手をもってDMと診断するならば，ASSではDMの病型をとるものが多いということになるが，実際はPMの方が多い．

（4）本例は，徒手筋力テスト4点（健常＝5点）と評価され，かつCKが高値でありamyopathicとはまったくいえない．

（5）一般に高齢発症例では悪性腫瘍の合併に注意すべきであるが，抗ARS抗体が悪性腫瘍を疑う根拠になるわけではない．

問題 2

（1）記載の通り．subpleural lineと呼ばれる．

（2）本例は未治療の時点で末梢血リンパ球の著減を認めるため，ウイルス・真菌・カリニなどの感染リスクが高いといえる．しかしカリニ肺炎の典型像は，間質性陰影が肺中枢からびまん性に広がり「噴火状」と表現される．

（3～5）PM/DMに伴うIPでも急激に進行する例ではしばしば胸水がみられ，症例によってはconsolidation（強い高吸収域）やair bronchogramを呈することもある．本例の肺野病変はスリガラス陰影（淡い高吸収域）の典型から外れるものの，下肺の背外側からまだらに広がる病変分布を重視しPM/DMに伴うIPと判断した．

問題 3

（1～2）記載の通り．

（3～5）実際には直ちにステロイドパルス療法を開始し，BALと筋生検は施行しなかった．ASSに伴うIPはADMのIP合併例に比べれば予後がよいとはいえ，本例のように急速に病変が拡大している場合は積極的治療のタイミングを逸してはならない．本例は筋生検未施行のためPeter-Bohanの診断基準で確定診断に至らないものの，症状・経過より診断は明らかで特異的自己抗体も参考になる．カリニ肺炎の可能性は常に念頭におかねばならないものの，β-Dグルカン陰

表1　間質性肺炎活動性の評価項目

経時的変化が重要な項目	呼吸器症状，動脈血液ガス，X線，CT，LDH，KL-6，肺機能（%DL$_{CO}$，%VC）
ある時点のみでも参考になる項目	高解像度CT，[67]Gaシンチ（肺取り込み），気管支肺胞洗浄（総細胞数）

性と画像所見からこの時点での可能性は低く，カリニ肺炎精査のためのBALは不要であるし，IP活動性評価のためのBALも不要である．なお本例は大量ステロイド療法に反応し，9月30日のCT（図2）では著明な改善を認めた．

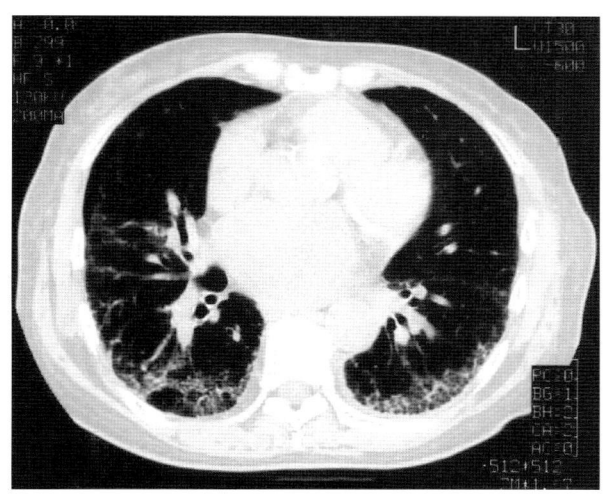

図2　9月30日撮影の胸部CT写真

解　答
問題1：c
問題2：b
問題3：a

レベルアップをめざす方へ

　カリニ肺炎は通常，大量ステロイド開始の4〜8週後以降に出現する（帯状疱疹も同様）のでそのことが診断上役立つが，本例では（例外的な）初発時のリンパ球減少が懸念された．カリニ肺炎は重篤だが早期発見で救命できる疾患であり，対処法は，主に臨床経過とCRP，LDH，β-DグルカンCRPで判断し，BALおよびGrocott染色で証明後，治療量のST合剤を投与することである．診断上BALはとても有用であるが，IP（現疾患）の増悪を招くことがあるのでインフォームドコンセントが大切である．

　本稿では治療を急がせるような論述になったが，日常の膠原病診療ではむしろ治療方針決定前にできる限りの精査を尽くすべきである．

●文　献●

1）吉藤　元，藤井隆夫，三森経世，ほか：多発性筋炎・皮膚筋炎における自己抗体と治療反応性・臨床経過の検討．日本内科学会雑誌 92：150，2003．
2）Euwer RL，Sontheimer RD：Amyopathic dermatomyositisa review．J Invest Dermatol 100：124S-127S，1993．
3）Olsen NJ，Park JH，King LE Jr：Amyopathic dermatomyositis．Curr Rheumatol Rep 3：346-351，2001．
4）吉藤　元，三森経世：【EBMのための内科疾患データファイル】多発性筋炎/皮膚筋炎「内科」89：1373-1377，2002．
5）Bohan A，Peter JB：Polymyositis and dermatomyositis．N Engl J Med 292：344-347，1975．

［吉藤　元／三森　経世］

疾患 16 筋肉が痛いがCKが正常な高齢の患者は筋炎？

問題編

症例提示

症　例：76歳　女性
主　訴：発熱，筋肉痛
家族歴：特記事項なし
既往症：50歳時，胆石症にて胆のう摘出術
現病歴：3カ月半前より突然37℃台，ときに38℃に及ぶ発熱，全身倦怠感，頭痛，さらに頸部，両側の肩，大腿および上腕の筋痛と朝のこわばり感が出現した．他院にて関節リウマチと診断．非ステロイド抗炎症薬（NSAID）の投与と安静により一時的に症状は軽快した．これらの症状はその後も出没し，さらに3カ月前と比較すると5kgの体重減少を認めた．近医におけるNSAIDの変更や抗菌薬の処方にもかかわらず軽快せず，紹介され受診した．
入院時現症：身長153cm，体重50kg，体温37.5℃，血圧130/80，脈拍90回/分，意識清明，眼瞼結膜貧血なし，眼球結膜黄疸なし．表在リンパ節触知せず．甲状腺腫なし．心音・呼吸音異常なし．腹部平坦，軟，圧痛なし，肝脾腫触知せず．下腿浮腫なし．深部腱反射正常，左右差なし，病的反射なし．両側肩および大腿部に圧痛あり．右膝関節に軽度運動痛あり，腫脹なし．筋萎縮なし．左側頭動脈の軽度拡張と圧痛を認めた．
＜入院時検査所見＞
赤沈値80mm/時間．
血　算：WBC 7500mm³，Hb 12.0g/dl，Plt 36.2×10⁴ mm³．
生化学：TP 7.0g/dl，Alb 4.1g/dl，LDH 423IU/l，AST 20IU/l，ALT 25IU/l，T Chol 210mg/dl，TG 120mg/dl，BUN 20.1mg/dl，Cr 0.7mg/dl，CRP 5.7mg/dl，CK 110IU/l．
血　清：抗核抗体陰性，リウマトイド因子陰性，IgG 1230mg/dl．
検　尿：尿蛋白陰性，尿糖陰性
胸部エックス線写真：異常なし

設問

問題1　もっとも疑われる診断はどれか．
  a．関節リウマチ
  b．全身性エリテマトーデス
  c．多発性筋炎
  d．リウマチ性多発筋痛症
  e．線維筋痛症

問題2　診断確定のために生検する場合の部位はどれか．
  a．滑膜
  b．側頭動脈
  c．筋
  d．肺
  e．腎

問題3　注意すべき症状または合併症はどれか．
  （1）間質性肺炎
  （2）失明
  （3）悪性腫瘍
  （4）糸球体腎炎
  （5）静脈血栓
    a．（1），（2）　b．（1），（5）　c．（2），（3）
    d．（3），（4）　e．（4），（5）

問題4　適切な治療薬はどれか.
a. ジクロフェナク
b. プレドニゾロン
c. シクロホスファミド
d. シクロスポリン
e. ペニシラミン

解　説　編

リウマチ性多発筋痛症（polymyalgia rheumatica, PMR）とは

1．疾患概念

PMRは，一般に50歳以上，とくに60歳以上の高齢者に好発する原因不明の炎症性疾患で，体幹近位筋の疼痛とこわばりを主徴としている．正確な統計はないが，関節リウマチ（RA）の数％の罹患率といわれている．頸部，肩，大腿などに2週間以上続く筋肉の疼痛とこわばりが特徴で突発的な発症が多い．発熱，全身倦怠感，体重減少などの全身症状や軽度の関節炎を伴う．特異的な検査所見に乏しく，赤沈値亢進，血清CRP濃度高値などの非特異的炎症反応と，軽度の貧血および白血球数と血小板数の増加がみられる．一方，顕著な筋症状にもかかわらず血清CKなどの筋原性酵素は増加しない．また，リウマトイド因子や抗核抗体は通常陰性である．

2．診　　断

前述した臨床所見を有し，RAなどの膠原病諸疾患や感染症などを除外することにより，以下の診断基準も参考にしつつ診断する．なお，PMRの10〜30％に側頭動脈炎（巨細胞性動脈炎）を合併するが，欧米に比べてわが国での合併頻度は低い．両疾患相互の異同に関しては必ずしも明らかになっていない．

Birdら[1]による診断基準が比較的良く利用されている（表1）．わが国でもNobunagaら[2]が診断基準を提唱している（表2）．現在のところ，どこでも用いられているような診断基準はなく，実際の診療ではこれらの基準を参考にしつつ前述の臨床症状や検査所見から診断する．なお，西岡ら[3]によると，日本人のPMR患者では発熱の頻度が高く，赤沈値がより亢進していたなどの特徴が認められたという（表3）．

PMRに側頭動脈炎（巨細胞性動脈炎）が高頻度に合併することは以前より指摘されているが，前述のように相互の疾患の異同に関しては現在のところ必ずしも明確になっていない．教科書的には，PMRは側頭動脈炎のなかで，血管炎症状の顕在化しない一亜型とする考え方が多いが，合併は多いが独立した疾患であるとする考え方も依然として強い．

側頭動脈炎の症状は提示例にみられたような頭痛，側頭動脈の拡張および圧痛が多い．まれに突然失明をきたすことがあるので，症状の訴えには注意が必要である．本例は側頭動脈の拡張と圧痛を認めたため，側

表1　BirdらによるPMRの診断基準

1. 両肩の疼痛およびこわばり
2. 症状完成までが2週間以内
3. 赤沈値40mm/時間以上
4. 朝のこわばりの持続1時間以上
5. 65歳以上
6. うつ状態あるいは体重減少
7. 両上腕部の圧痛

- 3項目以上を満足，あるいは1項目以上と側頭動脈炎の存在でprobable PMR
- probable PMRでステロイド治療反応性良好ならdefinite PMR

（Bird HAら，1979[1]）

表2　NobunagaらによるPMRの診断基準

1) 2週間以上続く両側性の筋痛
 （部位は頸部，肩，上腕，臀部，大腿のうち2カ所以上）
2) 血清筋原性酵素濃度正常
3) 赤沈値40mm/時間以上
4) 手関節腫脹なし

- 4項目すべてを満足すればPMRと診断
- 参考所見：①50歳以上の発症
 ②朝のこわばり
 ③低用量ステロイド治療反応性良好
 ④悪性腫瘍合併の否定

（Nobunaga Mら，1989[2]）

表3 PMRの臨床所見発現率の比較（％）

	西岡ら（60例）	Birdら（146例）	Chuangら（96例）
肩の痛み	73	86	96
赤沈値≧40mm/時間	100	74	99
朝のこわばり＞1時間	56	80	－
発症年齢＞65歳	23	70	85
体重減少	44	58	15
両側上腕痛	53	36	24
食欲低下	61	37	14
膝関節腫脹なし	88	92	88
白血球増多＞6,000/mm^3	86	91	－
側頭動脈炎	27	12	10
頭痛	37	24	－
眼症状のない例	93	97	－
Ht＜40％	77	56	－
Hb＜11g/dl	39	16	47
発熱	79	10	13
リウマトイド因子陰性	96	89	100

（西岡淳一ら，1985[3]）の論文より抜粋して引用）

頭動脈炎が疑わしい．その場合，側頭動脈の生検により巨細胞性動脈炎の病理所見が証明されれば確定診断となる．逆に，側頭動脈炎の症状のないPMRでも生検で血管炎が証明された例などの報告もある．しかし，動脈生検はその末梢の血流を遮断するというリスクを伴うことから，無症候例に積極的にすすめるものではない．

3．治療

ステロイド治療の反応性が良好であることが本疾患の大きな特徴の1つである．側頭動脈炎の合併がない例では，PSL15～20mg/日程度の初期投与量に反応する例が多い．投与開始の翌日にはややよいと訴え，1～2週間もすると発熱，筋痛，血清CRP濃度などが改善する例も少なくない．赤沈値はやや遅れて正常化する．反応性が良好なら2週間程度初期投与量を継続した後，PSLは漸減する．維持量は，10～5mg/日であることが多い．なお再燃例もあるので，一般に1年以上にわたるステロイド低用量維持療法が勧められる．

ステロイド投与にもかかわらず1年以上経過しても改善がみられず，同様の症状が続いているため対応に苦慮する例もある．高齢者に好発する疾患のため，ステロイドによる骨粗鬆症などの長期投与の副作用が特に問題となる．症状を指標としてPSL投与量は必要最少量とし，赤沈値などの検査値異常のみを指標に中等量（PSL15mg/日）以上のステロイドを長期間継続投与すべきではない．明らかな側頭動脈炎が生検で確認できた場合，一般的にPSLで40mg/日以上の初期投与量が必要である．通常ステロイド反応性は良好だが，失明をきたした例ではその改善は期待しにくい．

一部の患者ではRAの関節症状類似の経過をとる例があり，メトトキサートなどのRA治療薬が有効なこともある．ただし，一般にこうした免疫抑制薬を含む抗リウマチ薬などの使用がPMRに有効であるとする明確な臨床的エビデンスはない．

問題の解説および解答

問題 1

高齢者に発症する感染症以外の全身性慢性炎症性疾患で，筋痛を主症状とするものということになると，PMRの診断は比較的容易である．ただし，PMRの病因は未だ不明であり，その診断は特異的な症状や検査所見に拠るわけではないので，あくまで設問のようなほかの膠原病類縁疾患を除外する必要がある．

こういった患者を診察したときに，RAの診断は常に念頭におく必要がある．本例はリウマトイド因子陰性だが，RAの約20％は同因子陰性であるためRA否定する根拠にはならない．また，RAは30～50歳代が好発年齢の疾患だが，患者数が多いこともあり60歳以上の高齢発症患者も少なくない．むしろ本例では，RAの診断基準にある「複数・対称性・持続性の関節腫脹」や「手および手指の関節腫脹」がないことに注目すべきである．なお，高齢発症のRAは，男女比がほぼ同等であることや，手などの小関節よりも膝などの大関節優位の関節炎であることが多いなどの特徴がある．

本例に全身性エリテマトーデスの臨床的特徴はほとんどない．また，多発性筋炎との鑑別は最も必要であるが，筋原性酵素が正常値であることから否定的である．本例のような典型的なPMRの所見がみられれば，患者に大きな負担となる筋生検や筋電図は一般には不要である．線維筋痛症は臨床検査異常を知る前の段階では鑑別すべき疾患の1つだが，本例のようなCRP値上昇や赤沈値亢進などの非特異的炎症症状はみられない．

問題 2

本例の診断はPMRであり，それ自体を確定するための生検は無用である．ただ，本例のように側頭動脈の拡張や圧痛を認めたときには側頭動脈炎の合併について精査することがある．本例は，問題1の解説に示したようにRA，多発性筋炎，全身性エリテマトーデスなどは臨床所見からほとんど否定されるため，滑膜や筋組織，また肺や腎などの臓器を生検しても有益な臨床情報が得られる確率は低い．

問題 3

PMR（とくに側頭動脈炎合併例）の臨床的特徴を考えると解答が得られる．PMRには，間質性肺炎や糸球体腎炎のような臓器障害は知られていない．また，静脈血栓を起こしやすくするような病態もない．一方，側頭動脈炎合併例では，動脈炎による血流障害によって突然の失明をきたす例がある．また，PMRでは何らかの悪性腫瘍の合併頻度が高いことが知られているので，各臓器の腫瘍性病変などをスクリーニング検査すべきである．

問題 4

PMRの治療の原則は，解説に述べたようにステロイド治療である．微熱や筋痛・関節痛に対して診断確定前にジクロフェナクのような非ステロイド抗炎症薬を使用することもあるが，診断確定後は速やかにステロイドを使用すべきである．シクロホスファミドやシクロスポリンなどの免疫抑制薬，またペニシラミンのような抗リウマチ薬が奏功する例もまれながら経験するが，PMR治療の第一選択薬とはいえない．

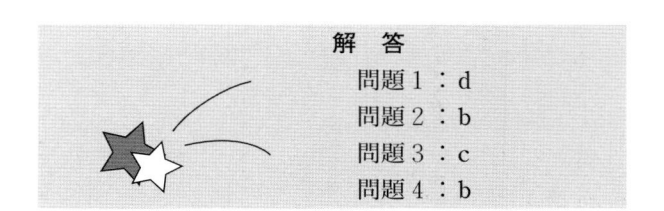

```
　　　　解　答
　　　問題1：d
　　　問題2：b
　　　問題3：c
　　　問題4：b
```

● 文　献 ●
1) Bird HA, et al：An evaluation of criteria for polymyalgia rheumatica. Ann Rheum Dis 38：434-439, 1979.
2) Nobunaga M, et al：Clinical studies of polymyalgia rheumatica. A proposal of diagnostic criteria. Jpn J Med 28：452-456, 1989.
3) 西岡淳一，ほか：わが国におけるリウマチ性多発筋痛症の病態調査と日本人における診断基準確立の必要性への示唆．リウマチ 25：265-273, 1985.

[川合　眞一]

疾患 17 レイノー症状がある指先がしびれるが他は何ともなかったが急に指が腫脹してきた！何を疑う？

問題編

● 症例呈示

症　例：35歳，女性
主　訴：レイノー現象，手指の腫脹，しびれ．
既往歴：特記すべきことなし．
現病歴：初診の半年前より，冷水使用時や冷たい外気に触れた際に，手指が蒼白となり，約5〜10分暖めると紫色となった後にやや発赤し，元に戻る．蒼白時および紫色時には指先のしびれを伴う．

初診の2カ月前より，朝のこわばりを感じるようになり，徐々に指先が腫れてきて，指輪が抜けなくなった．

<入院時現症>
1) 手指の腫脹を認め（図1），手背，前腕は厚くしか皮膚がつまめない（図2）．
2) 手指爪上皮内に出血点を認める（図3）．
3) 病歴聴取時，室温がやや低かったためか，「寒い感じがする」との訴えと伴に，手指の蒼白をみる（図4）．
4) 手指先端に点状陥凹を認める（図5）．
5) その他，体幹，顔面，下肢の皮膚には異常を認めず．
6) 胸部聴診上，心音，呼吸音に異常を認めず．

図1　手指，手背の腫脹

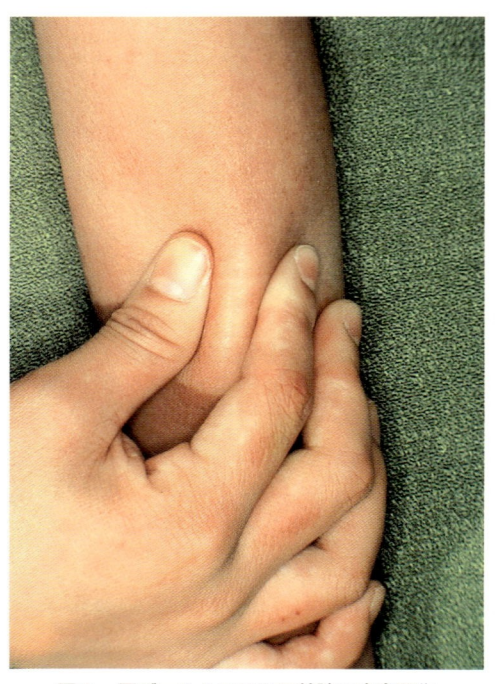

図2　厚ぼったくつまめる前腕の皮膚硬化

疾患 17. レイノー症状がある指先がしびれるが他は何ともなかったが急に指が腫脹してきた！何を疑う？　135

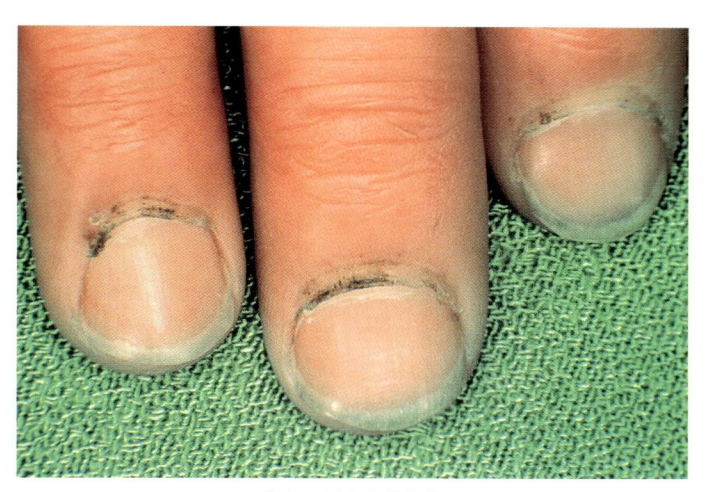

図3　爪上皮出血点

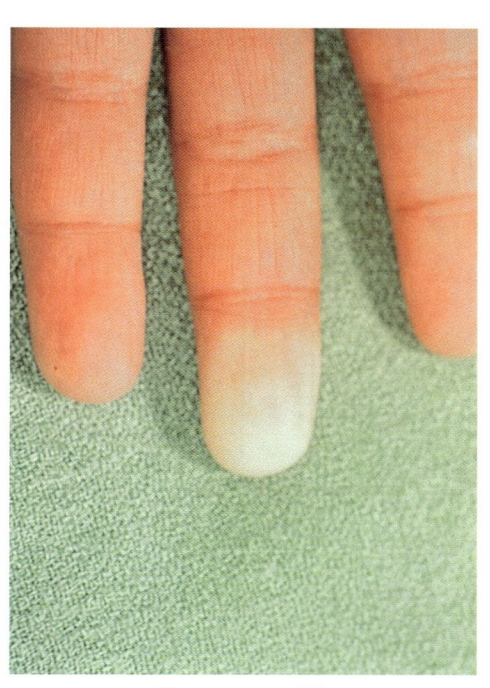

図4　レイノー現象

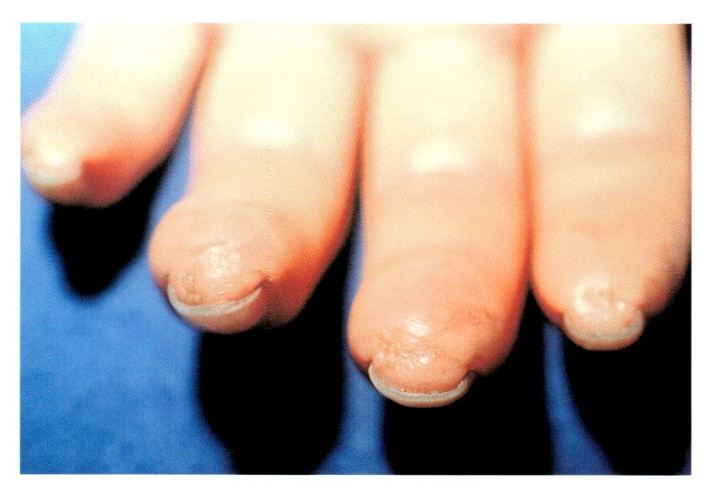

図5　指炎部虫喰い状瘢痕

設問

問題1　まず疑う疾患は何か
a. 全身性エリテマトーデス
b. 全身性強皮症
c. 混合性結合組織病
d. 皮膚筋炎
e. 関節リウマチ

問題2　診断に際して参考となる検査項目のうち，重要なものはどれか
（1）抗DNAトポイソメラーゼI（Scl-70）抗体
（2）抗2本鎖DNA抗体
（3）抗Sm抗体
（4）抗SS-A抗体
（5）抗セントロメア抗体

a.（1），（2）　　b.（1），（5）
c.（2），（3）　　d.（3），（4）
e.（4），（5）

136 Ⅱ．疾 患 編

問題3 以下の内臓病変のうち，本邦において頻度の高いものを2つ選べ
（1）肺線維症
（2）原発性肺高血圧症
（3）強皮症腎クリーゼ
（4）心伝導障害
（5）逆流性食道炎

　a．（1），（2）　b．（1），（5）　c．（2），（3）
　d．（3），（4）　e．（4），（5）

解　説　編

1．疾患概念

　全身性強皮症（英語でsystemic sclerosisまたはその略語のSScが一般的）は，皮膚を代表的な標的臓器とする全身の諸臓器に線維化を伴う系統的疾患であり，疾患特異的な抗核抗体の出現など多彩な免疫学的異常を伴う．その病因はいまだ不明であるが，コラーゲン代謝異常，免疫学的異常，血管障害などが相互に関与しあって本症の病態を形成していると考えられている．

　本症は，Raynaud現象，手指の腫脹，関節痛などで初発することが多く，通常これらの症状に遅れて皮膚硬化が四肢末端より中枢側に向かって進行する．近年本症は，生命的予後良好のlimited SScと生命的予後やや不良のdiffuse SScの2つの病型に分類するのが一般的となっている．皮膚硬化の範囲と本症の重症度・予後よく相関することが知られており，基本的には，皮膚硬化の範囲が肘関節より遠位側にとどまるものをlimited SScとし，近位側に及ぶのもdiffuse SScとするが，さらに特異抗核抗体や内臓病変の程度，進行速度などを参考にして病型を決める．

　本症は，かつて考えられていたほどには進行性ではないことより，progressive systemic sclerosis（PSS）という病名は今日使用されない．本症の予後を左右する主な内臓病変は，肺線維症，強皮症腎，原発性肺高血圧症，心伝導障害，消化管障害に伴う栄養障害などである．

2．診断と主要な検査
2）診　　断

　国際的にはアメリカリウマチ協会の分類（診断）基準が広く用いられているが，わが国では2003年より厚生労働省強皮症研究班（主任研究者：竹原和彦）によって，小項目として特異抗核抗体が加えられた新診

表1　全身性強皮症・診断基準2003

大基準
　手指あるいは足趾を超える皮膚硬化*

小基準
　1）手指あるいは足趾に限局する皮膚硬化
　2）手指尖端の陥凹性瘢痕，あるいは指腹の萎縮**
　3）両側性肺基底部の線維症
　4）抗トポイソメラーゼI（Scl-70）抗体 または
　　抗セントロメア抗体陽性大基準，あるいは
　　小基準1）および2）〜4）の1項目以上を
　　満たせば全身性強皮症と診断

　*　限局性強皮症（いわゆるモルフィア）を除外する
　**　手指の循環障害によるもので，外傷などによるものを除く

断基準が作成され，現在使用されている（表1）．

　通常定型例に対してはその診断は容易であるが，本症には多数の不全型（scleroderma spectrum disorder：SSD）が存在するので診断基準にとらわれず多角的に検討を加えることが必要である．

2）検　　査

　診断，治療方針の決定上不可欠なものについてのみ述べる．

　（1）皮膚生検：通常前腕伸側遠位1/3で行う．臨床的に皮膚硬化が明らかでない場合でも組織学的に膠原線維束の膨化，増生が確認されることが少なからずある．

　（2）特異抗核抗体検査：抗セントロメア抗体はlimited SScに，抗DNAトポイソメラーゼI抗体はdiffuse SScに検出され，診断的価値が高い．その他，数種の特異抗核抗体の存在が知られているが，いずれも出現頻度は低く，研究室レベルでのみ測定可能であるので

省略した．

(3) 心肺検査：胸部単純X線，胸部CT，呼吸機能検査などで肺線維症を，心電図，ホルター心電図で心病変を，心ドップラーエコーで原発性肺高血圧症をチェックする．

(4) 胃食道病変：上部消化管透視，食道内圧検査，食道シンチグラフィーなどで評価する．

(5) 腎病変：尿所見，血圧，血中レニン値，クレアチニンクリアランスなどによって評価する．

3．治療

1）治療の基本方針

本症を完全に治癒させる薬物はない．本症の薬物療法は（1）疾患修飾薬と（2）対症療法薬に大別される．

基本方針としては，重症型であるdSScに対しては疾患修飾薬と対症療法薬の両者をlSScに対しては対症療法薬を使用する．

対症療法薬といえども，強皮症腎クリーゼに対するACE阻害薬のように，致死的病態を救命する対症療法も存在するので，早期診断，早期治療開始が重要であることはいうまでもない．

(1) 疾患修飾薬

疾患修飾薬（無治療の状態での自然経過を改善しようとする目的で使用される薬剤）として，二重盲験試験にて，その有効性が確立したものはいまだ存在しないが，早期の皮膚硬化に対する中等量の副腎皮質ステロイドや，早期の炎症性肺病変に対するシクロフォスファミドパルス療法は，一定の効果が期待される．

なお，欧米では，広く使用されていたD-ペニシラミンについては，米国で行われた早期例に対する低容量と高容量の二重盲験比較試験で，両群で有意な差が認められなかったことより，本薬の臨床効果に大きな疑問がなげかけられている．

副腎皮質ステロイド薬の適応についてはこれまで賛否両論のさまざまな議論が重ねられてきたが，われわれは疾患全体に対する適応の有無を論じるのではなく，症例ごとの適応を論じる視点より適応基準を提唱しており，皮膚硬化に対して一定の有効性を確認しているが，生命予後を改善させるかどうかは不明である．

その他の疾患修飾薬としては，シクロスポリン，インターフェロンγ，photopheresis，自己幹細胞移植などが試されてきたが，確実な効果が証明されたものはない．

また最近では，シクロホスファミドの早期肺病変に対する有効性を報告する論文が散見されるようになり，その生命予後への改善の確認が急がれる．

(2) 対症療法

対症療法は，dSScとlSScの両者に必要となる．

a. 末梢循環障害

全身性強皮症の90％にRaynaud現象がみられ，ほぼ前例で末梢循環障害が存在し，何らかの血管拡張薬の投与が必須である．一般にビタミンE製剤，カルシウム拮抗薬，プロスタグランジン製剤，抗血小板薬などの経口薬が広く使われている．なお，これらの薬剤を使用する際には，常用量では頭痛，顔面の紅潮などの副作用が起こりやすいので，少量より漸増することが望ましい．

b. 逆流性食道炎

本症に伴う逆流性食道炎に対しては，プロトンポンプ阻害薬が第一選択となる．粘膜保護薬や消化管運動亢進薬であるクエン酸モサプリド（ガスモチン®）と併用する．

c. 高度の肺線維症

症状に応じて去痰薬，鎮咳薬などを使用する．また，細菌性肺炎合併時には抗生物質を積極的に使用する．

d. 強皮症腎クリーゼ

アンジオテンシン変換酵素阻害薬の開発により強皮症腎クリーゼの予後は飛躍的に改善した．急激な血圧上昇や頭痛の出現の際には，血中レニン値をすみやかに測定する．

e. 原発性肺高血圧症

一般に治療抵抗性であるが，早期例に対しては，副腎皮質ステロイドを含む免疫抑制薬，プロスタグランディンI$_2$内服薬大量療法，カルシウム拮抗薬内服などが奏功することもある．

また，ワルファリンカリウムの長期進行予防効果も期待されているが，明確ではない．また，欧米より，プロスタグランディンI$_2$注射製剤の持続点滴が有効とする報告相次ぎ，本邦でも膠原病を基礎疾患とする肺高血圧症に対して保険適応が認められ，さらにED治療薬であるシルデナフィル（バイアグラ®）の有用性が近年われわれを含む多施設より報告されている．

問題の解説および解答

問題 1

臨床経過，臨床像より全身性強皮症の初期像であることは明らかである．ちなみに，厚生労働省強皮症研究班の診断基準では，大項目および小項目の1および2を満足している（小項目3，4は初診時未検）．ただし，厚ぽったく触れる感触が皮膚硬化を意味することが触診で診断できるには，若干の熟練を要する．

問題　2

　解説に述べたとおり，抗セントロメア抗体はlimited SScに，抗DNAトポイソメラーゼI抗体はdiffuse SScに高頻度に検出される．抗2本鎖DNA抗体および抗Sm抗体は全身性エリテマトーデスに，抗SS-A抗体はシェーグレン症候群に特異的な抗体である．

問題　3

　肺線維症および逆流性食道炎はともに本症の約半数例でみられる．その他の3項目，すなわち，原発性肺高血圧，強皮症腎クリーゼ，心伝導障害が，前2者に比べて頻度は少なく，とくに本邦例ではまれともいえるほどである．

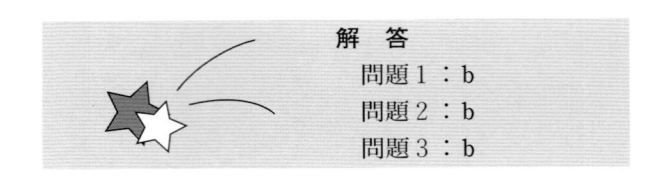

解　答
問題1：b
問題2：b
問題3：b

レベルアップをめざす方へ

　本書と同じく，永井書店より「強皮症のすべて」（竹原和彦，編集）が，2004年2月に出版されており，最新の知見が網羅されている．

［竹原　和彦］

疾患 18 強皮症患者が急に高血圧を呈した!?

問題編

症例呈示

症例：45歳 女性
主訴：頭痛，視力障害
家族歴：特記事項なし
既往歴：特記すべきものなし
現病歴：1998年夏（43歳時）両手にこわばり感と手足の浮腫感に気づいた．冬になると手指が一過性に蒼白，チアノーゼになることをしばしば認めた．徐々に手のこわばり感が増強し，手指が動かしづらくなった．手，肘，膝，足関節に関節痛が出現し，咳をしばしば認めるようになり1999年11月当院に来院した．

身長155cm，体重40kg（1年間で2kg減），血圧126/80，脈拍86/分 整，手指にRaynaud現象，両前腕より末梢，顔に皮膚硬化（スキン・スコア14点）．手指先端に陥凸性瘢痕，手と足関節に圧痛あり．両側下肺野にfine crackleを聴取．尿蛋白（−），抗核抗体640倍speckled型，抗topoisomerase I（Sc1-70）抗体陽性．

全身性強皮症の診断でプレドニゾロン10mgとCa拮抗薬（ニフェジピン）を投与し，以後外来治療とした．しかし，皮膚硬化は進行し，色素沈着を全身に認めるようになった．2000年2月より皮膚にかゆみを認め，両側の手と肘関節の拘縮をきたすほど皮膚硬化が強くなった．3月10日より頭痛出現，3月12日激しい頭痛と嘔吐，視力低下を認め，13日来院して入院した．

入院時現症：体重38kg，体温37.1℃，血圧240/128，脈拍102/分 整，呼吸24/分，眼底KW III度（出血斑，白斑，多数）．皮膚硬化は前胸部をふくめほぼ全身（スキン・スコア30点）で手指は屈曲拘縮を認める．色素沈着と脱失，右，指の先端に小壊疽あり．肺野では下肺野にfine crackle聴取，腹部異常なし．

浮腫なし．意識レベルはやや低下しているが項部硬直なく，神経学的にはほかに異常所見なし．

検査所見：尿：蛋白2＋，潜血3＋，沈渣赤血球100以上/視野，白血球20/視野，硝子円柱（＋）．末梢血：白血球数12000，赤血球数380万，Hb10.2g/dl，網状赤血球数1.0％，破砕赤血球0.8％，血小板数11万．総ビリルビン1.0mg/dl，GOT 40 IU/L，GPT 30IU/L，Al-P 250IU/L，LDH 680IU/L，CK 140IU/L，クレアチニン1.8mg/dl，BUN 40mg/dl，尿酸6.8mg/dl．血清蛋白6.9g/dl．赤沈40mm/1時間，CRP 1.2mg/dl，CH$_{50}$ 35U/ml

設問

問題1 可能性の高い病態はどれか．

a. 膜性増殖性腎炎
b. 強皮症腎クリーゼ
c. MPO−ANCA関連症候群
d. 溶血性尿毒症症候群（HUS）
e. 強皮症にループス腎炎がオーバーラップ

問題2 診断，鑑別診断のために役立つ検査はどれか

a. 血漿レニン活性
b. 抗MPO−ANCA測定
c. 抗DNA抗体
d. 血清補体価
e. 腎生検

問題3 本例の治療はどれか

a. ACE阻害薬
b. カルシウム拮抗薬
c. 大量のステロイド薬

d．免疫抑制薬
e．血漿交換療法

解　説　編

1．全身性強皮症と病型

　全身性強皮症（SSc）は皮膚硬化を主症状とする全身性結合組織疾患で，線維症と小血管病変を基本的病態とする．皮膚硬化範囲によって広汎性皮膚硬化型と限局性皮膚硬化型に分類する．前者は皮膚硬化範囲が急速に進行して，肘関節を超えて体幹に拡大し，重篤な内臓病変を呈して予後不良である．皮膚硬化の重症度を硬化の程度と範囲で臨床的に現す指標としてスキンスコアがRodnanによって提唱され，それに改訂を加えたものが欧米で使用されている[1]．両側の手指，手，前腕，上腕，および顔，前胸部，腹部，両側の大腿，下腿，足の皮膚硬化をそれぞれ0～3点であらわし合計する．提示症例で初診時と高血圧で入院時の皮膚硬化の進展をあらわすことができる．

　内臓病変としては食道病変など消化管病変が最も頻度が高い．肺線維症，高血圧腎クリーゼ，心筋病変は生命予後と関連し，広汎性皮膚硬化型で多い．

　呈示症例のように急速に皮膚硬化が進行する症例ではRaynaud現象が遅れて出現する例もある．

2．強皮症腎クリーゼとは[2]

　強皮症患者に急速進行性腎病変がみられるとき，強皮症腎クリーゼとよぶ．これには3つの異なった病態がある．まず，古典的な型の腎クリーゼで，突然発現する悪性高血圧症である．多くの症例は放置すれば尿量が減少し，腎不全に進展する．本例がこれに相当する．多くの症例で強皮症の他病変にも活動性がある．

　次にMPO－ANCA陽性腎クリーゼがある[3]．急速進行性に腎不全になるが，悪性高血圧症は呈さない．強皮症にMPO－ANCA関連血管炎が合併したと考える．ときに肺出血を伴う．

　最近，微小血管性溶血性貧血を呈する腎クリーゼが注目されている．破砕赤血球を示す溶血性貧血と血小板減少を伴うのが特徴で，古典的な腎クリーゼとは病態が部分的に類似するが，悪性高血圧症は呈さない．

3．高血圧性腎クリーゼの病態

　病理所見は，輸入細動脈から糸球体に及ぶフィブリノイド変性が特徴的で，内腔に血栓を呈する．小葉間細動脈より輸入細動脈起始部にみられる酸性ムコ多糖に富むムコイド内膜肥厚による内腔狭窄もみられる．

　以上の変化は悪性高血圧症にみられる所見と類似している．その発症機序は不明である．血管内皮細胞の傷害，それに引き続いて起こる血小板の凝集から内膜の変性を生じて内腔は狭窄し，傍糸球体装置からレニンが分泌されて高レニン血症となり，高血圧を呈するという仮説が考えられている．

　腎クリーゼの発症に関与する可能性のある危険因子についての研究として，Steenらは，経過観察中に腎クリーゼを呈した36例を非腎クリーゼ212例とを比較検討した．それによると，

①強皮症として早期，
②広汎性皮膚硬化型，
③皮膚硬化の急速な進行，
④貧血，
⑤心膜液の貯留，
⑥心不全，

を腎クリーゼ群の特徴とした．このうち皮膚硬化が急速に進展する点は注目に値する．皮膚硬化が四肢の末梢に限局する症例にも発症するが，腎クリーゼの直後に体幹まで急速に拡大した症例を経験した．本例のように皮膚硬化が活動性のときには掻痒感を伴うことが多い．掻痒感の発生には好塩基球や肥満細胞の活性化の関与が推定される．

　一方，本例のように皮膚潰瘍，あるいは壊疽が認められる例が多い．皮膚血管病変が同時にみられれば，危険因子として重視すべきである．発症が冬期に多い

表1　強皮症腎クリーゼの診断基準（Steenら）

あらたに出現した拡張期圧110mmHg以上の高血圧が，以下の項目のうち2つ以上を伴う場合で，ほかに原因がみられないもの
①　眼底KW ⅢまたはⅣ
②　痙れん
③　蛋白尿
④　血尿
⑤　微小血管性溶血性貧血
⑥　高窒素血症
⑦　高レニン血症

（近藤啓文ら，2001[2]）

との報告でもあるが必ずしも冬期に限らない．

4．腎クリーゼの診断

Steenらは表1に示す診断基準を提唱している．高血圧の程度として拡張期圧で110mmHg以上とするのが目安となっている．

高血圧は突発性に生じる．外来で治療中の強皮症患者が突然頭痛，悪心，嘔吐，あるいは視力障害をきたして来院したならば，まず血圧を測定する．高度な高血圧が認められれば本症と診断する．随伴するが臨床症状としては，そのほかに痙れん，意識障害など高血圧性脳症の症状である．尿量が低下していることもある．

鑑別診断としては腎クリーゼが生じているにもかかわらず高血圧があっても高度ではないならば，別の病態との鑑別をする．それには前述のMPO－ANCA陽性腎クリーゼと微小血管性溶血性貧血がある．MPO－ANCAの測定，溶血，血小板減少の有無，破砕赤血球をチェックすることが必要である．

5．治　　療

早期からACE阻害薬を用いると予後が改善することがSteenらによって報告された．高血圧症をまず短時間持続型のカプトプリルによって速やかに（3日以内）にコントロールし，安定したら持続型に変更する．たとえ腎不全に進展しても使い続けることにより腎機能の改善がみられるとの成績であった[3]．しかし，ACE阻害薬による早期治療を行っても腎不全になる症例もある．強皮症患者に高血圧症がみられたら，とりあえずACE阻害薬を使って高血圧の治療をすべきとの意見がある．最近，アンジオテンシン-II受容体拮抗薬が有効であったとの報告が散見する．免疫抑制療法は無効との成績が多い．

◉ 問題の解説と解答

問題　1

発症早期の全身性強皮症の患者で皮膚硬化が急速に進行している．4ヵ月の間に皮膚硬化はスキンスコアでみると14点から30点に進展し，広汎性皮膚硬化型になった症例である．突然高血圧が発現した．その程度は拡張気圧で110mmHg以上で随伴症状として痙攣こそ呈さなかったが，高血圧性網膜症を呈し意識もやや低下している．悪性高血圧症にほぼ一致している．強皮症に出現すると高血圧強皮症腎クリーゼとよぶ．尿蛋白，顕微鏡的血尿と腎機能の急速な低下も認められた．高血圧強皮症腎クリーゼは強皮症の疾患活動性に一致して発症することが多い．強皮症にみられる腎クリーゼには本例のような悪性高血圧を呈する古典的な型以外に高血圧を認めないか，あっても軽症の病型があることが判明した[5]．本例は高度の高血圧を呈したのでMPO－ANCA関連症候群の合併と微小血管性溶血性貧血は否定できる．破砕赤血球がわずかに認められているが，高血圧性腎クリーゼでもみられる．微小血管性溶血性貧血では破砕赤血球数がもっと多い．膜性増殖性腎炎を示唆する大量の蛋白尿，ネフローゼ症候群はみられず，ループス腎炎を示唆する白血球数の低下，低補体血症はない．

問題　2

腎クリーゼの診断は血圧，眼底などの臨床所見と経過によってなされる．しかも，迅速な診断とすばやい治療開始が予後を決める可能性が高い．したがって，検査は正確な診断のための補助診断，あるいはほかの病態を否定するために行われることが多い．高レニン血漿はこのうち最も診断に役立つ検査所見である．ほとんどの症例で認められる．次に微小血管性溶血性貧血を鑑別することが大切である．この病態も迅速な判断が求められる．この診断には破砕赤血球数が重要であるが，高血圧性腎クリーゼでも少数はみられるので注意を要する．腎生検ができれば診断を確定できるが，行える症例は多くはない．腎の組織所見を図1に示す．

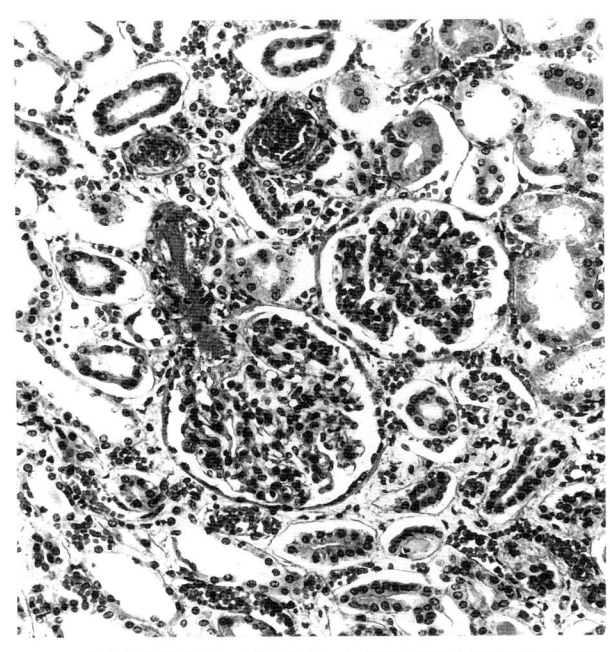

図1　高血圧性腎クリーゼで死亡した症例の剖検時の腎組織所見（HE染色，100倍）

問題 3

　高レニン血漿を呈する本症の治療にACE阻害薬が有効であることをSteenらPittsburghのグループが報告して以来，治療法として定着した．この治療で腎透析に入る頻度が低下し，導入されても離脱できる可能性が生まれた．しかし，透析後もACE阻害薬を続けるかについては他施設からの成績が必要である．カルシウム拮抗薬よりも勝れていることは確かである．

　本症の治療に大量ステロイドなど免疫抑制療法の有用性を示す成績はみられない．MPO-ANCA関連症候群が合併した腎クリーゼとの違いである．HUSに有効な血漿交換療法の効果については充分なエビデンスがない．

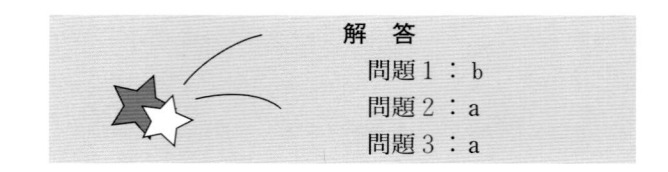

解　答
問題1：b
問題2：a
問題3：a

レベルアップをめざす方へ

強皮症腎クリーゼの多様性

　高血圧性腎クリーゼのほかに正常血圧性の腎クリーゼが10％程度あることをHelfrichら[5]が指摘した．そのひとつがMPO－ANCA関連血管炎が合併した型の腎クリーゼである[3]．これは半月体形成性腎炎（pauciimmune型腎炎）に一致する．腎クリーゼに一致してMPO－ANCAが陽性を呈する．むしろ長期間安定している強皮症に突然発症する．MPO－ANCAはPR3－ANCAと逆に欧米人よりもわが国で高頻度に発現する自己抗体なので，この型の腎クリーゼはわが国で多い．その頻度は高血圧性腎クリーゼとほぼ同頻度に生じる．肺出血や皮疹を伴うことがある．大量のステロイド薬に免疫抑制薬（シクロホスファミドやアザチオプリン）を併用する治療が基本である．肺出血が予後を左右する．

　もうひとつの腎クリーゼは微小＋血管性溶血性貧血に類似したもので，破砕白血球を伴う微少血管障害性溶血と血小板減少を呈することが特徴である．一部に血栓性血小板減少性紫斑病と同様にVon Willebrand因子切断酵素活性の低下例があり，切断酵素に対する自己抗体の存在が示唆されている．治療は直ちに新鮮血漿を投与し，血漿交換療法を行う．

●文　献●

1) 桑名正隆, 佐藤伸一, 近藤啓文, ほか：全身性強皮症患者の評価. リウマチ 42；22：654-665, 2002.
2) 近藤啓文, 遠藤平仁：強皮症腎病態と治療. 胃と透析 51：50-53, 2001.
3) Steen VD, Medsger TA：Long-Term outcome of scleroderma renal crisis. Ann Intern Med 133：600-603, 2000.
4) Endo H, Hosono T, Kondo H：Antineutrophilic cytoplasmic autoantibodies in 6 patients with renal failure and systemic sclerosis. J Rheumatol 21：864-870, 1994.
5) Helfrich DJ, Bauner B, Steen VD, et al：Normotensive renal crisis in systemic sclerosis. Artritis Rheum 32：1128-1134, 1989.

［近藤　啓文］

疾患 19 高齢男性が持続する発熱，体重減少，多関節炎，網状皮斑，下垂足を訴えた!?

問題編

症例呈示

症　例：59歳　男性
主　訴：発熱　多関節痛　下垂足
家族歴：祖父　関節リウマチ
既往歴：55歳時　特発性肺線維症(肺生検にて診断．この時，リウマチ因子や抗核抗体は陰性であった．)
現病歴：4年前に肺線維症と診断されて以来，軽度の労作時呼吸困難(Hugh-Jones II)以外は著変なく無治療で経過していた．入院の2カ月前，誘因なく多関節痛をきたした．1カ月前から38℃前後の発熱が出現し，近医で抗生物質の投与を受けるも無効であった．この頃より，左腓腹筋痛および両下腿シビレ感を認め，体重減少(5kg/6カ月)に気づいた．徐々に食思不振や全身倦怠が著明となり，昨日より左足関節の背屈が困難となったため入院となった．
入院時現症：身長164cm，体重53kg，体温37.8℃，血圧　右108/63mmHg　左110/60mmHg，脈拍90/min整．皮膚は乾燥し，両下腿に網状皮斑を認めた．両側の膝・肘・足・PIP・MCP関節に腫脹・圧痛(+)．眼瞼結膜にて著明な貧血を認めた．肺は両側背下部にVelcroラ音を聴取．心音は異常なし．腹部は平坦・軟で肝・脾・腎を触知せず．両下腿の振動覚・痛覚の低下を認め，とくに左足底で著明であった．左足関節は背屈不能(MMT 2/5)．
＜入院時検査所見＞
尿所見：蛋白(+)，潜血(+)，沈渣では赤血球10-20/HPF，顆粒円柱1-2/HPF．
末梢血：赤血球296万/μL，Hb 7.0g/dL，Ht 23%，白血球13,800/μL(Stab 1%，Seg 86%，Lym 7%，Mon 4%，Eos 2%)，血小板　74万/μL．

血沈：＞150mm/時間．
生化学：TP 8.1g/dL(Alb 41%，γ-glob 33%)，GOT 12 IU/mL，GPT 9 IU/mL，γ-GTP 62 IU/mL，LDH 248 IU/mL，ALP 334 IU/mL，CPK 6 IU/mL，BUN 24mg/dL，Cr 0.9mg/dL，Fe 38μg/dL，TIBC 158μg/dL，CRP：19.0mg/dl，フェリチン 263ng/mL，C3 110mg/dL，C4 39mg/dL，CH50 51.0 IU/mL．
血清学的検査：RF 469 IU/mL，VDRL(−)，TPHA(−)，HBsAg(−)，HBsAb(+)，HCVAb(−)，IgG 2501mg/dL，IgA 378mg/dL，IgM 456mg/dL，直接Coombs試験(−)，抗核抗体(−)，免疫複合体 75.1μg/mL，MPO-ANCA 358 EU/mL，PR3-ANCA＜10 EU/mL，サイロイドテスト(−)，マイクロゾームテスト(−)．
胸部X線：両側下肺野に網状陰影．
両手X線：関節裂隙の狭小化(−)，骨びらん像(−)．

設　問

問題1　まず疑われる疾患はどれか？
(1) 関節リウマチ
(2) 全身性エリテマトーデス
(3) 多発性筋炎
(4) 強皮症
(5) 顕微鏡的多発血管炎
　　a.(1),(2)　b.(1),(5)　c.(2),(3)
　　d.(3),(4)　e.(4),(5)

問題2　確定診断のために行うべき検査は何か．
a. リンパ節生検
b. 腎生検
c. 神経伝導速度

144　II．疾　患　編

　　d．血管造影
　　e．骨髄穿刺

問題3　ANCAが陽性となることの少ない疾患はどれか．
　　a．結節性多発動脈炎
　　b．顕微鏡的多発血管炎
　　c．Wegener肉芽腫症
　　d．アレルギー性肉芽腫性血管炎
　　e．壊死性半月体形成性糸球体腎炎

問題4　適切な治療は何か？
　　（1）副腎皮質ステロイド薬
　　（2）免疫抑制薬
　　（3）非ステロイド性消炎薬
　　（4）疾患修飾性抗リウマチ薬
　　（5）血小板凝集抑制薬
　　　a．（1），（2）　b．（1），（5）　c．（2），（3）
　　　d．（3），（4）　e．（4），（5）

問題の解説および解答

問題　1

　4年前から肺線維症を指摘されていた高齢男性が，2カ月前から多関節炎をきたし，さらに食思不振，体重減少，抗生剤不応性の発熱が出現，下腿筋痛，下肢の知覚低下，右下垂足をきたして入院．下肢に網状皮斑を認める．検査にて，赤沈・CRPの著明な上昇，好中球優位の白血球増多，正球性正色素性貧血，血小板増多があり，蛋白尿，血尿，顆粒円柱尿を呈した．リウマトイド因子（RF）高値，血中免疫複合体高値，hyper γ-globulinemiaを呈したが，補体の低下は認めなかった．血清梅毒反応，HBs抗原，HCV抗体，抗核抗体，C-ANCAはすべて陰性であったが，MPO-ANCAの高値を認めた．
　このような全身の炎症性病態，関節炎，筋痛を呈する症例は膠原病および類縁疾患を鑑別する必要があるが，その鑑別診断上の最初の分岐点は，好中球優位の白血球増多，正球性正色素性貧血，血小板増多という末梢血検査所見とCRPの著明な上昇である．設問は古典的な膠原病にしぼって鑑別を問うているが，この5疾患では，このような所見を呈するのは関節リウマチ（とくにMRA）と血管炎（結節性多発動脈炎および顕微鏡的多発血管炎）である．全身性エリテマトーデスでは貧血は呈するが白血球増多や血小板増多をきたす病態ではなく，また，CRPの著増はきたさないのが普通である．さらに，全身性エリテマトーデス，多発性筋炎，強皮症では抗核抗体をはじめ多彩な自己抗体の出現が特徴的であり，本症例では該当しない．RF高値ではあるが，びらん性関節炎もなく，MPO-ANCAも高値であることから，顕微鏡的多発血管炎が最も疑わしい．

問題　2

　血管炎の確定診断に必要な所見を問う設問である．中小型血管を侵す古典的PNの診断には腹部大動脈の分枝血管（肝動脈，腹腔動脈，腎動脈）の血管造影も有用であるが，本症のようなMPAでは，肉眼的なサイズの血管の造影では所見が得られない．MPO-ANCAの力価は有力な所見ではあるが，最終診断は生検における，細小動脈・毛細血管・細静脈の壊死性血管炎や白血球破砕性血管炎の証明である．皮膚，筋，神経，腎，肺などが生検対象となる．本症のような尿所見を呈する例では，腎生検において壊死性半月体形成性糸球体腎炎が認められるが，蛍光抗体法では免疫グロブリン・補体の沈着が認められない（これをpauci-immune型という）．

問題　3

　抗好中球細胞質抗体（ANCA）の出現頻度は表1に示すごとく，PR3-ANCAはWegener肉芽腫症で，MPO-ANCAは顕微鏡的多発血管炎およびアレルギー性肉芽腫性血管炎で高頻度に出現する．また，壊死性半月体形成性糸球体腎炎もMPO-ANCAが高頻度に出現する疾患であり，腎臓に限局した顕微鏡的多発血管炎と考えられている．一方，設問の結節性多発動脈炎では，いずれのANCAも出現頻度は低く，今日では，結節性多発動脈炎と顕微鏡的多発血管炎はまったく別の病因による疾患と考えられるようになっている．

表1　ANCAの出現頻度

疾　　　患	PR3-ANCA(%)	MPO-ANCA(%)
Wegener肉芽腫症	80〜90	20
顕微鏡的多発血管炎	50	50〜75
アレルギー性肉芽腫性血管炎	10	70
壊死性半月体形成性糸球体腎炎	30	70
polyangiitis重複症候群	40	20
結節性多発動脈炎	10	20

問題　4

　重要臓器を障害する全身型MPAにおいては，副腎皮質ステロイド薬（高用量）と免疫抑制薬の併用療法が寛解導入のための標準的治療となっている（解説編の治療の項を参照）．急速進行性糸球体腎炎型では抗

凝固療法や血小板凝集抑制薬を併用することもあるが，第一次選択薬はステロイドと免疫抑制薬である．

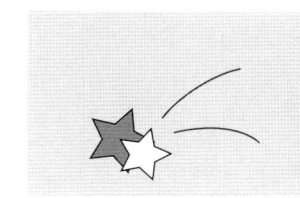

解 答
問題1：b
問題2：b
問題3：a
問題4：a

解 説 編

顕微鏡的多発血管炎（microscopic polyangiitis：MPA）とは

1．疾患概念

血管炎は原発性血管炎と続発性血管炎に分類される．感染症や薬物などの原因の明らかな血管炎もあるが，多くは原因不明である．原因不明の原発性血管炎の代表が結節性多発動脈炎（polyarteritis nodosa：PN）であり，中〜小型筋型動脈を侵す全層性壊死性血管炎である．その第一例目は1866年KussmaulとMaierにより報告された27歳男性の血管炎症例で，剖検にて諸臓器の動脈周囲に結節状肥厚が認められた．そのため当初は結節性動脈周囲炎とよばれたが，その後，血管炎が全身に多発することから結節性多発動脈炎と命名され，今日まで壊死性血管炎のプロトタイプとされてきた．

その亜型として顕微鏡的多発血管炎（1923），Wegener肉芽腫症（1939），アレルギー性肉芽腫性血管炎（1951）が分離独立した．これらの亜型は，腎，肺などの小血管（細動脈・毛細血管・細静脈など）を好んで侵し，抗好中球細胞質抗体（ANCA）が病因に直接関与するなどの共通点を有することから，ANCA関連血管炎と総称される[1]．

2．診 断

結節性多発動脈炎（PN）と顕微鏡的多発血管炎（MPA）は罹患血管のサイズや好発臓器は若干異なるが，いずれも全身性の壊死性血管炎であり共通の臨床症状を呈することが多い．全身症状として発熱と食思不振，体重減少がみられる．局所症状として罹患臓器の症状がみられ，皮膚，筋肉，関節，腎，肺，消化器，心臓，中枢・末梢神経と多臓器にわたるのが特徴である．しかし，PNとMPAは病因論的には明らかに異なる疾患単位であり，厳密には表2のような臨床像の差異がみられる．

MPAの診断基準（厚生労働省難治性血管炎調査研究班1998年）によると，主要症候は
①腎症状（急速進行性糸球体腎炎），
②肺症状（肺出血もしくは間質性肺炎），
③腎・肺以外の臓器症状（紫斑，皮下出血，消化管出血，多発性単神経炎など）
である．主要組織所見は細動脈・毛細血管・後毛細管細静脈の壊死性血管炎，および，血管周囲の炎症性細胞浸潤である．腎生検における特徴はpauci-

表2　結節性多発動脈炎と顕微鏡的多発血管炎の比較

	結節性多発動脈炎	顕微鏡的多発血管炎
罹患血管	中〜小型の筋型動脈	細動脈・毛細血管・細静脈
病理所見	壊死性血管炎，結節形成	壊死性血管炎，白血球破砕性血管炎
主要症候		
発熱	**39℃台の抗生剤不応性弛張熱**	ときに微熱程度のこともある．
腎症	半月体形成マレ	**全周性半月体形成が著明**
	蛋白尿・血尿の程度軽い	**蛋白尿・血尿が著明**
高血圧	**多い**	マレ
肺病変	マレ	**多い（肺出血・間質性肺炎）**
皮膚病変	**潰瘍（下肢）**	潰瘍マレ，**有痛性紫斑**
MPO-ANCA	陰性	**陽性**
動脈造影	**小動脈瘤・狭窄**	正常
確定診断	動脈造影または生検	生検（ときにMPO-ANCA）

immune型（免疫グロブリンや補体の沈着を伴わない型）の壊死性半月体形成性糸球体腎炎である．主要検査所見はMPO-ANCA陽性，CRP陽性，蛋白尿・血尿，BUN・血清クレアチニン値の上昇，および胸部X線所見（肺胞出血，間質性肺炎に対応するもの）である．確実例の判定は，主要症状の2項目以上を満たし組織所見が陽性の例，もしくは，主要症候の①および②を含め2項目以上を満たしMPO-ANCAが陽性の例においてなされる．つまり，MPAの確定診断は生検または（ときに）MPO-ANCAによってなされ，PNと異なり動脈造影が診断の決め手となることはない．MPAの診断においては，結節性多発動脈炎，Wegener肉芽腫症，アレルギー性肉芽腫性血管炎，および，Goodpasture症候群を鑑別することが必要である[2]．

3．治　　療

重要臓器を障害する全身型MPAにおいては，大量の副腎皮質ステロイド薬と免疫抑制薬（とくにシクロホスファミド）の併用療法が寛解導入のための標準的治療となっている．厚生労働省難治性血管炎調査研究班の治療指針（2001年）によると，全身型MPA，肺出血例を伴うMPA，急速進行性糸球体腎炎型MPAにおいては，プレドニゾロン40～60mg/日（0.6～1.0mg/kg/日）経口，あるいは，メチルプレドニゾロンパルス療法（0.5～1g/日）・3日間併用を原則投与する．重症型ではシクロフォスファミド（50～100mg/日，0.5～2mg/kg/日）の経口投与の併用（腎機能障害の程度により減ずる），あるいはシクロフォスファミド大量静注療法（IVCY）（0.5～0.75g/4週）の併用を行なう．65歳以上の高齢者および感染症リスクの高い症例は血漿交換療法も検討する．腎機能障害の高度の場合は適宜，血液透析や血漿交換を併用する．急速進行性糸球体腎炎型は抗凝固療法（ヘパリン10000単位/日または低分子ヘパリン5000単位/日）や血小板凝集抑制療法（ジピリダモール300mg/日）を使用する．

血管炎の活動性，病型に応じて1～2カ月間，上記の初期治療を継続し，寛解導入をめざす．初期治療後6カ月～2年程度は再発に注意して観察し，プレドニゾロン5～10mg/日経口を維持し，難治例はシクロホスファミドあるいはアザチオプリン25～75mg/日経口を併用する．これらの薬剤は適用外医薬品であるので，インフォームドコンセント取得のもとで使用し，副作用の早期発見とその対策が重要である[2]．

レベルアップをめざす方へ

ANCA関連血管炎の発症機序

顕微鏡的多発血管炎，Wegener肉芽腫症，アレルギー性肉芽腫性血管炎，および，壊死性半月体形成性糸球体腎炎（腎限局型の顕微鏡的多発血管炎）はANCA関連血管炎と総称される．病因としてのANCAの重要性を示唆する間接的な証拠が蓄積している[3]．これには臨床的，病理学的，実験的な証拠が含まれ，これらのことからANCAによる血管炎発症機序として次のように想定されている．サイトカインなどで活性化された好中球では細胞質内の種々の蛋白質（自己抗原も）が細胞表面に移動する．ANCA（のF(ab')2）が好中球表面の対応抗原に結合すると，好中球の活性酸素の放出や脱顆粒が促進される．脱顆粒により好中球から放出されたMPOやPR3などの顆粒内蛋白質がANCAと結合し，その複合体がFcを介して好中球のFc受容体に結合し，さらに好中球を活性化させる．可溶性のMPOやPR3は内皮細胞にも結合し，ANCAの結合を介して接着分子の発現増強や内皮細胞からのIL-8やその他の白血球走化因子の産生を増強させる．このようにして，白血球の走化および内皮細胞への接着が増強される．さらに，好中球から蛋白分解酵素や細胞障害性因子が放出され，内皮細胞は壊死に陥り，細胞外マトリックスの融解が進み，炎症性細胞浸潤とともに血管壁の損傷へと向かう[3]．

一方，ANCAそのものが血管炎を誘導するという直接的な証拠も，マウスを使った実験で明らかにされている．Xiao, Jennetteらは，MPOノックアウトマウスにマウスMPOを免疫し，その血清からIgGを精製して正常マウスの尾静脈に注入した．その結果，腎炎の臨床所見や腎機能障害が認められ，かつ，pauci-immune型の壊死性半月体形成性糸球体腎炎や，リンパ節・脾臓・肺・皮膚などに壊死性血管炎を認めた[4]．これらの実験事実は，ANCA-IgGそのものがヒト糸球体腎炎や血管炎においても直接の病因的役割を担っていることを示唆するものである．

ANCA関連血管炎のEBM：To pulse or not to pulse？

　全身型のANCA関連血管炎における寛解導入のための標準的治療法は，大量の副腎皮質ステロイドと経口シクロホスファミド（POCY）の併用療法である．ヨーロッパ血管炎研究グループ（EUVAS）による重要臓器障害を有する全身型ANCA関連血管炎を対象としたrandomized controlled trial（RCT）では，その寛解導入率は93％，18カ月までの再発率は17％，死亡率は6％であった[5]．

　シクロホスファミド大量静注療法（IVCY）とPOCYを比較検討した3つのRCTのメタアナリシス[6]では，合計143例の重要臓器障害を有する全身型ANCA関連血管炎（101例のWegener肉芽腫症，42例のMPA）が解析され，IVCYはPOCYに比し有意に寛解導入失敗率が低かった（OR 0.29，95％CI 0.12～0.73）．またIVCYは有意に感染併発率が低く（OR 0.45，95％CI 0.23～0.89），白血球減少を来たす頻度も有意に低かった（OR 0.36，95％CI 0.85～0.78）．また，有意差は認められなかったが，IVCYはPOCYより再発しやすい傾向にあった（OR 1.79，95％CI 0.12～3.75）．しかし，人工透析や死亡に至る頻度には差がみられなかった．これらのことから，本邦でも大量の副腎皮質ステロイドとIVCYの併用療法が推奨されるようになってきたが，本邦でのエビデンスはいまだない．本邦のANCA関連血管炎はヨーロッパのそれに比べて，MPAが多くWegener肉芽腫症は少ない．このような本邦のANCA関連血管炎の実態に即したEBMが必要である．

●文　献●

1) Jennette JC, Falk RJ：Clinical and pathological classification of ANCA-associated vasculitis：What are controversies? Clin Exp Immunol 101（Suppl 1）：18-26, 1995.
2) 難治性血管炎の診療マニュアル．厚生科学研究特定疾患対策研究事業難治性血管炎に関する調査研究班（班長：橋本博史）発行，2002.
3) Jennette JC, Falk RJ：Pathogenesis of the vascular and glomerular damage in ANCA-positive vasculitis. Nephrol Dial Transplant 13（Suppl 1）：16-20, 1998.
4) Xiao H, Heeringa P, Hu P, et al：Antineutrophil cytoplasmic autoantibodies specific for myeloperoxidase cause plomerulonephritis and vasculitis in mice. J Clin Invest 110：955-963, 2002.
5) Jayne DWR（EUVAS）：Update on the European Vasculitis Study Group trials. Curr Opin Rheumatol 13：48-55, 2001.
6) de Groot K, Adu D, Savage COS（EUVAS）：The value of pulse cyclophosphamide in ANCA-associated vasculitis: meta-analysis and critical review. Nephrol Dial Transplant 16：2018-2027, 2001.

［尾崎　承一］

疾患 20 数年来の喘息患者が急に手足の感覚障害と筋力低下を訴えた!?

問題編

症例呈示

症　例：47歳　男性
主　訴：左上下肢の感覚障害と筋力低下
家族歴：特記事項なし
既往歴：3年前から喘息症状が出現していたが，近医でアミノフィリンとβ刺激剤の投与を受け症状は寛解していた．
現病歴：2週間前から急に38℃台の発熱，咽頭痛，関節痛を認め，左上下肢の感覚障害と筋力低下も出現した．近医にて解熱鎮痛薬等を処方されるも改善せず，下肢に紫斑も出現するようになったため，当院紹介となる．検血で白血球，とくに好酸球の著明な増加を，胸部X線で下肺野に浸潤影を認めたため，精査・加療目的で入院となった．
入院時現症：身長170cm，体重60kg，体温38.5℃，血圧160/90，脈拍90回/分，意識清明，表在リンパ節触知せず，眼瞼結膜　貧血なし，眼球結膜　黄疸なし，心音・呼吸音　異常なし，腹部　平坦・軟，左下肢に紫斑あり，全身に関節痛あるも変形なし，下肢に浮腫なし，左尺骨神経領域と左腓骨神経領域に感覚障害と筋力低下あり，腱反射は左下肢において低下，病的反射なし．
＜入院時検査所見＞
　CBC：WBC 11,000/μl（Ba 3％，Eo 20％，Stab 7％，Seg 35％，Mono 5％，Lym 30％），Hb 11.2g/dl，Reti 1.0％，Plt 45.0×10^4/μl，Fib 375mg/dl
　Chemistry：TP 7.0g/dl，Alb 55.0％，α$_1$-globulin 2.5％，α$_2$-globulin 7.5％，β-globulin 8.0％，γ-globulin 27.0％，AST 20 IU/l，ALT 20 IU/l，LDH 300 IU/l，T Chol 180mg/dl，TG 130mg/dl，BUN 21mg/dl，Cr 1.0mg/dl，Na 140mEq/l，K 4.0mEq/l，Cl 100 mEq/l，Ca 10.0mg/dl，P 3.0mg/dl，CRP 3.0mg/dl，CH50 35.0U/ml，C3 70mg/dl，C4 25mg/dl，ACE 20U/ml
　Serological Test：リウマトイド因子（＋），ANA（－），抗dsDNA抗体（－）抗SS-A抗体（－），MPO-ANCA 100EU，PR3-ANCA（－），IgE 1000IU/ml
　赤沈：50mm/1時間，出血時間・凝固時間正常
　尿所見：protein（＋），OB（－），sediment異常なし
　胸部レントゲン：下肺野に斑状の浸潤影（＋），心拡大なし

設　問

問題1　まず疑う疾患はどれか　2つ選べ？
（1）顕微鏡的多発血管炎
（2）チャーグストラウス症候群
（3）サルコイドーシス
（4）グッドパスチャー症候群
（5）悪性関節リウマチ
　　a（1），（2）　b（1），（5）　c（2），（3）
　　d（3），（4）　e（4），（5）

問題2　診断のために行うべき検査はどれか？
a．皮膚生検
b．前斜角筋リンパ節生検
c．血管造影
d．気管支肺胞洗浄液検査
e．関節液検査

問題3　MPO-ANCAが陽性になる疾患はどれか？
（1）古典的PN

（2）顕微鏡的多発血管炎
（3）チャーグスストラウス症候群
（4）壊死性半月体形成腎炎
（5）Wegener肉芽腫症

a（1），（2），（3）　　b（1），（2），（5）
c（1），（4），（5）　　d（2），（3），（4）
e（3），（4），（5）

問題4　適切な治療はどれか？
a．非ステロイド系抗炎症鎮痛薬（NSAIDs）
b．抗生物質
c．副腎皮質ステロイド薬
d．シクロフォスファミド
e．血漿交換療法

解　説　編

チャーグストラウス症候群（Churg Straus syndrome）とは

1．疾患概念

チャーグストラウス症候群 Churg-Strauss syndrome（CSS）は，1）気管支喘息，2）好酸球の著明な増加（末梢血と組織での），3）肉芽腫性血管炎を3主徴とし，1951年ChurgとStraussにより独立した疾患として提唱され，結節性多発動脈炎から分離独立された[1]．別名，アレルギー性肉芽腫性血管炎 Allergic granulomatous angitis（AGA）とよばれている．近年抗好中球細胞質抗体が高率に検出されることが明らかになった[2]．アレルギー性肉芽腫性血管炎は稀な疾患で，発症頻度は2.4人/100万人程度である[3]．男女比は1：1で，好発年齢は30〜60歳であるがすべての年齢に発症する．家族内発症はまれである．

2．病　理

肺，心，血管系，皮膚の小・中型動脈を中心に，1）好酸球の組織浸潤，2）細小動脈の壊死性血管炎，3）血管壁および血管外結合織内の肉芽腫性病変がみられる．静脈が侵されることもある．

MPO-ANCA陽性をみるが，腎病変は結節性多発動脈炎に比し少なく，軽症のことが多い．存在する場合は，半月体形成腎炎や巣状ないし分節状糸球体腎炎を呈する．消化器，尿路，前立腺の好酸球性肉芽腫病変は本症に特徴的である．心筋の線維化や心外膜の肉芽腫もみられることがある．

3．臨床症状・検査所見[4]

気管支喘息やアレルギー性鼻炎などⅠ型アレルギーの既往のある患者に発現する．その後著明な好酸球増加を伴って血管炎症候群が起きる．気管支喘息から血管炎症候群が発症するまで，3年以内のことが多い．喘息は中高年発症が多く，必ずしもアトピー型とは限らず，感染型や混合型もみられる[5]．軽症から重症までさまざまで，アミノフィリンとβ刺激剤による通常の治療に反応し，そのまま鎮静してしまうこともある[6]．血管炎を発症すると喘息症状は軽くなる．

血管炎の初期症状としてよくみられるものは，発熱，倦怠感，体重減少，関節痛，筋痛，筋力低下である．多発性単神経炎もしばしば初発症状として出現し，ほぼ必発である．運動障害，知覚障害いずれも認められるが，四肢のしびれなど知覚障害が後遺症として残りやすい．腓骨神経や尺骨神経が障害されやすい．中枢神経障害は少ない．皮膚症状は51.5〜70％に出現し[7]，点状出血，紫斑，潰瘍，小結節がみられる．腹部症状としては，腹痛，下痢，あるいは腹部臓器の虚血や梗塞がある．病後期に急性心外膜炎や心タンポナーデを合併することがあり，死因のひとつとなりうる．

検査所見では，赤沈亢進，白血球数増加，CRP増加，高ガンマグロブリン血症，リウマトイド因子陽性を高頻度に認められるが，特徴的なのは好酸球数増加で，2,000/μ以上に著増することが多い．血清IgE値の上昇は75％の症例にみられる．抗好中球細胞質抗体ANCAが高率に検出され，疾患活動性とよく相関する[2]．MPO-ANCAは41〜85％に陽性であるが，PR3-ANCAは通常認められない[5]．血清中の補体価は通常正常である．症例によっては軽度の蛋白尿，尿潜血や血中BUNやクレアチニンの軽度高値を認める．しかし，腎障害が主体の場合は本症以外の血管炎症候群の可能性が高い[6]．胸部X線写真で斑状〜結節性浸潤影またはびまん性間質性病変がみられる．肺浸潤影の出現は38〜77％に及ぶが[5]，移動性で一過性のことが多い．

4．診　断（表1）

発熱および全身症状を伴い，喘息の悪化のみられる患者は，本症を疑うべきである．厚生労働省特定疾患

表1　アレルギー性肉芽腫性血管炎（Churg-Strauss症候群）の診断基準
(厚生省難治性血管炎分科会,1998年修正)

概　念
　Churg-Straussが古典的PNから分離独立させた血管炎であり,気管支喘息,好酸球増多,血管炎による症状を示すものをChurg-Strauss症候群,典型的組織所見を伴うものをアレルギー性肉芽腫性血管炎とする.

診断基準
1) 主要臨床所見
　(1) 気管支喘息あるいはアレルギー性鼻炎
　(2) 好酸球増加
　(3) 血管炎による症状（発熱（38℃以上,2週間以上）,体重減少（6カ月以内に6kg以上）,多発性単神経炎,消化器出血,紫斑,多関節痛（炎）,筋肉痛,筋力低下）
2) 臨床経過の特徴
　主要臨床所見(1),(2)が先行し,(3)が発症する.
3) 主要組織所見
　(1) 周囲組織に著明な好酸球浸潤を伴う細小血管の肉芽腫性,またはフィブリノイド壊死性血管炎の存在
　(2) 血管外肉芽腫の存在

判定基準
1) 確実(definite)
　(1) 主要臨床所見のうち気管支喘息あるいはアレルギー性鼻炎,好酸球増加および血管炎による症状のそれぞれ1つ以上を示し同時に,主要組織所見の1項目以上を満たす場合（アレルギー性肉芽腫性血管炎）
　(2) 主要臨床項目3項目を満たし,臨床経過の特徴を示した場合（Churg-Strauss症候群）
2) 疑い(probable)
　(1) 主要臨床所見1項目および主要組織所見の1項目を満たす場合（アレルギー性肉芽腫性血管炎）
　(2) 主要臨床所見3項目を満たすが,臨床経過の特徴を示さない場合（Churg-Strauss症候群）

参考となる検査所見
(1) 白血球増加（1万/μl 以上）
(2) 血小板増加（40万/μl 以上）
(3) 血清IgE増加（600U/ml以上）
(4) MPO-ANCA陽性
(5) リウマトイド因子陽性
(6) 肺浸潤陰影（これらの検査所見はすべての例に認められるとは限らない）

鑑別診断
　肺好酸球増加症候群,ほかの血管炎症候群（Wegener肉芽腫症,結節性多発動脈炎）との鑑別を要する

参考事項
(1) ステロイド未治療例では末梢血好酸球数は2,000μg/ml以上の高値を示すが,ステロイド投与後は速やかに正常化する.
(2) 気管支喘息はアトピー型とは限らず,重症例が多い.気管支喘息の発症から血管炎の発症までの期間は3年以内が多い.
(3) 胸部X線所見は結節性陰影,びまん性粒状陰影など,多様である.
(4) 肺出血,間質性肺炎を示す例もみられる.
(5) 血尿,蛋白尿,急速進行性腎炎を示す例もみられる.
(6) 血管炎症候寛解後にも,気管支喘息は持続する例がかなりある.
(7) 多発性単神経炎は後遺症が持続する例が多い.

(津坂憲政,2001[3]）より引用).

調査研究班から診断基準が提唱されている[3]．確定診断は罹患組織の生検で行う．腹部動脈造影は結節性多発動脈炎と同様の所見を認めることがある．

本症候群の鑑別疾患としては，古典的PN，顕微鏡的多発血管炎，Wegener肉芽腫症，過敏性血管炎，好酸球性肺炎（Löfler症候群），好酸球性腸炎，好酸球増多症候群，寄生虫感染，サルコイドーシスなどがあげられる．

5．治　療

経口プレドニゾロンを40～60mg/日（1 mg/kg/日）より投与開始する．生命予後に影響する病態や重篤な多発単神経炎の症例は，メチルプレドニゾロン0.5～1.0g/日のパルス療法を3日間施行し，その後経口プレドニゾロン40mg/日を2～4週間投与する．多くの症例は副腎皮質ステロイド薬によく反応し，アレルギー症状と好酸球増加は速やかに消褪するが，多発性単神経炎の後遺症は残存する場合が少なくない．その

後臨床症状・検査所見を指標に2～3週間ごとに10％を目安に漸減する．維持量はプレドニゾロン10 mg/日以下を目標とするが，気管支喘息の治療・管理および再発防止のため，ステロイド薬を完全に中止することは難しい．減量を急ぎすぎると再燃する．血管炎症候群が著しい症例では，シクロフォスファミド，アザチオプリン，メトトレキサートなどの免疫抑制薬を併用する．これらの免疫抑制薬は医薬品適応外であり，使用にあたっては十分なインフォームド・コンセントをとり，副作用に十分注意する．

気管支喘息に対しては，一般の治療に用いられる薬剤を適宜使用する．

6．予　後

副腎皮質ステロイド薬が奏功する例が多く，古典的PNと比べるときわめて良好で，一部の患者では自然寛解がみられることがある．血管炎は88.6％に寛解が得られたと報告されている[8]．しかし，治療が遅れ，血管炎が進行した例では予後は不良となる[9]．

死因は，心筋梗塞，心不全など心病変，喘息死，腸管穿孔，肺炎などである．

● 問題の解説および解答

問題　1

発熱，咽頭痛，関節痛などの全身症状に加え，臓器の虚血/出血症状として左上下肢の感覚障害と筋力低下（多発性単神経炎）と紫斑が出現している．一般検査所見でも白血球数上昇，CRP値増加等の炎症所見があり，血管炎の存在が疑われる．血管炎のうちMPO-ANCAが陽性であるものは，顕微鏡的多発血管炎とチャーグストラウス症候群である．気管支喘息も存在することから，とくにチャーグストラウス症候群の可能性が高い．サルコイドーシスも不明熱の原因となる疾患のひとつである．好酸球増多や胸部X線上異常を認めるが，本症例ではBHLは存在せず，ACEが正常であることから否定的である．グッドパスチャー症候群においても肺障害はみられるが，肺胞出血による喀血，血痰が多い．しかも本症例の腎障害は軽微であるため，グッドパスチャー症候群も考えにくい．悪性関節リウマチは別名リウマトイド血管炎とよばれている．本症例では関節痛は認められるものの，関節リウマチの診断が明らかでない．また，本疾患においてMPO-ANCAとの関連は示唆されていないことから，否定的である．

問題　2

顕微鏡的多発血管炎，チャーグストラウス症候群が疑われた場合，確定診断は，罹患臓器の生検によって行われる．本症例は，左上下肢に多発性単神経炎，紫斑が出現していることから，同部位の皮膚生検で診断は確定される．顕微鏡的多発血管炎では，細小動脈に壊死性血管炎が認められる．チャーグストラウス症候群では，小・中型動脈に壊死性血管炎と好酸球に富む肉芽腫が認められる．前斜角筋リンパ節生検はサルコイドーシスの診断のために，血管造影は古典的PNや高安動脈炎など中型以上の血管の血管炎症候群の診断のために行われる．また，気管支肺胞洗浄液検査は間質性肺炎，過敏性肺臓炎，サルコイドーシスや肺癌，肺感染症などの鑑別のために，関節液検査は関節リウマチをはじめとする関節疾患のために行うものである．

問題　3

ANCAが陽性となる疾患（ANCA関連症候群）は下記の通りである．
1．MPO-ANCA関連疾患
 a．顕微鏡的多発血管炎
 b．チャーグストラウス症候群
 c．pauci-immune型半月体形成腎炎
 d．間質性肺炎／肺胞出血
 e．全身性硬化症（非高血圧型renal crisis）
 f．プロピルサイオウラシル長期投与後血管炎
 g．グッドパスチャー症候群
2．PR3-ANCA関連疾患
 Wegener肉芽腫症

問題　4

チャーグストラウス症候群は比較的副腎皮質ステロイド薬に奏功する．経口プレドニゾロンを40～60mg/日（1mg/kg/日）あるいは，メチルプレドニゾロン0.5～1.0g/日のパルス療法を3日間施行し，その後経口プレドニゾロン40mg/日を投与する．血管炎症候群が著しい症例では，シクロフォスファミド，アザチオプリン，メトトレキサートなどの免疫抑制薬を併用する．気管支喘息に対しては，一般の治療に用いられる薬剤を適宜使用する．

解　答
問題1：a
問題2：a
問題3：d
問題4：c

レベルアップをめざす方へ

ANCA 関連血管炎[10]

血管炎症候群のなかで小血管を中心に侵されるチャーグストラウス症候群，ウエゲナー肉芽腫症，顕微鏡的多発血管炎は抗好中球細胞質抗体が高率に検出され[2]，ANCA関連血管炎とよばれている．ANCAは，アルコール固定標本を用いた蛍光抗体間接法による染色パターンから，細胞質全体が染まるcytoplasmic型（c-ANCA）と核周囲だけが染まるperinuclear型（p-ANCA）に分けられる．

ANCAは，血管炎の際好中球から多量に放出された酵素を抗原として生成される．好中球のc-ANCAの抗原は好中球アズール顆粒中に存在する中性セリンプロテアーゼのひとつであるprote-ainase-3 (PR-3)で，強力な蛋白分解作用を有する．p-ANCAの抗原の代表は myeloperoxidase（MPO）で，これは活性酸素を基質として細胞障害を示す酵素である[12]．p-ANCA抗原はMPO以外にもいくつか同定されている．ANCAの各対応抗原と臨床的に関連のある疾患を表にまとめた（表2）[10][11]．

血管炎ではTNFαやIL-1βなどの炎症性サイトカインが産生される．これらの炎症性サイトカインは好中球や単球のANCA対応抗原（MPOやPR-3）を細胞表面に露呈させる．これにANCAがFab部分とFc部分を介して結合し，好中球・単球を活性化する．さらに，好中球・単球は遊走し，血管内皮細胞と接着するとともに活性酸素などのフリーラジカルを放出して細胞障害をきたすと考えられている．

表2　ANCAの対応抗原と臨床的に関連のある疾患

蛍光抗体間接法による染色パターン	ANCAの対応抗原	関連のある疾患
c-ANCA	proteinase-3 (PR-3)	Wegener肉芽腫症
	defensin	寄生虫感染
p-ANCA	myeloperoxidase (MPO)	顕微鏡的多発血管炎
		チャーグストラウス症候群
		（アレルギー性肉芽腫性血管炎）
		壊死性半月体形成腎炎
	elastase	薬剤誘発血管炎
		クローン病
	cathepsin G	潰瘍性大腸炎(UC)，クローン病
		原発性硬化性胆管炎（PSC）
		自己免疫性肝炎(AIH)
	lactoferrin	UC, PSC,ヒドララジン誘発腎炎
	azurocidin	薬剤誘発血管炎,PSC
		ヒドララジン誘発腎炎
	histon	PSC
	HMG 1/2	UC,AIH,SLE,JRA
		チャーグストラウス症候群
p/c-ANCA	h-lamp-2	壊死性半月体形成腎炎
非定型c/p-ANAC	BPI	肺感染症（緑膿菌）
		嚢胞性線維症,気管支拡張症

（塩沢俊一，2003[10]；吉田雅治,2003[11]より引用）

●文　　献●

1) Churg J, Strauss L：Allergic granuromatosis, allergic angitis and periarteritis nodosa. Am J Pathol 27：277, 1951.
2) 吉田雅治：ANCA関連血管炎. リウマチ科19：575, 1998.
3) 津坂憲政：難病の診断と治療指針改訂版2, 厚生労働省健康局疾病対策研究会編. pp42-46, 東京, 六法出版, 2001.
4) Gary SH：血管炎, リウマチ入門　第11版（日本語版）, アメリカ関節炎財団編, 日本リウマチ学会日本語編集, 東京, YMI INC, 1999.
5) 深澤千賀子：アレルギー性肉芽腫性血管炎. Evidence Based Medicineを活かす膠原病・リウマチ診療. pp262-263, 東京, メジカルビュー社, 2000.
6) 三森明夫：アレルギー性肉芽腫性血管炎. 膠原病診療ノート. pp246-247, 東京, 日本医事新報社, 1999.
7) Lhote F, Cohen P, Guillevin L：Polyarteritis nodosa, microscopic polyangitis and Churg-Strauss syndrome. Lupus 7：238-258, 1998.
8) Lanham JG, Elkon KB, Pusey CD, et al：Systemic vasculitis with asthma and eosinophilia：a clinical approach to the Churg-Strauss syndrome. Medicine 63：65-81, 1984.
9) Cohen P, et al. and the French Polyarteritis Nodosa Study Group：Arthritis Rheum 38（suppl 9）：S391, 1995.
10) 塩沢俊一：ANCA. 膠原病学. pp379-382, 東京, 丸善株式会社, 2003.
11) 吉田雅治：抗好中球細胞質抗体（ANCA）. 日本内科学会雑誌92：1941-1947, 2003.
12) 鈴木和男：ANCA関連血管炎の発症機序. リウマチ科29：228-236, 2003.

［折口　智樹／江口　勝美］

疾患 21 鼻閉，眼痛，胸部XPでの結節影！急速進行性腎炎？

問題編

症例提示

症 例：T. M. 57歳　女性
主 訴：発熱，鼻閉，眼痛，多関節痛
現病歴：4年前より鼻閉あり，上気道炎後の眼痛，眼球結膜の充血をくり返す．1カ月前より38℃を超える発熱，多関節痛，足底のしびれあり．当科初診したところ，蛋白尿・顕微鏡的血尿を指摘され，即日入院となった．

入院時現症：
身長148cm，体重43kg（半年の間に3kg減少あり）
血圧130/94mmHg，脈拍88/min・整，体温37.0℃
眼瞼結膜：貧血（＋），左眼球結膜の充血（＋），鞍鼻（－）
両下肢のリベドー様皮疹（＋），点状出血斑（＋），浮腫（－），表在リンパ節触知せず
心：雑音（－），肺：ラ音（－），腹部：異常なし
神経学的所見：左足底部のしびれ・知覚低下
＜入院時検査所見＞
BSR 143mm/1hr
血算：Hb 9.1g/dl，Plt 48.5×10^4/μl，WBC 13,800/μl（Seg.61.5％，Eo.1.2％，Baso.1.1％，Mono.7.9％，Ly.28.3％）
生化学：BUN 12.7mg/dl，Cr 1.5mg/dl，TP 7.0g/dl，Alb 2.8g/dl，GOT 8U/l，GPT 2U/l，LDH 410U/l，CK 26U/l，　血清：CRP 12.1mg/dl，IgG 2190mg/dl，IgA 383mg/dl，IgM 312mg/dl，CH50 49.9U/ml，RA test（2＋），RAHA 320×，ANA（－），a-GBM Ab（－）
検尿：蛋白（＋＋）768 mg/d，赤血球50～99/hpf，顆粒円柱 1～4/hpf，24h C cr 45.4ml/min
胸部XP：右上肺野に結節陰影（＋）（図1）
末梢神経伝導速度：左脛骨神経障害の所見（＋）

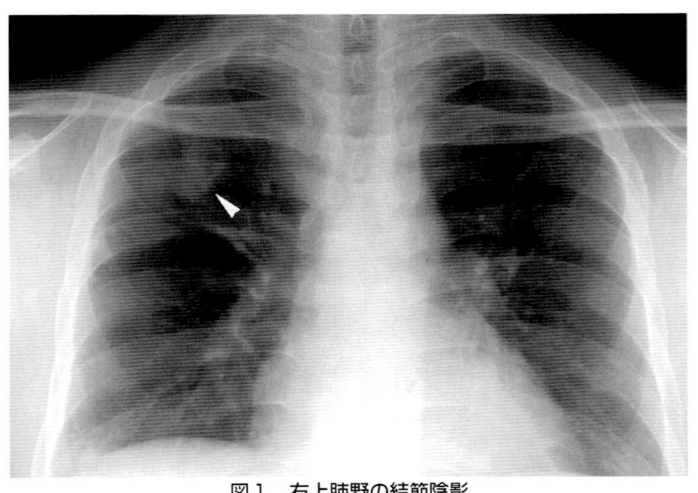

図1　右上肺野の結節陰影

設問

問題1 まず疑う病態は何か？
(1) 全身性エリテマトーデス
(2) Wegener肉芽腫症
(3) Goodpasture症候群
(4) 肺結核
(5) 肺癌
　a (1), (2), (3)　　b (1), (3), (4)
　c (2), (3), (4)　　d (2), (4), (5)
　e (3), (4), (5)

問題2 診断のために行うべき検査は何か？
(1) ANCA検査
(2) TBLB
(3) 胸部CT
(4) 頭部CT
(5) 腎生検
　a (1), (2), (3)　　b (1), (3), (4)
　c (2), (3), (4)　　d (2), (4), (5)
　e (3), (4), (5)

問題3 ANCA陽性を示す疾患は？
(1) 顕微鏡的多発血管炎
(2) アレルギー性肉芽腫性血管炎
(3) Wegener肉芽腫症
(4) 結節性多発動脈炎
(5) Goodpasture症候群
　a (1), (2), (3)　　b (1), (3), (4)
　c (2), (3), (4)　　d (2), (4), (5)
　e (3), (4), (5)

問題4 適切な治療は何か？
(1) ステロイド療法
(2) スルファメトキサゾール・トリメトプリム合剤
(3) シクロホスファミド
(4) 血液透析
(5) 血漿交換
　a (1), (3)　　b (2), (3)　　c (2), (4)
　d (3), (5)　　e (4), (5)

解説編

Wegener肉芽腫症（Wegener granulomatosis）とは

1. 疾患概念

全身性血管炎のひとつであり，①上気道と肺を主とする壊死性肉芽腫，②壊死性半月体形成性糸球体腎炎，③全身の壊死性肉芽腫性血管炎を特徴とする．本疾患は1939年にドイツの病理学者のF. Wegenerが結節性動脈周囲炎（現在の結節性多発動脈炎）から分離独立させた疾患である．ただし，上気道（E），肺（L），腎（K）の3病変が常にそろっているとは限らない．1966年，CarringtonとLiebowは腎病変を欠くタイプをlimited formとし，generalized formから区別した．さらに1975年，DeRemeeらは本症をE，L，EL，EK，LK，ELKの6型に分類するELK分類を提唱したが，Eタイプはmidline granulomaとの異同が問題になる．

症状としては発熱，体重減少などの全身症状とともに，①上気道の症状（膿性鼻漏，鼻出血，鞍鼻，中耳炎，視力低下，咽喉頭潰瘍，嗄声など），②肺症状（血痰，呼吸困難，肺浸潤など），③腎症状（血尿，乏尿，急速進行性腎炎など），④その他の血管炎症状（紫斑，多発関節痛，多発性神経炎など）がみられる．

侵される血管のレベルは顕微鏡的多発血管炎やアレルギー性肉芽腫性血管炎と同じく，小・細動脈から毛細血管さらに細静脈におよぶ細い血管である．

本邦では比較的まれな疾患で，1994年厚生省調査研究班の調査では1年間の受療者数は670名で，男女差はなく，中高年齢に多かった．欧米では本邦に比して患者数は多い．

病因は不明であるが，1980年代に本症患者血清中に高率に抗好中球細胞質自己抗体（ANCA）が検出されることが明らかとなり，にわかに発症機序解明の手がかりが得られることになった．ANCAのなかでもcytoplasmicタイプのANCA（c-ANCA）が特異的であり，その対応抗原が29kDaのセリンプロテアーゼであるproteinase-3（PR-3）であることも明らかとなった．

2. 診　　断

厚生労働省調査研究班の提唱する診断基準では，症状，組織所見，検査所見を組合わせて診断する（表1）．主要症状としては（1）上気道の症状，（2）肺の症状，（3）腎の症状，（4）血管炎による症状があげられる．主要組織所見としては（1）巨細胞を伴う壊死性肉芽腫炎，（2）壊死性半月体形成性糸球体腎炎（pauci-immuneタイプ，すなわち免疫グロブリン沈着を伴わない），（3）壊死性肉芽腫性血管炎があげられる．主要検査所見はPR3-ANCA陽性である．陽性項目の組合せにより，確実例あるいは疑い例と判定される．サルコイドーシスなどほかの肉芽腫性疾患，ほかの血管炎症候群が鑑別の対象となる．

3. 治　　療

元来難治性で予後不良の疾患であったが，近年シクロホスファミド（CY）を使用することによって治療成績は飛躍的に向上している．ステロイドとCYを併用して強力な免疫抑制療法を行うのが原則である．表2に厚生労働省調査研究班による治療指針を示す．

表1　ウェゲナー肉芽腫症の診断基準

1. 主要症状
- （1）上気道（E）の症状
  - E：鼻（膿性鼻漏，出血，鞍鼻），眼（眼痛，視力低下，眼球突出），耳（中耳炎），口腔・咽頭痛（潰瘍，嗄声，気道閉塞）
- （2）肺（L）の症状
  - L：血痰，咳嗽，呼吸困難
- （3）腎（K）の症状
  - 血尿，蛋白尿，急速に進行する腎不全，浮腫，高血圧
- （4）血管炎による症状
  - ①全身症状：発熱（38℃以上，2週間以上），体重減少（6カ月以内に6kg以上）
  - ②臓器症状：紫斑，多関節炎（痛），上強膜炎，多発性単神経炎，虚血性心疾患，消化管出血，胸膜炎

2. 主要組織所見
- ①E, L, Kの巨細胞を伴う壊死性肉芽腫性炎
- ②免疫グロブリン沈着を伴わない壊死性半月体形成腎炎
- ③小・細動脈の壊死性肉芽腫性血管炎

3. 主要検査所見
- Proteinase-3（PR-3）ANCA（蛍光抗体法でcytoplasmic pattern, C-ANCA）が高率に陽性を示す

4. 判　　定
- ①確　実（definite）
  - （a）上気道（E），肺（L），腎（K）のそれぞれ一臓器症状を含め主要症状の3項目以上を示す例
  - （b）上気道（E），肺（L），腎（K），血管炎による主要症状の2項目以上および，組織所見①，②，③の1項目以上を示す例
  - （c）上気道（E），肺（L），腎（K），血管炎による主要症状の1項目以上と組織所見①，②，③の1項目以上およびC（PR-3）ANCA陽性の例
- ②疑　い（probable）
  - （a）上気道（E），肺（L），腎（K），血管炎による主要症状のうち2項目以上の症状を示す例
  - （b）上気道（E），肺（L），腎（K），血管炎による主要症状のいずれか1項目および，組織所見①，②，③の1項目を示す例
  - （c）上気道（E），肺（L），腎（K），血管炎による主要症状のいずれか1項目とC（PR-3）ANCA陽性を示す例

5. 参考となる検査所見
- ①白血球，CRPの上昇
- ②BUN，血清クレアチニンの上昇

6. 鑑別診断
- ①E, Lのほかの原因による肉芽腫性疾患（サルコイドーシスなど）
- ②ほかの血管炎症候群（顕微鏡的多発血管炎，アレルギー性肉芽腫性血管炎）（Churg-Strauss症候群）など

7. 参考事項
- ①上気道（E），肺（L），腎（K）のすべてが揃っている例は全身型，上気道（E），下気道（L）のうち単数もしくは2つの臓器に止まる例を限局型とよぶ
- ②全身型はE, L, Kの順に症状が発現することが多い
- ③発症後しばらくするとE, Lの病変に黄色ぶどう球菌を主とする感染症を合併しやすい
- ④E, Lの肉芽腫による占拠性病変の診断にCT, MRI検査が有用である
- ⑤PR-3 ANCAの力価は疾患活動性と平行しやすい（難治性血管炎分科会，1998年）

表2 ウェゲナー肉芽腫症（WG）の治療方針

```
下記のプロトコールに従って免疫抑制療法を行う

1.寛解導入療法
 (1) 全身型WGで活動早期の例に対して
     シクロホスファミド（CY）50～100mg／日とプレドニゾロン（PSL）40～60mg／日の経口投与を8～
     12週間行う.
 (2) 限局性WGで活動早期の例に対して
     プレドニゾロン（PSL）15～30mg／日, シクロホスファミド（CY）25～75mg／日, スルファメトキサゾ
     ール・トリメトプリム（ST）合剤, 2～3錠／日を8週間行う.
      注1：全身型WGとは主要症状の上気道, 肺, 腎のすべてそろっている例, 限局型WGとは上気道, 肺の単数
         もしくは2つの臓器症状に止まる例をさす.
      注2：寛解とは, 肉芽腫症病変, 血管炎, 腎炎の症状が消失, または軽快し, PR-3ANCA値を含め検査所見が
         正常化することを意味する.
      注3：発症から治療期間までの期間が短いほど, 完全寛解を期待できる.
      注4：副作用のため, CYが用いられない場合は, アザチオプリン（AZ）の同量か, メトトレキサート（MTX）
         を2.5～7.5mg／週を使用する.

2.維持療法
 寛解導入後は2つのいずれかの維持療法を原則として12～24カ月行う.
 (1) PSLを8～12週間で漸減, 中止し, CYを25～50mg／日に減量して投与する.
 (2) CYをただちに中止し, PSLを漸減し5～15mg／日の投与とする.
      注1：疾患活動期に肉芽腫症病変の強かった例は(1), 血管炎症例の強かった例は(2)を原則として選択する.
      注2：再発した場合はCY（AZ）, MTX, PSL投与量を寛解導入期の投与量に戻す.
         附：WGの免疫抑制療法施行時の注意事項
           1) CY, AZ, MTXの使用にあたっては適用外医薬品であるのでインフォームドコンセントを患者
              に十分話して了解のもとで使用し, 副作用の早期発見とその対策が重要である.
           2) PR-3ANCA力価を疾患活動性の指標として至適投与量を設定する.
           3) WGの発症, 増悪因子として細菌, ウイルス感染症の対策を十分行う.
```

（厚生省難治性血管炎分科会, 1997年）

問題の解説および解答

問題 1

上気道, 肺, 腎の症状がそろっており, Wegener肉芽腫症（WG）が強く疑われるが, 悪性疾患すなわち肺癌は否定しておかねばならない. また免疫抑制療法を開始するまえに肺結核も否定しておかねばならない. 全身性エリテマトーデスはこのような肺病変をきたさないし, 抗核抗体が陰性なので否定的である.

Goodpasture症候群についてもa-GBMが陰性であるし, このような肺の結節性陰影はきたさないので否定的である.

問題 2

WGを疑ったらまずはANCAを測定する. 同時に耳鼻科領域と肺の病変の詳細を明らかにするために頭部と胸部のCTは即刻行わねばならない. TBLBと腎生検はその次である. 図2は頭部CTで認められた右上顎洞内の腫瘍陰影である. 図3には胸部CTで肺内に

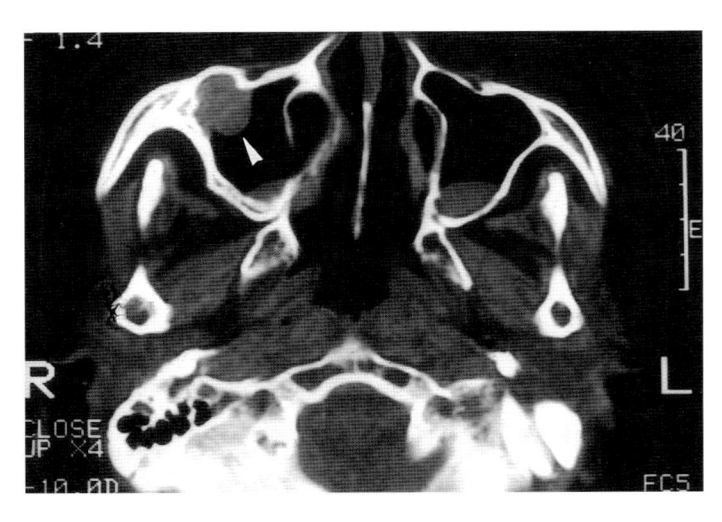

図2 頭部CTで認められた右上顎洞内の腫瘍陰影（矢印）

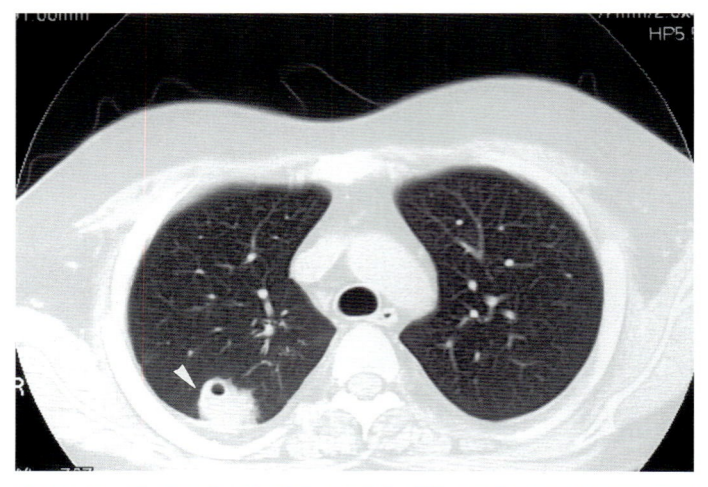

図3 胸部CTで肺内に認められた空洞を伴う結節陰影（矢印）

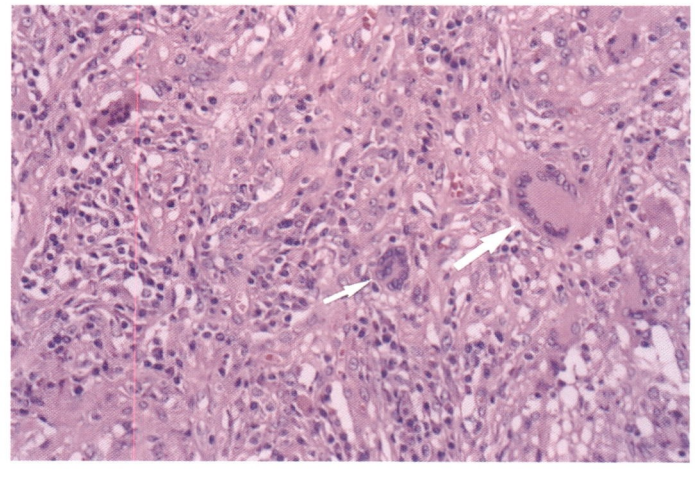

図4 TBLBで得られた巨細胞を伴う肉芽腫性病変（矢印）
（杏林大学　中林公正博士提供）

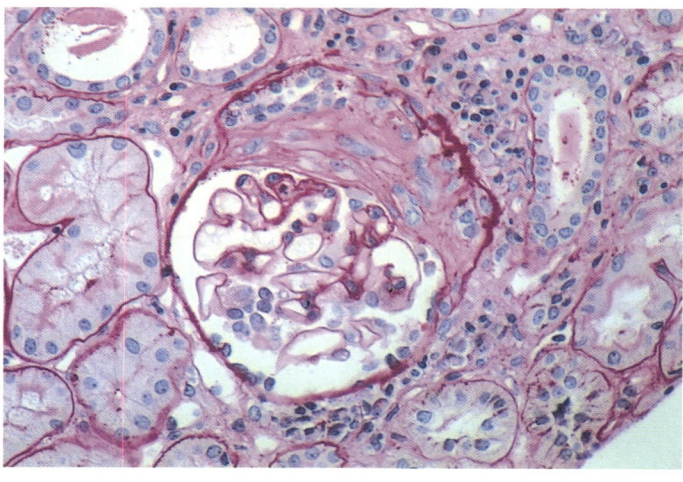

図5 腎生検で認められた半月体形成性糸球体腎炎

認められた空洞を伴う結節陰影を示す．その後，TBLBで，同部の生検を行ったところ，図4に示すような，巨細胞を伴う肉芽腫性病変が認められた．図5には腎生検で認められた半月体形成性糸球体腎炎を示す．

問題　3

顕微鏡的多発血管炎（mPA）とアレルギー性肉芽腫性血管炎（AGA）はp-ANCAが，Wegener肉芽腫症はc-ANCAが高率に陽性となる．それぞれの対応抗原はmyeloperoxidaseとpreoteinase-3である．結節性多発動脈炎（古典的PN）はANCA陰性である．

問題 4

　治療はプレドニゾロンとシクロホスファミド（CY）による強力な免疫抑制療法を行う．CYが副作用により使用できない場合に限り，アザチオプリンあるいはメトトレキサートを使用する．スルファメトキサゾール・トリメトプリム合剤（ST合剤）は限局型で活動早期の場合に効果が期待できるが，本例のように腎症を合併している場合は適応ではない．また，血液透析，血漿交換はこの時期には適応ではない．

解　答
問題1：e
問題2：b
問題3：a
問題4：a

レベルアップをめざす方へ

　Wegener肉芽腫症の原因に関してはよくわかっていないが，感染症，遺伝素因，環境要因，おのおのの側面から検討されている．とくに上気道の症状が主体であること，ST合剤が軽症例では奏効することにより感染が基礎にあるという説が強い．いっぽうsilicaの曝露説もある．in vivoにおけるPR-3の主たる抑制因子がα_1-antitrypsin（AAT）であることより，AAT欠損症でWegener肉芽腫症発症のリスクが高いともいわれている．

　さて，ANCAがいかなる機序で組織障害をおこすのであろうか．ANCA関連疾患は，激しい壊死性半月体形成性糸球体腎炎をひきおこすのが特徴とされているが，糸球体組織は一般にpauci immuneであり，ANCAとその対応抗原であるPR-3のimmune complexが糸球体局所に沈着しているわけではない．また，PR-3は好中球の細胞質に存在するため（ゆえに好中球細胞質抗体という），ANCAはアクセスできない．ところがいったん好中球が，TNFαにより活性化されたり，apoptosisに向かうと，PR3は細胞膜表面に発現される．このように発現された細胞表面のPR3にANCAはFabを介して結合し，いっぽうFcは好中球表面のFc receptorに結合する．このように好中球は，脱顆粒して走化因子や活性酸素種を放出し，内皮細胞を障害し，好中球をさらに局所により寄せるという機序が想定されている．

●文　献●

1) Savage CO, Harper L, Holland M : New findings in pathogenesis of antineutrophil cytoplasm antibody-associated vasculitis. Curr Opin Rheumatol 14 : 15, 2002.
2) Cockwell P, Brooks CJ, Adu D, et al : Interleukin-8 : A pathogenetic role in antineutrophil cytoplasmic autoantibody-associated glomerulonephritis. Kidney Int 1999.
3) Savage CO : ANCA-associated renal vasculitis. Kidney Int : 1614-1627, 2001.
4) Rarok AA, Stegeman CA, Limburg PC, et al : Neutrophil membrane expression of proteinase 3（PR3）is related to relapse in PR3-ANCA-associated vasculitis. J Am Soc Nephrol 13 : 2232, 2002.

［山　田　　明］

疾患 22 若い女性が微熱が続き，貧血，赤沈・CRPの亢進を指摘された!?

問題編

症例呈示

症　例：31歳　女性
主　訴：微熱
家族歴：特記事項なし
既往歴：特記すべきものなし
現病歴：3年前に正常出産したとき，軽度の貧血があったが，鉄欠乏性および妊娠に伴う変化と思っていた．約半年後から後頭部痛や肩周囲の痛みが出没し，血液検査でHb 9.5の貧血を指摘された．痛みについては，筋弛緩薬，湿布などの効果が不明確だったが，非ステロイド性抗炎症薬をときどき服用してるうちに軽くなったので通院をやめ，貧血の検査も受けなかった．最近2～3カ月，夕方に目立つ下腿の浮腫に気づき，上背部痛と37℃台後半の微熱が続くため近医を受診した．貧血，赤沈・CRPの亢進を指摘され，紹介受診した．上肢の多関節痛を感じた時期もあるというが，現在はない．ときどき軽い息切れがあり運動不足のためかと思って，先月エアロビクス教室に行ったが，上肢の運動中に失神しそうな不快感を感じたので中止したとのこと．
現　症：身長162cm，体重51kgで最近の変化なし．体温37.4℃，上肢血圧，右135/70，左で測定不能，脈拍72/分だが，左撓骨動脈は触知せず．第3肋間胸骨縁に最強点を示すLevine 2度の収縮期心雑音，鎖骨上血管雑音あり，腹部血管雑音なし，呼吸音正常，皮膚粘膜の異常所見なし．診察時は浮腫も認めず．
＜検査所見＞
　CBC：WBC 9,500（Neu 55％，Lym 40％），Hb 8.0g/dl，MCV 85，Plt 42 x 104/mcl
　Chemistry：TP 7.0g/dl，Alb 2.9 g/dl，GOT 23 IU/l，GPT 17 IU/l，T.Chol 165 mg/dl，BUN 17 mg/dl，Cr 0.5 mg/dl，CRP 4.5 mg/dl，Fe 17mcg/dl，UIBC 170mcg/dl
　赤沈：56 mm/時
　尿：異常なし
　胸部レントゲン：異常所見なし

設　問

問題1　まず疑う疾患はなにか
 a．側頭動脈炎
 b．高安動脈炎
 c．溶血性貧血
 d．リウマチ性多発筋痛症
 e．繊維筋痛症

問題2　病態評価に役立つ検査はどれか
 (1) 血管造影
 (2) 心エコー
 (3) 大動脈壁MRI
 (4) 骨髄検査
 (5) 動脈生検
　a (1), (2), (3)　　b (1), (2), (5)
　c (1), (4), (5)　　d (2), (3), (4)
　e (3), (4), (5)

問題3　この疾患の合併症はどれか
 (1) 僧房弁狭窄
 (2) 大動脈弁閉鎖不全
 (3) 腎血管性高血圧症
 (4) 鎖骨下動脈盗血症候群
 (5) 四肢末端の潰瘍，壊疽

a (1), (2), (3)　　b (1), (2), (5)
c (1), (4), (5)　　d (2), (3), (4)
e (3), (4), (5)

問題4　治療の第一選択はどれか
a. シクロフォスファミド
b. アザチオプリン
c. ステロイド薬
d. メソトレキサート
e. シクロスポリン

解 説 編

● 高安動脈炎について

1．疫学と病態

高安動脈炎は，日本の若年者に多く女性が9割，発症年令は20歳代をピークに小児から40歳代までに分布する．無作為の剖検による検索から推定した有病率は30/10万人と高いが，診断数はより少ない．インド，韓国などでは結核による大動脈炎の記載が多く，高安動脈炎とも記されるが，日本の高安動脈炎に関しては，結核との因果関係は否定されている．欧米で最も頻度の高い血管炎は，内頸動脈，外頸動脈とその分枝を侵す側頭動脈炎であり，高齢発症する特徴がある．側頭動脈炎と高安動脈炎は巨細胞を含む肉芽腫性の壁肥厚による内腔狭窄を示す．高安動脈炎は大動脈とその第一分枝または肺動脈を外側から侵し始める．血管の栄養血管（vasa vasorum）から原因が侵入し，病変が内膜側まで波及すると考えられている．臨床的観察からの推定で壁肥厚による内腔狭窄に至るには年月を要する．動脈拡張が，狭窄の前後に生じる圧上昇によっておきることもよく知られているが，急性の炎症がおきると中膜の壊死破壊によって動脈が拡張する．したがって狭窄する暇がなく拡張し，動脈瘤のみを生じることもある．

2．大型動脈の病変を示す鑑別疾患

脈の消失や血管雑音を認めたとき，高齢者なら動脈硬化を第一に考えるが，若年時に気づかれずに生じていた高安動脈炎の後遺症である可能性もある．ベーチェット病で，皮膚粘膜病変の病的意義に気づかれておらず血管病変に至ってから初診することもありうる．炎症反応をともなうときは，高齢者なら側頭動脈炎または動脈壁の感染症を考えるが，外国では高齢者の高安動脈炎の記載も少なくないので，国による疫学的な差があるかもしれない．動脈瘤の鑑別には，炎症性腹部大動脈瘤，梅毒・結核・その他の細菌・真菌性の動脈瘤，先天性の血管壁異常がある．

3．高安動脈炎の症状，血液検査所見

虚血によってほとんどの症状が説明される：脈消失，上肢の冷感と脱力，立ちくらみ，浮動感，失神，耳鳴，難聴，下肢の冷感，脱力，間欠性跛行．血管雑音は，狭窄が高度になれば消失する．

鎖骨下動脈盗血症候群；運動によって筋の血流は安静時の何倍も増える．鎖骨下動脈の狭窄があると腕の運動により，椎骨動脈への血流が減るため失神しうる．高安動脈炎で狭窄の進行は遅く，側副血行路が発達するので虚血壊死はまずおきない．

視力障害；上行血管の罹患による網膜中心動脈の虚血が，眼底に花冠状吻合を形成する．腎血管性高血圧は，日本でその9％が高安動脈炎によるといわれる．血圧測定値は高血圧から患肢での低血圧までをみる．肺動脈の虚血は息切れ，胸痛をまねく．咳，喀血もありうる．息切れは炎症性貧血でも生じ，貧血による拍出増加で相対的肺動脈弁狭窄による収縮期雑音を聴取しうる．狭窄前部の圧による大動脈弁の閉鎖不全は心不全につながる．潜在的な脳虚血に，手術時などで血圧低下の要因が加わると脳梗塞がありうるが，通常状態ではまれである．

診断されるまえにしばしば主訴となる後頭部痛，背部痛，肩の痛みは血管痛と推定され，ステロイド投与でただちに消失するので完成した虚血によるとは考えにくい．この時期に血管狭窄を思わせる血圧左右差や血管雑音を認めなくても，下記の炎症反応から本疾患を疑って後述の画像検査に進むことが，高安動脈炎の診療においてもっとも重要なことであり，早期治療することによって循環器内科や血管外科の治療対象となる症例をなくせると考えられる．炎症反応を伴う病態は必ず原因を追究することが，プライマリケアにおいて非常に重要であろう．冒頭に示した症例では，2年以上前に診断できた可能性もある．

炎症反応：高安動脈炎の血液検査異常としてはこれ

がほぼ唯一のものである．赤沈亢進とCRP上昇を認めるが，経過中に自然変動し，どの時点でも陽性とは限らない．炎症性貧血（正球ないし小球性，血清鉄低下，不飽和鉄結合能正常），低Alb血症，血小板増加もよくみられる．これらは微熱や出没する痛みで受診したとき，または健康診断のときに発見されるであろう．浮腫を主訴に受診して低Alb血症がみつかった例もある．進行した虚血症状が理由で受診した場合には，すでに炎症反応が低下ないし消失していることもある．

4．高安動脈炎の画像診断

経カテーテル動脈造影が正確であるが，侵襲の少ないMR-angiographyでも十分評価できる．これらは血管狭窄または拡張をみるものだが，そのような変化のない段階で動脈壁の炎症を検出する方法が，ガドリニウム造影を加えた動脈壁MRIであり[1)2)]，狭窄出現以前に早期診断するために必須のものである．ほかの非侵襲的な画像検査法として，超音波Bモードによって肥厚した血管内膜と中膜がマカロニ様にみえる特徴的所見[3)]がある．

罹患部位の分布は，沼野らにより以下のように分類されている．

```
I    大動脈弓分枝血管
IIa  上行大動脈，大動脈弓ならびにその分枝血管
IIb  上行大動脈，大動脈弓ならびにその分枝血管，
     胸部下行大動脈
III  胸部下行大動脈，腹部大動脈，腎動脈
IV   腹部大動脈かつ/または腎動脈
V    上行大動脈，大動脈弓ならびにその分枝血管，
     胸部下行大動脈に加え，腹部大動脈かつ/
     または腎動脈
```

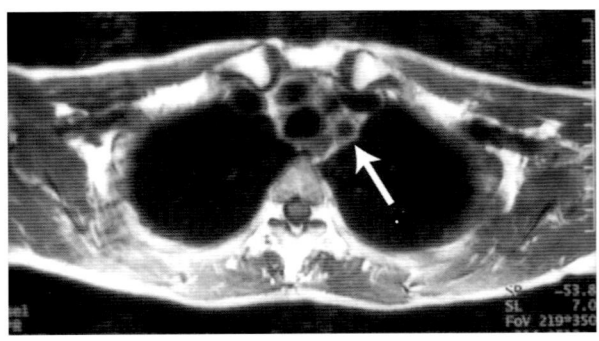

図1

5．治　　療

内科的には，狭窄または拡張の進行を止めるために炎症を抑制することが目標とされる．現在のところステロイド薬が第一選択である．適応がある時期はCRP上昇があるときと考えられるが，CRP陰性でも進行することのある狭窄に対し有効かどうか明確でない．初期量は標準化されていないが，プレドニゾロンで20mg/day程度の分割投与が日本の専門家によって推奨され，欧米の文献では側頭動脈炎に準じたと考えられる量1 mg/kg/dayの記載がみられる．側頭動脈炎には標準治療日程があり，初期量4週間，以後2週ごとに10％減とされる．CRP陰性を維持することは望ましいはずだが，自然終息も期待できる高安動脈炎においては副作用の観点から，長期大量はなるべく避けるべきであろう．シクロフォスファミド，アザチオプリン，またはメソトレキサートの追加も試みられるが，寛解維持の実現について明確な有効性は示されていない．進行してから治療されている従来の症例経験では，薬剤の減量とともに再燃することが多い．現在のところ少数例の観察だが早期治療例の一部では，ステロイド中止後も寛解維持できているので，早期診断が重要であろう．

抗血小板療法は併用する意義があると考えられ，腎血管性高血圧の降圧治療，心不全の保存治療，狭心症の予防，血行再建術は，それぞれ症状に応じて適応となる．

問題の解説および解答

問題　1

側頭動脈炎とリウマチ性多発筋痛症は，血管痛または筋痛を特徴とする炎症性疾患だが，高齢者に限られている．繊維筋痛症は，炎症反応を伴わない．

問題　2

血管造影で，前述のI～V型を考慮して罹患分布を評価する．心エコーは大動脈弁，心機能評価に必要である．

側頭動脈炎と異なり高安動脈炎に動脈生検の適応はまずない．病巣の不明確な炎症病態をみたとき，血液悪性疾患も考慮すべきだが，本例では虚血症状が明らかなので血液疾患を考える余地はないであろう．血管狭窄がない段階の不明熱症例だとしても，もし高安動脈炎であるなら骨髄検査をすべき異常を示すことは考えにくく，若年者においては炎症反応以外の所見が皆無なら大動脈壁MRIを施行する，というのは効率的な臨床手順といえるだろう．

問題 3

前述の解説参照．

問題 4

前述の解説参照．

解 答
問題1：b
問題2：a
問題3：d
問題4：c

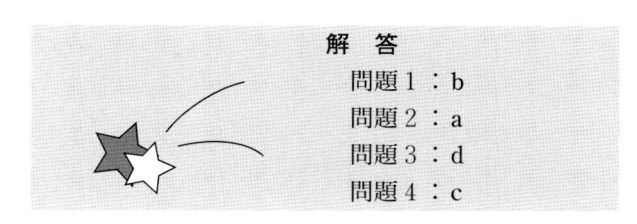

レベルアップをめざす方へ

　動脈壁のMRIについて，壁の増強効果が存在ししても現在の活動性を示すとは限らず残存効果である可能性もあるので，その所見を治療適応の指針には使えないとされる[2]．すでに進行した症例においてはどのような時期に，ステロイド治療する利点があるのかは，今後検討すべき課題である．ほかに早期診断法では，一部の施設でしか実行できないが，positron emission tomography（PET）を用いた大動脈炎部位の早期診断法がある[4]．

●文　　献●

1）Choe YH, et al：Takayasu arteritis:Assessment of disease activity with contrast-enhanced MR imaging．Am J Roent 175：505-511，2000．
2）Tso E, et al：Takayasu arteritis．Utility and limitations of magnetic resonance imaging in diagnosis and treatment．Arthritis Rheum 46：1634-1642，2002．
3）Maeda H, et al：Carotid lesions detected by B-mode ultrasonography in Takayasu arteritis．"Macaroni-sign" as an indicator of the disease．Ultrasound in Med & Biol 17：695-701，1991．
4）Meller J, et al：Value of F-18 FDG hybrid camera PET and MRI in early takayasu aortitis．Eur Radiol 13：400-405，2003．

[三森　明夫]

疾患 23 高齢者がこめかみに痛み 咀嚼時の疲労感, 肩から上肢への筋肉痛を訴えた!?

問題編

症例提示

症例：65歳　男性
主訴：肩　上肢の筋肉痛
家族歴：特記事項なし
既往歴：特記事項なし
現病歴：1カ月前から肩から上肢にかけての筋肉痛が出現．痛みは午前中が強く，ほとんど何もすることができなかった．近医にて消炎鎮痛剤を投与され，わずかに症状は軽快していたが，次第に側頭部の痛みが出現するようになった．ものを噛んだときに顎の疲労感があり，少し休むと消失した．1週間前から四肢近位筋の疼痛が増強し，発熱を認めるようになったため入院となった．
入院時現症：身長　165cm，体重　58kg，
体温　37.8℃，血圧　160/90mmHg，脈拍数　92／分，拍動左右差なし，近位筋と肩甲部に疼痛と圧痛あり，関節の腫脹・圧痛なし，視力低下あり，顎関節周囲部に圧痛あり，両側側頭動脈に沿って結節状の怒張あり，拍動欠如（図1）．眼球結膜軽度貧血あり，心音・呼吸音異常なし，腹部平坦・軟，肝脾腫なし，血管雑音聴取せず，四肢神経学的に異常なし．

＜入院時検査所見＞
CBC: WBC 9500/μl (St 20%, Seg 56%, Mo 5%, Lym 19%), Hb 10.0 g/dl, Plt 48×10⁴/μl,
Chemistry：TP 7.9 g/dl, Alb 3.4 g/dl, LDH 240 IU/ml, AST 29 IU/ml, ALT 30 IU/ml, BUN 25 mg/dl, CRN 1.2 mg/dl, CPK 48 IU/ml, CRP 8.5 mg/dl, CH50 65 U/ml
Serological Test：ANA（－），RF（－），抗ds-DNA抗体 5.2 U/ml，抗SS-A抗体（－），抗SS-B抗体（－），抗RNP抗体（－），抗Sm抗体（－）
赤沈　98mm/hr，凝固　Fib　611mg/dl
尿所見　蛋白（－），糖（－），沈査異常なし
胸部レントゲン：心拡大（CTR 54%）以外異常なし
肩関節レントゲン：異常なし
眼底検査：虚血性視神経萎縮

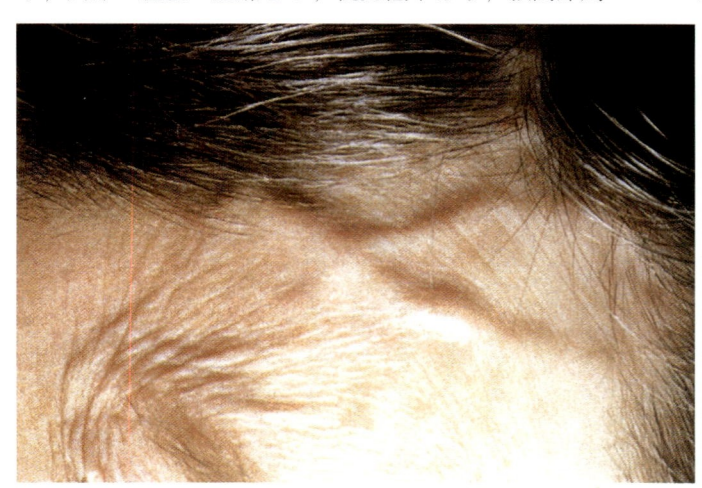

図1　浅側頭動脈に沿った結節状の怒張

設問

問題1　まず疑う病態はなにか？
（1）リウマチ性多発筋痛症
（2）高安動脈炎
（3）関節リウマチ
（4）多発性筋炎
（5）側頭動脈炎

a（1），（2），（3）　　b（1），（2），（5）
c（1），（4），（5）　　d（2），（3），（4）
e（3），（4），（5）

問題2　診断のために行うべき検査はなにか？
a. 血管造影
b. 筋生検
c. 側頭動脈生検
d. 肩関節液穿刺
e. 顎関節レントゲン

問題3　適切な治療は何か？
a. ステロイド剤大量
b. ステロイド剤少量
c. 抗生物質
d. シクロスポリン
e. 非ステロイド系抗炎症剤

解説編

リウマチ性多発筋痛症（polymyalgia rheumatica：PMR），側頭動脈炎（temporal arteritis：TA）とは

1．疾患概念

リウマチ性多発筋痛症（PMR）は高齢者に発症する上肢帯，下肢帯の筋痛，こわばりを主訴とする原因不明の疾患である[1]．Bruceが1888年に最初にsenile rheumatic goutとして記載し，Barberが1957年にPMRの名称を用いた．少量のステロイドによく反応する予後良好な疾患である．北米，西欧，北欧に多く，欧米における発症率は人口10万人当たり年間18.7〜68.3人と報告されている．60歳以上の発症がほとんどであり，50歳以下の発症は考えにくい．男女比はおよそ1：2である．PMRに側頭動脈炎（TA）を合併する確率は27.6％と報告されている[2]．両者は互いに密接な関係にあり同一疾患の異なる病期とも考えられている．TAは浅側頭動脈に主病変を有する血管炎であるが，そのほか頸動脈とその分岐，および全身の中型以上の動脈にもおよぶ肉芽腫性動脈炎である．病理組織学的にはしばしば多核巨細胞を認め，巨細胞性動脈炎（giant cell arteritis：GA）ともよばれる．北米や北欧の50歳以上の年間罹患率は人口10万人当たり17.8人と報告されている．局所症状で最も多いのは頭痛である．一側または両側の側頭・後頭部の拍動性あるいは刺しこむような激しい痛みを伴う．Jaw claudication（顎跛行）と称し，食事中の咀嚼に際してみられる顎関節痛と開口障害は特徴的である．これは顔面動脈や下顎動脈の狭窄による咬筋の虚血による疼痛であり，休止により症状は改善する．本疾患で最も重篤な症状は眼症状で14％が失明にいたる．原因は網膜

表1　PMRの診断基準

I. Birdらの診断基準*
下記の3項目以上を満たすこと
1）両肩の疼痛またはこわばり
2）急激な発症（2週間以内）
3）赤沈＞40mm／時
4）1時間を超える朝のこわばり
5）65歳以上
6）うつ状態または体重減少
7）両側上腕部の圧痛

II. Chuangらの診断基準**
下記のすべてを満たすこと
1）50歳以上
2）1カ月以上続く頸部・躯幹，上肢帯および下肢帯の疼痛とこわばり
3）赤沈＞40mm／時
4）巨細胞性動脈炎以外の疾患を除外できる

III. Healeyの診断基準***
下記のすべてを満たすこと
1）1カ月以上続く頸部・両肩，下肢帯のうち2カ所以上の疼痛
2）1時間を超える朝のこわばり
3）20mg／日以下のプレドニゾロンにすみやかに反応する
4）筋・骨格系の症状をきたす他疾患が除外できる
5）50歳以上
6）赤沈＞40mm／時

（＊　Bird HA, et al, 1979[3]より引用）
（＊＊　Chuang TY, et al, 1982[4]より引用）
（＊＊＊　Healey LA, 1984[5]より引用）

表2 TAの診断基準

下記の3項目以上を満たすこと		
項目	定義
1) 50歳以上で発症	自または他覚症状のはじまりが50歳以上
2) 新たな頭痛	新しく起こった，または新しいタイプの限局性頭痛
3) 側頭動脈の異常	側頭動脈の圧痛または拍動減弱（動脈硬化を除外）
4) 赤沈亢進	50mm/時以上
5) 動脈生検の異常	単核球主体の細胞浸潤または巨細胞を含む炎症性肉芽腫を呈する動脈炎

(Weyand CM, et al, 1999[7]) より引用)

中心動脈，後網様体動脈などの狭窄，閉塞による視神経および網膜の虚血によるものである．全身症状は体重減少，全身倦怠感，発熱で40～50％にみられる．

2．診 断

PMRは表1に示すように種々の診断基準が提唱されている[3)～5)]．しかし，特異的所見が乏しいので，他疾患の可能性を否定することが重要である．鑑別疾患はまず，感染症，悪性腫瘍を除外することが必要である．また，全身性エリテマトーデスなどの膠原病，アミロイドーシス，うつ病，甲状腺機能低下症なども鑑別の対象になる．表2にアメリカリウマチ学会（ACR）が1990年に発表したTAの診断基準を示す[6)]．本疾患は動脈の病変が分節状に出現することが多いので罹患動脈の的確な部位からの生検が必要である（側頭動脈の理学的所見に乏しくTAが疑われる場合は3～5cmの生検が必要である）．鑑別診断としては筋緊張性頭痛，偏頭痛，顎関節炎，関節リウマチ，結節性多発動脈炎，大動脈炎症候群などである．

3．治 療[1)]

PMRはプレドニゾロン10～20mg/日の投与により，著しい症状の改善を認める．TAはプレドニゾロン40～60mg/日の投与から開始する．眼症状がすでに認められていればメチルプレドニゾロン1g/日×3日間のパルス療法を行う．臨床症状，炎症反応を指標としてステロイドを漸減していくが，減量が早すぎると再発しやすい．

● 問題の解説および解答

問題 1

65歳の高齢者が肩から上肢にかけての筋肉痛，側頭部の痛み，顎関節痛，発熱，CRP，赤沈の高値を呈している．また，抗核抗体，リウマトイド因子，抗DNA抗体などの自己抗体は陰性である．筋肉痛と炎症反応を認めるが，CPK，LDHが正常より多発性筋炎は考えにくい．さらに，顎関節痛を認めるが，全身の関節痛，関節腫脹を認めず，肩関節レントゲン所見に異常がないこと，リウマトイド因子陰性より関節リウマチも考えにくい．まず鑑別すべき疾患としてリウマチ性多発筋痛症，高安動脈炎や側頭動脈炎などの血管炎をあげる必要がある．しかし，発熱，炎症反応高値，白血球増多を呈するほかの疾患，とくに感染症，悪性腫瘍の可能性を慎重に鑑別することを忘れてはならない．

問題 2

本疾患は血管炎の可能性が強く，関節リウマチ，多発性筋炎の可能性が低いことより診断確定のための筋生検，肩関節液穿刺，顎関節レントゲン検査の有用性は低い．高安動脈炎の診断には血管造影が有用である．しかし高安動脈炎は若年女性に発症し，動脈の拍動の異常，血管雑音を聴取されることが多い．本患者は高齢男性であり動脈拍動の異常や血管雑音の聴取が認められない．両側側頭動脈に沿った結節状の怒張（164頁，図1）は側頭動脈炎を強く示唆する理学的所見である．また，休止により改善する顎の痛み，視力低下，虚血性視神経萎縮も側頭動脈炎に合併する所見である．したがって，側頭動脈炎の診断のための側頭動脈炎生検が最も有用である．

問題 3

PMRは少量のステロイド薬（プレドニゾロン10～20mg/日）で著明な症状の改善を認める．TAはプレドニゾロン40～60mg/日の投与を行う．眼症状がすでに認められていれば，メチルプレドニゾロン1g/日×3日間のパルス療法を行う．

解 答
問題1　b
問題2　c
問題3　a

レベルアップをめざす方へ

TAの発症機序

　TAの病理組織所見は中等度以上の動脈の肉芽腫性炎症である．炎症細胞やサイトカインの発現が血管壁の層ごとに異なる特徴がある．すなわち，外膜ではIFN-γ・IL-2を産生するCD4＋T細胞，IL-1，IL-6を産生するマクロファージが浸潤しており，中膜ではMMPやVEGFを発現するマクロファージが浸潤している．内膜のマクロファージはNOを産生している[1]．Weyandらはこれらの病理組織学的特徴から，まずCD4＋T細胞が外膜で何らかの抗原刺激を受け，活性化され，IFN-γを産生し，その結果，マクロファージの分化，遊走，巨細胞形成や炎症性サイトカインの産生が生じ，血管壁の破壊と再構築によりTAの病変が形成されるとの仮説を立てている[7]．HLAとの関連ではクラスⅡ抗原であるHLA-DR*04，HLA-DRB1*01との関連が深く，T細胞の抗原認識過程によりTAが発病することを示唆している．また，マイコプラズマ，パルボウイルス，パラインフルエンザウイルス，クラミジアなどの感染との関連性を示唆する報告もある[1]．

新しい治療法の可能性

　メソトレキセートやほかの免疫抑制剤の有効性に関しては今後さらに検討する余地がある．最近，抗TNF-α抗体がステロイド抵抗性の側頭動脈炎に有効であるとの報告がなされている[8]．

●文　献●
1) Salvarani C, Cantini F, Boiardi L, et al：Polymyalgia rheumatica and giant-cell arteritis. N Engl J Med 347：261-271, 2002.
2) Gonzalez-Gay MA, Garcia-Porrua C, Vanquez-Caruncho M, et al：The spectrum of polymyalgia rheumatica in northwestern Spain：incidence and analysis of variables associated with relapse in a 10 year study. J Rheumatol 26：1326-1332, 1999.
3) Bird HA, Esselinckx W, Dixon AS, et al：An elvaluation of criteria for polymyalgia rheumatica. Ann Rheum Dis 38：434-439, 1979.
4) Chuang TY, Hunder GG, Ilstrup DM, et al：Polymyalgia rheumatica：a 10-year epidemiologic and clinical study. Ann Intern Med 97：672-680, 1982.
5) Healey LA：Long term follow-up of polymyalgia rheumatica：evidence for synovitis. Semin Arthritis Rheum 13：322-328, 1984.
6) Hunder GG, Bloch DA, Michel BA, et al：The American College of Rheumatology 1990 criteria for the classification of giant cell arteritis. Arthritis Rheum 33：1122-1128, 1990.
7) Weyand CM, Goronzy JJ：Arterial wall injury in giant cell arteritis. Arthritis Rheum 42：844-853, 1999.
8) Cantini F, Niccoli L, Salvarani C, et al：Treatment of longstanding active giant cell arteritis with infliximab report of four cases. Arthritis Rheum 44：2933-2935, 2001.

［岩　崎　　剛／佐　野　　統］

疾患 24 諸症状からベーチェット病と診断された患者に小脳症状と精神症状が出現！なにを考えるか？

問題編

症例呈示

症例：49歳 男性
主訴：歩行時のふらつき，構音障害，左顔面のしびれ
家族歴：特記事項なし
既往歴：38歳時帯状疱疹．48歳時胃潰瘍
生活歴：酒：1日ビール中びん1本，タバコ：20歳より1日20本
現病歴：43歳時より口腔内アフタがくり返し出現するようになる．44歳時に左眼ぶどう膜炎が出現しベーチェット病と診断されシクロスポリンを開始される．その後も年2回の眼発作があり，シクロスポリンを1年半継続するが改善を認めないため中止し，その後は漢方薬を服用していた．46歳時より頸部から背中にかけて毛嚢炎様の皮疹が出現し，両眼にぶどう膜炎の発作もあり近医眼科にて加療されていた．同時期より気持ちがふさぎこむようになり会社をたびたび欠勤するようになった．49歳時の6月頃より歩行時のふらつき・構音障害・左顔面のしびれ感が出現し，ふらつきは徐々に悪化を認めたため原因精査目的で当院に紹介入院となる．

入院時現症：身長172cm，体重65.0kg，体温36.8℃，血圧142/80mmHg，脈拍70回/分（整），意識清明．有痛性の口腔内アフタあり，背部に毛嚢炎が多発．陰部潰瘍なし，胸腹部の理学所見は異常を認めない．視力左（0.8）・右（1.0），軽度の記銘力の低下を認める．髄膜刺激症状なし．脳神経領域では，左口角周囲にしびれ感を認める以外は異常を認めない．四肢の筋力低下や感覚障害は認めない．上下肢の深部腱反射には異常を認めない．病的反射は左Babinski徴候が陽性．Romberg徴候陰性．構音障害あり，指鼻試験・膝踵試験ともに両側でdysmetriaを認める．失調性歩行を認め，つぎ足歩行は不可能であった．膀胱直腸障害はない．

＜入院時検査所見＞
CBC：WBC 6600/μl（Neu 65%，Lyn 27%，Mono 6%，Eos 1%，Baso 1%），RBC 470万/μl，Hb 14.5 g/dl，Plt 31.1万/μl，ESR 6 mm/hr
Chemistry：TP 7.2 g/dl，Alb 4.7 g/dl，AST 19 IU/l，ALT 30 IU/l，LDH 282 IU/l，ALP 128 IU/l，γ-GTP 20 IU/l，CK 72 IU/l，T-Cho 152 mg/dl，TG 73 mg/dl，BUN 14.8 mg/dl，Cr 0.9 mg/dl，Na 140 mEq/dl，K 3.8 mEq/dl，Cl 104 mEq/dl，BS 100 mg/dl，CRP 0.2 mg/dl，CH50 36 U，C3 101 mg/dl，C4 28 mg/ml，免疫複合体（C1q）1.7 1 μg/ml
Serological Test：IgG 1,370 mg/dl，IgA 309 mg/dl，IgM 111 mg/dl，RF <10.1 IU/ml，抗核抗体 <19，抗dsDNA抗体 <5.0 IU/ml，抗RNP抗体 <7.0，抗Sm抗体 <5.0，梅毒血清反応（−），HBs抗体（−），HCV抗体（−）
尿検査所見：蛋白（−）尿糖（−）潜血（＋−）
胸腹部レントゲン：異常なし．
心電図：異常なし．
針反応：陰性．
HLA-B51：陽性．

設問

問題1 まず疑うべき疾患はどれか？
a．アルツハイマー型痴呆
b．多発性硬化症
c．神経ベーチェット病
d．進行痴呆
e．脊髄小脳変性症

問題2　診断のために最も有用な検査はどれか？
a．頭部MRI
b．脳血管造影
c．負荷脳波
d．脳血流シンチグラム
e．髄液検査

問題3　最も適切な治療はどれか？
a．エンドキサンパルス療法
b．シクロスポリンの再開
c．ステロイドパルス療法
d．塩酸ドネペジル
e．メトトレキサート少量パルス療法

解　説　編

神経ベーチェット病（neuro-Behçet's syndrome [disease]）とは

1．疾患概念

ベーチェット病（Behçet's disease）は，再発性の口腔内アフタ性潰瘍，皮膚症状（結節性紅斑，毛囊炎様皮疹，皮下の血栓性静脈炎），外陰部潰瘍，眼病変（虹彩毛様体炎，ぶどう膜炎）を4主症状とする原因不明の炎症性疾患である．本症は，トルコ・中東・中国・日本を結ぶシルクロードに沿った地域で多くみられ，HLA-B51との有意な相関も認められる[1]．上記4主症状を示すものを完全型，そうでないもの不全型と分類され，特殊病型には腸管の潰瘍性病変を示す腸管ベーチェット（entero-Behçet's disease），大小の動静脈の病変をきたす血管ベーチェット（vasculo-Behçet's disease）とともに，中枢性の神経症状を合併する神経ベーチェット病がみられる．1991年の全国疫学調査によると，神経ベーチェット病の発現頻度はベーチェット病の10.1％で，多発性硬化症とは異なり男性に多く，男女比は3.3：1程度である．一般に，神経ベーチェットは，ベーチェット病発症後数年以上を経た遷延期に出現することが多く，この時期にはすでに4主症状の活動性は低下しており，活動性の眼病変を認めることはまれである．神経ベーチェット病は，その臨床症状と経過により，頭痛・発熱を伴う急性髄膜脳炎として発症しself-limitingな経過をとる急性型と，慢性進行性の小脳失調・痴呆を引き起こす進行性神経ベーチェットに大別することができ，後者はベーチェット患者の生命予後を左右する場合もある難治性病態のひとつとして注目されている[2]．

2．診　　断

神経ベーチェット病の診断の前提としては，ベーチェット病の診断基準を満たすことが必要である．ベーチェット病と診断された患者に中枢神経症状がみられた場合は，画像診断や髄液検査を行う．急性型の神経ベーチェットの場合，障害部位はMRIのT2強調画像やFLAIR画像でhigh intensity lesionとして認められることがあるが（図1），進行性神経ベーチェットでは，脳幹部や小脳のatrophyが主で，特異的な変化はない．急性型の神経ベーチェットでは，髄液中の細胞数および蛋白の中等度以上の上昇をきたす．一方，進行性神経ベーチェットの場合，髄液中の細胞数や蛋白はわずかな上昇のみにとどまることが多い．しかし，髄液中IL-6は持続的に0.1 U/ml（20pg/ml）以上の異常高値を示すことが明らかになっている（図2）[2,3]．また，

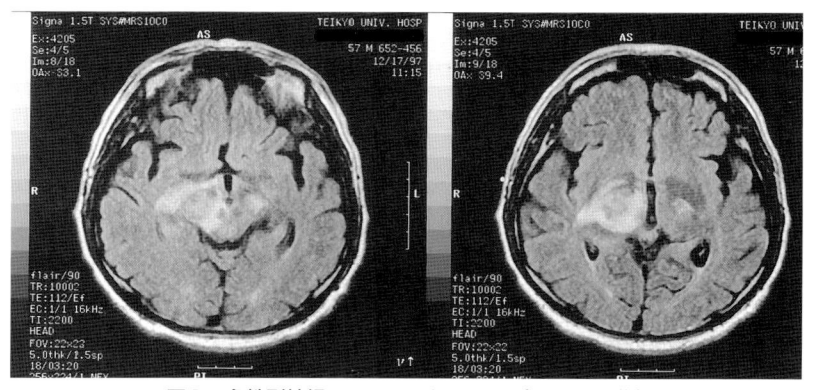

図1　急性型神経ベーチェットのMRI（FLAIR画像）

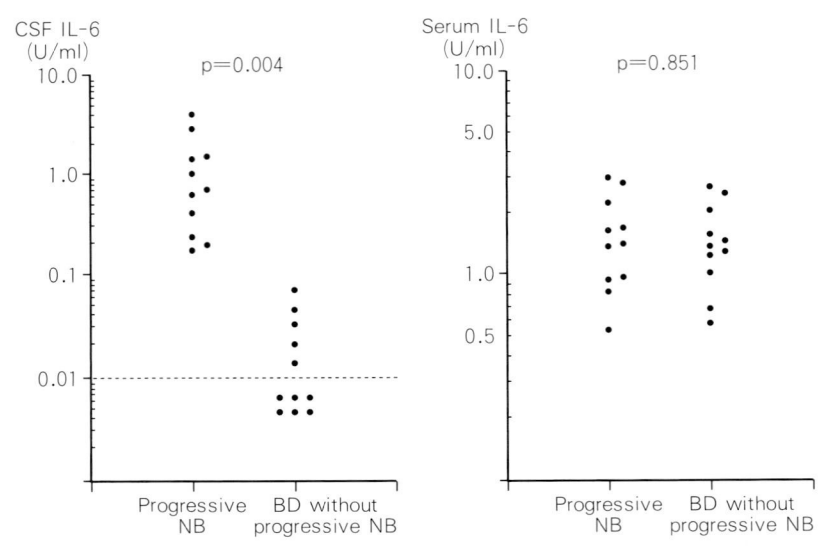

図2 進行型神経ベーチェットにおける髄液（左）・血清（右）IL-6（Hirohata Sら，1997[3]）

一般にベーチェット病でのHLA-B51陽性率は約50％強であるが，進行性神経ベーチェット患者のHLA-B51陽性率は90％と高値であり[3]，診断に重要な参考所見になると考えられる．

3．治 療

急性型神経ベーチェットの治療の主体は副腎皮質ステロイドである．とくに脳局所徴候が進行する症例に対してはすみやかに中等量から大量の副腎皮質ステロイドの投与を行う．進行性神経ベーチェットの治療には，これまでに副腎皮質ステロイド・シクロフォスファミド・アザチオプリンなどが試みられているが，寛解導入することはきわめて困難である[2]．副腎皮質ステロイドにより一時的には髄液IL-6の低下を認めるが，減量に伴って必ず髄液IL-6の再上昇をきたし，精神神経症状の悪化も抑制できない．近年，メトトレキサートの少量パルス療法により，髄液IL-6の低下とともに精神神経症状の進行が抑制されることが明らかとなっている[4]．

◉ 問題の解説および解答

問題 1

本症例では，再発性口腔内アフタ，ぶどう膜炎，毛のう炎様皮疹を認め，厚生労働省のベーチェット病診断基準より，不全型のベーチェット病と診断できる．神経ベーチェット病はベーチェット病の約10％に合併を認めるため，精神神経症状の出現時には必ずこれを念頭において検査を進める必要がある．臨床症状とその経過からは，アルツハイマー型痴呆や多発性硬化症は考えにくく，家族歴もないことから脊髄小脳変性症も考えにくい．さらに，血清学的所見で異常を認めないことから，進行痴呆（中枢神経梅毒）も考えにくい．

問題 2

本症例では，頭部MRI，頭部CT上は脳幹部の軽度萎縮を認めるのみであった．脳波，脳血流シンチには異常所見は認められなかった．精神心理テスト（WAIS - R）を施行したところ総合IQ=91，言語性IQ=93，運動性IQ=90と軽度の低下を認め，長谷川式痴呆スケール（HDS-R）も25/30と低下を認めた．髄液検査所見では，細胞数399/3（M：L＝345：58），蛋白77 mg/dl，糖45 mg/dl，IgG 6.06 mg/dl，IgA 0.80 mg/dl，IgM＜0.20 mg/dl，Alb 567.0 μg/ml，IL-6 13.232 U/ml（基準値＜0.020 U/ml）と髄液細胞数の増加とIL-6の著明な上昇を認めた．髄液培養検査は陰性であった．1カ月後の髄液検査でもIL-6は高値（CSF IL-6は2.357 U/ml）が持続しているため進行性の神経ベーチェットと診断した．

問題 3

本症例に対しては，ベーチェット病の基本治療薬であるコルヒチンとともに，メトトレキサート少量パルス療法を開始した．その後2年間，髄液IL-6の再上昇や精神神経症状の悪化は認められず，現在メトトレキサートを漸減中であるが，髄液IL-6の再上昇は認めず症状の悪化も認めていない．神経ベーチェットに対してシクロスポリンの投与は禁忌に近いといわれている．進行性神経ベーチェットに対して，エンドキサンパル

ス療法やステロイドパルス療法は無効である．また，アルツハイマー型痴呆に有用性のある塩酸ドネペシルの効果については確認されていない．

解　答
問題1：c
問題2：e
問題3：e

レベルアップをめざす方へ

　難治性病変である進行性神経ベーチェットに対する新しい治療の可能性として，近年メトトレキサート（MTX）少量パルス療法の有用性が報告されている[3)4)]．著者らは，進行性神経ベーチェットに対するMTX少量パルス療法の有効性および安全性について検討してきた．厚生労働省の診断基準を満たす完全型あるいは不全型ベーチェット病患者のうち，進行性の精神神経症状を有するベーチェット病患者10例＜年齢は33～73歳（平均54.4歳），男女比は8：2，完全型7例，不全型は3例，HLA-B51は10例中9例で陽性＞で，MTX投与開始前と投与開始5年間における精神神経所見・髄液IL-6値・知能検査（WAIS-RとHDS-R）・頭部MRI所見を比較し，有効性と副作用の評価を行った．5年間のMTX少量パルス療法後，7例で髄液IL-6の有意な低下維持を認めた．WAIS-R・HDS-Rおよび頭部MRI所見はMTX投与前に比し有意な差はなかった．副作用は，5年間で4例に肝障害を認めたが，MTXの減量，葉酸の投与により軽快し，その後もMTXの投与継続が可能であった．現在，症状が安定し髄液IL-6の低下を2年以上維持できた4例中2例においてはMTXを減量し，また2例ではMTXを漸減終了し経過観察中であるが，髄液IL-6の再上昇は認めず症状の悪化も認めていない．このように，進行性神経ベーチェットに対するMTX少量パルス療法は，髄液IL-6の上昇に反映される中枢神経内の免疫反応を抑制することで治療効果を発揮すると考えられるが，数年間安定した状態を維持したのちにはMTXを減量・中止できる可能性が示唆されており，この点で関節リウマチにおけるMTX治療と大きく異なっている[5)]．

　進行型神経ベーチェットにおいては，その発症の数年前に急性型神経ベーチェットの発作と考えられるエピソードが先行してみられることが多い[2)]．したがって，急性型神経ベーチェットをきたした患者で，とくにHLA-B51陽性の例では，髄液のIL-6が完全に正常化するまでfollow upしてゆく必要があると考えられる．

● 文　献 ●

1) Hirohata S, Kikuchi H：Behçet's disease．Aethritis Research & Therapy 5：139-146，2003．
2) 広畑　俊成：神経ベーチェット病の病態．臨床神経 41：1147-1149，2001．
3) Hirohata S, Isshi K, Oguchi H, et al：Cerebrospinal fluid interleukin-6 in progressive neuro-Behçet's syndrome．Clin Immunol Immunopathol 82：12-17，1997．
4) Hirohata S, Suda H, Hashimoto T：Low-dose weekly methotrexate for progressive neuropychiatric manifestations in Behçet's disease．J Neurol Sciences 159：181-185，1998．
5) Kikuchi H, Aramaki K, Hirohata S：Low dose MTX for progressive Neuro-Behçet's disease: A follow-up study for 4 years．Adamantiades-Behçet's disease AEMB 528：575-578，2003．

[菊地　弘敏／広畑　俊成]

172 II. 疾患編

疾患 25 若年女性　高熱・間歇熱と隆起のない5mm程の紅斑が出現し解熱時褪色．リンパ節の腫大あり!?

問題編

症例呈示

症　例：25歳，女性．電話オペレーター．
主　訴：発熱，関節痛
家族歴：父親がII型糖尿病
既往歴：16歳時交通事故にて頭部打撲（後遺症なし）．

＜現病歴＞

生来健康であった．2週間程前から39℃前後の発熱をくり返すようになった．発熱は主として夕方から夜半にみられ，最初は市販の感冒薬を内服して解熱した．また，発熱時に前胸部に径5mm大の紅斑が出現していることに気づいた．掻痒はなく，解熱すると消褪していた．解熱後は比較的元気になるので昼間は仕事をしていたが，10日程前から両肩，両膝関節に主として発熱時に痛みを伴うようになり，次第に疼痛関節に腫脹もきたすようになった．発熱を反復し徐々に倦怠感も増強するため1週間程前に近医受診した．イブプロフェンとセフェム系の内服薬を処方され，しばらく安静にするよう指示された．しかし，内服にて一時解熱するものの翌日には同様の発熱をくり返していたため，2日前に再度受診した．血液検査を受け白血球増多，炎症所見上昇あり紹介となった．発症時から咽頭痛はあったが咳嗽・喀痰はほとんどなく，前医でも尿は異常なかった．なお，ここ数年山野や森林に出かけておらず，海外渡航もしていない．

来院時現症：身長160cm，体重55kg，体温38.5℃，血圧120/62mmHg，脈拍84回/分，整．呼吸数12/分．意識清明．眼瞼結膜　貧血なし．眼球結膜　黄染なし．咽頭は軽度発赤．両顎下リンパ節，両腋窩リンパ節を各数個，大豆大に触知した．可動性は良好．心音　異常なし．呼吸音　正常．腹部　平坦，軟．腸音は正常に聴取．肝臓2横指触知．圧痛なし．脾臓は触知せず．神経学的異常なし．両膝・両肘関節は腫脹し圧痛あり．皮膚は軽度湿潤．発熱時に前胸部に径5mm大の紅斑が集簇して出現しており，序々に融合する傾向を示した．隆起や掻痒はなかった．左膝・右足関節は疼痛・腫脹を認めた．

＜検査所見＞

尿検査：蛋白（−），潜血（＋−），白血球（−）
赤沈：68mm/時，便潜血：陰性
血算：WBC 16000/μl（桿状球13％，好中球69％，リンパ球10％，単球4％，好酸球2％，好塩基球2％），RBC 416万/μl，Hb 10.8 g/dl，Ht 32.3％，Plt 28.5万/μl．
血液生化学：TP 6.8g/dl，Alb 3.8g/dl，BUN 21.0mg/dl，Cr 0.68mg/dl，U-A 4.3 mg/dl，AST 68 IU/l，ALT 82 IU/l，LDH 278 IU/l（120〜230），Al-P 420 IU/l（115〜359），γGTP 85 IU/l，Amy 136 IU/l（60〜200），ChE 265 IU/l（200〜459），CPK 120 IU/l（32〜180），Fe 36 μg/dl，TIBC 385 μg/dl（246〜410）
免疫・血清：CRP 8.8 mg/dl，STS（−），TPHA（−），HBs抗原（−），HCV抗体（−），抗核抗体（−），リウマトイド因子（−），IgG 1800 mg/dl，IgA 320mg/dl，IgM 250mg/dl，抗二本鎖DNA抗体（−），抗RNP抗体（−），MPO-ANCA（−）．
各種培養：尿，血液，喀痰各複数回実施したが全て陰性．
画像：胸部X線：少量の胸水を両側に認めたが，肺野に異常なく心陰影にも異常を認めなかった．
腹部エコー：肝臓・脾臓は軽度腫大．その他とくに異常なく大動脈周囲リンパ節も腫大していなかった．
心エコー：とくに異常は認めなかった．

設問

問題 1 以上から鑑別すべきと考えられる疾患は何か.
（1）成人スチル病
（2）顕微鏡的多発血管炎
（3）EB ウイルス感染症
（4）全身性エリテマトーデス
（5）感染性心内膜炎

a（1），（2），（3）　　b（1），（2），（5）
c（1），（4），（5）　　d（2），（3），（4）
e（3），（4），（5）

問題 2 さらに行う検査として<u>優先度の低い</u>ものはどれか.
（1）血清フェリチン
（2）PR3-ANCA
（3）以前に投与された解熱剤・抗菌薬のリンパ球刺激試験
（4）リンパ節生検
（5）IgM-VCA

a（1），（2）　b（1），（5）　c（2），（3）
d（3），（4）　e（4），（5）

問題 3 検査の結果，血清フェリチン 7210 ng/ml，IgM-VCA（－），cytomegalovirus antigenemia（－）であった．また，ツベルクリン反応（－）であった．治療法として適切なものはどれか．
a. プレドニゾロン 40mg/日内服
b. ガンシクロビル内服
c. 経過観察（解熱剤頓用）
d. γ-globulin 静注療法
e. マクロライド系抗生物質投与

問題 4 治療開始までに数日を要したが，高熱が続き，開始直前の採血結果をみると，血算：WBC 2,000/μl（桿状球 3％，好中球 45％，リンパ球 40％，単球 8％，好酸球 2％，好塩基球 2％），RBC 285万/μl，Hb 7.8g/dl，Ht 23.5％，Plt 6.5万/μl．血液生化学：LDH 2560 IU/l，フェリチン 22600 ng/ml となっていた．必要な治療はどれか．
（1）蛋白同化ステロイド
（2）ステロイドパルス療法
（3）G-CSF
（4）メトトレキサート少量パルス療法
（5）プレドニゾロン 20mg/日経口

a（1）　b（2）　c（3）　d（4）　e（5）

解　説　編

成人スチル病

1．疾患概念

　成人スチル病は1971年，Bywaters[1]によって14例が若年性関節リウマチの全身型（Still病）の成人発症例として報告されている．その後，Ohtaらによって内外の症例報告228例が集計され，現在汎用されている診断基準もYamaguchiら[3]によって作成され疾患概念が確立された．弛張熱と特異的皮疹，多関節炎を3主徴とし，不明熱の形をとる典型的な疾患のひとつである．疫学的には，本邦での年間罹患率は男性0.22名/10万人/年，女性0.34名/10万人/年，有病率は男性0.73人/10万人，女性1.47人/10万人と報告されている[4]．年齢的には16～35歳が62％を占め，男女比は1：2で女性に多かったとされる[3]．しかし60歳代以上での典型的な症例もときどき経験することがあり，高齢であっても除外すべきではない．病因は不明であるが，感染因子の関与[5]やHLA-DR2，DR4，DR7，B35などと正の相関の報告がある[6,7]．

　臨床所見としては，まず発熱がほぼ前例にみられる．典型的な症例では39℃を超す弛張熱がみられ，夜間に体温上昇をきたすことが多い（evening spike）．また，解熱時は比較的全身状態がよい場合が多い．典型的な皮疹はリウマトイド疹と称される．サーモンピンクの色調を呈し，隆起はないか，あっても軽度で融合傾向のある，掻痒のない紅斑が発熱時に体幹部を中心に出現し，解熱すると消褪する．またKobner現象（皮疹の近傍に擦過等の刺激を加えると同様の皮疹が出現する）もみられる．悪寒が強い場合は皮膚の診察が難しいが，注意深い観察が必要である．関節症状は手関節・膝関節など大・中関節に多いがPIP，MCPなど手指関節にもみられる．36％が慢性関節炎型の関節症状を合併していたと報告されている．関節リウマチ様の変形に至るケースもあるので関節炎のコントロールは重要である．3主徴の他，咽頭痛，リンパ節

腫大・肝脾腫もしばしばみられ，伝染性単核球症などとの鑑別も重要である．その他，頻度は高くないが，無菌性髄膜炎や間質性肺炎を合併する場合もあるので頭痛・胸部所見などにも留意したい．検査所見としては，好中球主体の白血球増多，肝機能異常を示すことが多い．抗核抗体・リウマトイド因子は陰性の場合が多いが，どちらかあるいはともに陽性であっても否定すべきではない．逆に，不明熱患者のスクリーニングとして抗核抗体，リウマトイド因子が陰性のため，膠原病およびその関連疾患を否定してしまわないよう留意すべきである．また，こうした不明熱の場合，リンパ腫や転移性腫瘍などを考えガリウムシンチグラフィーを撮影することも少なくないと思われるが，われわれは，成人スチル病の急性期に大腿骨など近位部の長管骨にも集積がみられることを見いだし報告した[8]．血清フェリチンの高値は特徴的で，成人スチル病においては数千から数万ng/mlに上昇する場合も多く，先の3主徴に加えてフェリチンの著増があれば，診断確度は非常に高い．炎症の強い状態が続くと血球貪食症候群を合併することがあり，その際にも二系統以上の血球減少に加え高フェリチン血症をきたすので血球数を確認しておく必要がある．危険な病態であり，紫斑の出現など理学的所見にも注意したい．

2．診　　　断

表1にYamaguchiらの診断基準[3]を示す．現在標準的に用いられている基準であり，診断はこれが参考になる．除外項目には要注意で，伝染性単核球症，

表1　成人スチル病の分類基準

大項目
1. 発熱（>39℃，1週間以上持続）
2. 関節痛（2週間以上持続）
3. 定型的皮疹
4. 80％以上の好中球増加を含む白血球増加（1万/mm³）

小項目
1. 咽頭痛
2. リンパ節腫脹あるいは脾腫
3. リウマトイド因子陰性および抗核抗体陰性

除外項目　感染症，悪性腫瘍，膠原病

参考項目　血清フェリチン著増（正常の5倍以上）

大項目の2項目以上を含み，合計5項目以上で成人スチル病とする．ただし，除外項目は除く．

（Yamaguchi Mら，1992[3]）

CMV感染症や敗血症でも同様の所見を呈するので，とくにステロイド開始前にウイルスマーカーの検索や血液培養を行う必要がある．また，治療のステロイドによってリンパ腫でも一時的に改善し対応が遅れることもあり得る．加えて，血管炎の場合は腎臓，中枢神経，肺など標的臓器が成人スチル病と異なる場合が多く，開始ステロイド量が成人スチル病よりも一般的に大量になったり，免疫抑制剤をより積極的に導入したりする場合もあるので，悪性リンパ腫，血管炎は充分鑑別すべきである．血清フェリチンについてはあとで詳述する．

3．治　　　療

ほかの膠原病・リウマチ性疾患とやや異なり，NSAIDsだけで軽快する場合があるので，全身状態が許せば，培養やウイルス検査の結果が出るまでの期間，数日間NSAIDのみで様子をみてもよい．しかし多くはステロイドを必要とする．発熱，関節炎などが主体で臓器病変が強くなければプレドニゾロン30～40mg/日経口で開始し，3～4週継続後，2週間ごとに1～2割ずつ減量していく場合が多い．重篤な間質性肺炎や血球貪食症候群があれば，ステロイド大量（50～60mg/日）あるいはステロイドパルス療法（ソル・メドロール500～1000mg/日点滴を3日），もしくはシクロホスファミド（50～100mg/日）経口または点滴（月1回体表面積m²あたり500mg点滴，ただし初回は総量500mgまでを目安に）あるいはシクロスポリンA（100～200mg分2/日，トラフレベルを100ng/ml前後に保つ）の経口投与などの免疫抑制剤併用も考慮する．血球貪食症候群には，血漿交換やシクロスポリンAが好んで用いられている．ただし，免疫抑制剤は大部分が現在の所健康保険適応がなく，副作用も少なくないことから，充分に説明しinformed concentを得ておく必要がある．関節症状の強い例では，メトトレキサート少量パルス療法（4～8mg/週）やその他の疾患修飾性抗リウマチ薬（DMARDs）を用いてもよい．免疫抑制剤やDMARDs相互の併用は副作用に充分注意が必要である．ステロイドや免疫抑制剤が無効あるいは副作用でどうしても使用できないような場合は，生物学的製剤（infliximabなど）を費用（高コスト）面・副作用（結核などの重篤な感染が知られている）などをふまえたうえで考慮すべきである．

問題の解説および解答

問題 1

発熱・関節痛・胸膜炎があることから全身性エリテマトーデス（SLE）はその時点では疑う必要があるが，検査所見にて抗核抗体陰性および白血球増多があることから，SLEはまず否定的である．SLEでは白血球・血小板は減少する場合が多い．また，抗菌薬が投与されている場合など必ずしも培養で細菌が検出されないときもあるので注意が必要であるが，複数回の血液培養で陰性であり，とくに心雑音も指摘なくエコーでも弁に疣贅が指摘されていない事から一般細菌による感染性心内膜炎も否定してよいと思われる．

MPO-ANCA陰性でも臨床所見から必ずしも血管炎は否定できない．EBウイルス（EBV）感染症は，伝染性単核球症が有名であるが，発熱，咽頭痛，リンパ節腫大，肝機能障害，皮疹などがみられやすい．通常は10日程度で解熱するが，この段階で否定することはまだできないと考えられる．したがって，解答はaである．

問題 2

成人スチル病では血清フェリチンの著増（数千から数万ng/mlに達する場合もある）がみられる場合が多く，診断の参考になる．上記の症状・所見の類似点からEBV感染症やcytomegalovirus（CMV）感染症の可能性も否定できない．したがって，IgM-VCAによるEBウイルス抗体の測定やC7-HRPなどのCMV抗原の測定は診断的意義があると考えられる．IgM-VCA（EB virus capsid antigen）は，EBV感染症急性期に上昇するので，診断に有用である．

副鼻腔炎など上気道症状がなく，胸部も少量の胸水のみであり，腎症状もないことから，この時点でWegener肉芽腫症を積極的に疑う状況ではないと考えられるので PR3-ANCA は優先度は低いであろう．また，薬剤性の発熱も不明熱のときには鑑別すべきであるが，この症例は関節症状も伴っており，投薬前から症状があるためやはり優先度は低いと考えられる．（1），（5）は採血のみでできる検査ですぐ追加実施してよいと思われる．リンパ節生検は，悪性リンパ腫，壊死性リンパ節炎などの診断には必要である．侵襲的ではあるが，できるだけ行いたい．よって，解答はcとした．

問題 3

別掲の診断基準のうち，発熱，皮疹，関節炎，肝脾腫，好中球増多，肝機能障害，また著明な高フェリチン血症を示しており，成人スチル病と診断できる．通常の成人スチル病の治療には，非ステロイド性消炎鎮痛剤（NSAIDs）のみで軽快する場合もあるといわれているが，多くはステロイド中等量以上を必要とする．EBVやCMVは検査で陰性であり，CMVに対するガンシクロビルはここでは適応外である．また，γ-globulinに関しては，重症細菌感染症で抗菌剤の補助療法として用いられたり，特発性血小板減少症で摘脾前などに一時的に血小板を増加させたりする場合に大量療法を行う場合があるが，非常に高価でありまた血液製剤であることも考えると，今回の第一選択薬にはなりえない．リケッチアやクラミジアなどセフェム系やペニシリン系が効きにくい感染症の場合，マクロライド系やテトラサイクリン系の抗菌剤が有効な場合もよくあり，このケースであれば，初診から抗核抗体・フェリチン・CMV，EBVなどの結果が出るのに通常数日かかることから，この間に投与して熱型などをみるには適応と考えられる．しかし，診断としては成人スチル病がほぼ確定的と考えられるため，ここでは正解をaとした．

問題 4

成人スチル病の危険な合併症のひとつに血球貪食症候群（hemophagocytic syndrome，HPS）がある．この場合，HPSあるいは薬剤性（解熱鎮痛剤や投与されていれば抗生物質など）の汎血球減少が考えやすいが，フェリチン著増を伴っていることからHPSの可能性が最も高い．したがって，骨髄穿刺にて貪食像の有無を確認することは重要である．HPSであれば，ステロイドパルスまたはそれに準ずる治療が必要である．このケースでは発熱や血清フェリチンの著増も伴っており，再生不良性貧血が急に出現したとは考えられない．したがって蛋白同化ステロイドは適応ではない．またG-CSFは貪食を助長する逆効果の恐れもあり第一選択薬にはなりえない．メトトレキサートは副作用で血球減少をきたしやすく，汎血球減少がある状況で第一選択薬にはならないであろう．よって，正解はbである．

解 答

問題1：a
問題2：c
問題3：a
問題4：b

レベルアップをめざす方へ

成人スチル病とフェリチン

　本症でしばしば著明な高フェリチン血症がみられ，診断の一助となることはすでに述べた．フェリチンは一義的には全身の細胞に幅広く分布する鉄貯蔵蛋白である．通常は，内部に鉄を貯蔵する中空部分を覆うような外殻構造をもつ分子量45万の蛋白質で，分子量21,000のH鎖と19,500のL鎖が計24個組合わされた形をとる．H，L鎖の組合せで等電点の異なる臓器特異的なイソフェリチンが20種類以上存在している．血清フェリチンは，細胞内フェリチンを構成するH鎖やL鎖と若干異なるアミノ酸組成を持ち，分子量も23,000とやや大きいサブユニットから成っており，その多くは糖鎖をもった分泌型蛋白質で，鉄含量は細胞内フェリチンに比べると非常に少ない．細胞内輸送や細胞からの分泌に関連して糖鎖がついた glycosylated subunit の割合が正常人の血清フェリチンでは50～80％であるのに対し，成人スチル病の患者の多くは20％以下に減少しており，これは疾患活動性が低下して血清フェリチン値が正常化しても割合としては維持されると報告されている[9]．一般に炎症性サイトカインは主として翻訳レベルで細胞内フェリチン産生を亢進させると報告されている[10]．とくに，IL-1βはフェリチンH鎖L鎖ともに著明な産生亢進を，IL-6はL鎖の産生亢進，TNFα・IL-1α・インターフェロンγは転写レベルで産生亢進を引き起こすといわれている．

●文　献●

1) Bywaters EG：Ann Rheum Dis 30：121-133，1971.
2) Ohta A, Yamaguchi M, Kaneoka H, et al：Adult Still's disease：review of 228 cases from the literature. J Rheumatol 14：1139-1146，1987.
3) Yamaguchi M, Ohta A, Tsunematsu T, et al：Preliminary criteria for classification of adult Still's disease. J Rheumatol 19：424-430，1992.
4) 大田明英，宮坂信之：成人スティル病治療指針マニュアル．厚生省自己免疫疾患調査・研究班，1996.
5) Ohta A, Yamaguchi M, Tsunematsu T, et al：Adult Still's disease：a multicenter survey of Japanese patients. J Rheumatol 17：1058-1063，1990.
6) Pouchot J, Sampalis JS, Beaudet F, et al：Adult Still's disease：manifestations, disease course, and outcome in 62 patients. Medicine (Baltimore) 70：118-136，1991.
7) Pouchot J, Ouakil H, Debin ML, et al：Adult Still's disease associated with acute human parvovirus B19 infection. Lancet 341：1280-1281，1993.
8) 鐘江　大，多田芳史，大田明英，ほか：成人Still病患者のガリウムシンチグラフィにおける骨髄への集積．リウマチ 42：872-878，2002.
9) Fautrel B, Le Moel G, Saint-Marcoux B, et al：Diagnostic value of ferritin and glycosylated ferritin in adult onset Still's disease. J Rheumatol 28：322-329，2001.
10) Rogers JT：Ferritin translation by interleukin-1 and interleukin-6：the role of sequences upstream of the start codons of the heavy and light subunit gene. Blood 87：2525-2537，1996.

［牛山　理／長澤　浩平］

疾患 26 中年男性 夜間起座呼吸で救急へ 肺野にWheezeを聴取！？

問題編

症例提示

症　例：50歳　男性
主　訴：呼吸困難，喘鳴，咳，痰
家族歴：母親が気管支喘息
既往歴：特記事項なし
職　歴：会社員（事務職）
生活歴：喫煙歴なし，飲酒少々，動物飼育歴なし
現病歴：3ヵ月まえから感冒様症状をきっかけに咳，痰が出現していたが，主に夜間または早朝に認めるのみで，日中はほとんど症状がなかったため放置していた．1週間前から毎日午前3時ごろ，咳，喘鳴で覚醒するようになり，昼間も咳，喘鳴，労作時の呼吸困難感を自覚するようになっていた．残業で過労気味の状態で帰宅し就寝したが，夜半過ぎから咳，痰，喘鳴が出現し，次第に呼吸困難感が増強して横臥位がとれず，起座呼吸状態となったため当院救急外来を受診した．胸部聴診上，両側全肺野でWheezeを聴取し，血液ガス分析の結果，pH 7.444，PaCO$_2$　40.1 torr，PaO$_2$ 57.8 torr，HCO3$^-$ 26.6mq/lと低酸素血症を認めたため緊急入院となった．

入院時現症：身長168cm，体重70kg，体温36.8℃，血圧122/86，脈拍112回/分・整，呼吸回数24回/分，意識清明，起座呼吸状態，表在リンパ節触知せず，眼瞼結膜　貧血なし，眼球結膜　黄疸なし，顔面発汗著明，全肺野でWheeze聴取，頻脈で心雑音は明らかでなく心拍は整，腹部　異常なし，四肢　異常なし，下肢浮腫　なし，神経学的所見　異常なし．

＜入院時検査所見＞
CBC：WBC 6,000m/ml（Seg 55％，Eos 15％，Mono 5％，Lym 25％），RBC 485×10^4/ml，Hb 15.5g/dl，Plt 28.5×10^4/ml
Chemistry：T. Bil 0.8mg/dl，Alp 65IU/l，g-GTP 25IU/l，GOT 25IU/l，GPT 34IU/l，LDH 294 IU/l，BUN 18mg/dl，Gr 0.8mg/dl，Na 142mEg/l，K 4.2mEq/l，Cl 107 mEq/l，TP 7.2g/dl，Alb 4.2g/dl，FBS 146mg/dl，HbA1c 6.0％，T-Cho 207mg/dl，TG 107mg/dl，CRP 0.5mg/dl
血液ガス分析：pH 7.444，PaCO$_2$ 40.1torr，PaO$_2$ 57.8torr，HCO3$^-$ 26.6mEq/l
胸部レントゲン所見：明らかな浸潤影なし，心拡大なし
胸部CT所見：軽度気管支壁肥厚あり，肺野には明らかな異常所見なし
喀痰検査：一般菌培養　陰性，結核菌　培養とPCRとも陰性，好酸球　90％

設問

問題1　症状から特に鑑別すべき疾患は以下のうちどれか？
（1）間質性肺炎
（2）気管支喘息
（3）急性左心不全
（4）慢性閉塞性肺疾患
（5）気胸
　　a.（1），（2），（3）　　b.（2），（3），（4）
　　c.（3），（4），（5）　　d.（1），（2），（5）
　　e.（1），（4），（5）

問題2　確定診断のために重要な所見はどれか？
（1）夜間の発作性の呼吸困難，喘鳴
（2）β$_2$刺激吸入薬またはステロイド治療による気道狭窄の改善（可逆性）

(3) 低酸素血症
(4) 胸部CT所見
(5) 喀痰中好酸球数増加
　a．(1), (2), (3)　　b．(2), (3), (4)
　c．(3), (4), (5)　　d．(1), (2), (5)
　e．(1), (4), (5)

問題3 急性期の治療で不適切な治療は以下のうちどれか？
a．アミノフィリンの持続点滴
b．ステロイド薬の吸入
c．ステロイド薬の全身投与
d．酸素投与
e．補液

問題4 退院後の長期管理・治療において適切なものは以下のうちどれか？
a．発作が改善すれば治療は中止してよい．
b．仕事や運動制限を指導する．
c．気管支拡張薬頓用のみで治療する．
d．経口ステロイド薬を中心とした維持治療を行う．
e．ピークフローのモニタリング．

解説編

気管支喘息（bronchial asthma）

1．疾患概念

　喘息は，臨床的には発作性の咳，呼吸困難，喘鳴を特徴とする疾患であり，わが国の最新の喘息予防・管理ガイドラインでは，気道の慢性炎症と種々の程度の気道狭窄と気道過敏性，そして，臨床的にはくり返し起こる咳，喘鳴，呼吸困難を特徴とする疾患と定義されている．この慢性の気道炎症には，好酸球，Th2細胞，肥満細胞，気道上皮細胞などの多くの細胞と液性因子が関与し，また，気道狭窄は自然にあるいは治療により可逆性を示すことが特徴とされている．

　わが国における喘息の発症率は近年急速に増加しおり，現在の発症率は，小児では6％程度，成人では3％程度で，10年ごとに1.5～2倍程度増加していることが報告されている．男女比は乳児期例で2.8，幼児期例で1.5程度で，10歳以降で1.0を割っている．発症年齢は，小児喘息では乳児期に多く，成人喘息では各年齢で発症がみられるが，20～30歳代にかけて多い．病型として，環境に存在するアレルゲンに対する特異的IgE抗体を証明できるアトピー型（IgE依存型，外因型），証明できない非アトピー型（IgE非依存型，内因型）に分類できるが，小児期発症喘息はアトピー型が多く，成人発症型では非アトピー型が多い傾向にある．また，喘息患者の家族には喘息やほかのアレルギー疾患を有することが多く，喘息の発症にはアレルギー素因の遺伝と何らかの特異的な関係があると考えられている．

　以前喘息は，さまざまな外因性および内因性刺激に気道の平滑筋が反応して発作性に気道狭窄が生じて発症するものと考えられていたが，これまでの数多くの研究報告により，喘息特有の気道炎症，すなわち気道粘膜における好酸球，Th2細胞，肥満細胞を中心とした炎症細胞浸潤と気道上皮の剥離といった組織学的変化に起因していることが明らかになっている．これらの炎症の成立には，Th2細胞や肥満細胞から産生されるIL-3，IL-4，IL-5，IL-13，GM-CSFなどのサイトカインが重要で，とくにIL-4やIL-13は，Th2細胞の分化・増殖に，IL-5は好酸球の骨髄での分化・増殖に関与している．また，上記のサイトカインやほかのメディエーター刺激で血管内皮細胞上に発現した接着分子（ICAM-1やVCAM-1）と気道上皮細胞等から産生・遊離されたケモカイン（RANTESやeotaxin）が協調的に作用することで気道粘膜局所に好酸球やTh2細胞が特異的に集積し，局所で産生されたGM-CSFによる好酸球の活性化，アポトーシス抑制作用も加わって喘息特有の好酸球性炎症が成立・持続すると考えられている．好酸球や肥満細胞から産生・遊離されたヒスタミン，ロイコトリエンも気道の炎症に関与し，とくにロイコトリエンはヒスタミンの1000倍以上強い気道平滑筋収縮作用を有し，喘息発作に重要な作用をしていると考えられている．また，このような炎症の持続により，気道上皮基底膜直下の線維化による肥厚，上皮杯細胞化生，粘膜下腺過形成，平滑筋肥大，血管新生といった組織学的構築の変化（気道壁リモデリング）

が生じ，平滑筋収縮，粘膜下浮腫とともに気道狭窄の増強に関与して，喘息の重症化・難治化に関与していると考えられている．

2．診　　断

典型的な発作をくり返す患者では診断は困難ではないが，初期で症状が軽度の場合は臨床的に診断するのが困難な場合が少なくない．診断のためには，

1）発作性の呼吸困難，喘鳴，胸苦しさ，咳（夜間，早朝に出やすい）の反復，

2）少なくとも部分的にみられる可逆性の気流制限，

3）気道過敏性の存在，

4）気道炎症の存在，

5）アトピー素因の存在が参考になる．

とくに2），3），4）は確定診断のために重要で，β_2刺激薬吸入前後または経口ステロイド薬2〜3週間内服で1秒量が12.5％以上，あるいは200ml以上の改善（可逆性）を認めた場合，またはメサコリンやヒスタミンに対する気道過敏性を有し，さらに喀痰中好酸球の増加があって気道炎症の存在が認められれば喘息と診断可能である．

3．治　　療

喘息の治療は，急性期の発作治療と慢性期の維持治療の2つに大別される．急性期治療において，わが国の喘息予防・管理ガイドラインでは，患者の症状，呼吸機能，血液ガス分析結果により，軽症，中等症，高度，重篤症状に分類し，治療内容を明示している．中等症以上で気管支拡張薬（β_2刺激薬吸入，アミノフィリン点滴）投与により改善が少ない場合は入院管理とし，酸素投与とともに一時的にステロイド薬全身投与を行う必要がある．自覚症状のみならずピークフロー，呼吸機能検査といった客観的指標を用いて状態を評価し，改善が認められれば維持治療へと移行する．維持治療においてもガイドラインでは，軽症間歇型（ステップ1），軽症持続型（ステップ2），中等症持続型（ステップ3），重症持続型（ステップ4）に分類し，重症度にあわせた各長期管理薬（表1）の使用を推奨している．喘息は慢性疾患で長期管理・維持治療が必要であることを患者に教育し，ピークフローをモニタリングしながら客観的指標を基に治療することが重要である．

問題の解説および解答

問題　1

本症例では，発症当初の呼吸器症状は主に夜間または早朝のみで，日中はほとんど症状がなく，次第に症状悪化とともに日中にも症状が出現するようになっている．選択肢にあげられた各疾患は咳・呼吸困難を呈するものであるが，症状の出現状況を考慮すると，喘息，急性左不全，慢性閉塞性肺疾患を鑑別としてまずあげる必要がある．間質性肺炎は，発症当初から日中の労作時呼吸困難・咳といった症状が出現する場合が多く，また気胸は胸痛とともに突然の呼吸困難で発症することが多い．喘息は，発症初期の軽症のときは夜間や早朝に症状が出現するのみで，日中はほとんど症状がなく，呼吸機能検査でも異常を認めないことが多い．症状のみで慢性閉塞性肺疾患急性増悪や急性左心不全との鑑別は困難であるが，喫煙歴や喀痰の性状，症状の日内・日差変動，アレルギー疾患の既往歴・家族歴などを詳細に聴取することである程度診断可能である．本症例は喘息発症から発作増悪まで典型的な経過をとった症例といえる．

問題　2

喘息診断のためには，

1）発作性の呼吸困難，喘鳴，胸苦しさ，咳（夜間，早朝に出やすい）の反復，

2）可逆性の気流制限または気道過敏性，

3）好酸球性気道炎症の存在を示す必要がある．

本症例では1），3）は入院時に認められている．呼吸機能検査や気道過敏性検査は発作のため施行できなかったが，治療の経過中に肺機能やピークフローの改善を認め，可逆性の気流制限の存在が確認された．低酸素血症や胸部CTでの気管支壁肥厚所見は喘息の重症度判定や気道壁リモデリングの存在の確認には有用であるが，喘息に特異的なものでない．

表1　喘息長期管理薬

1. ステロイド薬
   1) 吸入ステロイド薬
   2) 経口ステロイド薬
2. テオフィリン除放製剤
3. 長時間作用性β_2刺激薬
   1) 吸入薬
   2) 貼付薬
   3) 経口薬
4. 抗アレルギー薬
   1) ロイコトリエン拮抗薬
   2) ヒスタミンH1-拮抗薬
   3) メディエーター遊離抑制薬
   4) トロンボキサン阻害薬
   5) Th2サイトカイン阻害薬

問題 3

　急性期の発作治療を開始するに際し，重症度を把握することが重要である．本症例は，起座呼吸状態で，PaO_2 は 57.8 torr と低酸素血症，$PaCO_2$ は 40.1 torr と炭酸ガスが貯留傾向にあり，中等度から高度の喘息発作状態にあると考えられる．中等度以上の急性期治療において酸素投与は必要で，とくに β_2 刺激薬吸入の際には低酸素血症が悪化する可能性があるため，酸素吸入下で行うべきである．ステロイド薬は最も強力な抗炎症作用を有し，喘息発作治療の中心となるが，発作時は吸入困難で効果が不十分であるため，一過性に全身投与で使用する．アミノフィリンは気管支拡張作用と弱いながらも抗炎症作用を有することから，喘息発作治療にも有効であるが，過量投与による副作用に注意する必要があり，投与する場合は血中濃度をモニタリングする必要がある．また，入院前に発作が長期間持続している場合，経口摂取不良や過呼吸により脱水状態に陥っている可能性があるため，喀痰排出促進やアミノフィリン中毒予防を目的に十分な量の補液を行うべきである．

問題 4

　喘息は気道の慢性炎症性疾患で，発作や症状がない場合でも気道炎症が存在していることが明らかとなっている．したがって，本症例のように中等度以上の発作後では，強力な抗炎症作用を有する吸入ステロイド薬を中心とした長期管理・治療を行う必要がある．経口ステロイド薬は長期使用による副作用のため，高用量の吸入ステロイド薬とその他の抗喘息薬を併用してもコントロール不良なより重症の場合にのみ使用すべきである．起床時と就寝時のピークフローモニタリングは客観的な気道狭窄の把握を可能とし，自己管理や喘息治療の評価に有用である．以上のような管理のもと喘息治療が適切に行われていれば，仕事や運動の制限は原則的に必要ない．

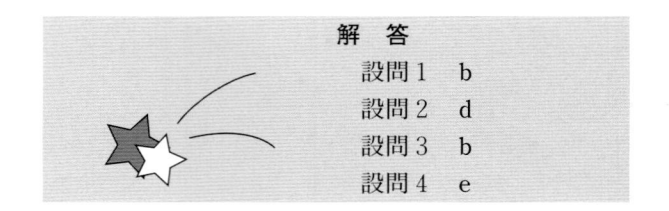

解　答	
設問 1	b
設問 2	d
設問 3	b
設問 4	e

レベルアップをめざす方へ

気道壁リモデリングの機序

　喘息の疾患概念は，ここ10数年の間に，単に気道平滑筋収縮によるものから好酸球やTh₂細胞浸潤を中心とした慢性気道炎症に基づく気道狭窄へと変遷してきた．最近では，この慢性気道炎症の持続が気道粘膜の線維化，とくに基底膜直下のI, II, V型コラーゲンとフィブロネクチンなどの細胞外基質沈着による厚い上皮下線維増生（subepithelial fibrosis），平滑筋肥厚，粘膜下腺過形成，血管新生，気道上皮杯細胞化といった気道の組織学的構築の変化（気道壁リモデリング）を引き起こすことが明らかになってきている．この気道壁リモデリングと炎症自体による気道壁腫脹はさらに気道壁肥厚を増大させ，種々の平滑筋収縮メディエーターによる気道平滑筋収縮によって起こる気流制限が増強して，喘息の重症化に関与していると考えられている．なかでも，上皮下線維増生を含めた気道粘膜の線維化や気管支平滑筋肥厚は現在のところ治療によって不可逆的変化と考えられ，難治化の原因とされている．

　このような上皮下線維増生は，気道上皮細胞や好酸球から産生されるTGF（transforming growth factor）-β や PDGF（platelet derived growth factor）などの増殖因子刺激による線維芽細胞や筋線維芽細胞からの細胞外基質産生系と，それを分解する酵素のMMP（matorix metalloproteinase）やそのインヒビターであるTIMP（tissue inhibitor of metalloproteinase）の分解系のアンバランスによるものとされ，喘息ではTIMPの産生がMMPに対して相対的に増加して，細胞外基質の分解が低下していることが原因と考えられている．一方，平滑筋肥厚にも多くの因子が関与しており，とくにEGF（epidermal growth factor），PDGFなどの成長因子やヒスタミンやロイコトリエンなどの化学伝達物質が関与していることが報告されている．

喘息治療における early intervention の意義

　現在のところ，気道壁リモデリング，とくに気道粘膜線維化に対する有効な治療法はない．軽症喘息患者でもこの気道粘膜線維化が認められることから，喘息発症早期から吸入ステロイド薬を積極的に使

用して気道炎症を抑制し，気道壁リモデリングの発生を予防しようという考えが提唱されている（early intervention）．最近の喘息治療ガイドラインでも，軽症持続型（ステップ2）から低用量吸入ステロイド薬を第一選択薬として推奨しており，今後この吸入ステロイド薬早期導入が気道壁リモデリングを抑制しうるかどうか，臨床的検討の結果が待たれる．

[大河原　雄一／田　村　　弦]

疾患 27 喘息発作で来院 薬物療法にて軽快！ 今後は？

問題編

症例呈示

症　例：36歳，男性，会社員

現病歴：5歳の時に気管支喘息が発症した．季節の変わりめに発作が出ていたが，中学生の頃に寛解した．35歳頃に風邪を契機に再発したが，月に1～2回軽い喘鳴が生じる程度であり，β_2刺激薬の吸入で対処していた．2～3日前から上気道炎に罹患していたが，深夜に強い発作が出現し，救急車で来院した．

来院時現症：苦しくて横になれないが，どうにか歩くことはできる．喘鳴著明．会話は可能，意識は清明．脈拍120/分，呼吸数25回/分，血圧120/84mmHg．SpO_2 93％．

血液検査：WBC 8,000/μL（Nt 62.3％，Ly 27.5％，Mono. 0％，Eos 6.2％，Baso 1.0％），RBC 450万/μL，Hb 13.0g/dL，Plt 27.6万/μL，IgE（RIST）300Iu/mL，特異IgE（CAP-RAST）スコア：ハウスダスト＋3，コナヒョウヒダニ＋3，CRP 0.80mg/dL

設　問

問題1　本症例の発作の程度は次のどれに相当するか．
a．軽度
b．中等度
c．高度
d．エマージェンシー

問題2　本症例の発作に対する治療として適切なものはどれか．
（1）β_2刺激薬のネブライザー吸入
（2）アミノフィリン点滴
（3）ステロイド薬静注
（4）ステロイド薬吸入
（5）ジアゼパム静注

a（1），（2），（3）　　b（1），（2），（5）
c（1），（4），（5）　　d（2），（3），（4）
e（3），（4），（5）

問題3　重症の発作時の気管内挿管，人工呼吸管理の適応条件のうち誤りはどれか．一つ選べ．
a．呼吸停止
b．呼吸筋疲弊
c．酸素を最大限投与してもPaO_2が70mmHg未満の場合
d．$PaCO_2$の1時間5 mmHg以上の上昇
e．急激な$PaCO_2$の上昇と意識障害

問題4　喘息の発作が治まって救急室から帰宅する際の注意事項およびその後の治療法として適切なものはどれか．
（1）喘息の悪化の原因を確認し，それを避けるように指導する．
（2）発作時の患者および家族の対応を確認し，問題があれば改善するよう指導する．
（3）発作の出現前の治療を継続するよう指導する．
（4）帰宅後一週間以内に受診させる．
（5）帰宅時にピークフローメーターを渡し，毎日2回ピークフローを測定するように指導する．

a（1），（2），（3）　　b（1），（2），（5）
c（1），（4），（5）　　d（2），（3），（4）
e（3），（4），（5）

解 説 編

気管支喘息について

1. 定　義
GINAガイドラインでは，

> "喘息は気道の炎症と種々の程度の気流制限により特徴づけられ，発作性の咳，喘鳴，および呼吸困難を示す．気流制限は軽度のものから致死的な高度のものまで存在し，自然に，また治療により少なくとも部分的には可逆的である．気道炎症には好酸球，T細胞（Th2），肥満細胞など多くの炎症細胞の浸潤が関与し，気道粘膜上皮の損傷がみられる．長期罹患成人患者では気流制限の可逆性の低下がみられる傾向があり，しばしば気道上皮下基底膜肥厚などのリモデリングを示す．反応性のある患者では，気道炎症，気道のリモデリングは気道過敏性を伴う．"

と定義されている．このように気管支喘息の病態は①慢性の気道炎症，②気道過敏性，③気道閉塞の3つにまとめることができる．

2. 分　類
アトピー型と非アトピー型に分類される．アトピー型では環境に存在するアレルゲンに対するIgE抗体が皮膚テストや試験管内IgE抗体測定法（RASTなど）で認められる．発症は乳・幼児期，小児期，思春期と早期であることが多い．また，アトピー型にはアレルギー性鼻炎，アトピー性疾患などのほかのアレルギー疾患がしばしば合併するし，家族にも喘息を含めたアレルギー疾患が見いだされることが多い．一方，非アトピー型ではアレルゲンに対するIgE抗体は認められず，発症も中年以降であることが多い．また，ほかのアレルギー疾患を合併することも少ない．小児喘息ではアトピー型が9割を占めるが，成人喘息では非アトピー型が5割近くを占める．

3. 病　因
喘息発症に関わる因子として遺伝的素因，原因因子，寄与因子がある．

1）遺伝的素因
IgE抗体をつくりやすい体質と気道過敏性には遺伝的要因がかかわっていると考えられており，この方面の研究が精力的に行われているが，まだ確定的な結果は得られていない．

2）原因因子
チリダニ，イヌ・ネコ・ハムスターなど動物の毛・上皮，カビ類，花粉，昆虫類など，吸入性アレルゲンがアトピー型喘息の原因因子である．

3）寄与因子
喘息の発症を増加させる因子であり，喫煙，大気汚染，ウイルス感染などがあげられる．

4. 病態生理（図1）[1]
気管支喘息の特徴は1）気道炎症，2）気道過敏性，3）可逆的な気道閉塞の3点にまとめられる．

1）気道炎症
喘息患者の気管支粘膜では好酸球，好塩基球，T細胞，マスト細胞などの炎症細胞が増加しており，また，

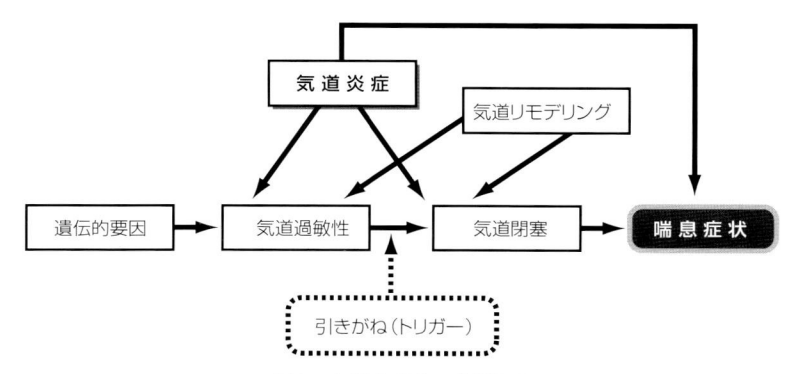

図1　気管支喘息の病態生理
（厚生省免疫・アレルギー研究班，2003[1] より引用）

気道上皮の剥離，気管支や細気管支における粘液栓の形成，気道粘膜の腫脹などの所見も認められる．これらの気管支の炎症の成立にはT細胞，マスト細胞，気道上皮細胞など種々の細胞から産生されるサイトカインが関与している．とくにIL-4，IL-5，IL-13などが重要である．

気道炎症が存在する気管支にアレルゲンが侵入してくるとマスト細胞上のIgE受容体に結合したIgE抗体によりアレルゲンは捕捉され，その結果，マスト細胞は活性化され，ヒスタミン，システイニルロイコトリエン（LTC_4，LTD_4，LTE_4）をはじめとする種々のメディエーターが遊離される．これらのメディエーターの作用により気管支の収縮，粘膜の浮腫，気道分泌亢進が起こり，喘息発作が生じる．この発作はアレルゲン侵入後，15～30分でピークに達し，1時間後にほぼ消失する（即時型喘息反応）．その後，数時間して再び喘息発作が生じる．これを遅発型喘息反応とよんでいる．この反応には好酸球，好塩基球などが関与していると考えられている．

気道炎症が持続すると上皮の基底膜肥厚，気管支平滑筋の肥大と過形成，杯細胞の増加，粘液腺の肥大，血管新生などの気道リモデリング（気道の損傷の修復過程において生じる気道構造の変化を示す概念）の所見が認められるようになる．リモデリングが生じると気道壁が肥厚し，可逆的な気道閉塞という喘息の特徴のひとつが失われ，喘息が重症化する．

2）気道過敏性

気道過敏性は非特異的な種々の刺激，たとえば，冷気，タバコの煙，線香の煙，香水のにおい，揚物のにおいなどに対して気道が収縮しやすいことであり，喘息患者のほとんどすべてに認められる．

気道過敏性は検査上はアセチルコリン，メサコリン，ヒスタミンなどの気管支を収縮させる作用のある物質の吸入試験により評価されるが，臨床的には喘息患者が健常者にとっては何でもないような刺激などに敏感に反応して発作を起こすことでわかる．

近年，気管支喘息が気道の慢性炎症性疾患としてとらえられるようになり，気道過敏性の成因としても気道炎症が重視されている．また，気道リモデリングも気道過敏性を亢進させる．

3）可逆的な気道閉塞

喘息にみられる気道閉塞（喘息発作）は自然にあるいはβ_2-刺激薬などの気管支拡張薬により治まる．つまり，喘息の気道閉塞は可逆的である．このような気道閉塞の可逆性は喘息の特徴のひとつであるが，喘息が慢性化し，気道リモデリングにより気道壁が肥厚すると気道閉塞の可逆性が失われる．このような喘息の重症化を防ぐことが喘息の治療目標のひとつである．

5．臨床症状

胸部圧迫感，呼吸困難，喘鳴，咳が夜間から早朝にかけて起こるのが特徴である．発作の誘因としてはアレルゲン，運動，呼吸器感染，気温の低下，湿度・気圧の変動などの気象条件の変化，薬物，月経，精神的因子，過労など種々の因子をあげることができる．またしばしば鼻炎，副鼻腔炎，アトピー性皮膚炎などを合併する．

6．診　　断

喘息に特徴的な臨床症状を問診で明らかにすること，気管支拡張薬を使って気道閉塞が可逆的であることを呼吸機能検査で証明すること，気道過敏性をメサコリン，アセチルコリン，ヒスタミンなどの薬物を用いた検査で証明することなどから診断する．

7．治　　療

喘息の基本的な病態は気道炎症，気道過敏性，可逆的な気道閉塞の三点に要約されるので治療においてもそれぞれの病態に対応する必要がある．気道炎症に対しては抗炎症薬を用いることにより気道炎症を改善させる．気道過敏性は先天的要因と気道炎症などの後天的要因の両者により規定されているが，気道炎症によって亢進している部分に対しては抗炎症薬が有効であるのでそれにより対処する．また，可逆的な気道閉塞のうち気管支平滑筋の収縮による部分に対しては気管支拡張薬を，気道炎症による部分に対しては抗炎症薬を用いる．つまり，喘息の治療は抗炎症薬と気管支拡張薬の両者をうまく使い分けて行うわけである．

抗喘息薬は長期管理薬（コントローラー）と発作治療薬（リリーバー）に分類される[1]．前者は長期管理のために継続的に使用する薬剤であり，後者は喘息発作の治療のために短期的に使用する薬剤である．

長期管理薬は抗炎症薬（吸入ステロイド薬，経口ステロイド薬，抗アレルギー薬）と長時間作用型気管支拡張薬（長時間作用型β_2刺激薬とテオフィリン徐放製剤）に分けられる．一方，発作治療薬はステロイド薬（経静脈的投与と経口投与の場合がある）と短時間作用型気管支拡張薬（短時間作用型β_2刺激薬，テオフィリン薬，抗コリン薬）に分けられる．長期管理薬（コントローラー）と発作治療薬（リリーバー）を適宜使用して喘息の長期管理（表1）[1]と喘息発作の治療（表2）[1]を行う．

表題にあるような喘息発作で来院し，治療により発作が治まった場合にはまず帰宅後も少なくとも3～5

表1 喘息の長期管理における重症度対応段階的薬物療法

重症度	ステップ1[1)2)] 軽症間欠型	ステップ2[1)2)] 軽症持続型	ステップ3[1)2)] 中等症持続型	ステップ4[1)2)] 重症持続型
症状の特徴	●症状が週1回未満 ●症状は軽度で短い ●夜間症状は月に1〜2回	●症状は週1回以上,しかし毎日ではない ●日常生活や睡眠が妨げられることがある:月1回以上 ●夜間症状が月2回以上	●症状が毎日ある ●短時間作用性吸入β2刺激薬頓用がほとんど毎日必要 ●日常生活や睡眠が妨げられる:週1回以上 ●夜間症状が週1回以上	●治療下でもしばしば増悪 ●症状が毎日 ●日常生活に制限 ●しばしば夜間症状
PEF FEV1.0[3)]	予測値の80%以上 変動20%未満,あるいはPEF自己最良値の80%以上	予測値の80%以上 変動20〜30%,あるいはPEF自己最良値の80%以上	予測値の60〜80% 変動30%以上,あるいはPEF自己最良値の60〜80%	予測値の60%未満 変動30%以上,あるいはPEF自己最良値の60%未満

1) 治療前の臨床所見による重症度.すでに治療を受けている場合は症状をほぼコントロールするのに(ステップ1程度)要する治療ステップでその重症度とする.症状がある場合はより高い重症度を考える.
2) いずれか1つが認められればそのステップを考慮する.これらの症状,肺機能は各ステップの概要を示したもので各ステップ間のオーバーラップがありうる.重症度は肺機能,症状,現在の治療レベルから総合的に判定する.
3) 症状からの判断は重症例や長期罹患例で重症度を過小評価する場合がある.肺機能は気道閉塞の程度を客観的に示し,その変動性は気道過敏性と関連する.

		●吸入ステロイド薬 (低用量)連用	●吸入ステロイド薬 (中用量)連用	●吸入ステロイド薬 (高用量)連用
長期管理薬 ●:連用 ○:考慮	○喘息症状がやや多いとき(たとえば1月に1〜2回),血中・喀痰中に好酸球増加のあるときは下記のいずれか1つの投与を考慮 ・吸入ステロイド薬(最低用量) ・テオフィリン徐放製剤 ・ロイコトリエン拮抗薬 ・抗アレルギー薬[4)5)]	●あるいは下記のいずれか連用,もしくは併用する ・テオフィリン徐放製剤[2)] ・ロイコトリエン拮抗薬[2)] ・DSCG[2)] ●夜間症状,持続する気道閉塞に吸入ステロイド薬と併用して ・長時間作用性β2刺激薬(吸入/貼付/経口)[3)] ●アトピー喘息を主な対象として上記薬剤のいずれかと併用して ・抗アレルギー薬[4)5)]	下記のいずれか,あるいは複数を吸入ステロイド薬と併用する ・テオフィリン徐放製剤 ・長時間作用性β2刺激薬(吸入/貼付/経口)[3)] ・ロイコトリエン拮抗薬 ○Th2サイトカイン阻害薬併用考慮[4)]	下記の複数を吸入ステロイド薬と併用する ・テオフィリン徐放製剤[6)] ・長時間作用性β2刺激薬(吸入/貼付/経口)[3)6)] ・ロイコトリエン拮抗薬 ○Th2サイトカイン阻害薬併用考慮[4)] ●上記でコントロール不良の場合 ・経口ステロイド薬を追加
発作時	短時間作用性吸入β2刺激薬または短時間作用性経口β2刺激薬,短時間作用性テオフィリン薬[1)]	短時間作用性吸入β2刺激薬,その他[1)]	短時間作用性吸入β2刺激薬,その他[1)]	短時間作用性吸入β2刺激薬,その他[1)]

1) 発作時に短時間作用性吸入β2刺激薬または短時間作用性経口β2刺激薬,短時間作用性テオフィリン薬を頓用する.1時間を目安に症状が改善しない場合,中発作以上では救急外来を受診する(「急性増悪(発作)への対応」を参照).短時間作用性吸入β2刺激薬の追加頓用が1日3〜4回以上であればステップアップする.
2) 単独でも低用量吸入ステロイド薬のオプションとなりうる.
3) 長期使用には必ず抗炎症薬(吸入ステロイド薬など)を併用する.
4) アトピー型喘息が適応とされる.効果を認めた場合に連用する.抗アレルギー薬参照.
5) 抗アレルギー薬:本表では,メディエーター遊離抑制薬,ヒスタミンH1拮抗薬,トロンボキサン阻害薬,Th2サイトカイン阻害薬を指す.
6) 長時間作用性β2刺激薬または/およびテオフィリン徐放製剤を高用量吸入ステロイド薬に併用する.

ステップアップ:現行の治療でコントロールできないときは次のステップに進む(FEV1.0/PEF 予測値60%>では経口ステロイド薬の中・大量短期間投与後に行う).
ステップダウン:治療の目標が達成されたら,少なくとも3カ月以上の安定を確認してから治療内容を減らしてもよい.以後もコントロール維持に必要な治療は続ける.

(厚生省免疫・アレルギー研究班,2003[1)]より引用)

表2 喘息症状(急性増悪)の管理(治療)

治療目標:呼吸困難の消失,体動,睡眠正常,日常生活正常
ピークフロー(PEF)の正常値(予測値できれば自己最良値70%以上),酸素飽和度>90%*
平常服用,吸入で喘息症状の悪化なし

喘息症状の程度	呼吸困難	動作	治療	自宅治療可,救急外来入院,ICU**	検査値*
1. 軽度	苦しいが横になれる	やや困難	β2刺激薬吸入,頓用*1 テオフィリン薬頓用	自宅治療可	PEF70〜80%
2. 中等度	苦しくて横になれない	かなり困難かろうじて歩ける	β2刺激薬ネブライザー吸入反復*2 β2刺激薬皮下注(ボスミン®)*3 アミノフィリン点滴*4 ステロイド薬静注*5 酸素*6 抗コリン薬吸入考慮	救急外来 1時間で症状が改善すれば:帰宅 4時間で反応不十分 2時間で反応なし ↓ 入院治療 ↓ 高度喘息症状の治療へ	PEF 50〜70% Pao2 60mmHg以上 Paco2 45mmHg以下 Spo2 90%以上
3. 高度	苦しくて動けない	歩行不能会話困難	β2刺激薬皮下注(ボスミンR)*3 アミノフィリン持続点滴*7 ステロイド薬静注反復*5 酸素*8 β2刺激薬ネブライザー吸入反復*2	救急外来 1時間以内に反応なければ 　入院治療 悪化すれば 　重篤症状の治療へ	PEF 50%以下 Pao2 60mmHg以下 Paco2 45mmHg以上 Spo2 90%以下
4. 重篤症状 (大発作の治療に反応しない発作・上記治療でも悪化) エマージェンシー重篤発作	(状態) チアノーゼ 錯乱 意識障害 失禁 呼吸停止	会話不能体動不能	上記治療継続 症状,呼吸機能悪化で挿管*9 酸素吸入にもかかわらず 　Pao2 50mmHg以下および/ 　または意識障害を伴う急激な 　Paco2の上昇 人工呼吸*9 気管支洗浄 全身麻酔(イソフルラン・セボフルラン・エンフルランなどによる)を考慮	ただちに入院,ICU**	PEF 測定不能 Pao2 60mmHg以下 Paco2 45mmHg以上 Spo2 90%以下

* 気管支拡張薬投与後の測定値を参考とする.
** ICUまたは,気管内挿管,補助呼吸,気管支洗浄など処置ができ,血圧,心電図,オキシメーターによる継続的モニターが可能な病室.
*1 β2刺激薬MDI1〜2パフ,20分おき2回反復可.無効あるいは増悪傾向時β2刺激薬1錠,コリンテオフィリンまたはアミノフィリン200mg頓用.
*2 β2刺激薬ネブライザー吸入:20〜30分おきに反復する.脈拍を130/分以下に保つようにモニターする.
*3 ボスミン®(0.1%エピネフリン):0.1〜0.3ml皮下注射20〜30分間隔で反復可.脈拍は130/分以下に止める.虚血性心疾患,緑内障(開放隅角(単性)緑内障は可),甲状腺機能亢進症では禁忌,高血圧の存在下では血圧,心電図モニターが必要.
*4 アミノフィリン6mg/kgと等張補液薬200〜250mlを点滴静注,1/2量を15分間程度,残量を45分間程度で投与し,中毒症状(頭痛,吐き気,動悸,期外収縮など)の出現で中止.通常テオフィリン服用患者では可能な限り血中濃度を測定.
*5 ステロイド薬静注:ヒドロコルチゾン200〜500mgまたはメチルプレドニゾロン40〜125mg静注し,以後ヒドロコルチゾン100〜200mgまたはメチルプレドニゾロン40〜80mgを必要に応じて4〜6時間ごとに静注.
*6 酸素吸入:鼻カニューレなどで1〜2l/分.
*7 アミノフィリン持続点滴:第1回の点滴(項目*4)に続く持続点滴はアミノフィリン250mg(1筒)を5〜7時間で(およそ0.6〜0.8 mg/kg/時)で点滴し,血中テオフィリン濃度が10〜20μg/ml(ただし最大限の薬効をえるには15〜20μg/ml)になるよう血中濃度をモニターし中毒症状の出現で中止.
*8 酸素吸入:Pao280mmHg前後を目標とする.
*9 気管内挿管,人工呼吸:重症呼吸不全時の挿管,人工呼吸装置の装着は,ときに危険なので,緊急処置としてやむをえない場合以外は複数の経験ある専門医により行われることが望ましい.

(厚生省免疫・アレルギー研究班,2003[1])より引用)

日間は場合によってはステロイド薬の経口投与を含む強化した内容の治療を行い,気道炎症を完全に治める必要がある.次いで経過をみながらもとのステップの治療を行うか,ステップアップするかを決めればよい.

問題の解説および解答

問題 1

喘息発作の重症度による分類は表2のとおりである.苦しくて横になれないが,どうにか歩くことはできるという状態は中等度の発作である.

問題 2

発作時にはβ₂刺激薬のネブライザー吸入，アミノフィリン点滴，ステロイド薬静注などを行うが，ステロイド薬吸入は発作時は吸入が困難であること，短時間での効果発現を期待できないことから行わない．ジアゼパムは呼吸抑制をきたすので用いない．

問題 3

喘息管理・予防ガイドラインに酸素を最大限投与してもPaO₂が50mmHg未満の場合に気管内挿管を行うと記載されている．

問題 4

喘息発作が治まって帰宅できるようになっても肺機能に異常を残していることが多い．したがって帰宅後はこれまでの治療をそのまま継続するのではなく少なくとも3～5日間は場合によってはステロイド薬の経口投与を含む強化した内容の治療を行う必要がある．また，病状の評価のため帰宅後48～72時間以内に外来を受診することが望ましい．

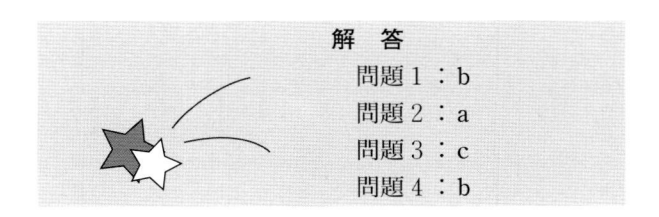

解 答
問題1：b
問題2：a
問題3：c
問題4：b

レベルアップをめざす方へ

喘息診療において役立つ喘息にしばしば伴う病態をいくつか紹介する．

1．胃食道逆流症（gastroesophageal reflux disease：GERD）

胃酸などの胃内容物が食道へ逆流することにより胸焼け，胸痛，嚥下障害，咳などが生じる疾患である．喘息にGERDが高頻度で合併し，喘息症状を悪化させることが知られている．また，GERD自体に咳，喘鳴などの喘息様症状がみられることがある．プロトンポンプ阻害薬が有効である．

2．月経関連喘息

月経前に悪化する喘息であるが，機序は不明である．生理前に浮腫，体重増加を認める例がある．プロゲステロン，フロセミド（吸入，経口投与）が奏功した症例が報告されている．

3．薬物喘息

医療に用いられる医薬品により誘発される喘息である．酸性NSAID（non-steroidal anti-inflammatory drug）により強い喘息発作が誘発されるアスピリン喘息（aspirin-induced asthma：AIA）が最もよく知られている．AIAではコハク酸エステル型ステロイド薬（ヒドロコルチゾン，プレドニゾロン，メチルプレドニゾロン）に対する過敏反応を示すことが多いので発作時にこれらのステロイド薬を使用する際には静注を避けて点滴静注とすべきである．β遮断薬（とくにプロプラノロールなどの非選択性のもの）は喘息を悪化させる．ACE阻害薬は喘息を悪化させないとされている．

●文 献●
1）厚生省免疫・アレルギー研究班：喘息予防・管理ガイドライン1988改訂第2版（牧野荘平他監修），東京，協和企画，2003．

［森田 寛］

疾患 28　中年に発症した喘息患者が歯科処置後の薬を服用後呼吸困難！？

問題編

症例呈示

症　例：39歳，女性
主　訴：呼吸困難，喘鳴
家族歴：特記事項なし，アレルギー疾患なし．
既往歴：37歳時に副鼻腔炎の手術．薬剤アレルギーの既往なし．
現病歴：生来健康．35歳時から，鼻汁，鼻閉を自覚するようになった．耳鼻科にて鼻茸，副鼻腔炎の診断をうけ，ステロイドの点鼻薬の処方を受けていたが，37歳時には，鼻閉が増悪し，嗅覚低下も伴ったため，副鼻腔炎の手術をうけた．しかし，その効果は一時的であり，その後も鼻症状は続いた．同じ頃から（37歳時）から，夜間，早朝に増悪する乾性咳嗽や喘鳴，呼吸困難を自覚するようになり，喘息と診断された．血液検査では，チリダニなど各種アレルゲンに対するアレルギー検査では陰性と説明を受けていた．喘息は通年性で，各種治療をおこなっても夜間の咳が続き，月に数回は発作のための点滴治療を受けていた．
　39歳時に，歯科で抜歯を受け，帰宅後処方された鎮痛薬（ロキソプロフェン，ロキソニン®）と抗生剤（セフゾン®）を内服したところ，20～30後に著明な鼻汁と鼻閉が出現し，次第に動けなくなるほどの喘鳴，呼吸困難も伴ったため，救急車にて搬送された．
＜来院時現症＞
体格中等度，栄養状態良好，体温36.1℃，血圧122/64，脈拍132/分，呼吸数24回/分，経皮的酸素飽和度（SpO₂）85％，歩行不能の起座呼吸状態で，強い呼吸困難を訴えるが，意識は清明．顔面から頸部の紅潮があるが，皮疹はない．眼球結膜の充血あり，黄疸なし，眼瞼や口唇の浮腫なし，眼瞼結膜に貧血なし，呼吸音に左右差はないが，吸気，呼気ともに高調な連続性ラ音（wheeze）を聴取し，肺胞呼吸音の低下と著明な呼気延長もあった．心音や腹部，神経学的には異常なし．

設　問

問題1　最も疑われる病態，診断はなにか？
（1）喘息大発作
（2）ピリンアレルギー
（3）抗生剤アレルギー
（4）アナフィラキシー
（5）アスピリン喘息（NSAID不耐症）
　a（1），（2）　b（2），（3）　c（3），（4）
　d（4），（5）　e（1），（5）

問題2　まず行うべき処置はなにか？
（1）胸部レントゲン撮影
（2）肺機能
（3）ステロイドの点滴投与
（4）エピネフリン皮下注射
（5）酸素吸入
　a（1），（2），（3）　　b（1），（2），（5）
　c（1），（4），（5）　　d（2），（3），（4）
　e（3），（4），（5）

問題3　今後，この患者の安定期に使用可能と考えられる薬剤はどれか？
（1）インドメタシン貼付薬
（2）少量（100mg以下）のアスピリン内服薬
（3）スルピリン注射
（4）ペンタゾシン

(5) 塩基性消炎剤
　　　a (1), (2)　b (2), (3)　c (3), (4)
　　　d (4), (5)　e (1), (5)

問題4　今後，この患者の喘息のための長期管理薬として適切でない薬剤はどれか？
　a. 吸入ステロイド薬
　b. 抗コリン薬内服
　c. テオフィリン内服
　d. 長時間作動型β2刺激薬（LABA）の定期吸入
　e. ロイコトリエン受容体拮抗薬

解説編

1．総論

　成人喘息の約10％は，COX阻害作用を有するNSAIDで強い喘息発作が誘発される，いわゆるアスピリン喘息（＝解熱鎮痛薬過敏喘息）である．本症は30～50歳代に発症することが多い後天的過敏体質であり，小児にはまれである[1)~4)]．アスピリン喘息は，アスピリンだけでなくプロスタグランディン合成酵素である cyclooxygenase（COX）を阻害する NSAID 全般で発作が誘発され，強力な鎮痛解熱作用をもつ NSAID ほど発作が生じやすいことが知られている[5)]．アスピリン様物質を避けていても重症例が多く，鼻茸副鼻腔炎を合併しやすいことも特徴である．またNSAIDの注射薬，座薬，内服薬で激烈な喘息発作が生じ，発作死の原因となりやすい．またNSAIDを含んだ貼付薬や塗布薬でも誘発されることがある．アスピリン喘息の約半数は，問診でもNSAID誘発歴のない潜在例であり[2)3)]，成人喘息に対するNSAID投与には十分な注意が必要である．

2．疾患概念

　NSAID不耐症はアスピリン不耐症（過敏症）とも称され，皮膚型と気道型があり[6)7)]，いずれもアスピリンだけでなく，酸性解熱鎮痛薬で症状が悪化する．本症は歴史的にも世界中でNSAID不耐症よりも，アスピリン不耐症と称されることが多いが，アスピリンのみに対してアレルギー反応を示すアスピリンアレルギーとは異なるため，混同しないよう注意を要する．NSAID不耐症の皮膚型は，蕁麻疹/血管浮腫を主症状とし，気道型は喘息/鼻副鼻腔炎が特徴である[6)]．皮膚と気道型の合併はまれであるが，皮膚型は慢性蕁麻疹症例の20～30％に，気道型は成人喘息の約10％に認め，後者はアスピリン喘息とよばれる[6)7)]．
　アスピリン喘息は，思春期以降，とくに30歳代から50歳代に発症することが多い後天的過敏体質である．小児にはまれであるが，成人喘息の一割を占め[1)]～[4)]，男女比は2：3で女性に多い[8)]．その喘息像は，NSAID様物質を避けていても重症例が多い．そのため，発作をくり返す例や入院例のなかには，本症が20％以上含まれる[2)]．またアトピー素因は強くなく，好酸球性鼻茸副鼻腔炎をほとんどの例で合併する[2)~4)]．ごく一部の例外を除き，一度獲得したNSAID過敏症は一生続く．家族内発症例は約1％と少ない．本症の頻度，男女比および臨床像は，米国や欧州各国および日本の間で差がない[3)4)9)]．

3．病因

　NSAID不耐症では，NSAIDやアスピリンに対するアレルギー検査（IgE抗体，皮膚テストなど）は陰性であることや，化学構造的に異なる各種NSAIDでも反応がみられるため，抗原抗体反応などの通常のアレルギー機序は否定されている．1977年のSzczeckikらの報告[5)]以後，アスピリン喘息では，プロスタグランディン合成阻害の強い薬剤，すなわちcyclooxygenase（COX）阻害が強いNSAIDほど，発作が生じやすいことが，広く知られるようになった[1)]．さらに近年開発されたCOX2選択的阻害薬（coxib）では，アスピリン誘発発作が生じないことが，複数の研究で最近確認された[1)6)7)10)]．すなわち現在では，NSAID過敏症状は，COX1阻害により生じる薬理学的変調に基づく過敏症状と考えられている[1)6)]．しかし「なぜCOXを阻害すると喘息大発作となるのか？」，「どの細胞のCOX阻害が問題なのか？」，「なぜ後天的に一部の成人喘息患者のみがCOX1阻害に過敏となるのか？」など，謎は多い．またアスピリン不耐症の試験管内での特異的反応（in vitro，ex vivo）はみつかっておらず，動物モデルもないことから，その機序は現在でも不明な点が多い．

4．症候（臨床像）[3)4)5)]

　1) 成人喘息の20～60歳代，とくに30～40歳代に

発症しやすいが，小児でも思春期以降にときに発症することがある．

2）好酸球性鼻茸副鼻腔炎が同時期，もしくは数年先行する例が多く，後に通年性喘息が生じてくる．咳の強いタイプも多い．

3）NSAID過敏性は，鼻症状発症時から，存在すると考えられている．しかしそれ以前は，NSAIDを安全に服用していた例は多い．いったん獲得したNSAID過敏性は通常一生続く．

4）家族内発症はほとんどない（100～200家系にひとり）．

5）成人喘息の約10％が本症で，男女比は，2：3で女性に多い（世界共通）．

6）喘息，副鼻腔炎とも，好酸球浸潤の強い難治例が多く，全身ステロイドの投与（間欠的，継続的）を必要とすることが多い．鼻症状と喘息症状はおおむね同調する．

7）アトピー素因は強くない．ただし，軽度のIgE上昇やIgE（RAST）陽性者は多い．

8）副鼻腔炎だけでなく，好酸球性中耳炎（約30％）や好酸球性胃腸炎（10～20％），好酸球性肺炎（5～10％）の合併をみるが，アレルギー性肉芽腫性血管炎のような，神経炎や心障害，皮疹を合併することはない．

9）問診でNSAIDでの誘発歴があるのは，約60％である．NSAID以外では，ミントや練り歯磨き，香辛料での発作の既往を有することがある．

10）NSAIDで誘発された場合の典型的経過は，NSAID内服1時間以内（多くは20分以内）に，鼻閉，鼻汁に始まり，次第に強い気管支収縮（喘息発作）が生じる．発作の多くは激烈で，時に致死的である．その持続はNSAIDの薬理効果持続に類似しており，数時間から一日で症状は収束する．アナフィラキシーと異なり，明らかな皮疹や血圧低下，喉頭浮腫はおきないが，下痢や腹痛が誘発されることがある．

4．診　　断[4)11)]

前述のようにNSAID（アスピリン）過敏の機序は，非アレルギー，非免疫学的機序であるため，通常のアレルギー検査（皮膚テストや抗体検査）では，診断できない．現状では正確な問診と負荷試験による診断しかない．負荷試験は，専門医のもとで入院に準じて行う方法（気管支吸入や内服負荷など）しかなく，本邦でも行っている施設は限られているため，詳細は別書を参照願いたい[11)]．一方，問診でNSAID過敏が判明するのは，本症の約半数にすぎない．問診によるNSAID過敏喘息の診断のコツは，喘息発症以後，とくに最近1～2年以内の比較的強いNSAIDの使用歴を，具体名をあげてたずねることである．例えば，バファリン，ノーシン，セデスを内服したことがあるか，などである[4)]．これらが，最近でも安全に使用できていれば，NSAID過敏性はほぼ否定できる．ただし喘息発症前の安全な使用歴は，アスピリン喘息の多くで認められるため，過敏性の確認には役に立たない．

5．治　　療
1）急性発作時の治療[2)]

アスピリン喘息患者で最も注意すべき点は，各種静注薬，特に静注用ステロイド薬の急速静注で発作が悪化しやすいことである[12)]．AIAは，潜在的に静注ステロイドのエステル構造に過敏であるため発作増悪をきたしやすい．それも，著者らの検討でコハク酸エステル構造をもつ静注用ステロイドに過敏であることが判明している．ただし，内服薬はその構造をもたず安全である．そのため，発作時にステロイドを静注する場合は，急速静注は禁忌で，できるだけ1時間以上かけて点滴（もしくは内服薬）投与する[12)]．それ以外の治療は，ほぼ非AIAと同様である．

2）NSAID誘発時の対応

AIA患者が，NSAIDを誤使用した場合は，急速に重篤な発作に進展するため，専門施設での管理が望ましい．ただし，初期治療として，酸素投与はもちろん，エピネフリン注射（0.1～0.3ml筋注）が著効しやすいため，まず行うべきである．エピネフリンは，同時に生じる鼻閉などの喘息以外の症状にも奏効する．つぎに，一般の喘息発作同様，末梢ルートを確保して，アミノフィリンの静注とステロイドの点滴投与も併用する．ステロイドの投与は前述のように，急速静注は禁忌である．その他の対応は，一般喘息と同様である．

3）長期管理の方法

AIAでも，一般喘息同様，吸入ステロイドを中心とした喘息ガイドライン治療法に準ずる．しかし，本症は重症例が半数以上を占めるため，通常の管理法では，不十分なことも多い．AIAに比較的特徴的に効果を表す薬剤として，クロモリン（インタール）がある．本剤は，AIAに対して，気管支拡張効果と鼻閉改善効果を示す[13)]．またNSAID不耐症の病態においては，安定期でもシスティニルロイコトリエンの過剰産生があることが判明しており[14)]，抗ロイコトリエンの有効例もやや多い．したがって，これら2剤をオプションに，吸入ステロイド薬を中心とし，気管支拡張薬をも加えた管理治療法が中心となる．

4）発熱，疼痛時の対応[15)]

酸性NSAIDは禁忌であるため，発熱時は原則的に

氷冷しかない．従来安全とされていたアセトアミノフェンは，500mg以上で発作悪化をきたしやすく，もし投与する場合は一回200mg以下を推奨する．漢方薬の葛根湯や地竜は使用可能である．

疼痛時は，塩基性消炎薬，少量のアセトアミノフェン，ペンタゾシン，モルフィネは使用可能であるので，程度に応じて使い分ける．

5）合併症，鼻茸，副鼻腔炎の治療

鼻茸，副鼻腔炎は，好酸球浸潤が強く易再発性かつ難治性である．ステロイド局所治療がやはり基本であるが，それのみでコントロールできる症例は少ない．そのため，鼻症状増悪期には，内服ステロイドをプレドニゾロン換算で0.5mg/kg/dayをまず5～10日間服用させ，その後局所ステロイドで維持する方法がよい．それでも再燃しやすい例では，内視鏡的手術が推奨される．手術後に喘息症状が改善するケースも少なくない．本症の鼻茸は易再発性であり，術後も局所ステロイド療法を継続する必要がある．

6．患者への指導[25]

アスピリン不耐症と診断がついたあとも，誤ってNSAIDを誤使用するケースが多い．患者の理解を正確にするため，口頭ではなくパンフレットを用いた説明が望ましい．またNSAID誤使用の原因が医療側の誤解であるケースもよくあるため，NSAID全般が禁忌であることや発作時の対応法などを記載した患者カードを作成し，必ず医療機関や薬局で呈示するよう指導する（詳細は文献25を参照）．

問題の解説と解答

問題 1

症例は30歳代に発症した非アトピー型（内因型）喘息であり，嗅覚低下などの副鼻腔炎症状を伴い，通年性の治療抵抗性喘息症状を示している．これらは典型的なアスピリン喘息の臨床像であり，NSAID誘発歴が問診で確認できなくても，NSAID過敏喘息（いわゆるアスピリン喘息）を疑うべきである．この患者が，抗生剤とNSAIDの投与をうけ，数10分以内に呼吸困難が生じた場合は，まずNSAID誘発発作を疑う．来院時現症も喘息発作の典型的症状であり，さらにSpO₂低下や肺胞呼吸音の低下があるため大発作と考えられる．脈拍が130回/分以上も低酸素血症を示唆する．これらの症状経過は，アナフィラキシーと類似しているが，アナフィラキシーは通常，全身の蕁麻疹や血管浮腫，血圧低下，喉頭浮腫が生じやすいため，本例とは異なる．ピリンアレルギーはピリン系薬剤を使用していないため否定しうる．抗生剤のアレルギーも，頻度がまれであることや，急速な呼吸困難を呈した場合は，アナフィラキシー同様の症状であり否定される．なおアスピリン喘息における誘発症状では，喘息，鼻症状以外に，顔面から頸部の紅潮と結膜充血（ヒスタミン過剰産生の影響とされる）や嘔吐，下痢などの胃腸症状も伴いやすい．

問題 2

SpO₂ 85%を示した喘息大発作では，俊敏かつ的確な対応が要求される．まず低酸素血症があるため，酸素投与は必須である．次に，大発作の場合は，少しの動きで急速な悪化をまねくことが多く，検査よりも治療が優先される．具体的には，即効性のあるカテコラミン，それも大発作では吸入は難しく，エピネフリン（ボスミン）注射を積極的に用いる[15]．とくにボスミン筋注はアスピリン誘発症状に著効する．そのあと点滴を準備し，アミノフィリンとステロイドの点滴静注を開始する．ステロイドの急速静注は禁忌であり，必ず点滴で用いる[12]．

問題 3

アスピリン不耐症に使用可能な消炎鎮痛薬を選択する問題である．本症ではCOX1阻害作用のあるNSAIDは剤型を問わず禁忌である．スルピリンはピリン系NSAIDで当然COX1阻害作用があり，禁忌である．アスピリンは少量でももちろん禁忌で，貼付薬や塗布薬のNSAIDも発作誘発力は強くないが，経皮的に吸収されるため禁忌である．ペンタゾシンや塩基性消炎剤にはCOX阻害作用がないため，投与可能である．

問題 4

本例の場合は，夜間の喘息症状が続くことや，点滴をくり返すことから，重症（持続型）喘息（＝ステップ4）と考えてよい．したがって長期管理薬として選択すべき薬剤は，吸入ステロイドを基本に，LABA，抗ロイコトリエン薬，およびテオフィリンである．これらの組み合わせは，中等症持続型喘息（＝ステップ3）でも，吸入ステロイドの用量が変わるだけで，同様である．抗コリン薬は吸入で有用な場合があるが，内服は無効である．

解 答
問題1：e
問題2：e
問題3：d
問題4：b

レベルアップをめざす方へ

臨床像からアスピリン喘息を推定する[4)15)]

問診では，NSAID 不耐症は十分に確認できない．また負荷試験も一般的でない．したがって，喘息患者の臨床像から，本症を推定することは有用である．著者らの数 100 例の本症の解析から，NSAID 過敏を疑う臨床像として，鼻茸副鼻腔炎合併だけでなく，嗅覚低下がある．これは，本症では，早期から篩骨洞周辺の鼻茸ができやすいためである．成人喘息を診た場合，嗅覚障害があれば，60％以上の確率で AIA である．一方，アスピリン喘息が否定的な臨床像は，嗅覚障害がない，小児発症，アトピー体質が強いなどの因子であり，これらを複数満たせば，アスピリン過敏はかなり否定的である．

COX1阻害薬過敏性≒アスピリン不耐症

1977 年の Szczeckik らの報告[5)]以後，アスピリン喘息では，プロスタグランディン合成阻害の強い薬剤，すなわち cyclooxygenase（COX）阻害が強い NSAID ほど，発作が生じやすいことが，広く知られていた．さらに近年開発された COX2 選択的阻害薬（coxib）では，アスピリン誘発発作が生じないことが，複数の研究で最近確認された[1)6)10)]．すなわち現在では，NSAID 過敏症状は，COX1 阻害により生じると考えられている[1)6)]．

システィニルロイコトリエン（Cys-LTs）の関与

アスピリン喘息では，安定期においても，Cys-LTs の代謝産物である尿中 LTE4 が，非アスピリン喘息の約 3 倍高値である（ただしすべての AIA 患者が高値であるわけではない[16)〜18)]．またさらに NSAID 誘発時には尿中 LTE4 が著増することが判明している[18)]．その増加の機序として，好酸球や肥満細胞における（Cys-LTs 合成の律速酵素である）LTC4 合成酵素の過剰発現が考えられている[21)22)]．またアスピリン喘息では，LTC4 合成酵素の多型の頻度が多いことがポーランドグループにより 1997 年に報告されたが[19)]，その後の米国ハーバードグループ[20)]やわれわれ[17)]での研究では否定されている．

アスピリン脱感作とその機序

アスピリン喘息では，NSAID 誘発後に 2〜7 日間，不応期が生じる．その現象を利用して，アスピリンもしくは NSAID を連日使用することで，不応期を維持する方法である．これにより，NSAID が使用可能となるだけでなく，主に鼻症状が改善することが知られている[23)]．この機序は長らく不明であったが，最近 Lee らのグループは，気道での Cys-LT 1 受容体の強いダウンレギュレーションがアスピリン耐性化に関与していることを報告している[24)]．

●文　献●

1) Szczeklik A, Stevenson DD：Aspirin-induced asthma：Advances in pathogenesis, diagnosis, and management. J Allergy Clin Immunol 111：913-912, 2003.
2) 谷口正実，榊原博樹，末次　勧：成人喘息の診断，アスピリン喘息，成人気管支喘息の診断と治療（宮本昭正ほか編），pp141-158, 東京，現代医療社，1995.
3) 榊原博樹，末次　勧：アスピリン喘息，呼吸 12：990-995, 1993.
4) 谷口正実，東　憲孝，秋山一男：管理治療の実際；アスピリン喘息（泉　孝英編），新しい診断と治療の ABC2 喘息，pp181-191, 大阪，最新医学社，2001.
5) Szczeklik A, et al：Clinical patterns of hypersensitivity to nonsteroidal anti-inflamatory drugs and their pathogenesis. J Allergy Clin Immunol 60：276-284, 1977.
6) 谷口正実，東　憲孝ら：アスピリン過敏症に関する最近の話題．Allergy Update 15, 4：1-3, 2003.
7) Namazy JA, Simon RA：Sensitivity to nonsteroidal anti-inflamatory drugs. Ann Allergy Asthma Immunol 89：542-540, 2003.
8) 末次　勧，谷口正実，榊原博樹：アスピリン喘息と性差（宮本昭正ほか編），気管支喘息と性，pp89-97, 東京，ライフサイエンス出版，1996.
9) Szczecklik A, Nizankowska E, Duplaga M, et al：Natural history of aspirin-induced asthma. AIANE investigators. Europian Network on aspirin-induced asthma. Eur Respir J 16：432-436, 2000.
10) Szczeklik A, Sanak M：The role of COX-1 and COX-2 in asthma pathogenesis and its significance in the use of selective

inhibitors. Clin Exp Allergy 32：339-342, 2002.
11) 谷口正実, 東 憲孝, 秋山一男：アスピリン喘息の誘発試験の方法. アレルギーの臨床 22：566-570, 2002.
12) 谷口正実：アスピリン喘息における静注ステロイド薬の使い方. アレルギーの臨床 23：741-743, 2003.
13) 妹川史朗, 佐藤篤彦, 谷口正実ほか：クロモグリク酸ナトリウムは発作寛解期のアスピリン喘息患者に対して急性気管支拡張効果を有する. アレルギー 41：1515-1518, 1992.
14) 谷口正実, 東 憲孝, 東 愛ほか：アスピリン喘息の新展開. 最新医学 58：257-263, 2003.
15) 谷口正実：喘息診療のピットフォール. アスピリン喘息. 日経メディカル9月号：145-148, 2002.
16) Smith CM, et al：Urinary leukotriene E4 in bronchial asthma. Eur Respir J 5：693-697, 1992.
17) Kawagishi Y, Mita H, et al：Leukotrien C4 synthase promoter polymorphism in Japanese patients with aspirin-induced asthma. J Allergy Clin Immunol 109：936-942, 2002.
18) Higashi N, Taniguchi M, et al：J Allergy Clin Immunol, in press, 2004.
19) Sanak M, et al：Leukotrien C4 synthase promoter polymorphism and risk of aspirin-induced asthma. Lancet 350：1599-1600, 1997.
20) Van Sambeek R, et al：5' flanking region polymorphism of the gene encoding leukotriene C4 synthase dose not corerelate with the aspirin-intolelant asthma phenotype in the United States. J Allergy Clin Immunol 106：72-76, 2000.
21) Cowburn AS, et al：Overexpression of leukotriene C4 synthase in bronchial biopsies from patients with aspirin-intolerant asthma. J Clin Invest 15, 101：834-846, 1998.
23) Berges-Giemo MP, et al：Long-term treatment with aspirin desensitization in asthmatic patients with aspirin-exacerbated respiratory disease. J Allergy Clin Imunol 111：180-186, 2003.
24) Sousa AR, et al：Leukotriene-receptor expression on nasal mucosal inflamatory cells in aspirin-sensitive rhinosinusitis. N Engl J Med 7：347, 1493-1499, 2002.
25) 谷口正実, 後藤範夫, 小林 光ほか：アスピリン喘息患者の治療法は？ファーマナビゲーター アレルギーシリーズ, 喘息編（足立 満監修, 森川昭廣編集）, pp330-339, メディカルレビュー社, 2003.

［谷口 正実］

疾患 29

制御困難な喘息症状の患者 末梢好酸球とIgEの異常高値 胸には異常影！何を疑う？

問題編

症例呈示

症　例：65歳 男性
主　訴：呼吸困難，発熱，咳，白色痰，くり返す浸潤影
家族歴：父・気管支喘息，姉・肺癌，兄・肺結核
既往歴：58歳SAS（睡眠時無呼吸症候群，左副鼻腔炎手術，CPAP導入．）
平成13年10月当院耳鼻咽喉科にて鼻茸切除，咽頭再建術．
生活歴：職業（会社役員・電気設備），飲酒（ビール1日1本・毎日），喫煙なし，ペット猫（10年），輸血歴なし

現病歴：平成12年3月発作性の咳にて某大学病院を受診し，移動性浸潤影を認め好酸球性肺炎の診断にてPSL投与されていたが，自己中断．平成13年6月近医に呼吸困難にて入院し気管支喘息と診断．平成13年8月から気管支喘息にて当院で診療を開始．平成14年6月14日より，発熱（38.4℃），呼吸困難が増悪し，外来での喘息症状のコントロールが困難となり，6月17日入院となる．

身体所見：163.5cm，体重69kg，血圧132/82mmHg，脈拍92回/分
体温37℃，リンパ節触れず，呼吸音・両側肺野に連続性ラ音
浮腫なし，神経学的所見異常なし．

検査所見

Peripheral blood		Serological test		Blood gas analysis (room air)	
Hb	16.1 g/dl	CRP	13.39 mg/dl	pH	7.503
WBC	1,1700 /ml	RF	43.8 IU/ml	PaO2	60.2 torr
Neut	56 %	IgG	2,180 mg/dl	PaCO2	33.0 torr
Lym	19 %	IgA	241 mg/dl	HCO3−	25.3 mmol/L
Eos	20 %	IgM	50 mg/dl	SaO2	94.0 %
Bas	0 %	IgE	1,370 IU/ml	BALF (2001.8.23)	
Mo	5 %	RAST		NCC	0.90×10^5 cells/ml
Plt	28.7×10^4 /ml	Candida	15.07 IU/ml	Neut	0.5 %
ESR	58 mm/h	Aspergillus	0.34> IU/ml	Lym	35.5 %
Biochemistry		Penicillium	0.34> IU/ml	Bas	0 %
Alb	3.7 g/dl	Cladosporium	0.34> IU/ml	Eos	23.5 %
AST	32 IU/l	ANA	(−)	MΦ	40.5 %
ALT	57 IU/l	KL-6	207 U/ml	CD3	97.0 % (58.6〜89.0)
LDH	227 IU/l	β-D-glucan	<6.0 pg/ml	CD4	33.4 % (30.5〜53.7)
BUN	12.2 mg/dl	Candida Ag	×2	CD8	58.9 % (17.4〜43.0)
Cre	0.95 mg/dl	Aspergillus Ag	(−)	CD4/8	0.6 (0.5〜2.3)
		CEA	7.0 ng/ml	Culture(BALF,sputum)	
		C-ANCA	<9 EU	Candida albicans	
		P-ANCA	<9 EU		
		CHA	×32		

設 問

問題 1　まず疑う病態はなにか？
(1) 慢性好酸球性肺炎
(2) 薬剤性肺炎
(3) DPB（び漫性汎細気管支炎）
(4) HES（好酸球増多症候群）
(5) ABPM（アレルギー性気管支肺真菌症）

a (1), (2), (3)　　b (1), (2), (5)
c (1), (4), (5)　　d (2), (3), (4)
e (3), (4), (5)

問題 2　診断のためまず行うべき検査はなにか？
a. 胸部CT
b. 経気管支肺生検
c. 気管支造影
d. 即時型皮膚反応
e. アスペルギルス抗原に対する沈降抗体

問題 3　血清IgE高値をきたす疾患は？
a. アレルギー性気管支肺真菌症
b. 肺血栓塞栓症
c. 薬剤性肺炎
d. 気管支喘息
e. 慢性好酸球性肺炎

問題 4　適切な治療の組合わせはどれか？
1. 抗真菌薬
2. 吸入ステロイド
3. 経口ステロイド
4. 抗アレルギー薬
5. 気管支鏡による抗真菌剤の注入

a (1), (2), (3)　　b (1), (2), (5)
c (1), (4), (5)　　d (2), (3), (4)
e (3), (4), (5)

解 説 編

アレルギー性気管支肺真菌症 (allergic bronchopulmonary mycosis：ABPM) とは

1. 疾患概念

ABPA・アレルギー性気管支肺アスペルギルス症：Allergic bronchopulmonary asupergillosis と ABPC（アレルギー性気管支肺カンジタ症：Allergic bronchopulmonary candidiasis）は ABPM（アレルギー性気管支肺真菌症：allergic bronchopulmonary mycosis）のなかに含まれ，EP（好酸球性肺炎：Eosinophilic pneumonia）や PIE（肺好酸球浸潤：pulmonary infiltration of eosinophile）を含む ELD（好酸球性肺疾患：eosinophilic lung disease）や，MID（気管支ムコイド栓子：mucus impaction of bronchus），BCG（気管支中心性肉芽腫：bronchocentric granuloma）といった病態を呈することが知られている．ABPC の報告例はわが国では可部[1]，秋山[2] らのものがあるが，本邦での報告例は少なく比較的まれな症例である．また本症例の細気管支病変が特異的な分布を呈していたのでここに呈示した．またこうした疾患の約半数がアトピー素因を有するといわれる．ABPA に関しては

表 1

Patterson R, Grennberger PA (ABPA) diagnostic criteria	
I. Clinical or laboratory findings	
Asthma	◎
Eosinophilia	◎
Fleeting pulmonary infiltrates	◎
Central bronchiectasis	◎
II. Serologic assessment	
1. Percipitins against A fumigatus positive	△
2. IgE antibody >2times asthma control	◎
3. IgG antibody >2times asthma control	◎
4. Total serum IgE >1000ng/ml	◎
III. Clinical Serologic result	
Total serum IgE declines by 50 to 75% after treatment with prednisone	◎

Lee T M (ABPC) diagnostic criteria	
1. Asthma	◎
2. Recurrent pulmonary infiltrates	◎
3. Immediate cutaneous reactivity to C. albicans	◎
4. Elavated serum total IgE level	◎
5. Precipitating antibody to C.albicans	△
6. Presence of serum IgE antibody to C.albicans	◎
7. Isolation of C.albicans from bronchi	◎
8. ABPA excluded as diagnostic Consideration	◎
9. Peripheral blood eosinophilia	◎

1997 年の Rosenberg と Patterson による診断基準3（表1）が現在広く用いられている．また ABPC に関しては1987年の Lee らの診断基準4が知られており，

本症例での合致を表1にて検討した結果，本症例はABPCと考えられた．またPattersonらは1982年にABPAの病期を分類し，それぞれの臨床所見と管理上の問題点をまとめ，実際に表1の診断基準が適用されるのは初期のステージであり，病期が進行するとアレルギー反応のウェイトが減り，感染症としての症状のウェイトが占めてくるとした．ステージはⅠ．急性期，Ⅱ．寛解期，Ⅲ．再発・増悪期，Ⅳ．ステロイド依存性喘息期，Ⅴ．繊維化・気管支拡張症・慢性気道感染症と5期に分けているが，進行性で構造改変が強く結果的に肺線維症にまで進行する例もあるため，ステロイド・抗真菌薬を含めた早期の積極的な治療介入が望まれる．

2．診断と治療

1）診　　断

診断上，気管支喘息の診断が表1の大項目に含まれるが気管支喘息を伴わないABPMがあることが知られている．またステージの進行した症例では慢性気道感染症，気管支拡張症としてフォローされエリスロマイシン療法を受けているものが含まれることがある．またさきに示したとおり病期の進行していない早期のステージで表1が適合することにも留意する．表2に呈示したように病理上BCGを呈し末梢気道において小葉中心性の画像がみられたり，好酸球性肺炎を呈する症例の頻度が多くなる．本症例の病理所見では好酸球性細気管支炎と好酸球性肺炎の像を呈していた．またHRCTでは中枢性気管支拡張，小葉中心性陰影，粘液栓子，多発する気管支拡張などの画像所見の頻度が高い．本症例でHRCTにて著明な細気管支病変を示した．経過中に移動する浸潤影を呈し他院にて好酸球性肺炎の診断のもとステロイド投与を受けていた．PattersonやLeeらの診断基準を用いて検討した結果，今回の好酸球性細気管支炎と好酸球性肺炎はABPMによると考えられた．原因真菌はCandida.albicansでABPCの可能性が高いと考えられた．

2）治　　療

（1）ステロイド（吸入・経口）：プレドニン 0.5mg/kg/day
（2）抗真菌薬（内服・吸入）・経気管支鏡的抗真菌薬投与
（3）環境整備
（4）気管支喘息治療薬

上記のほか，線維化・気管支拡張など構造改変が進行する症例にはHOT（在宅酸素療法）やマクロライド療法も検討される．本症は気管支内で真菌が増殖しさらに抗原刺激が持続するため，抗真菌薬吸入や気管支鏡による局所注入・洗浄吸引による粘液栓子の除去が治療に有用である．

問題の解説および解答

問題　1

外来フォロー中の気管支喘息患者のコントロールが困難となり血中のIgE値の著明な上昇，末梢血好酸球数の増加，RAST・気管支洗浄液にてカンジタ陽性，などの所見を認めた．経過中に移動する陰影（wondering）のため好酸球性肺炎の診断のもと一時的に経口プレドニン内服の既往がある．本症例では画像を呈示していないが小葉中心性のびまん性陰影を呈し

表　2

Pathologic features of allergic bronchopulmonary aspergillosis.
(Bosken CH, Myers JL, Greenberger PA, Katzenstein AL)

Bronchocentric granulomatosis (BCG), mucoid impaction of bronchi (MIB) (18/18)
A distinctive exudative bronchiolitis distal to areas of BCG (13/18)
A peribronchiolar chronic inflammatory infiltrate (15/18)
Foci of eosinophilic pneumonia (13/18)

(Am J Surg Pathol 1988 Mar; 12(3) : 216-222)

Accuracy of CT in the diagnosis of allergic bronchopulmonary aspergillosis in asthmatic patients.
(Ward S, Heyneman L, Lee MJ, Leung AN, Hansell DM, Muller NL.)

HRCT	ABPA (44)	Asthma (38)
Bronchiectasis	42 (95%)	11 (29%)
Centrilobular nodules	41 (93%)	10.5 (28%)
Mucoid impaction	29.5 (67%)	1.7 (4%)
Bronchiectasis per lobes	184 (70%) of per lobes	19.5 (9%) of 228 lobes

(AJR Am J Roentgenol 1999 Oct ; 173(4) : 937-942))

DPBなどと画像上の鑑別は困難であった．しかし寒冷凝集値上昇や副鼻腔炎の合併がなかったことで，臨床経過よりDPB除外した．またHESと診断するには原因不明の好酸球数増加が定義上6カ月以上継続して認められることとありHESも除外される．薬剤性肺炎はその本態は好酸球性肺炎でありCT上の分布は逆肺水腫などといわれ胸膜直下や肺門部は正常に保たれることが多く，ステロイド反応性であり予後はよい．

問題 2

ABPMのなかでアスペルギルスの関与するABPAの診断基準ではCTでの中枢性気管支拡張があり，低侵襲性である胸部CTから得られる情報は多くファーストチョイスの検査法となる．本症例では胸部CT上，中枢性気管支拡張の所見よりもBCG（bronchocentric granulomatosis）の所見が目立ち，小葉中心性のびまん性陰影を呈しておりDPBなどと画像上の鑑別は困難であった．アスペルギルスが気管支局所内で大きくなるに従い硬くなる粘液栓子が気道を拡張させる物理的変化と，アレルギー反応で細胞浸潤など化学的にもダメージをうける．またこの粘液栓は気道に頑固に固着しその除去は気管支鏡による吸引でも困難であり，気管支喘息のコントロールを困難にする．粘液栓の内部にはアスペルギルスが存在しておりABPMの末梢気道病変の原因も粘液栓子から散布された真菌と考えられる．このように手術例の検討により中心性気管支拡張も末梢病変も粘液栓子の二次的な病変（つまり散布巣）といえる．このためABPMは粘液栓子を主病巣とする感染症の側面も併せもつ．

問題 3

ABPMではIgE高値をとる．また肺血栓塞栓症の約半数に軽度の上昇をみることが知られている．

問題 4

ABPMは問題2に呈示したようにアレルギーと感染症としての両者の側面を併せもつ．したがってステロイドのみのモノセラピーよりも抗真菌薬を併用することが好ましい．また抗真菌薬を併用することでステロイドの減量時の本症再発を防止することなどがいわれている．

経気管支鏡的に抗真菌薬を散布することは気管支喘息を有する本症例において行うには検査中の発作のリスクを有するが，検査前に十分にコントロールし静脈路確保されていれば，気管支粘膜生検やアスペルギルス気管支炎を確認生検した症例報告もあり，本症が比較的難知性で再発症例のなかに肺線維症に移行するものが知られており，内服・吸入療法による保存的治療にて再発をみる際には積極的に経気管支鏡的治療を導入するべきである．吸入ステロイドは全身投与に加え気道局所でのアレルギー反応を直接抑制するため理論上有効である．

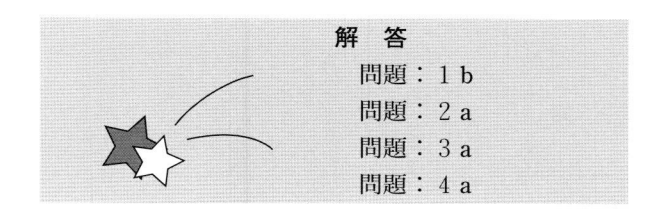

```
    解 答
  問題：1 b
  問題：2 a
  問題：3 a
  問題：4 a
```

レベルアップをめざす方へ

病期により診断基準を満たさないことや，症例により気管支喘息の合併を認めない症例があることに留意する．またステージの進行した場合感染優位型に傾くため，アレルギーの因子の除去に加えて，抗真菌薬の投与が必要である．この場合気管支鏡の使用も検討する．

治療抵抗性の気管支喘息症例では，ほかにアレルギー性肉芽腫性血管炎なども考慮し専門医に紹介すること．鑑別疾患として，間質性肺炎，好酸球性肺炎，肺門部肺がん扁平上皮癌の鑑別が必用である．

本症例（ABPC）ではCTでは中枢性気管支拡張の目立たず，むしろ末梢気道病変が目立つ症例であったが，非常に組織への侵襲性の強いアスペルギルスと自然界に広く存在するカンジダ菌糸での固体の反応性の差，増殖能力の差などがあるのではと筆者は考えている．また同様に粘着力が強く容易に喀出不可能な粘液栓子の形成がABPCで認められなかったのも同様な機所が考えられるが検討を要する．免疫学的機序としてI型とIII型の関与がいわれているが固体によりABPMを発症する遺伝的素因なども今後明らかにされるのではないかと考えられる．

新しい治療の可能性としてこのような遺伝的素因の検討により早期発見・治療介入によりステージの進行を予防して，間質性肺炎・気管支拡張の発症を抑制できるのではないか．

●文 献●

1) 可部順三郎：カンジタによるPIE Syndromeの一症例. 日本胸部疾患学会雑誌 12：683-690, 1974.
2) Akiyama K, Greenberger PA, Patterson R, et al：Allergic Bronchopulmonary Candidiasis. Chest 85：699-701, 1984.
3) 森 晶夫, 谷口正実, 秋山一男：アレルギー性気管支肺アスペルギルス症. 医学のあゆみ別冊：463-466, 2003.
4) 蛇沢 晶, 倉島篤行, 斉木茂樹ら：気管支肺アスペルギルス症の病理形態. 結核 72：109-118, 1996.
5) Stevens DA, Platts-Mills TAE, DeGraff AC, et al：A Randomized Trial of Itraconazole in Allergic Bronchopulmonary Aspergillosis. N E JM 342：756-762, 2000.

[大 林 王 司/大 田 健]

疾患 30 肺炎で抗生剤を使用 肺の陰影，呼吸困難，CRPもほぼ改善したが弛張熱が持続！重症感はないがどする？

問題編

症例提示

症　例：68歳　男性
主　訴：発熱，咳嗽，呼吸困難
家族歴：母　アレルギー性鼻炎．妹　気管支喘息
既往歴：30歳で肺結核により1年間入院．薬剤アレルギーなし

現病歴：入院の3週間前に微熱（37.3℃），咳嗽，鼻汁などの感冒様症状で発症．近医で解熱鎮痛薬とうがい液を処方される．いったん快方にむかったが，入院10日前より発熱と咳嗽症状が再発し，入院5日前より同医にてクラリスロマイシンの内服を開始した．しかし，咳嗽時に緑黄色の喀痰が増加し，体温も39.8℃まで上昇した．呼吸困難感も出現したため，同医からの紹介にて当院外来受診し，胸部レントゲンにて右肺の浸潤影が認められ，血液検査にて白血球数，CRP値の増加が認められたため，肺炎の精査・治療のため，当院呼吸器科病棟に入院となった．

入院時現症：身長155cm，体重60kg，体温40.0℃，血圧148/84，脈拍92/分，意識清明，表在リンパ節触知せず，眼瞼結膜貧血なし，眼球結膜黄疸なし，顔面紅潮，心音異常なし，腹部症状なし，神経所見異常なし．

＜入院時検査所見＞
WBC10,800/μl（Stab 20％，Seg 53％，Mono 2％，Lym 14％，Eo 10％，Baso 1％），Hb 13.5％，Ret 0.5％，Plt 15.8％　CRP 18.8．
胸部レントゲン：右上肺野に浸潤影．心電図：異常なし．
喀痰検査：結核菌陰性，一般細菌常在菌のみ．

入院後経過：入院後直ちにAB-PC開始．入院1週間後にCRPは4.8まで低下するも，発熱は午前中は37℃台ながら午後になるとかならず39℃以上になるため，ミノサイクリン併用を開始した．肺結核の既往があるため，喀痰検査および胃液での抗酸菌検査を行ったが塗抹陰性であった．入院2週間後にはCRP陰性となり，胸部レントゲン写真の陰影もほぼ消失したが，相変わらず弛張熱が続いている．ただ食欲はあり消耗している感じはみられない．

設　問

問題1　発熱の原因として最も疑われる病態は何か．
a．好酸球性肺炎
b．成人Still病
c．細菌性肺炎の増悪
d．薬剤熱
e．肺癌の合併

問題2　診断のためにすべきことは何か．
（1）胸部CT
（2）骨髄穿刺
（3）リンパ節生検
（4）薬剤の減量・中止
（5）薬剤リンパ球テスト（DLST）
　a．（1），（2）　b．（1），（5）　c．（2），（3）
　d．（3），（4）　e．（4），（5）

問題3　本症例最も適切な治療法は何か．
a．抗生剤の変更
b．抗生剤の中止
c．鎮痛解熱薬の投与
d．副腎ステロイドの点滴静注
e．インターフェロン投与

解 説 編

●「薬剤熱（drug fever）」とは？

1. 疾患概念

「薬剤熱（drug fever）」は身体所見や検査所見からはほかの原因による発熱が考えられず，薬剤投与に伴って症状があらわれ，薬剤の中止により症状が軽快する場合における発熱反応の総称である[1]．①薬剤による過敏性免疫反応（薬物アレルギー）は狭義の薬剤熱ともいえるものであるが，これ以外にも，②薬剤により体温調節機構が傷害によるもの，③薬剤自身の直接の薬理作用によるもの，④患者の側に薬剤に対する特異体質がありこれにより生じるもの，⑤薬剤投与時に生じる静脈炎や内因性発熱物質（pyrogen）の混入によるものなどがある．事項にこれら成因別の発症機序を述べる．

2. 成因別発症機序

1）薬剤による過敏性免疫反応（薬物アレルギー）

一般に薬剤熱というと，この薬剤アレルギーによることが多く，狭義の薬剤熱といってよく，実際に頻度も多い．薬剤であればすべてこの薬剤熱を起こす可能性はあるが，とくに発熱をきたしやすいものとしては，ペニシリン系抗生物質，セフェム系抗生物質，ストレプトマイシン，リファンピシン，イソニアジド，サルファ剤，バルビタール系薬剤，プロカインアミド，キニジン，アロプリノールなどがある．免疫反応により薬剤熱が出る場合にもその発症機序にはいくつかある．高藤の総説[2]によれば，まず第1は，薬剤あるいはその代謝物がハプテンとして働き体内蛋白と結合して完全抗原になる場合で，このときには抗原抗体複合物が形成され，内因性発熱物質の遊離が起きる．第2に薬剤と自己成分が反応して，修飾された自己成分に対して抗体が生ずる，すなわち自己免疫反応が起きる場合で，この免疫複合体によりやはり内因性発熱物質が遊離する．第3の可能性は，感作T細胞から産生されたリンホカインがマクロファージに作用してこれまた内因性発熱物質を遊離する．このように何れの場合にも内因性発熱物質（pyrogen）が重要な関与をしているが，この物質についての研究も進んでおり，現在ではこれらのうちにのいくつかはIL-1，IL-6およびTNFなどであることがわかってきている．

2）薬剤により体温調節機構が傷害によるもの

薬剤によって熱の発生が増加したり，熱の消費が制限されたりしてその結果発熱が生じることがある．エピネフリン，コカイン，アンフェタミンは，中枢神経系を刺激して発熱を促し，また，血管収縮により熱の放散を阻害する．アトロピンやフェノチアジンは発汗を減少させて体温上昇をもたらす．

3）薬剤自身の直接の薬理作用によるもの

薬剤自身のもつ薬理作用により治療の経過で発熱が生じることがある．梅毒にペニシリンなどを投与したときのJerisch-Herxheimer反応がとくに有名であるが，これは治療開始後6〜8時間で悪寒，筋肉痛を伴う発熱がみられるもので24時間以内に自然軽快する．トレポネーマから遊離される物質が関与するといわれるが正確な機序は不明である．各種抗癌剤も腫瘍を傷害して発熱物質を放出させる作用がある．

4）患者の側に薬剤にたいする特異体質がありこれにより生じるもの

特異体質反応は，遺伝的に代謝あるいは酵素異常を有している患者において薬剤投与を契機に生じる．特に注意しなければならないものに，ハロセンなどの吸入麻酔薬による悪性高熱症（malignant hyper-thermia）や，ハロペリドールやフェノチアジンなどの神経遮断薬による悪性症候群（neuroleptic malignant syndrome）などがあるが，いずれも致死率が高く注意が必要である．

5）薬剤投与時に生じる静脈炎や内因性発熱物質（pyrogen）の混入によるもの

注射時の静脈炎，無菌性膿瘍および無菌性髄膜炎などは薬剤投与後比較的短時間で生じる．セフェム系抗生物質は静脈炎を起こしやすい．ペンタゾシンでは筋肉注射の部位に無菌性膿瘍が生じやすい．

3. 症候

薬剤熱の典型的な経過においては，薬剤投与後1〜2週間での発症（発熱）が最も多い．しかしこれは薬剤の種類により異なり，一般に抗癌剤では発症までの期間は短く，循環器用剤では発症までの期間は長い傾向にある．当初は微熱で発症するが，数日以内に39〜40℃の高熱に達する．熱型は稽留熱，弛張熱，間欠熱と多彩であるが，もっとも特徴的なことは，薬剤熱においては一般に高熱にも関わらず全身的状態が良好で，重病感がないことである．さらに，薬剤熱につ

いてのもうひとつ大きな特徴は，高熱なのにもかかわらず脈拍が比較的に徐脈なことである（詳細は下記の「診断」の項に記載）．随伴症状は多くの場合乏しいが，ときに掻痒感を伴う紅斑や丘疹がみられ，関節痛，筋肉痛，リンパ節腫大を伴うこともある．原因薬物の投与が中止されると，一般に48～72時間以内に解熱し，随伴症状も消失するが，原因薬物の種類，患者の健康状態によってはその後数週間発熱が持続することもある．

4．診　　断

これまで述べてきたように，薬剤熱はさまざまな原因によって生じ，原因となる薬物も非常に多岐にわたる．発熱自体も含め，臨床症状は決め手に欠け，診断には非常に苦慮することが一般的である．ただ，一番大事なことは「発熱の原因が薬剤熱に起因しないかを疑う」ことである．特にこれまで述べてきたように，「高度の発熱の割に全身状態が安定している」，「発熱の割に比較的徐脈である」のが特徴である．比較的徐脈は発熱に際して体温の上昇に見合う脈拍の増加がみられない状態を指し，ウイルス感染症や中枢性疾患などでみられるが，それらの疾患では全身状態が悪く鑑別可能とされる[3]．

薬剤熱の確定診断を可能にする検査は存在しないといえる．一般的には，白血球の増加，血沈の昂進，肝機能の悪化などがみられることが多いが決定的ではない．ただし，免疫過敏反応による狭義の薬剤熱である薬剤アレルギーには，抗原（アレルゲン）を特定するためのIgE抗体検出法であるRAST（radioallergo-sorbent test）や，薬物による患者リンパ球の幼若化をみる薬物リンパ球刺激試験（drug lymphocyte stimulation test）などが行われるがやはり補助的なものにすぎない．

結局，原因となる（なりうる）薬物をすべて中止にすることで症状の軽快を確認する治療的診断がもっとも早道ということになるが，実際には疾患が重篤で多剤を併用していることも多く簡単ではない．影響の少ない薬剤から中止していき，約3日ごとに経過を見ながら次の薬剤の中止を行うことになる．最終の確定診断のためには薬剤の再投与が必要であるが，現実的には困難なことも多い．抗結核薬や抗生剤を少量から投与する（いわゆる脱感作）など必要に応じて行っていくことになる．過敏免疫反応による薬剤アレルギーの場合にも，発作に対する準備を十分したうえで負荷試験を行うことがある．

5．治　　療

基本的な治療は原因と考えられる薬物をすべて中止することである．上にも述べたように原因薬を中止すると発熱症状は48～72時間以内に軽快し，随伴症状も消退していく．数種類の薬剤を使用しているときは疑わしいものから順次中止していくことになるが，実際には最も疑わしいもの以外もすべて中止しなければ症状が終息しないことが多い．また薬剤熱の併発症状である掻痒感に抗ヒスタミン薬を使うことがあるが発熱悪化もあるので推奨できない．解熱剤も一般には使われない．最も留意すべきは副腎皮質ステロイドによる治療である．症状を修飾してしまうので安易に使用すべきではなく，原因薬剤中止後も解熱せず，発疹，血管炎などが持続して症状が軽快しないときにのみ使用すべきである．

● 問題の解説と解答

問題　1

本症例は，右肺の浸潤影が抗生物質療法に反応して軽快しており，経過的には典型的な細菌性肺炎の治癒過程と考えられる．したがって，まず除外されるのがcの細菌性肺炎の増悪である．aの好酸球性肺炎は末梢血では好酸球が増加するのが一般で，また，胸部レントゲン所見での自然軽快もありえるが，発熱症状も同時に軽快するのが普通である．bの成人発症Still病は原因不明の高熱が持続する膠原病類縁疾患であり，不明熱の鑑別診断に重要である．しかし，関節痛，筋肉痛など膠原病を思わせる所見がなく，全身状態が良好な本症例では可能性が低い．eの肺癌の合併は，肺炎が軽快したのち，癌によるいわゆる腫瘍熱（tumor fever）が顕在化したものと考えられるが，これほどの高熱が出るとすれば全身状態は悪く，胸部レントゲン所見での陰影も著明になっていると考えるのが普通である．よって，dの薬剤熱が正解で，原因はおそらく，肺炎の治療に用いられた抗生物質が考えられる．

問題　2

この場合の診断は，当然「原因不明の高熱」に対するものである．（1）の胸部CTは，肺を含む呼吸器疾患が高熱の原因であるかどうかの検査であるが，すでに肺陰影は軽快してきているので，当初存在していたと肺炎が原因とは考えにくい．また，CTにて初期の肺癌や悪性リンパ腫によるリンパ節腫脹など他の疾患を発見する可能性もあるが，それが高熱の原因となるとは考えにくい．（2）の骨髄穿刺は，骨髄に由来する造血器腫瘍や，髄膜炎などの炎症性疾患の鑑別が出来るが，病歴上これらを思わせる所見は少ない．（3）のリンパ節生検は悪性リンパ腫などの診断に非

常に有用であるものの本症例では他覚症状も少なく具体的な検査は困難と思われる．（4）は厳密には検査とはいえないが，本症例は薬剤による発熱がもっとも疑わしく，これを確定診断する方法としては，現実的には疑わしい薬剤を中止して経過を見るのが一般的である．通常は薬剤を中止すると48～72時間で解熱する．まれに4～5日かかることもあるが，これは半減期の長い薬剤である場合や肝臓あるいは腎臓機能が悪化して場合が多い．なお，実際には原因となる薬物を中止するのみでは不十分で，使用している薬物を全部中止しなければ完全な解熱がみられない場合もある．薬剤熱は上記の総説でも記したように原因はいろいろであるが，そのなかでも狭義の薬剤熱ともいわれる薬剤による免疫過敏反応すなわち薬物アレルギーは重要であり，その診断に（5）の薬剤リンパ球刺激試験（drug lymphocyte stimulation test）が行われる．これはリンパ球刺激試験ともいわれるリンパ球芽球化反応で，特異的抗原に対してリンパ球が感作されるか否かを検出し，原因薬剤にたいするアレルギーの有無を診断する．ただし，実際には偽陰性や偽陽性も多いので参考程度にする．以上より本症の診断にまずすべきは（4）と（5）である．

問題 3

薬剤熱は，特定の薬剤に対して生じるので，その薬剤が確定できれば，ほかの薬剤に変更することで解熱するはずである．しかし，実際には，疑わしい薬物を中止するのみでは完全には解熱しない場合があり，結局すべての薬剤をいったん全部中止せざるをえないことも多い．本症例においても，抗生剤を変更するのみでは解熱が得られない可能性が高く，いったんすべての抗生剤を中止するのがよい．また，対症療法としての鎮痛解熱薬の使用は，熱型を修飾して診断を困難にするのみならず，症状を悪化させる場合もある．副腎皮質ステロイドの使用も対症療法として用いられることが多いがこの疾患は全身状態もよく緊急避難的治療は一般には必要ない．薬剤熱に合併して，肝臓や腎臓の障害など至急治療すべき状況でのみ考慮されるべきである．したがって，解答はbである．

解 答

問題1：d
問題2：e
問題3：b

レベルアップをめざす方へ

薬物アレルギーの診断に用いられる検査法のいろいろ

薬剤熱のなかで最も重要で狭義の薬剤熱ともいえる薬剤アレルギーについては，その免疫機序などを

表1 薬物アレルギーの診断方法

	手 技	目 的	有用性と問題点
in vitro テスト	皮内テスト，プリックテスト，スクラッチテスト	皮内（粘膜）局所におけるI型アレルギー反応の惹起	もっとも普遍的なI型アレルギーの診断法
	パッチテスト，光パッチテスト	皮膚におけるIV型アレルギーの惹起	アレルギー性接触性皮膚炎の診断に有用
	少量経口負荷テスト	経口薬物によるすべての型のアレルギー反応の誘発テスト	経口薬によるすべての薬物アレルギーの確実な診断法．しかし，危険が伴う．
in vivo テスト	RAST	IgE抗体の検出	抗原構造を変化させずに薬物を固相に結合させる手技が完全でない．
	薬剤リンパ球刺激試験(DLST)	薬剤抗原による感作Tリンパ球の刺激（幼若化反応）	主にIV型薬物アレルギーの診断に用いられる．陰性でも薬物の関与を否定する根拠にはならない．
	Coombsテスト，補体結合反応，血球凝集反応	血球膜面を場としたII，III型アレルギー反応の惹起	免疫性血球減少症の診断に有用．

（村中正治, 1992[4]）より改変引用）

応用して上記の薬剤リンパ球刺激試験（DLST）以外にも多くの検査法がある．もっとも確実な検査方法は，原因と思われる薬物を再度投与する薬物誘発試験あるいは薬物負荷試験とよばれるものであるが，本来のアレルギー機序と相まって，ときに非常に危険な症状発現をすることがあり，医療倫理的にも非常に実施困難なことが多い．したがって，いろいろと非侵襲的検査を組合わせて原因を推定することとなる．参考のため，薬剤アレルギーを診断する際に用いられる診断法を表1に記載する[4]．

●文　　献●
1）Mackowiak PA, et al：Drug fever. A critical appraisal of conventional concepts. Ann Intern Med 106：728-733，1987.
2）高藤　繁：Drug Fever. アレルギーの臨床．5：997-100，1998.
3）柏崎　禎夫：薬剤熱 Drug Fever. JJSHP 24：1343-1346，1998.
4）村中　正治：薬剤アレルギー．臨床アレルギー学（宮本昭正ほか編）．pp402-414，東京，1992.

［庄司　俊輔］

疾患 31 抗けいれん薬投与数週で皮疹，高熱，リンパ節腫脹，異型リンパ球の出現⁉

問題編

症例提示

症　例：46歳　女性
主　訴：発熱，発疹
家族歴：特記事項なし
既往歴：6週間前に意識消失発作があり，近医で抗けいれん薬（カルバマゼピン）を処方され内服中．薬剤アレルギーの既往はない．
現病歴：初診の8日前に38度の発熱と咽頭痛を生じ，近医で感冒と診断され，抗生物質，解熱鎮痛剤を処方された．その翌日より胸腹部に小紅斑が出現し，次第に全身に拡大．すべての内服薬を中止し，初診の4日前よりプレドニゾロン20mg/日の内服を開始したが，38度台の発熱が続き，皮疹は増悪，表在リンパ節の腫脹を認めるようになったため紹介受診となった．
入院時現症：身長153cm，体重49kg，体温38.7℃，血圧120/75，脈拍85回/分，意識清明，心音・呼吸音異常なし，肝脾腫あり，直径2cmまでの圧痛を伴う表在リンパ節が頸部・腋下に多数，眼瞼結膜充血なし，咽頭発赤，上口蓋に点状紫斑，顔面は浮腫状でび漫性に潮紅，全身には正常皮膚は認めず紅皮症の状態，下肢には浮腫が著明．

＜初診時検査所見＞
CBC：WBC 33,000/μl（Stab 8％，Seg 20％，Lym 35％，Eosino 12％，Aty Lym 25％），RBC 335×10⁴/μl，Hb 12g/dl，Plt 28×10⁴/μl
Chemistry：TP 7.0g/dl，Alb 3.6g/dl，GOT 370 IU/ml，GPT 480 IU/ml，LDH 1210 IU/ml，BUN 20 IU/ml，Cr 1.0mg/dl，CRP 3.5mg/dl
Serology：IgG 1070mg/dl，IgE 140 IU/ml，ANA 40倍
末梢血リンパ球表面マーカー：CD4 32％，CD8 33％
尿検査：異常なし
胸部レントゲン：異常なし

設　問

問題1　考えられる病態はなにか？
（1）サイトメガロウイルス感染症
（2）全身性エリテマトーデス
（3）白血病
（4）薬疹（薬剤アレルギー）
（5）伝染性単核球症
　a（1），（2），（3）　　b（1），（2），（5）
　c（1），（4），（5）　　d（2），（3），（4）
　e（3），（4），（5）

問題2　検討すべきウイルスは何か．
（1）EBウイルス
（2）サイトメガロウイルス
（3）ヒトヘルペスウイルス6（HHV-6）
（4）ヒトヘルペスウイルス8（HHV-8）
（5）風疹ウイルス
　a（1），（2），（3）　　b（1），（2），（5）
　c（1），（4），（5）　　d（2），（3），（4）
　e（3），（4），（5）

問題3　高頻度で異型リンパ球が認められる疾患は？
（1）成人スティル病
（2）麻疹
（3）薬剤性過敏症症候群
（4）伝染性単核球症
（5）悪性リンパ腫
　a（1），（2），（3）　　b（1），（2），（5）

c （1），（4），（5）　　d （2），（3），（4）
e （3），（4），（5）

解　説　編

1．重症薬疹とは

　薬疹には，過量投与による中毒性に生じるものと，薬剤アレルギーにより生じるものとがある．薬剤アレルギーによる薬疹は，通常，薬剤の開始後7から10日後に生じるが，多くは原因薬剤の中止により軽快する．しかし，一部には重症化するものがあり，致死的な経過をとることもあるので注意を要する．重症薬疹として知っていなくてはならないものに，Stevens-Johnson症候群と中毒性表皮壊死症がある．これらの薬疹は，高熱を伴って全身の皮膚と粘膜に水疱やびらんを生じるもので，皮膚の剥離面積が10％以下の場合をStevens-Johnson症候群，それ以上を中毒性表皮壊死症と区別するが，Stevens-Johnson症候群から中毒性表皮壊死症に進展することも多い．また，眼瞼結膜，口腔粘膜，外陰部粘膜のびらんや壊死性変化は，これらの薬疹に特徴的な所見であり，適切な処置が行われないと失明や粘膜の癒着といった後遺症を残すことがある．早期に薬疹の可能性に気づき，皮膚科専門医へ相談しなければならない．

　近年，もうひとつの重症薬疹としてdrug-induced hypersensitivity syndrome（薬剤性過敏症症候群，DIHS）が知られるようになった[1]．DIHSでは，Stevens-Johnson症候群や中毒性表皮壊死症のような皮膚・粘膜の壊死性変化と剥離を生じないが，高熱を伴い，多臓器障害を合併して遷延する重症薬疹である．初期症状がウイルス感染症に似るため，しばしば診断と治療が遅れ重症化する．以下，DIHSについて解説する．

2．DIHSの解説

1）疾患概念

　DIHSは，全身症状を伴う薬疹であるが，ウイルスの再活性化を伴って経過が遷延する．以下に特徴を列挙する．

（1）原因薬剤が比較的限られている．

　原因薬剤としては，抗けいれん薬が最も多い．カルバマゼピン，フェノバルビタール，フェニトイン，ゾニサミドが原因となる．抗けいれん薬以外では，アロプリノール，サラゾスルファピリジン，ミノサイクリン，メキシレチン，ジアフェニルスルフォンが原因となることが知られている．

（2）発症までに2週から6週の内服期間を要する．

　通常の薬疹に比べて，発症までの内服期間が長く，原因として疑われにくい．

（3）多臓器障害を伴う特徴的な経過．

　DIHSの発症の始まりは，高熱，咽頭痛などの感染症を疑わせる所見である．発疹は同時のこともあり，発熱に前後することもある．やや遅れて白血球増多，好酸球増多，異型リンパ球の出現，リンパ節腫脹，肝機能障害，腎機能障害を生じてくる．原因薬剤の内服を中止しても症状が悪化するのがDIHSの特徴である．原因薬剤の中止により，発症後2週間以内で治癒する薬疹は，DIHSとは診断しない．

（4）ヒトヘルペスウイルス6（HHV-6）の再活性化を伴い，経過が遷延する（図1）．

　（3）の症状はステロイドの全身投与にはよく反応し軽快してくるが，発症後2週間後以降に発熱，皮疹，肝機能障害が再燃し，経過が遷延する．この再燃の時期に一致して，HHV-6の再活性化が確認される．HHV-6に続いてサイトメガロウイルスの再活性化を生じ，発熱，皮疹，臓器障害が続くこともあり，ときには全経過が数ヵ月にわたることもある．

図1　DIHSの病態

DIHSは薬剤アレルギーとウイルス感染症が複合した病態である．初期には薬剤アレルギーにより発熱，皮疹，肝障害，リンパ節腫脹，血液学的異常を生じ，発症後2週から4週目にHHV-6の再活性化を合併する．その後，サイトメガロウイルスの再活性化を認めることもある．

3．診　　断

　DIHSという薬疹があることと，その原因薬剤を知っていれば，内服歴と内服期間よりDIHSを疑うことは可能である．DIHSの皮疹は，初期には播種状の小

紅斑や丘疹としてみられるが，日がたつにつれて顔面を含めた全身に拡がる．ウイルス感染症に伴う発疹との鑑別は難しいが，通常のウイルス性発疹よりは皮疹に重症感がある．麻疹とは臨床経過により，伝染性単核球症に生じる薬疹とは皮疹の出現時期により鑑別される．好酸球の増多があれば，薬剤アレルギーに思いあたりやすい．口唇に軽いびらんを伴う場合や，多形紅斑様の皮疹を認め小水疱を混じたりする場合もあり，Stevens-Johnson症候群との鑑別が重要となるので，DIHSの診断にあたっては皮膚科専門医に相談することが望ましい．診断には，厚生労働省の研究班によるDIHSの診断基準案が参考となる[2]．HHV-6の再活性化の検出が，DIHSの診断に必須となっている．

DIHSの原因薬剤を特定することも重要である．DLSTは発症の初期から陽性に出る場合もあるが，あとになる程陽性率が高くなるともいわれている．DLSTを早い時期に行って陰性であった場合には，1，2カ月後に再度検査する．また，抗けいれん薬やメキシレチンではパッチテストの陽性率も高い．再投与による誘発試験は，慎重に行わなければならない．

4．治　療

ステロイドの全身投与は有効である．通常，プレドニゾロン換算で体重1 kgあたり0.5から1 mgを用いる．症状の軽減とともに漸減するが，減量に伴って発熱や肝障害の再燃がみられる場合には減量を急がない．高用量のステロイドを長期投与せざるをえない場合には，敗血症を併発してくることがある．再燃，遷延する症状にHHV-6やサイトメガロウイルス感染症が関与していないか検査を行いながら，適切な治療を選択することが大切である．

5．予　後

多くは1カ月程度で軽快し，ステロイドも中止できるが，皮疹が遷延し，ステロイドの減量が困難な場合もある．HHV-6の再活性化，サイトメガロウイルスの再活性化に伴う新たな病態の併発に注意する．

問題の解説と解答

問題 1

高熱，リンパ節腫脹，肝機能障害，単核球症を示す患者で，全身に発疹を伴っている．発疹の出現直前には，抗生物質と鎮痛剤を内服しており，4週間前からは抗けいれん薬も内服している．鑑別として，ウイルス感染症と薬剤アレルギーをあげる必要がある．ウイルス感染症としては，伝染性単核球の原因であるEBウイルス，伝染性単核球症様症候群をきたすサイトメガロウイルスやアデノウイルスなどについての検討は必要であろう．しかし，これらのウイルスによる皮疹は，風疹様の小紅斑や小丘疹であることが多く，この症例のように紅皮症になることはない．また，EBウイルス感染症では，ペニシリン，セフェム系抗生物質による薬疹を生じることが有名であるが，この症例では抗生物質の内服翌日に発疹を生じており，皮疹出現までの内服期間が短すぎる．風疹，麻疹は，この症例の経過からは考えにくい．好酸球の増多を認めることから薬剤アレルギーが疑われ，発症の約5週間前より抗けいれん薬を内服していることから，DIHSを考える．

問題 2

経過より風疹は考えにくい．伝染性単核球症は鑑別しておく必要がある．DIHSでは，HHV-6，サイトメガロウイルス感染症が関係してくるので，適宜検討する必要がある．

問題 3

異型リンパ球は，何らかの刺激によって出現する異常なリンパ球系の細胞で，単球様，形質細胞様，リンパ芽球様の形態をとる．ウイルス感染症やDIHSにおいて認められる．

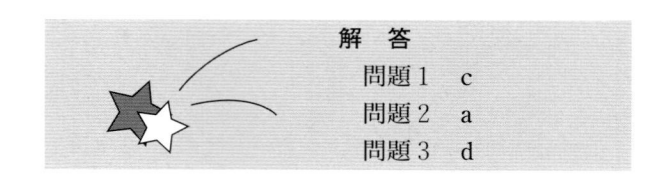

解　答

問題1　c
問題2　a
問題3　d

レベルアップをめざす方へ

HHV-6の再活性化の診断

DIHSを診断するためには，HHV-6の再活性化の検出が欠かせない．HHV-6の再活性化は，抗HHV-6IgG抗体価の上昇，あるいはHHV-6DNAの検出により確認される．HHV-6は突発性発疹の原因ウイルスであり，わが国ではほとんどすべての成人が，低いながらも抗HHV-6抗体を有している．

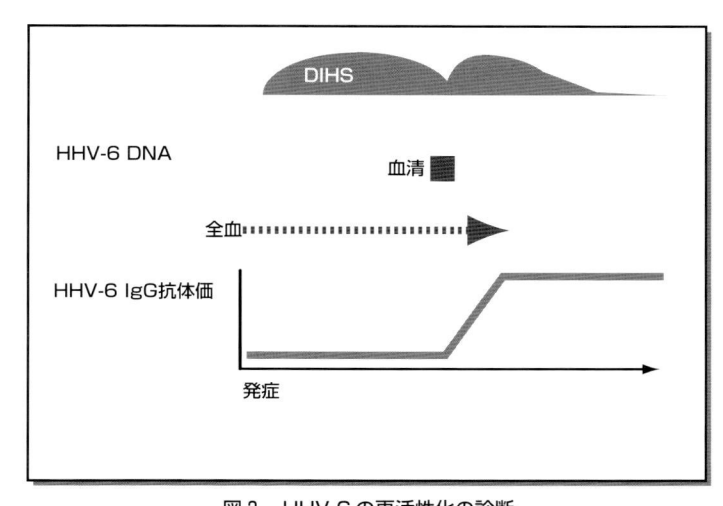

図2 HHV-6の再活性化の診断
HHV-6の再活性化を診断するのに，抗HHV-6IgG抗体価の
4倍以上の上昇と，HHV-6 DNAの検出がある．

　DIHSにおけるHHV-6の再活性化は，DIHSの発症後2週（14日）から4週後（28日後）までに認められるため，発症後14日以内の血清と28日以降の血清をペアとして抗体価の測定を行うと，4倍以上の抗体価の上昇をもって，ほぼ確実にHHV-6の再活性化を検出できる．HHV-6 DNAを検出する場合には，全血にはHHV-6の潜伏感染している場合があり，HHV-6 DNAが検出されたからといって再活性化を意味するものではない．日をあけて何度か血液を採取し，real-time PCR法を用いた定量PCRにより，HHV-6 DNAが増加したことを証明する必要がある．血清からHHV-6 DNAが検出されれば，ウイルス血症の存在を示唆するが，血清中にHHV-6 DNAが検出される期間は，再活性化の生じている数日に限られるため，検査のタイミングが難しいのが難点である（図2）．

DIHSの合併症

　HHV-6の再活性化に一致して認められる症状は，発熱と肝障害であることが多い．最近になって，さらに種々の病態がHHV-6と関連して生じることが示唆されている．そのひとつは，DIHSの発症後2週目以降に意識障害などの症状をもって生じる中枢神経障害で，髄液よりHHV-6 DNAが検出される[3〜5]．死亡例の報告もある．また，HHV-6の再活性化を境として発症した劇症型1型糖尿病の発症も報告されている[6]．その他DIHSにおいては，甲状腺炎，心筋炎，心膜炎などを合併することが知られており，HHV-6のみならずサイトメガロウイルス感染症の関与も疑われる症例がある．このように，これまで薬疹の経過中に偶発的に生じたと思われた病態が，DIHSに関連した病態であることが，明らかになりつつある．

●文　献●

1）Hashimoto K, Yasukawa M, Tohyama M：Human herpesvirus 6 and drug allergy．Curr Opin Allergy Clin Immunol 3：255-260, 2003．
2）橋本公二：Stevens-Johnson症候群，toxic epidermal necrolysis（TEN）とhypersensitivity syndromeの診断基準および治療指針の研究．厚生科学特別研究事業 平成13年度総括研究報告，2002．
3）Fujino Y, Nakajima M, Inoue H, et al：Human Herpesvirus 6 encephalitis associated with hypersensitivity syndrome．Ann Neurol 51：771-774, 2002．
4）Masaki T, Fukunaga A, Tohyama M, et al：Human herpesvirus 6 encephalitis in an allopurinol hypersensitivity syndrome．Acta Derm Venereol 83：128-131, 2003．
5）Descamps V, Collot S, Houhou N, et al：Human herpesvirus-6 encephalitis associated with hypersensitivity syndrome．Ann Neurol 53：280, 2003．
6）Sekine N, Motokura T, Oki T, et al：Rapid loss of insulin secretion in a patient with fulminant type 1 diabetes mellitus and carbamazepine hypersensitivity syndrome．JAMA 285：1153-1154, 2001．

［藤山　幹子／橋本　公二］

疾患 32 あまり摂食はしないがカニを食べたら数十分で蕁麻疹出現 次第に気管支喘息様症状が!?

問題編

◉ 症例提示

8歳の男児. 既往歴として乳幼児期にアトピー性皮膚炎がある. 3歳頃より気管支喘息の診断を受け, 季節的に発作をみるためにそのときのみ対症療法をしている. 乳児期に鶏卵アレルギーといわれたが, 最近は好き嫌いもなく, 食欲も良好で体格は中等度である. 本年11月, 普段はあまり摂取する機会のないカニをゆでたものをほかの食材とともに食べた. 足を2～3本ほど食べ, その後約30分ほどで家人が顔面の紅斑と, 口唇が少し腫れているのに気づいた. 本人も多少体熱感を感じたため衣服を脱いでからだをみると, 蚊に刺されたような直径5ミリ程度の小さな膨疹が頸部, 上胸部, 腹部にみられ, 痒みがあったためにその部分を掻破した. 次第に紅斑の部位は拡大し, 膨疹もその大きさを増すため, 家人は医療機関の受診を考慮したとのことであった. この間約15分ほどであったが, 患児は咳嗽をはじめ, そのうちに息が苦しいと訴え出した.

◉ 設問

問題1 このような病態を表す言葉を選べ
 a. カニアレルギー
 b. アナフィラキシー反応
 c. アルサス反応
 d. アトピー性皮膚炎の増悪反応
 e. 口腔アレルギー症候群

問題2 家人がとった行動で正しいものを選べ
（1）救急車をよんだ
（2）以前に処方されていた痒み止めを内服させた
（3）市販の咳止め薬があったのでそれを飲ませた
（4）夜だったので翌日医療機関を受診しようと, とりあえず寝かせた
（5）からだが熱いので解熱薬を飲ませた
 a（1），（2）　b（1），（5）　c（2），（3）
 d（3），（4）　e（4），（5）

問題3 医療機関で行う第一選択の治療を選べ
 a. 呼吸困難に対し酸素吸入を行う
 b. エピネフリンの皮下注射を行う
 c. 抗ヒスタミン薬の静注を行う
 d. ステロイド薬の静注を行う
 e. 維持輸液を行う

問題4 急性期の症状が回復してから行う検査として正しいものを選べ
（1）血算, 血液像をみる
（2）一般尿検査, 沈渣をみる
（3）酸素飽和度をみる
（4）呼吸機能検査をする
（5）特異IgE抗体をみる
 a（1），（2）　b（1），（5）　c（2），（3）
 d（3），（4）　e（4），（5）

解 説 編

● 食物アレルギーとその対策

1. 疾患概念

食物を摂取することによって，生体に不利な反応を生ずることがある（adverse food reactions）．この反応は食物不耐症（food intolerance）と食物過敏症（food hypersensitivity）に分類されるが，いわゆる食物アレルギーとは，ある食物や食品添加物を摂取することによって引き起こされ，生体にとって不利となるような反応のうち，免疫学的な機序に基づくものと定義される．この免疫学的な機序に基づくかどうかを厳密に調べることが困難な場合もあり，広義には食物アレルギーの名のもとに食物不耐症を含めて論じられることがある．そしてこのような特定の食物（もしくは食品添加物）を摂取することによって生ずる生体にとって不利な反応は，複数回にわたって同じ症状が惹起されることによってのみ，その特定の食物との因果関係が証明される．ほかのアレルギー反応と同様に，食物アレルギーにおいても特異IgE抗体を介する即時型と細胞性免疫が関与する遅延あるいは遅発型があると考えられるが，臨床的に即時型以外の反応で，特定食物を同定することは上記のごとく，くり返して同じ反応を観察できる場合以外は困難な場合が多い．

2. 病因

ありふれた食物が，抗原となりうる．従来から，アレルギー反応を引き起こす食物の代表は，鶏卵，牛乳，大豆の順であると考えられていた．しかし，厚生労働科学研究「食物アレルギーの十体及び誘発物質の解明に関する研究」（平成14年度主任研究者：海老澤元宏）による調査では，食物摂取後60分以内に症状が出現し，医療機関を受診したものを対象とすると，抗原別頻度は鶏卵38.6%，乳製品16.5%，小麦7.1%，フルーツ6.4%，ソバ4.6%，エビ4.0%，魚類3.8%，ピーナッツ3.4%，魚卵2.9%，大豆2.0%であり，小麦が第3位となっている．この報告では，総計1340例を分析しているが，年齢分布は0歳が36.8%，1歳が17.0%であり，この両者で全体の53.2%を占めていた．加齢と共に漸減するが，6歳までに79.4%，20歳以上の成人は7.6%であった．年齢別に抗原の頻度をみると，乳幼児期は鶏卵が第1位，乳製品が第2位で変わらないが，7から19歳群では鶏卵，ソバ，エビの順であり，20歳以上では果物類，エビ，魚類・小麦と，その起因食物の頻度に差がみられている．

3. 症候

特異IgE抗体の関与する即時型の反応としては，じんま疹，紅斑，顔面紅潮，搔痒感，口腔内違和感，口腔内掻痒感，口唇の浮腫，眼球結膜充血，鼻汁，嗄声，咳嗽，呼吸困難（咽喉頭浮腫），喘息発作（気管支収縮），胸腔内苦悶感，ショック（意識障害，血圧低下），腹痛，下痢，などなど多彩である．IgEおよび細胞性免疫の関与，あるいは細胞性免疫のみが関与すると考えられる，時間的に遅れて症状が出現するものとして，アトピー性皮膚炎の悪化，接触性皮膚炎，好酸球性食道炎，好酸球性胃腸炎，気管支喘息，食物誘発性肺ヘモジデローシス（Heiner症候群）などがある．その他，従来から多くの原因不明の疾患において食物の関与が疑われてきた．たとえば，ネフローゼ症候群やtension-fatigue syndrome，慢性頭痛などであるが，これらの症候の原因として特定の食物を同定できるかどうかは吟味が必要である．

4. 診断

特定の食物を摂取した後に，上記のような症状を呈したことが複数回にわたってあれば，診断は容易である．したがって問診が非常に重要となる．しばしば患者において，当該食物を同定できていないことがあるが，その場合は細かな食材に関しても詳細な問診が必要となる．特異IgE抗体の証明は，診断と抗原を同定する上で有力な手がかりとなる．前述のごとく，特異IgE抗体を介さない遅延型反応の場合は，食物抗原によるリンパ球幼若化反応で陽性の所見を得る場合もあるが，逆にこれらの反応がないからといって食物アレルギーを否定する根拠とはならない．要するに詳細な問診により，特定の食物摂取後に一定の症状が出現することが確認されれば診断は確定する．問診のみでは不確実であれば，食物による負荷試験（誘発試験）が行われる．負荷方法に一定のものはない．少量の摂取から始めておよそ30分くらいの間隔で漸次増量させ，症状の発現の有無を観察する．即時型反応が予想される場合は，アナフィラキシー反応の出現をも予想した，万全の体制をとったうえでの負荷試験となる．静脈路を確保のうえ，エピネフリン，抗ヒスタミン薬，ステロイド薬を準備してごく少量から当該食物を食べさ

せ，微細な症状の出現を観察する．

アトピー性皮膚炎のように慢性に経過している疾患に食物アレルギーが症状増悪因子として関与しているかどうかを確認するためには，目星をつけた食物の除去をまず行ない，次いで負荷試験を行なう．これも標準的な方法はないが，たとえば鶏卵摂取による症状の悪化を疑うときは，鶏卵そのものと，それが含まれている食品全ての厳格な除去を2週間行い，その間の症状を観察記録し，次いで少量ずつ摂取を開始して症状の変化を観察する．除去期間中に症状の改善がみられ，負荷によって再燃がある時は増悪因子としての診断が可能となる．この除去誘発試験も，理想的には2回以上行い再現性があることによって客観的な診断がなされる．

5．治　　療

原因食物が確定し，それにより引き起こされる症状が軽微ではないときには，原因食物の除去が必要となる．惹起された症状に対しては，それが即時型反応であり，かつショックに至ることが予想されるほどの反応であれば，エピネフリン皮下（筋肉）注射，抗ヒスタミン薬皮下（筋肉）注射あるいは静注，ステロイド薬静注の順に迅速な治療が必要である．症状が蕁麻疹程度に限局しているときは，抗ヒスタミン薬の内服で治まることもある．

6．予　　後

乳児期にみられる食物アレルギーは，自然経過で治癒あるいは耐性が出現することが多い．たとえば，牛乳アレルギーを例にとると，乳児期に牛乳アレルギーと診断されたものが1歳の時点ではその56％が，2歳では77％，3歳で87％，5歳と10歳では同じく92％，そして15歳の時には97％の高率で回復していたという[1]．

● 問題の解説と解答

問題1　まず疑う病態は何か

症例のような急性の症状を呈した場合に，それをアレルギーであるとするのは簡単である．しかし重要なことは症状の強さ，範囲であろう．症例の症状は進行性であり，短時間のうちに呼吸困難も訴えている．したがって，何らかのアレルギー症状を疑うとともにその進展具合から即時型を最も疑い，かつ全身症状を呈するに至っていることを重視すべきである．したがってこの設問に対する答えは，bアナフィラキシー反応となる．

問題2　医療機関受診前にまずできることは何か

呼吸が苦しいという訴えに対し，まず普通はすぐに医療機関を受診しようとするであろう．その点で救急車をよぶということは間違いではない．ただ症状の進行性であることを考慮すると，何らかの処置を家庭ですることが可能であれば，救急医療機関に受診するまでの時間のあいだにおこる変化を一定程度は防ぐことが可能かもしれない．即時型のアレルギー反応を経験した例では，そのあとの患者教育が重要となる．本症例の場合は初発であるので親に適切な処置を求めることは困難であるが，選択肢上は消去法でも適切な解答に至るのではないであろうか．重要な点は閉塞機転でおこる咳嗽に対していわゆる鎮咳薬を用いるべきかどうかであり，即時型のアレルギー反応の進展をくい止めうるものはどの薬物かという選択である．ここの記載ではかゆみ止めとは一体なんであるか，であるが，一般的に医療機関が痒み止めであると説明して処方する場合，それは抗ヒスタミン作用をもつ薬物であろう．内服であるので，その効果が現れるには数十分かかるので，用いることは意味がないという反論もあろうが，エピネフリン製剤（エピペン）がわが国では認められていない以上，第2選択薬として抗ヒスタミン作用のあるものを使用することが好ましい．解答はaとなる．

問題3　医療機関で行う第1選択としての治療は何か

本症例は呼吸困難を呈するに至っていることから，喉頭浮腫も考えられる．またそのような場合にはショックに到る可能性も考慮しなければならない．よって第一選択はエピネフィリンである．しばしばショックの予防としてステロイド（メチルプレドニゾロン）を用いることがあるが，その効果発現までの時間を考えるとまずはエピネフィリンであり，抗ヒスタミン薬，ステロイドという順であろう．無論，意識の低下しているような例では，救急医療機関において点滴路の確保とともに薬剤の投与は同時並行的になされるであろう．解答はbである．

問題4　急性症状が治まってから行う検査は何であろうか

これも実際にはいろいろな考えはありうる．しかし年齢の要素も加味し，症状が消失したあとから，病因を考察するために必要な検査を考える．アトピー素因を反映するものとして好酸球数は興味があるが，急性反応後の時期によっては低下している可能性も考慮しながらの検査となる．特異IgE抗体の検査では，カニについて調べなければならない．本症例の場合は，叙

述上カニのことが強調されているが，それのみではなく，発症時に同時に摂取しているもので，検査が可能なものがあれば，それらも検査対象となる．このように今回のアレルギー反応にしぼって検査を考えれば，組合わせから解答はbとなる．

解　答
問題1：b
問題2：a
問題3：b
問題4：b

●文　献●

1) Høst A, Halken S, Jacobsen HP, et al：Clinical course of cow's milk protein allergy/intolerance and atopic diseases in childhood．Pediatr Allergy Immunol 13（Suppl 15）：23-28，2002．

［岩　田　力］

疾患 33 アボカド，バナナなどを食べるとのどにかゆみを訴えていた！虫垂炎の手術で手術開始直後に血圧が低下？

問題編

● 症例提示

症　例：36歳　女性
主　訴：手術時のショック（外科からの精査依頼）
家族歴：特記事項なし
既往歴：生後3ヵ月発症で寛解のないアトピー性皮膚炎があり，近医皮膚科に通院中．30歳の夏に，家庭用ゴム手袋をつけて掃除をしたところ，手に蕁麻疹が出現した．35歳から，アボカド，バナナを食べると，直後から咽喉頭部に搔痒感が出現する．
現病歴：7月15日，夕食後から心窩部痛が出現し，夜間から38.5℃の発熱が出現した．16日になっても軽快せず，食べれば軽快するかと思い，多めに朝食を摂ったところ嘔気も伴い，腹痛が右下腹部に移動したため，当院内科外来を受診した．緊急採血では，WBC 15,600/μl，好中球分画88％，CRP 13.3mg/dlと高値を示し，筋性防御を認めたため，急性虫垂炎を疑い，消化器外科に併診した．直腸診，超音波検査を経て，腹膜炎を伴う急性虫垂炎の可能性があるため，緊急で開腹手術を行うこととなった．一人住まいであったため，本人のみに同意書をいただき，家族には電話連絡で説明を行った．なお，当初の病歴聴取では，既往歴にはアトピー性皮膚炎のみを医師に話し，薬アレルギーはないと答えていた．腰椎麻酔を行い，抗生剤の点滴を開始したのち，手術を開始した．直後より，ほぼ全身に紅斑と膨疹が多発し，収縮期血圧が70mmHgと低下した．アナフィラキシーショックと判断し，手術と抗生剤投与の中断と，昇圧剤，副腎皮質ホルモン剤の投与を行い状態は安定した．抗生剤の投与は中止のままとし，手術を再開したが，とくにその後は問題がなく終了した．退院後，アナフィラキシーショックの精査のため，皮膚科紹介受診となった．発症時の保存血液で後日測定したところ，血漿トリプターゼとヒスタミンは30μg/l（基準値2.1〜9.0），40nM（10以下）と高値を示していた．

● 設問

問題1　まず疑う病態はなにか？
（1）食物アレルギー
（2）DIC
（3）肺塞栓
（4）薬物アレルギー
（5）ラテックスアレルギー
　a（1），（2），（3）　　b（1），（2），（5）
　cすべて　d（4），（5）　e（5）

問題2　診断のために考慮する検査はなにか？
（1）皮膚テスト
（2）特異的IgE抗体
（3）誘発テスト
（4）48時間パッチテスト
（5）薬剤添加リンパ球刺激試験（DLST）
　a（1），（2），（3）　　b（1），（2），（5）
　cすべて　d（4），（5）　e（5）

問題3　ラテックスアレルギー発症の危険因子は何か
（1）アレルギー素因
（2）手湿疹
（3）二分脊椎症
（4）食物アレルギー
（5）頻回な手術歴
　a（1），（2），（3）　　b（1），（2），（5）

c すべて　　d （4），（5）　　e （5）

問題4　精査によりラテックスアレルギーの診断をしたが，今後の適切な治療法は何か
a. 高用量のステロイド内服
b. 抗アレルギー薬内服
c. 抗原暴露の回避
d. 減感作療法
e. 免疫抑制剤内服

解　説　編

1．疾患概念
ラテックスアレルギー

ラテックスアレルギーとは，ラテックスすなわちゴムの木（Hevea brasiliensis）の樹液からつくられた天然ゴムラテックス（natural rubber latex）剤のタンパク質に対する即時型（1型）アレルギーを意味する．

1980年代から患者数が増え，医療施設にラテックス製品が多数使用されることもあり注目を浴びている．1997年にFDAでは，2300例以上のラテックス製品によるアレルギーのインシデントレポートを受理し，そのうち225例がアナフィラキシー反応，53例が心停止，17例が死亡例であったとしている．アメリカでは1800万人が，ラテックスに感作されていると類推している報告もある．このように増大した理由としては，1987年にAIDSや肝炎ウイルスに対する予防として，医療従事者は使い捨ての手袋を使用することが勧められ，天然ゴム手袋の使用量も急激に多くなったこと．天然ゴム手袋の製造過程では，ラテックス液を型に取ったあとに，リーチング（leaching）とよばれる水洗工程があり，ここでラテックス蛋白も溶出し，抗原性が低下するはずなのだが，粗悪製品で十分に洗浄がなされず，ラテックス蛋白の含有量の高い製品を使用し，高濃度の暴露を受けることによって，ラテックスアレルギーが増えたと考えられている．手袋の種類によっては3000倍もの蛋白量の違いが認められたという．手袋や尿道カテーテルのように直接接触する場合と，ラテックス手袋には装着をしやすくするために，粉（コーンスターチ）が使用されることがあり，それによる直接のアレルギーはまれであるが，コーンスターチにラテックス蛋白が付着し，浮遊することにより，眼症状や気道症状などを生じる場合がある[1]．

旧厚生省の対応としては，1992年に医薬品副作用情報で，注意を喚起し[2]，1999年に医薬品等安全性情報に，製品本体に天然ゴムを使用している医療用具には，天然ゴムが使用されていることが明記されるようになった[3]．また，1996年には，日本ラテックスアレルギー研究会が発足している．

Latex-fruit syndrome

スギ花粉症の患者は，ヒノキ花粉にも反応することが多々ある．これは，スギ花粉とヒノキ花粉に共通抗原性があるために，両者に反応することが主因と考えられている．同様に，1991年ラテックスとバナナに共通抗原性の存在が，抑制試験により証明され，現在では種々の食品との交差性が指摘されている．臨床的にも，ラテックスアレルギー患者の約半数に，果物を中心とした食物アレルギーが合併することが知られ，その理由が，ラテックス抗原との共通抗原により誘発されるため，Latex-fruit syndromeと称されるようになった．

2．症　　　候

歯科治療に使用されるラバーダムや手袋・風船・コンドームでは，接触部位の接触蕁麻疹が1番多い症状となる．ときに，全身性に蕁麻疹が拡大することもあり，気管支喘息，アレルギー性鼻炎や結膜炎，アナフィラキシーショックも起こりうる．大腸注腸造影時に，バリウムエネマのラテックスにより死亡した報告があり，婦人科での超音波検査でコンドームを使用する際なども，緊急時の対応が手術室での点滴確保下と異なり遅れるため，処置前の問診が重要となる．空中飛散や衣服，受話器に付着した手袋の粉を吸って，喘息やアナフィラキシーショックを呈したり，飲食店や食品加工工場で，ラテックス手袋を使用して食材に触れた場合に，その食品を摂食したことによるアレルギー反応の可能性もある．

Latex-fruit syndromeの臨床症状としても，いわゆるoral allergy syndrome（OAS）とよばれる口腔症状が主ではあるが，アナフィラキシーショックまでさまざまである．

3. 診　断

　病歴に加え，ラテックス特異IgE抗体を，証明することが望ましい．感度，特異度の点からは，プリックテストが一番重要であるといえる．しかし，日本では抗原液が市販されていないため，自作する必要がある．筆者らは，手術用手袋よりはタンパク量が多い粉付き検査用手袋を1g刻み，5mLの生理食塩水に30分浸して抽出した液を使用している．安全，安定性を考慮すれば，50％グリセリン液とし，医療用マイレクスで濾過滅菌を行うか，少量ずつ冷凍保存をして，要時溶解して使用することが望ましい．近年の製品は，タンパク濃度が低下しているので，必要濃度が抽出できない場合も考えられる．原材料のアモニウム非添加状態のラテックスには認められない，製造過程において出現したneo-antigenに反応する例もあるので，患者が使用した手袋などからの抽出液を使用したり，recombinant allergenを購入して，同意のもとに使用するのもひとつであるが，日本での供給が望まれる．日本ラテックスアレルギー研究会のホームページ（http://www.latex.jp/）に，相談施設の一覧があり，ラテックスアレルギーフォーラム（http://www.twin.ne.jp/~nakades/index.html）の特別会員になっている医療機関には，共通の抗原液があり，今でも検査は可能と思われるので，参考にして欲しい．プリックテストによるアナフィラキシーショックの報告もあるので，緊急時の準備も必要である．明瞭な病歴と，プリックテストが陽性であれば，ラテックスアレルギーと診断できるが，プリックテストにはときに偽陰性，偽陽性が認められるので，同時に2カ所で施行したり，後日に再施行して確認をすることも多い．対照液よりも3mm以上長い膨疹や陽性コントロールの塩酸ヒスタミン（10mg/mL）の膨疹の1/2以上を示した場合，陽性とすることが一般的である．

　プリックテストが施行できない場合，病歴とCAP-RASTやAlaSTAT等による血清特異IgE抗体が陽性であれば診断できるが，特異IgE抗体の場合，より偽陰性，偽陽性の確率が高くなる．陽性率が50％と低い報告のある一方，重症のアトピー性皮膚炎患者などでは，高頻度にラテックス特異IgE抗体が陽性となる．このような例を，純粋に感作例とするかは，意見が分かれるかもしれない．筆者らは少なくとも，種々の特異IgE抗体が陽性を示すが，ラテックスを含めたそれらのプリックテストが陰性であれば，それはアレルギー反応には関与がないCCD（crossreacting carbohydrate determinant[4]）のような抗体の可能性が高いと考えている．手術の際には，念のためラテックスアレルギーとして対処すべきとは考えるが，プリックテストおよび使用テスト陰性，特異IgE抗体のみ陽性例には，アレルギーカードは作成していない．

　使用テストは，指1本を濡らしてから，手袋を装着し軽く擦り，15分程度観察する．対照には，ビニル手袋やクロロプレン製手袋を使用する．陰性の場合には，手荒れのある指や片方の手袋全体を使用する．数カ所プリックをして，吸収をよくするのもひとつである．膨疹，紅斑が出現すれば陽性と判定している．手袋によっては，カゼインが添加されている場合があり，牛乳アレルギーの場合には注意を要する．粉付きの場合には，ソルビン酸による非特異反応を示したり，合成手袋に即時型反応を呈する場合があり，手袋を用いた検査でも，ラテックス蛋白以外の反応を考慮にいれる必要もある．

　Latex-fruit syndromeに関する食物においては，製品化している抗原液は少なく，感度も低い可能性が強いため，食品を刺してから，その液が付着した針をすぐにプリックする，いわゆるプリックプリックテストとよばれる方法で行う[5]．ときに，針への付着量が少なく反応しづらい場合もあるので，少量の生理食塩水で抽出液を作成し，1滴垂らして，プリックしたほうがよいこともある．

4. 予防と対応

　感作を減らすためには，二分脊椎症など生直後から手術が必要な例には，ラテックスフリーの環境での手術が望ましい．医療従事者には，コストや使い勝手に問題があるが，せめてパウダーフリーの手袋を使用することが有効と考えられている．アメリカでは，パウダー手袋を法的に使用禁止にしている州もあるそうで，イギリス，オーストラリアでは，手術用手袋の80，85％がパウダーフリーであると言われている（日本は15％）．必ずしもタンパク量と抗原量は相関しないが，カタログにタンパク量が記載されていることも多いので，なるべく少ない製品を使用したほうが，感作される危険は少ない．また，手荒れがあると経皮吸収が高まり，ラテックスの感作の危険が増すため，手湿疹に対して，日常的な注意や外用を十分に行うべきである．ただし，軟膏基剤の外用直後の着用は，手袋の劣化を促進したり，手袋から成分の溶出が進むことがあるので，注意を要する．非ラテックス手袋の使用とともに，皮膚保護クリームや木綿の手袋を着けてからの装着が有効なこともある．

　手術時における対応としては，その日の1番最初の手術として，極力ラテックスが浮遊していない手術室を使用する．手術用ゴム手袋は，合成ゴム製品とし，点滴セットはタコ管のないもの（近年は合成ゴムが主

表1 当科でのラテックスアレルギー患者への資料

ラテックスアレルギーの方へ

残念ながら，ゴムの木の樹液であるラテックスにアレルギーがあり，天然ゴムからつくられたゴム製品は使わないことが必要です．ゴムの木とベンジャミナ，ポインセチアも触れないで下さい．

家庭用品・衛生用品では
コンドーム 女性用避妊具 手袋 風船 ゴムバンド おしゃぶり 絆創膏 保温用カップ 水泳用ゴーグル 水泳用帽子 スキューバ用マスク ゴム製おもちゃ 観賞用ゴム植物

医療用器具では
手袋 気管内チューブ エアウェイ 人工呼吸器ホース フェイスマスク・吊り紐 経鼻・経口チューブ 血圧計カフ 歯科用ゴム製ダム 粘着テープ ゴムパット 防護シート 尿路カテーテル 各種ドレーン バルーンカテーテル ターニケット などに含まれています．

手術や点滴，注腸造影，心臓などカテーテルを使う検査，婦人科の超音波検査，歯科治療などさまざまなときに使われます．

医療機関を受診する際には，必ずラテックスアレルギーであることを申し出て，天然ゴム製品は使わないように頼んでください．

天然ゴムでなく人工（合成）ゴム製品は問題ありませんので，そのようなものを使用してください．

また，ラテックスアレルギーの方は，ラテックスとある種の食品は共通成分がありますので下記の食品にはアレルギー反応をきたすことがありますので，なるべく注意（食べないように）して下さい．

ラテックスとの交叉性が示されている食べ物
バナナ，栗，キウイ，アボガド，トマト，ジャガイモ，メロン，パイナップル，マンゴー，イチジク，パッションフルーツ，パパイヤ，桃，杏，サクランボ，イチゴ，リンゴ，グアバ，ブドウ，セロリ，ニンジン，タケノコ，なす，アワ，ほうれん草，グレープフルーツ，レモン，オレンジ柑橘類，洋梨，ビワ，ビーツ，タンジェロ，コンズランゴ，ピーナッツ，ココナッツ，アーモンド，ヘーゼルナッツ，胡椒，わさび，オレガノ，セージ，ディル，ソバ，小麦，ライ麦，ヨモギ，甲殻類，牛乳

となっている），尿カテーテル，バイトブロックはシリコン製，麻酔回路はプラスチック製，リザーバーバック，血圧計のマンシェットは合成ゴム，テープ類もラテックスの使用されていない物などを前もって準備しておく．ゴムの駆血帯，ヘッドバンドは使用しない．ほかの手術室などで空中に飛散したラテックス抗原が入らないように，極力人の出入りは避ける．間違って使わないように，手術室内にはラテックス製品を置いておかないようにするなどとなる．

食品業界においては，フタル酸ジエチルヘキシル（DEHP）が可塑剤として使用された調理用塩化ビニル手袋は，旧厚生省が使用を避けるように指導したため，ラテックス手袋の使用が増えたが，アメリカでは，バリア性に優れているラテックス手袋を，感染性物質に接触する可能性のない食品加工等においては，使わないことを推奨している．

5．患者の生活指導

病歴がなくプリックテストのみ陽性例においても，再度プリックテストが陽性であれば，ラテックスアレルギーとして指導している．救急医療を受ける場合に備えて，家族にもラテックスアレルギーであることをしっかり伝えておき，何か連絡のあった際には，伝えてもらうようにしてもらう．また，カードを作成し，財布などに入れ，身につけてもらうようにしている．

種々の食品とラテックスとの交差性が指摘されているが，すべての食品を除去することは現実的ではなく，筆者等は報告数が多いバナナ，クリ，キウイ，アボカドは除去するように勧めている．ほかの食品は，なるべくプリックテストが陰性であることを確認して，注意してもらう程度にとどめている（表1）．

● 問題の解説と解答

問題 1

緊急手術下での膨疹を伴うアナフィラキシーショックと考えられ，後日のヒスタミン，トリプターゼの上昇からもアレルギー機序が疑われる．摂食数時間後に出現する非即時型の食物アナフィラキシーも起こりうるがまれであり，最初に疑う疾患ではない．今後にDICに発展する可能性はあるが，この時点での診断とはなりにくい．肺塞栓でショックはきたすが，膨疹は伴わない．薬剤を使用中に出現しており，薬剤アレルギーは十分に疑われる．後日の皮膚テスト，IgE抗体の検索，これらが陰性の場合には再投与試験を考慮する．このような症例を，病歴から単に薬剤アレルギー

として片づけてはならない．フランスにおける麻酔中にアナフィラキシーを起こした症例の検討では，原因の58％が筋弛緩薬で，次いで17％がラテックス，15％が抗生剤となり，局所麻酔薬による発生頻度は低いが，術中に使用した麻酔薬も疑うべきではある．ラテックスアレルギーは薬物投与とともに，ラテックスを使用している環境であるならば，少なくとも疑うべき疾患である．ラテックスを使用する前には，ラテックスアレルギーの有無を，医療側から積極的に聴取すべきである．この症例はアトピー性皮膚炎という危険因子があり，ゴム手袋を使用していて30歳でラテックスアレルギーを発症し，35歳でlatex-fruit syndromeを呈したといえる．

問題 2

病歴から，即時型のアレルギー反応や不耐症を想定する．48時間パッチテストは，アレルギー性接触皮膚炎の遅延型反応を検査する方法である．手袋における遅延型アレルギーは，チウラム系，ジチオカーバメート（DTC）系，メルカプトベンゾチアゾール（MBT）系化合物などの加硫促進剤，酸化防止剤による接触皮膚炎であるが，ラテックス蛋白を用いたパッチテストも陽性になる例が指摘されている．DLSTも薬剤に対して，T細胞系の免疫反応を検査する方法であり，即時型反応をみるものではない．

問題 3

発症の危険因子としては，二分脊椎症などによる手術歴を有するものや，医療従事者や工場などでのゴム暴露群とアトピー素因，バナナ・クリなどの食物アレルギーがあげられている．二分脊椎症患者での感作率は89％と高い報告もあり，疾患そのものと，出生直後から頻回の手術を受け，ラテックス製品に暴露されることが原因と考えられている．医療従事者らの頻度は10％程度の報告が多いと思われる．日本においては，ラテックス製品の使用量が欧米に比べ少ないことが関係していると思われるが，総じて低い．

問題 4

アレルギー疾患において一番の治療は，抗原からの回避である．アレルギー反応においては，一般的な対処と同様である．近年，蜂アレルギーのアナフィラキシーショックに対して，日本においてもEpiPen（エピペン：エピネフリン自己注射器）が使用できることとなったが，ラテックスアレルギーなどほかのアナフィラキシーショック例にも使用可能となることが望まれる．手術などの際に，抗ヒスタミン薬やステロイド剤の予防投与を行うこともあるが，ラテックスに暴露されなければ問題がなく，十分な効果もない．ペットアレルギーやほかのアレルギーと同様に，長期に暴露を避けると，皮膚反応やIgE抗体価の低下，臨床症状の軽減もみられることがあるが，使用を継続すると再燃する．近年，ラテックスを使用した経口，経皮減感作療法の試みもみられる．

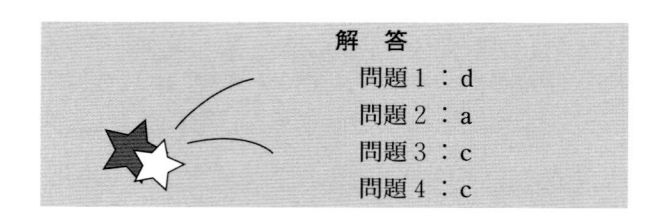

```
解　答
問題1：d
問題2：a
問題3：c
問題4：c
```

レベルアップをめざす方へ

ラテックス抗原

ラテックスには，種々のタンパク質が含まれており，抗原も多種報告されているが，現時点でWHO-IUISに登録されている抗原は，16種類である（http://www.allergen.org/）．そのなかで二分脊椎症などでは，Hev b1,3,4，医療関係者ではHev b2,4,5,6が主要抗原である．class 1 chitinase（Hev b11）にはhevein（Hev b 6.02）構造があり，アボカド，クリ，バナナ，キウイなどの食物交差の主因である．リンゴ，アボカド，バナナ，トマトなどの熟成を促進するために，エチレンを使用するとclass 1 chitinase量が増加する報告があり，latex-fruit syndromeの増加の一因にあげられている．また，生体防御蛋白質（defense-related proteins）の一種である感染特異的蛋白質（Pathogenesis-Related Proteins）のPR-3ファミリーにも分類されている（http://dmd.nihs.go.jp/latex/defense.html）．

oral allergy syndrome（OAS）：口腔アレルギー症候群

シラカバ花粉とリンゴ，梨，桃，サクランボ，ナッツなどには共通抗原性があり，シラカバ花粉症の

患者は，これらの摂取で口腔内掻痒感，口唇腫脹等を呈する．加熱や消化により果物の抗原性は失活することが多く，口腔症状にとどまることが多いため，OASとよばれる．ヨモギ花粉症では，セロリ，ニンジン，ジャガイモ，トマト，香辛料などが，ブタクサ花粉症では，スイカ，メロン，キュウリ，バナナ等にOASを呈することが同様に多い．

●文　　献●
1）Warshaw EM：Latex allergy．J Am Acad Dermatol 39：1-24, 1998.
2）http://www.umin.ac.jp/fukusayou/adr113e.htm
3）http://www.umin.ac.jp/fukusayou/h0329-1_15.html
4）大砂博之，池澤善郎：果物・野菜・穀物アレルゲンとcrossreacting carbohydrate determinantes．アレルギー・免疫：910-919, 2001.
5）Dreborg S, Foucard T：Allergy to apple, carrot and potato in children with birch pollen allergy．Allergy 38：167-172, 1983.

[大砂　博之／池澤　善郎]

索　引

和文索引

ア
アスピリン喘息　189
アスペルギルス　197
アトピー性皮膚炎　46
アナフィラキシー　32, 209, 213
アポトーシス　11
アレルギー性気管支肺菌症　195
アレルギー性肉芽腫性血管炎　145, 149
アレルギー性鼻炎　45
悪性高血圧症　140
悪性高熱症　200
悪性症候群　200

イ
移動性浸潤影　196

エ
エピトープスプレッティング　15
エピネフリン　209
炎症マーカー　27
炎症性サイトカイン　18, 37
炎症性貧血　162
壊死性半月体形成性糸球体腎炎　146

カ
カリニ肺炎　129
カンジダ　196
ガンマグロブリン大量静注療法　60, 120
顎跛行　165
感受性遺伝子　14
間質性肺炎　107, 127, 197
関節リウマチ　36, 96
関節炎　92
関節痛　174
関連解析　8

キ
気管支鏡　197
気管支肺胞洗浄　128
気管支喘息　41, 149, 178, 183, 190, 196
気道炎症　183
気道過敏性　179, 184
気道閉塞　184
気道壁リモデリング　178, 180, 184
気流制限　179
吸入ステロイド薬　179, 184
急性間質性肺炎　59
強皮症　53, 136, 140
胸痛　64
胸膜炎　65
筋逸脱酵素　124
筋痛　131
近位皮出血点　136

ケ
ケモカイン　19, 20, 24
結節性多発動脈炎　145
血球貪食症候群　68, 175
血小板減少　73
血栓性血小板減少性紫斑病　74
顕微鏡的多発血管炎　145

コ
ゴットロン徴候　57
コルヒチン　170
膠原病　51
候補遺伝子　8
口腔アレルギー症候群　213
口唇腺生検　113
好酸球　34, 178
好酸球性肺炎　196
好酸球増加症　149
好中球細胞質抗体(ANCA)　144
抗CCP抗体　30, 98
抗DNA抗体　29, 52
抗RO/SS-A抗体　114
抗アミノアシルtRNA合成酵素抗体　121
抗アレルギー薬　184
抗ガラクトース欠損IgG抗体　98
抗けいれん薬　205
抗ヒスタミン薬　209
抗リウマチ薬　36
　疾患修飾作用　100
抗リン脂質抗体　73, 84
抗炎症性サイトカイン　18
抗核抗体(ANA)　52
甲状腺機能低下症　124
紅斑　4, 174
高サイトカイン血症　70
高熱　174
呼吸困難　178
混合性結合組織病　53

サ
III型組織障害　78
サイトカイン　17
サイトカイン受容体　18
鎖骨下動脈盗血症候群　161

シ
シェーグレン症候群　113
シクロスポリン　170
シクロホスファミド　146
自己寛容　14
自己抗体　28
自己免疫　11
自己免疫異常　3
自己免疫関連血球貪食症候群　68

自
自己免疫疾患　36
自己免疫性溶血性貧血　92
失明　165
疾患感受性遺伝子　7
重症薬疹　205
除去誘発試験　210
食物アレルギー　209
心外膜炎　64
神経ベーチェット病　169
腎クリーゼ　140
腎生検　80

ス
スクラッチテスト　34
スタチン系薬剤　125
髄液IL-6　169

セ
成人スチル病　173
生物学的製剤　37
接着分子　20
全身性エリテマトーデス(SLE)　38, 53, 64, 68, 73, 78, 83
喘息治療
　early intervention　180
喘息長期管理薬　179
喘鳴　178

ソ
早期RA　100
側頭動脈炎　131, 161, 165
側頭動脈怒張　166

タ
た高安動脈炎　161
多因子疾患　7
多型　7
多関節炎　96
多発性筋炎　118, 124, 127
多発性腎炎　53
多発性単神経炎　149
唾液腺シンチグラフィー　114
唾液腺造影　114
唾液分泌量　114
大動脈壁MRI　163

チ
中枢性気管支拡張　196
中葉中心性陰影　196
蝶形紅斑　93
調節性T細胞　24

ツ
爪上皮出血点　136

テ
伝染性単核球症　206

ト

トリプターゼ 25
特異的IgE抗体 32,210

ナ

内臓悪性腫瘍 58

ニ

肉芽腫性動脈炎 165
認知障害 84

ネ

粘液栓子 197

ハ

パッチテスト 34
破砕赤血球 74
肺梗塞 65
肺胞出血 65
橋本病 124
半月体形成性腎炎 155
汎血球減少症 68

ヒ

ピークフロー 178
ヒスタミン 24
ヒトヘルペスウイルス6(HHV-6) 205
びまん性増殖性糸球体腎炎 66
肥満細胞 178
皮下結節 5
皮内反応 34
皮膚筋炎 57, 118, 127
微小血管性溶血性貧血 140

フ

フェリチン 69,174,175,176
ブリックテスト 34,214
分子相同性 11
分子標的 38

ヘ

ヘリオトロープ疹 57
閉塞性細気管支炎 108

ホ

拇尖部虫喰い状瘢痕 136
補体 28

マ

マクロファージ 68
マスト細胞 24

メ

メトトレキサート 101, 170
免疫複合体 81

ヤ

薬剤性過敏症症候群(DIHS) 205
薬剤性肺炎 107
薬剤熱 200
薬物リンパ球刺激試験 202
薬物負荷試験 203

ヨ

抑制分子 14

ラ

ラテックスアレルギー 213

ラテックス抗原 216
ラテックスフルーツ症候群 213

リ

リウマチ性疾患
　関節の診かた 5
　診察 3
　病歴 3
リウマチ性多発筋痛症(PMR) 131, 132, 165
　ステロイド治療 132
　高齢発症 131
　発熱 131
リウマトイド因子 149

ル

ループス腎炎 78, 92
　WHO分類 79
ループス肺炎 64

レ

レイノー現象 136
レセプターエディティング 15
連鎖 7
連鎖不均衡 7

ロ

ロイコトリエン 25, 190
濾胞性細気管支炎 108

英文索引

A

ACE阻害薬 141
ACR response 100
activity index 81
amyopathic dermatomyositis 127
ANCA 30
ANCA関連血管炎 144, 152

B

BILAG(British Isles Lupus Assessment Group Scale) 90
BOOP 107
B細胞 38

C

C-ANCA 156
chronicity index 81
Churg-Strauss症候群 149
CK（クレアチン・キナーゼ） 123
CNSループス 83
COX 1 189

D

DAS 101
DID法 30
DLST 202
drug fever 200
drug-Induced hypersensitivity syndrome(DIHS) 205

E

ELISA 29

ELK分類 155

F

Fcg受容体 9
HLA 8, 14
HLA-B 170

I

IgE 149
immunological privilege 21

J

J0-1抗体 121

L

Latex-fruit syndrome 213

M

MALT lymphoma 115
mechanic's hand 127
MMP-3 98
MPO-ANCA 146, 149
MPO-ANCA関連血管炎 140

N

NKT細胞 15
NSAID不耐症 189
NSIP 107

O

oral allergy syndrome(OAS) 216

P

PADI 4 8
PMR 131
PR3-ANCA 144

Proteinase-3 155
pyrogen 200

R

RAST 201

S

Schirmer試験 114
Shawl 徴候 58
SLAM(systemic Lupus activity measure) 92
SLE 38, 53, 64, 68, 73, 78, 83
　活動性 90
SLEDAI(SLE Disease Activity Index) 90
strong DMARD 100
subpleural line 128

T

Th1/Th2細胞 23
Th1細胞 19
Th2細胞 19
T細胞 38

U

UIP 107

V

V 徴候 57

W

Wegener肉芽腫症 145, 155

シミュレイション内科
リウマチ・アレルギー疾患を探る

ISBN4-8159-1716-7 C3347

平成17年4月25日　初版発行　　　　　　　　　　＜検印省略＞

編著者　――――　山　本　一　彦
発行者　――――　松　浦　三　男
印刷所　――――　株式会社　太　洋　社
発行所　――――　株式会社　永　井　書　店
〒553-0003　大阪市福島区福島8丁目21番15号
電話大阪(06)6452-1881(代表)/Fax(06)6452-1882
東京店
〒101-0062　東京都千代田区神田駿河台2-10-6
御茶ノ水Sビル
電話(03)3291-9717/Fax(03)3291-9710

Printed in Japan　　　　　　　　　　　　©YAMAMOTO Kazuhiko, 2005

- 本書の複製権・翻訳権・上映権・譲渡権・公衆送信権（送信可能化権を含む）は株式会社永井書店が保有します．
- **JCLS** ＜(株)日本著作出版権管理システム委託出版物＞
本書の無断複写は著作権法上での例外を除き禁じられています．複写される場合には，その都度事前に(株)日本著作出版権管理システム(電話 03-3817-5670, FAX 03-3815-8199)の許諾を得て下さい．